「十三五」国家重点出版物出版规划项目

国家出版基金项目
NATIONAL PUBLICATION FOUNDATION

中国中药资源大典

中国中药资源大典

资源大典 吉林卷

①

黄璐琦 / 总主编

曲晓波　姜大成　于俊林 / 主　编

北京科学技术出版社

图书在版编目（CIP）数据

中国中药资源大典 . 吉林卷 . 1 / 曲晓波，姜大成，
于俊林主编 . — 北京：北京科学技术出版社，2022.1
　　ISBN 978-7-5714-1808-3

　　Ⅰ . ①中… Ⅱ . ①曲… ②姜… ③于… Ⅲ . ①中药资
源－资源调查－吉林 Ⅳ . ①R282-64

中国版本图书馆 CIP 数据核字（2021）第 219951 号

策划编辑：李兆弟　　侍　伟
责任编辑：侍　伟　　王治华　　李兆弟　　陈媞颖
责任校对：贾　荣
图文制作：樊润琴
责任印制：李　茗
出 版 人：曾庆宇
出版发行：北京科学技术出版社
社　　　址：北京西直门南大街16号
邮政编码：100035
电　　　话：0086-10-66135495（总编室）　　0086-10-66113227（发行部）
网　　　址：www.bkydw.cn
印　　　刷：北京捷迅佳彩印刷有限公司
开　　　本：889 mm×1194 mm　　1/16
字　　　数：1040千字
印　　　张：47
版　　　次：2022年1月第1版
印　　　次：2022年1月第1次印刷
审 图 号：GS（2021）8727号
ISBN 978-7-5714-1808-3

定　　价：490.00元

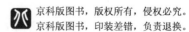

《中国中药资源大典·吉林卷》

编写委员会

主　　编　曲晓波　姜大成　于俊林

副主编　孙云龙　肖井雷　翁丽丽　蔡广知　张　强　王　哲

编　　委（按姓氏笔画排序）

于　波　于　澎　于文强　于俊林　于智莘　马　全　王　哲　王　烨

王　瑞　王子刚　王月珍　王自梁　王兆武　王英平　王英哲　王建勃

王绍鹏　车宏伟　车环宇　牛志多　尹广旭　尹春梅　邓　浩　石铁源

卢俊鹏　白　洋　包海鹰　朴明杰　毕　博　曲　墨　曲同宝　曲晓波

吕龙石　吕惠子　年明慧　朱华云　朱键勋　仲　锐　任延慧　庄　鑫

刘　三　刘　丹　刘　迪　刘　战　刘　霞　刘小康　刘芳馨　刘丽华

刘丽娟　刘泽轩　刘学周　刘俊宏　刘捍宁　刘雪莲　刘淑芹　刘翠晶

齐伟辰　衣春光　闫　妍　闫　莉　安海成　许天阳　许佳明　孙　雨

孙　金　孙云龙　孙仁爽　孙佳明　孙紫薇　牟良玉　李　光　李　波

李　剑　李　勇　李　婧　李　翟　李天生　李文英　李世昌　李成华

李克秀　李若彤　李金钰　李宜平　李剑男　李晓华　李银清　李湘兰

李福子　李嘉文　杨　莉　杨世海　杨利民　杨佳音　肖　丹　肖井雷

肖春萍　吴　杰　吴　勇　吴　媛　吴国梁　吴晓燕　吴望蕊　何甜甜

汪　娟　宋利捷　迟丽华　张　涛　张　浩　张　辉　张　强　张卫东

张天柱　张凤瑞　张立秋　张永刚　张庆增　张彦飞　张海拨　张景龙

张舒娜　张增江　陈　丽　陈天丽　陈佳雯　陈新连　邵　财　武艳雪

林　贺　林　喆　林红梅　国　坤　罗浩铭　和东亮　金　勋　金　哲

周　繇　庞　博　於文博　郑永春　郑春哲　屈巧凤　孟芳芳　赵　磊

赵长跃　胡　星　胡权德　胡彦武　柳忠润　侯晓琳　律广富　姜大成

姜雨昕　姜鸿运　祝洪艳　秦汝兰　秦佳梅　耿长明　贾纪元　夏冬秋

徐　伟　徐可进　翁丽丽　高　雅　高宇丹　高荣华　高晨光　郭俊杰

唐　堂　容路生　黄虹瑞　黄晓巍　曹　路　宿　莹　董　蕊　董方言

韩　冬　韩忠明　程　潜　谢丽娟　雷钧涛　路　静　褚　颖　蔡广知

熊　状　樊湘泽　薛长松　鞠贵春

《中国中药资源大典·吉林卷 1》

编写人员

主　　编　曲晓波　姜大成　于俊林

副 主 编　肖井雷　孙云龙　林　喆　张天柱　容路生　王英哲

编　　委（按姓氏笔画排序）

于　澎　于俊林　马　全　王　哲　王兆武　王英哲　白　洋　毕　博

曲晓波　朱键勋　庄　鑫　齐伟辰　闫　莉　安海成　许天阳　孙　金

孙云龙　孙紫薇　李　波　李　剑　李　婧　李　翟　肖井雷　肖春萍

吴　媛　汪　娟　张　涛　张　强　张天柱　张立秋　张彦飞　张景龙

陈佳雯　武艳雪　林　喆　国　坤　庞　博　孟芳芳　赵　磊　胡　星

胡彦武　侯晓琳　姜大成　姜雨昕　秦汝兰　翁丽丽　高　雅　郭俊杰

容路生　宿　莹　雷钧涛　路　静　蔡广知

序　言

　　中药资源是我国中医药事业发展的重要物质基础。随着大健康时代的到来，中药资源愈加受到各方的重视。客观认识、正确评价各地中药资源现状，总结开发与利用的经验，是保障全国人民医疗卫生保健的需要。

　　吉林省是我国的北药基地之一。2012—2019年，吉林省全面开展了对60个县（市、区）的中药资源普查工作。在整个普查工作过程中，普查队获取了大量的第一手资料。科学地整理、总结这些宝贵资料，既是推广中药资源普查成果的需要，也是服务于中医药事业发展和大健康工作的需要。

　　吉林省中药资源普查项目牵头单位组织有关专家、学者和工作在一线的技术人员，对吉林省中药资源概况、重点中药资源情况等方面进行了细致的整理和研究。由曲晓波、姜大成、于俊林主编的《中国中药资源大典·吉林卷》是一部系统反映吉林省中药资源现状的大型学术专著。该书全面介绍了吉林省中药资源的总体情况，并详述了区域内的代表性中药资源。相信该书的出版有助于推动吉林省中药资源信息的一体化管理，对准确认识吉林省中药资源现状、科学指导中药资源的保护与利用、保障吉林省中药产业的健康发展具有重要的意义。

在该书付梓面世之际，仅书片言，爰以为序。

中国工程院院士

中国中医科学院院长

第四次全国中药资源普查技术指导专家组组长

2021 年 7 月

前　言

　　吉林省位于日本、俄罗斯、朝鲜、韩国、蒙古与中国东北部组成的东北亚几何中心地带。地跨东经 121° 38′ ～ 131° 19′，北纬 40° 50′ ～ 46° 19′，土地面积 18.74 万 km²。2019 年，吉林省年平均气温 6.7℃，平均年降水量 695.8mm，森林覆盖率 44.8%。著名的长白山山脉贯穿吉林省东部，是北半球同纬度中植物物种最丰富的地区，以生态环境原始且完整、植物垂直分布明显而闻名世界，被誉为"人与生物圈自然保留地""东北亚物种基因库"等。吉林省著名的几大水系——松花江、鸭绿江、图们江均发源于长白山主峰，由此形成了吉林省独特的东部长白山区山地气候和生态环境；中部地区多为低山丘陵，林木繁茂、江河纵横；西部地区则处于东北凹陷的中部，以平原为主，沃野千里。"天地位焉，万物育焉"，吉林省复杂的自然环境及其所带来的多样性生境在全国少见，气候和地貌的巨大差异形成了吉林省特殊的自然环境，影响了吉林省中药资源的分布，吉林省也因此享有"北药基地"的美誉。

　　中药资源是关系我国国计民生的重要战略性资源，保护和合理开发、利用中药资源是保证中医临床疗效、提高人民健康水平、建设"健康中国"的坚固基石。中医药的传承与发展有赖于丰富中药资源的支撑。中药资源普查既是中药资源保护和合理开发、利用的前提，也是了解中药资源现状（包括受威胁现状及特有程度等）的最有效途径。

20世纪50年代末至60年代初，吉林省开始调查研究全省的中药资源情况。其先后参与了1959—1961年的第一次全国中药资源普查、吉林省野生经济动植物资源调查，1971年的第二次全国穿龙薯蓣、石松资源调查，1986—1988年的第三次全国中药资源普查；相继出版了《吉林省野生经济植物志》（1961）、《吉林中草药》（1970）、《特产科学实验（中草药专辑）——吉林省药用植物名录》（1980）、《长白山植物药志》（1982）、《吉林药材图志》（1987）、《吉林省中药资源普查资料汇编》（内部资料，1988）、《吉林省中药资源名录》（内部资料，1988）、《吉林药材图志（续集）》（1995）、《中国长白山药用植物彩色图志》（1997）等中药资源相关著作。

2011年，国家中医药管理局批准吉林省为第四次全国中药资源普查试点省份之一。2012年，吉林省以长春中医药大学为技术依托单位，组织吉林农业大学、中国农业科学院特产研究所、吉林省中医药科学院、通化师范学院、白城师范学院、吉林农业科技学院、延边大学、延边朝医医院等单位全面开展了各县（市、区）的中药资源普查工作，普查区域覆盖了全省。2012—2018年，吉林省基本完成了中药资源普查工作，共发现新分布或新记录物种7种。此次普查工作基本摸清了吉林省中药资源的基本情况。在此基础上，长春中医药大学组织相关部门、单位，整理、编写了一套吉林省中药资源丛书，包括《吉林省中药资源志要》《吉林省药用植物彩色图志》《吉林省常用中药材》《吉林省中药材规范化种植与养殖关键技术研究》《吉林省民间单验方》《吉林省人参、鹿茸、哈蟆油资源》《朝药图志》。

为系统总结吉林省第四次中药资源普查成果，充分展示吉林省的中药资源优势，彰显吉林省的中药生态价值，进一步推动吉林省将生态优势转化为产业优势，更好地发挥中医药在推动大健康事业发展和实施健康中国战略中的独特优势，2019年，长春中医药大学组织编写了《中国中药资源大典·吉林卷》。本书分为上篇、中篇、下篇及附篇：上篇介绍了吉林省自然环境的基本情况，重点回顾了此次普查工作取得的成果；中篇介绍了54种道地、大宗中药资源的情况，每种资源设有物种或植物别名、药材名、形态特征、野生资源、栽培资源、采收加工、药材性状、功能主治、用法用量、附注等项；下篇依次介绍了真菌、藻类、地衣植物、苔藓植物、蕨类植物、裸子植物和被子植物等中药资源，共计 1758 种；附篇介绍了 37 种吉林省地产的动物药资源。此外，书末附表中还收载了正文未收载的 1359 种中药资源，其中真菌及植物药资源 559 种，动物药资源 759 种，矿物药资源 41 种。

本书的出版得到了北京科学技术出版社有限公司的大力支持，并得到了国家出版基金及吉林省中医药管理局的资助，在此表示衷心的感谢。

由于编者水平有限，书中难免存在不足和错误，敬请广大读者批评指正，以便进一步修订。

编　者

2021 年 10 月

凡 例

（1）本书共收录吉林省中药资源 1849 种，撰写过程中主要参考了《中华人民共和国药典》《中国植物志》《中华本草》《中国孢子植物志》《中外药用孢子植物资源志要》等。

（2）本书分为上篇、中篇、下篇和附篇，共 6 册。上篇为"吉林省中药资源概论"，是吉林省第四次中药资源普查成果的集中体现；中篇为"吉林省道地、大宗中药资源"，详细介绍了 54 种吉林省道地、大宗中药资源；下篇为"吉林省中药资源各论"，依次介绍了真菌、藻类、地衣植物、苔藓植物、蕨类植物、裸子植物和被子植物等中药资源；附篇为"吉林省动物药资源"，简要介绍了 37 种吉林省地产的动物药资源。为了方便叙述，本书中篇、下篇和附篇的内容除篇名外，凡行政区域的名称均省略级别，如"吉林省"简称"吉林"。为检索方便，本书在第 1 册正文前收录 1～6 册总目录，本书目录在页码前均标注了其所在册数（如"[1]"），同时，本书还于第 6 册正文后附有 1～6 册所录中药资源的中文拼音索引、拉丁学名索引。

（3）本书下篇"吉林省中药资源各论"在介绍每种中药资源时，以中药资源名为条目名，下设物种或植物别名、药材名、形态特征、生境分布、资源情况、采收加工、药材性状、功能主治、用法用量、附注项。每种中药资源各项的编写原则简述如下。

1）物种或植物别名。记述物种的别名。未查到别名的物种，该项内容从略。

2）药材名。记述物种的药材名、药用部位、药材别名。同一物种作为多种药材的来源时，分别列出药材名、药用部位、药材别名。未查到药材别名的物种，其药材别名内容从略。

3）形态特征。记述物种的形态，突出其鉴别特征，并附以反映其形态特征的原色照片。其中，药用植物资源形态特征的描述顺序为习性、营养器官、繁殖器官。

4）生境分布。记述物种分布区域的海拔高度、地形地貌、周围植被、土壤等生境信息，同时记述其在吉林省的主要分布区域（具体到市级或县级行政区域）。

5）资源情况。记述物种的野生、栽培资源情况和其药材来源情况。若该物种在吉林省无野生资源，则其野生资源情况从略。同样，若该物种在吉林省无栽培资源，则其栽培资源情况从略。资源情况用"丰富""较丰富""一般""较少""稀少"描述，如"野生资源丰富，栽培资源较少"。药材来源用"野生"或"栽培"描述，如"药材主要来源于野生"。

6）采收加工、药材性状、功能主治、用法用量。记述药材的采收时间、采收方式、加工方法、性状特征、性味、归经、毒性、功能、主治病证、用法、用量。当相应内容在文献记载中缺失时，其内容从略。

7）附注。记述物种的拉丁学名在《中国植物志》英文版（*Flora of China*，FOC）中的修订情况，或该物种在吉林省民间的药用情况等。

目录
Contents

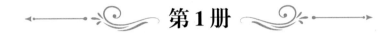

第 1 册

上 篇

吉林省中药资源概论

中 篇

吉林省道地、大宗中药资源

下 篇

吉林省中药资源各论

第 2 册

第 3 册

第 4 册

第 5 册

第 6 册

吉林省动物药资源

上 篇

吉林省中药
资源概论

第一章

吉林省概况

吉林省位于东北亚地理中心，是我国东北地区的腹地。吉林省北接黑龙江省，南邻辽宁省，西接内蒙古自治区，东与俄罗斯接壤，东南部与朝鲜民主主义人民共和国（以下简称"朝鲜"）隔江相望，地跨东经 121° 38′ ~ 131° 19′，北纬 40° 50′ ~ 46° 19′，东西长 769.62km，南北宽 606.57km，土地面积 18.74 万 km²，约占我国国土面积的 2%。

一、地形地貌

（一）地表结构

吉林省东南部较高峻，西北部较低平，地势自东南向西北渐低。长白山在我国境内的主峰白云峰海拔 2691m，是吉林省内最高点，西部松嫩平原河谷低地的海拔在 120m 以下，而东部珲春盆地海拔尚不足 100m，最高点与最低点的相对高度差约为 2600m。

吉林省以纵贯全省中部的大黑山脉为界，可被划分为东、西两部分，两部分在地势、地形、地质等方面均存在较大的差异。吉林省东部为构造较复杂的广阔的山地丘陵地区，西部为辽阔的平原地区。

1. 吉林省东部山地丘陵

该区域约占全省总面积的 60%，属于东北地区长白山地的一部分，在构造上属于长白—兴安褶皱地带。长白山地指由黑龙江省的完达山脉北端起，沿着东北—西南方向延伸到辽宁省内的千山山脉南端止，全长约 1300km 的连续山地。长白山地略呈纺锤形，东西宽约 400km，最宽展的部分位于吉林省内。该区域地形比较复杂，既有海拔 1000m 以上的山地，也有海拔数百米的丘陵性的低山，但大部分山地为海拔 600 ~ 1000m 的中等山地；在山岭中间有沿着河谷发育构造的山间盆地或呈狭窄条带状的河谷冲积平原及阶地，在山麓或谷盆地的周围亦常有海拔数百米的丘陵和台地。火山活动产生的熔岩高原台地、方山、火口湖和火山锥等使该区域地形更加复杂，也构成了该区域内的特殊景观。

（1）东部山地南部。该区域以长白山为主体，包括周边的广大区域，是被玄武岩所覆盖的熔岩高原区域。该区域平均海拔在 1000m 以上，是吉林省地势最高的地区，长白山在我国境内的主峰白云峰耸立于此。长白山是巨型复式火山，火山的主体为碱性石英粗面岩，顶部有大量的白色浮石，极似白雪，长白山也因此得名。长白山的顶部有一火口湖，名为天池，为中朝两国国界湖，在我国古代被称作"闼门池"，朝鲜称之为"龙王潭"。松花江发源于白云峰，鸭绿江、图们江等皆发源于其两侧。发源于长白山的众多河流沿着山地的倾斜方向，向北、东、西等方向奔流而下，河流水量充沛，河床倾斜度大，因此河流下切作用显著，形成了许多深邃的峡谷。

（2）长白熔岩高原北部。该区域为由数列平行山岭所组成的褶皱中型山地。这些平行山岭自东而西分别为大丽岭、盘岭、哈尔巴岭、威虎岭、吉林哈达岭、大黑山脉等，其中多数山峰海拔为 403 ～ 1000m，少数山峰海拔超过 1000m。威虎岭以东部分地区山势较高，海拔在 600m 以上，威虎岭与哈尔巴岭之间及延边等地区广泛分布有高位玄武岩台地，敦化附近的牡丹江谷地等牡丹江上游沿河谷地还有低位玄武岩流分布。威虎岭以西为大面积无熔岩覆盖区域，由于长期被河流侵蚀切割，形成了破碎、低缓的丘陵性山地，海拔为 300 ～ 400m，呈现出准平原地形，偶有花岗岩的残丘耸立其间，但海拔均不超过 600m。该区域的水系沿山岭构造线发育，各主要山岭已成为吉林省内各大河流的天然分水岭。其中，哈尔巴岭是图们江与牡丹江水系的分水岭，威虎岭是松花江与牡丹江水系的界限，而吉林哈达岭又为松花江与辽河两大水系的分水岭。该区域的平原面积较小，仅限于山间构造的谷盆地和较宽广的河谷狭长地带。山间盆地包括延吉盆地、敦化盆地、蛟河盆地、吉林盆地等，河谷平原则以西流松花江、牡丹江流域最为宽广。这些盆地和河谷平原土质肥沃、地势平坦、水利条件优越，是东部山地丘陵最发达的农耕地带，也是东部山地丘陵经济活动的中心。

（3）长白熔岩高原西南部。该区域即通化地区，有数列平行排列的高峻山岭，自东向西为老爷岭山脉和龙岗山脉，海拔多在 1000m 以下。地势自东向西逐渐降低，龙岗山脉以西部分海拔较低，许多山岭已被河流侵蚀成丘陵。该区域最大的河流为鸭绿江的支流——浑江。

综上所述，吉林省东部山地丘陵在地形上具有如下特征。

东部山地丘陵是由许多平行褶皱山岭所构成的中等山地丘陵地带。山岭间分布着与山脉走向相平行的山间谷地，其发展的基础是构造盆地。这些谷盆地的存在决定了河流网的构造，也给农业经济发展提供了极为有利的条件。该区域河流的侵蚀作用对地形影响极大，河流引起的强烈侵蚀作用切割了大部分山地和高原。该区域大面积的玄武岩构成了高原、台地、方山和火山，形成了东部山地丘陵特殊的火山地形景观。

2. 吉林省西部松辽平原

吉林省西部松辽平原即大黑山脉以西的广大区域。该区域的地形与东部山地丘陵明显不同，这里是沃野千里的大平原。广义的松辽平原又称东北平原，只有一部分位于吉林省内，其面积占吉林省总面积的 40% 左右，其他大部分位于辽宁、黑龙江二省。松辽平原主要由松花江和辽河冲积而成，故名松辽平原。

松辽平原的地势略有起伏。该区域的东部为吉林省东部山地的西麓。这里有不同宽度的洪积台地，洪积台地的海拔在 200m 左右。因河流不断地冲刷、切割，这里形成了波状的台地平原，长春市区、公主岭市、德惠市等即位于台地平原上。该区域的中部即长春市至通榆县一带，为略近东西方向、连续的低缓丘陵，其中部分地区尚有新期火山群，如郑家屯附近的七星火山群、长春附近的大屯火山等。这一带丘陵的海拔并不高，均在 200m 以下，但却为松花江、辽河两大水系的分水岭，一般称为松辽分水岭。

松辽分水岭的北侧是由松花江及其支流嫩江冲积而成的平原，其地势低平，海拔在150m左右。在河流的两岸和西部白城、洮南一带，风积地貌较显著，这里分布着许多风积高地、沙丘及风蚀的凹平地，河谷低凹地带还发育有湿地和沼泽地。

松辽分水岭的南侧（即梨树、双辽一带）是辽河冲积平原的一部分，其中郑家屯一带的风积地貌也很显著。

（二）地形区域

吉林省内的地表形态十分复杂，区域间差别较大。现根据构造特点、地表形态特征和成因，将其初步划分为8个地形区域。

1. 长白熔岩高原山地

长白熔岩高原山地位于吉林省的东南部，长白山的主脉和南岗岭以西、英额岭以南、龙岗山脉以东、鸭绿江与图们江以北的广大地域皆属该区域范围。该区域地势高峻，平均海拔在1000m以上，是吉林省地势最高的区域。该区域也是被玄武岩广泛覆盖着的熔岩高原，熔岩厚200～500m，著名的火山体——长白山耸立于高原之上。

长白熔岩高原的形成，始于第三纪中期，当时大量玄武岩流溢出，致使长白、临江、抚松等地区大部均为熔岩所覆没，覆没地区半径超过100km，为今日高原的形成奠定了基础。

在第三纪末期，火山活动时喷出的大量碱性粗面岩堆积在前期玄武岩之上，形成了长白山。熔岩流出导致地盘隆起，高度约达海拔2000m，几乎达到现在的高度，上升高度约达900m。且随着地盘的隆起，河流的下蚀作用增强，不断地加深河谷的下切，使河床深深地嵌入玄武岩层中，有时河床深度可达百米以上，因而形成了该区所特有的极其深邃的峡谷地貌。

在第四纪初期，火山喷发时有大量的玄武岩溢出，熔岩流向东北方向并合成许多玄武岩流，形成了黑山玄武岩台地，其北端直达密山。而后有碱性粗面岩质浮石喷出，此时长白山顶峰被白岩覆盖。

长白山是一个典型的复合式盾状火山体。组成火山的岩石主要由火山喷出的岩系、粗面玄武岩、粗面安山岩、流纹岩、火山灰、火山砂、火山砾、火山浮石等构成。晶莹的白色浮石覆盖在长白山的顶部，犹如高山之白雪，炫璨夺目，长白山因此而得名。长白山是休眠火山，据记载，其在1591年和1702年有过两次规模较大的火山喷发。

外力作用对如今的长白熔岩高原山地影响较大。高山顶部的许多岩石因风化作用崩塌，堆积在山麓处，山麓堆积层的厚度达5m以上。由于河流的切割作用，高原多为台地状，河流两岸有很多悬崖峭壁，谷深而窄，最窄处宽仅有5m。在高原上，尤其是河流两岸，玄武岩的柱状节理显著，因此岩石易发生崩塌。但在有天然植被保护的区域，因河流切割作用较弱，仍保持着高原的平坦地形。

2. 延边山地

该区域西达哈尔巴岭、英额岭，北达穆棱窝集岭，东接中俄边界，南至图们江岸，为吉林省最东部的地区之一。该区域山岭绵延，丘陵和盆地分布广泛，地形错综复杂。

在构造上，该区域属于绥芬复背斜的一部分，为长白—兴安褶皱地带中最短的一个复背斜。复背斜主要由花岗岩组成，并在多处使古生代末期石炭纪—二叠纪层变质，为该区域金属矿床的形成创造了极有利的条件。中生代的断裂运动产生了许多断层构造谷盆地，并导致中生代地层堆积，堆积的中生代地层中还夹杂着煤层。新生代的火山活动致使该区域有大量的高位玄武岩沿裂隙流出，从而形成了玄武岩台地。直至第四纪，该区域仍有玄武岩流溢出，不过规模较小，多沿谷地流动。第四纪洪积层、冲积层大多分布在谷盆地的中央最低处及河流两岸。

该区域主要由山地、丘陵、盆地和河谷平原等构成。

（1）山地。山地大多位于该区域盆地的边缘，如北部的穆棱窝集岭，西部的哈尔巴岭、英额岭，东部的大丽岭和盘岭等山地。山地海拔一般在1000m以下，个别山地如盘岭，海拔可达1500m以上。山地走向多为由东北向西南方向。构成该区域山地的岩层主要包括花岗岩、变质岩系等后期岩层。该区域山地在第三纪后期曾一度准平原化，上面留有残丘，后因构造运动使地盘隆起，形成了现在的山地。在地盘隆起的同时，裂隙中喷发的高位玄武岩流广泛地覆盖在准平原上，形成了图们一带的熔岩台地。河流对熔岩台地的冲击形成了许多方山地形，如延吉东部的磨盘山即为玄武岩的残丘。未被玄武岩覆盖过的山地因受到剧烈的侵蚀切割作用，起伏较大，多呈早壮年期地形。

（2）丘陵。丘陵是该区域分布最为广泛的地形，构成地层主要为中生代堆积的侏罗纪—白垩纪层，珲春一带还有第三纪层的堆积，此处岩层松软，易于侵蚀。丘陵的海拔一般为300～400m，其顶部平缓，微波起伏，多呈穹隆状。流水的侵蚀切割作用形成了许多冲沟。另外，在丘陵地带还有火山岩峰（如三峰山、中心山、草帽顶、马蹄山等）耸立在丘陵之上，这些火山岩峰皆为安山岩火山体。汪清附近尚有低位玄武岩流覆盖，海拔约460m，部分地区已被开辟成方山地形。

（3）盆地。该区域的盆地均属构造谷盆地，其中，珲春盆地面积最大，地势最低，中心海拔仅80m；和龙盆地与安图盆地地势最高，中心海拔约500m。此外，尚有延吉盆地、汪清盆地等。

（4）河谷平原。河谷平原在该区域所占面积不大，大多集中于盆地中央和河流两岸，主要由被各河流冲积的第四纪层构成。河谷平原土地肥沃，是重要的农耕种植地带。

3. 敦化熔岩台地中山

敦化熔岩台地中山位于哈尔巴岭和威虎岭之间、长白熔岩高原的北缘牡丹岭以北的牡丹江上游。该区域山地大多由古老的花岗岩和变质岩组成，经过第三纪准平原化，复上升隆起而形成今日的地形。山地海拔多为600～1000m，相对海拔均不超过500m，个别山峰海拔超过1000m。玄武岩在该区域分布很广，多分布在海拔 600m 的高位平坦面和低位河谷。

根据玄武岩的分布规律和存在位置，可判断该区域有三期玄武岩溢出。第一期玄武岩溢出约发生在第三纪，熔岩分布在高原平坦面上，形成高位玄武岩台地。台地被剧烈切割后，多形成方山和弧山地形，山势陡峻，但顶部有玄武岩覆盖的区域仍较平坦。无玄武岩覆盖或被蚀去的山地，多形成峻峭的顶峰，部分成为丘陵和低山。第二期和第三期玄武岩溢出多沿谷地流动，称为低位玄武岩流，主要分布于牡丹江及其支流的河谷低地，熔岩层呈水平状，顶部较平坦，亦有呈岩块者，平均高度为 2m，在大石河和小石河两岸分布较广，于此形成石塘地形。牡丹江及其支流的河床即发育在这种低位玄武岩的平坦面上。河流的下切作用可形成宽平的浅谷，谷深为 5 ~ 15m。

4. 中部低山丘陵

该区域位于从威虎岭向西南经富尔岭到龙岗山脉以西、大黑山脉以东的低山丘陵地带。该区域内的整个地势较东部各区低，平均海拔在 600m 以下，呈低山丘陵地形。但该区域东北部的老爷岭一带也有较高的山岭，这些山岭平均海拔为 800m，个别山峰的海拔在 1000m 以上，但为数甚少，所占面积也较小。

该区域的山脉走向均为东北—西南方向，与岩层的构造方向一致。自东而西有 3 列平行山岭，东列为威虎岭向西南经富尔岭到龙岗山脉，中间为老爷岭和吉林哈达岭，西列为大黑山脉。各列山岭之间均有较宽阔的谷地，受构造影响，谷地多为东北—西南方向，如蛟河—辉发河谷地、西流松花江及其支流谷地等。但也有河谷横切山岭形成峡谷者，此种峡谷多为优良坝址，如西流松花江及其支流沿岸的峡谷。

该区域地形多以低山、丘陵和河谷冲积平原为主。中山在该区域内分布不多，仅限于东北部吉林与蛟河之间的老爷岭山地。

（1）低山。该区域的低山分布面积最广，包括富尔岭、吉林哈达岭及龙岗山脉以西、通化等地区的诸山岭，一般海拔在 600m 以下，相对海拔不超过 400m。组成山地的岩层为花岗岩、变质岩系。南部通化地区的山地多由古老的花岗片麻岩、花岗岩和变质岩系构成。因长期经受风化作用和河流的侵蚀切割，该区域的山地十分破碎，多形成花岗岩残丘，且山势较低，起伏较小，山坡较平缓，有较开阔的谷地。而通化地区山地则不同，其地势起伏较大，山坡较陡峻，有高峻的山峰，谷地也比北部地区狭窄。

（2）丘陵。该区域的丘陵分布面积较为广泛，如老爷岭、吉林哈达岭、大黑山脉的周围均被丘陵所覆盖，尤以威虎岭、富尔岭和吉林哈达岭之间的丘陵分布最为广泛，呈东北—西南向带状分布。丘陵的海拔为 300 ~ 400m，相对高度为 50 ~ 100m。丘陵之间山谷纵横，支离破碎，几无脉络可寻。组成丘陵地形的岩层也非常复杂，有柔软的第三纪层，也有坚硬的花岗岩、片麻岩等。

（3）平原。该区域的平原多分布在山间谷地中，各大河的两岸皆有宽广的河流冲积平原。冲积平原的两侧还有第四纪的洪积—冲积平原，该平原呈波状起伏，面积远比冲积平原大，其性质与长春至四平间的第四纪洪积台地平原相似。

冲积平原在该区域所占面积较大，但不如山地和丘陵面积大。平原多分布在大河的谷地和盆地的中央，主要有蛟河盆地、辉发河盆地、西流松花江冲积平原等。

蛟河和辉发河谷盆地位于威虎岭、富尔岭和吉林哈达岭之间，为中生代初断层陷落的谷盆地，断层谷内堆积下侏罗—白垩纪中生代地层，地层中间有丰富的煤层，第三纪层、第四纪层覆于中生代地层之上。拉法河、辉发河则沿断层构造谷地发育，沿河堆积下平坦深厚的河流冲积层，形成大面积的冲积平原，其中面积最大的包括以蛟河、海龙、桦甸等盆地为主形成的冲积平原。

老爷岭和大黑山脉之间的区域为该区域最宽的低谷区。西流松花江及其支流伊通河、饮马河两岸形成了一片宽阔的冲积平原，平原海拔不足 200m，地势低平坦荡，伊通河流域一带的冲积平原虽不如永吉桦皮厂和乌拉街的宽，但也有较宽广的谷盆地。通化地区谷盆地狭窄，故无大面积的冲积平原，仅于河流两岸有较狭窄的条带状平原分布。平原土地肥沃，水源充足，易于灌溉，现今平原的大部分地区已被垦殖。冲积平原外侧较高的台地和较低的丘陵地带也已被开发利用，是吉林省重要的旱作区。

除此之外，该区域也有火山活动，但规模较小，远不如东部各区规模大，火山岩和玄武岩在该区域也仅有少量分布。

5. 东部山前洪积台地

该区域在大黑山脉以西，大致在农安县至梨树县一线以东，是一条海拔 200m 左右、宽狭不一（最宽处可达 100km）的洪积台地，为东部山地向西部平原过渡的地带。该区域在构造上属于东北凹陷的一部分，大约在第三纪末随同东北凹陷一起下降，在第四纪更新世以后沿断层线继续上升而形成。

台地表面为黄土状微砂质黏土层，层理不明显，下部为由砂、黏土、砾石所组成的岩层，即顾乡屯组，在长春西南地区也有类似的顾乡屯组堆积。在台地表面上，伊通河与饮马河水系对地表的开析作用形成了较低的谷地和冲积平原。该区域虽不如平原平坦，但倾斜度并不大。由于河流的切割作用较弱，台地表面多呈微波起伏的地形。但在近河谷两侧，河流对地表的侵蚀切割较剧烈，故冲沟系统非常发达，沟谷纵横，长达 5km，地面起伏较大，多呈缓坡丘陵状。

该区域基本不存在天然植被，几乎全部被开垦为耕地，为吉林省重要的耕作区域之一。

6. 松辽分水岭洪积丘陵

该区域位于吉林省西部大平原的中部偏南，沿西北—东南方向呈连续的丘陵状起伏，一般海拔在 250m 以下，相对高度为 50 ~ 100m，南北宽 150km 左右，东西长 200km 左右，总面积近 30000km²，为一条年轻的微弱隆起带。

分水岭地形表面广覆洪积黄土状黏土和沙砾，通榆一带有沙丘堆积，其地势起伏较小，坡度较缓。因分水岭洪积丘陵位于半干旱地区，河流稀少，水量微弱且多出现断流，故河流切割作用不明显，西部地区则完全位于内流流域，仅有大布苏湖、花敖泡等碱湖。故西部地形以外营力塑造的风营地形为主，地表多由风成沙和含盐量较大的沙土组成，且多成风蚀凹平地，有的凹地则潜水成沼泽。

该区域在构造上属于东北凹陷的一部分，大约在第四纪更新世末期开始隆起上升，目前仍在持续上升中。在隆起之前，嫩江向南流与辽河相通，隆起后，嫩江改道流入松花江，从此，嫩江和辽河分成了 2 个不同的流域。分水岭洪积丘陵可能是地层沿近东西方向断裂，并呈地垒状隆起产生的。沿松辽分水岭排列着连续的火山群，其走向为自西向东，如郑家屯附近的七星火山群、大屯及伊通的火山群，此为该区域地层沿近东西方向断裂上升的证据之一。

7. 松嫩冲积平原

该区域位于松辽分水岭洪积丘陵以北，东部山前洪积台地以西，西流松花江下游、嫩江下游及其支流洮儿河流域，是一片广大的冲积平原区，其范围大致以大兴安岭、小兴安岭、东部山地和松辽分水岭为界。吉林省内的平原仅为松嫩平原的一部分，其余部分则完全位于黑龙江省内。

松嫩平原为下降的堆积盆地区，是东北凹陷的一部分。平原经第三纪晚期的下降、第四纪更新世的堆积，形成了广泛的洪积地层，进而形成了以洪积层为主的平原。洪积层上部以黏土层为主，下部和底部为砂质黏土层、砂砾层。更新世晚期以后，强烈的下降区受到河流不断地冲刷堆积，在河流的下游，如嫩江下游等多数地区形成以冲积为主的河成层。近代以来，由于风力的搬运和堆积作用，平原西部和河谷阶地上形成了广泛的沙丘和岗地。

松嫩冲积平原属于低平原，平均海拔为 120 ~ 200m，地势略有起伏，一般相对高度为 5 ~ 10m，坡度极缓，当地俗称为"岗子"。岗间常出现浅凹平地，凹平地的中心则有常年或季节性潜水的碱湖。凹平地大部分为椭圆形，小者直径数米，大者直径数百米甚至达千米。岗地面积较大，多呈西北—东南走向，以大安市、洮南市、洮北区等地分布最广。在平原的西南部，即洮南一带，地表上有近期风成的散在沙丘，形成了独特的地形景观，部分未固定的沙丘在风力的搬运作用下不断向东移动，形成了流沙。洮儿河下游、嫩江下游及松花江两岸分布有较大面积的湿地沼泽，尤以大安市内湿地沼泽面积最大，湿地上分布有大小不同的湖泊，如月亮泡、查干湖等。

该区域的水系由松花江及其支流嫩江构成。因该区域地势低平，故河谷较宽。河漫滩平原上的曲流特别发达，尤以嫩江与松花江汇合处最为显著。因河水经常泛滥且河漫滩沼泽化严重，故河漫滩平原上的大部分地域未得以开垦。该区域的西南部气候干燥且雨量较少，因此水系发育不健全，有大面积的内流流域，河流多为季节性河流，且多无尾河，大多数流入凹盆地中心，河口处多集水而成湖。

8. 双辽冲积平原

该区域位于松辽分水岭之南，四平—郑家屯铁路沿线。在地形上，该区域的东部和西部有很大的区别。东部在东辽河中游怀德、梨树一带，地势略有起伏。东辽河下游谷地较宽，河成冲积层较厚而面积较广，土壤肥沃，为重要的农作区。西部在东辽河下游和郑家屯以西，以风营地形为主，分布着面积较大的固定、半固定和不固定的流沙，且流沙有日益向东扩展之势。东辽河下游谷地有散在的沙丘堆积地形出现，其中较典型的风营地形区域是双辽一带的郑家屯，其为西辽河流域风营地形向东延续的部分。

综上所述，吉林省地形的分布规律和特征表现为东高西低的地表形势和自东向西分布的山地、丘陵、平原。此地形特点对吉林省其他自然地理因素产生了直接或间接的影响，如气候特征和水文网的构造，植物、动物和土壤的分布等。

二、河流分布

吉林省内河流众多，长度超过 30km 的河流达 120 余条。这些河流分属于 5 个流域，即松花江流域、辽河流域、图们江流域、鸭绿江流域和绥芬河流域。松花江流域流经吉林省、黑龙江省、内蒙古自治区，辽河流域流经内蒙古自治区、吉林省、辽宁省，图们江、鸭绿江为我国与朝鲜的国界河流，绥芬河仅河源部分在吉林省内。

（一）松花江流域

松花江位于中国东北地区的中部，是黑龙江右岸的一大支流，跨越吉林省、黑龙江省和内蒙古自治区，流域面积达 546000km²，其中在吉林省内的流域面积有 122395km²，占全流域面积的 22%。松花江的源流有两支，即西流松花江与嫩江，二者于吉林省扶余市三岔口交汇后被称为松花江干流。虽然嫩江的流域面积比西流松花江大，但一般以西流松花江为主流。此外，拉林河、牡丹江的一部分也流经吉林省。

西流松花江发源于长白山天池，流向西北方向，穿过吉林省的中部，流经安图、抚松、靖宇、敦化、桦甸、蛟河、永吉、舒兰、九台、榆树、德惠、农安、前郭尔罗斯、扶余、柳河、辉南、通化、东丰、磐石、双阳、伊通等 23 个市县，是吉林省内最大且具有较高经济价值的一条河流。该河流有二道江、辉发河、饮马河等 20 余条较大的支流。西流松花江长度达 900km，流域平均宽度为 86km，流域面积为 77855km²，略呈长方形，其中沼泽和湖泊面积占 2%，平原面积占 31%，山地丘陵面积占 67%。

西流松花江流域从河源到两江口之间为河源区，自两江口以下称为西流松花江。两江口至吉林市一段为上游，吉林市至松花江桥一段为中游，松花江桥以下至嫩江汇流处为下游。西流松花江的主要源流有两支：一支为头道江，一般以其为主流，而头道江最长的支流为漫江，故以漫江为河源；另一支为二道江，其支流二道白河直接发源于长白山天池，其他支流都发源于长白山周围。长白山天池水面高程达 2194m，是松花江流域水面最高点，因此人们一般以长白山天池作为松花江的水源。

河源区山岭重叠，纵横交错，河谷狭窄，两岸多悬崖峭壁，地势以最高的长白山为中心，向四面逐渐降低。河流呈放射状，形成许多山涧、沟壑、溪流，分别汇入头道江、二道江。

1. 西流松花江上游区

西流松花江上游区位于两江口至吉林市之间。该区域山势逐渐趋于平缓，河谷稍放宽，两岸台地发育，森林逐渐减少。在两江口至红石磊子之间，河床多为大块石和卵石。在桦甸市头道沟附近，支流辉发河来汇，并注入松花湖，经过丰满水电站，纳入温德河，进入吉林市，并围绕吉林市呈"S"形曲流而过。在吉林市北右岸，有支流牤牛河汇入，河道在九站再次弯曲。九站位于河流的凹岸，因而该处冲刷比较严重。

2. 西流松花江中游丘陵区

西流松花江中游丘陵区位于九站至松花江桥之间。该区域沿岸地形平坦开阔，左岸山势低缓，离岸较近，右岸山势较高，离岸渐远，山麓有沼泽低洼地，江岸有零星的沙丘出现。乌拉街满族镇附近形成了东西宽约20km的平原，该平原土壤肥沃，为永吉县粮食、蔬菜的主要产区。九站以下地势低而平坦，江水流速大减，多形成浅滩，大者可形成江中小岛（河洲），较大的岛有弓通、大古通，其面积为300～400km^2。鳌龙河在左岸口钦村九泉山汇入本流。在半拉子山到松花江桥之间，右岸紧靠着高出河岸25～50m的台地，形成陡崖，冲刷作用较强，左岸一带为广阔的平原，向南岸遥望，则有起伏的丘陵、山冈，有十几条小河自上流出至低洼地带，形成一连串大小不同的小湖泊，其周围遍布沼泽、低洼地或耕地，沿江地势较高，零星分布有风积沙丘。

3. 西流松花江下游区

西流松花江下游区位于松花江桥至三岔口段。该区域的河谷不及中游区的宽阔，为狭长形河谷。松花江桥下游15km处的左岸有西流松花江大支流——饮马河流入。沿江两岸台地多为广阔的台地平原，台地边缘多为陡崖，河谷冲积平原则多为沙丘、湿草甸子。该区河流支岔繁多，河谷宽窄不一，哈达山水利枢纽为前郭尔罗斯蒙古族自治县灌区的抽水站。灌区在低平原上，面积较大，可灌区面积达350km^2。扶余至河口水流较缓，支岔较多，两岸5km以内多沼泽、苇塘、牛轭湖。西流松花江在扶余三岔口与西北流入的嫩江汇合后，被称为松花江干流。

（二）辽河流域

东辽河源出于东辽县的萨哈岭，三面环山，由许多小河汇集而成，是辽河上游东侧的大支流，流经东辽、梨树、双辽、伊通等市县，在辽宁省的八家子注入辽河。

东辽河全流域似弓形，支流密布，呈树枝状，右岸支流多于左岸，上游坡度较大，中、下游坡度较平缓。东辽河下行水浅，河谷变宽，河道较直，但有大量沙石沉积，至辽源段，河道变迁较大。东辽河向西北流入二龙山水库时，河道内有沙堆积，两岸河谷较宽广，流域内多秃山，坡地多被开垦为耕地，水土流失较严重。在平原地区，东辽河河身弯曲明显，河道变迁无常，蓄洪能力较小。东辽河向西南经三江口在八家子附近注入辽河。东辽河全流域的降水量随季节不同而不同，因此洪水、枯水水位相差特别大，一年中的水位以冬季为最低，3月冰雪融化后水位开始增高，

5～6月水位下降，6月末进入雨季后水位又开始增高，7～9月为洪水期，水位为一年之中最高，此后水位又逐渐下降。

（三）其他主要水系

1. 图们江

图们江为我国与朝鲜的国界河，干流左岸在吉林省内，右岸在朝鲜境内。图们江发源于长白山北麓，先向东北方向流至会宁城（朝鲜境内），然后北流，流至吉林省图们市改为东流，后经珲春市流经俄罗斯境内入海。图们江大部分流经延边朝鲜族自治州（以下简称"延边州"）的和龙、延吉、汪清、珲春、安图等市县，河道弯曲，支流众多。左岸支流呈树枝状分布，有红旗河、海兰河、布尔哈通河、嘎呀河、珲春河，右岸支流很少。图们江流域一带均为高山峻岭，海拔一般为700～1300m。河流上游坡度极陡，呈直线下降，水流湍急，两岸森林茂盛，杂草丛生；中游山谷较宽，山谷间有大片盆地，水流不稳；下游有较大面积的平地，多呈零星分布的葫芦状，其中最大的为珲春平原，珲春已成为延边州的主要农作区之一。

2. 海兰河

海兰河发源于老岭山脉北甑山东侧，流经山谷、平原地带，汇合蜂蜜河、长仁河、古洞河后，始称为海兰河。流域内河谷狭窄，水流湍急，河床有花岗岩或玄武岩块，山谷树木茂密，人烟稀少。龙井市一带的河谷开阔，耕地较多，海兰河于城子山附近注入布尔哈通河。

3. 布尔哈通河

布尔哈通河发源于哈尔巴岭沼泽地，河道弯曲，水流平稳，贯通整个沼泽地，与海兰河汇合后，在曲水汇入嘎呀河。嘎呀河发源于土门子山，在三岔口南与海兰河汇合，河谷较窄，天桥岭以下的河谷变宽，河道弯曲，冲刷两岸，河床多卵石，近河口处的河谷更宽，有棱角形沙洲出现，河中有沙滩和大卵石。

4. 珲春河

珲春河发源于老黑山西南，与杜荒子河汇合后，始称珲春河。珲春河上游的河床多大块石，水流湍急，至东兴镇，河谷渐开阔，并有带状平地，河道极弯曲，有牛轭湖出现。

5. 鸭绿江

鸭绿江发源于长白山东南麓，向南流入黄海，为中朝两国的国界河，其河水不断切割着长白山地，故为流域面积狭小的山地河流。鸭绿江大部分流经吉林省东南部的长白朝鲜族自治县、临江市、集安市，经过辽宁省的丹东市，注入黄海。鸭绿江初始向西流，河谷狭窄，过临江市后流向西南方向，河谷变宽，曲流亦多，在集安市有浑江注入。

6. 浑江

浑江发源于临江县老岭，沿着山坡流向西南方向，在沙尖子附近改道，向东南方向流入鸭绿江，全长430km，流域面积15000km²，大部分在吉林省内。浑江主流在河谷凸部有冲积阶地，这些阶地被作为本流域的居民点和耕作区。

7. 大绥芬河

大绥芬河发源于吉林省东部汪清县内的大丽岭，向北流至黑龙江省内，与小绥芬河汇合后，始称为绥芬河，后向东流，经俄罗斯境内入符拉迪沃斯托克（海参崴）的阿穆尔湾。

（四）湖泊和沼泽

湖泊形成的原因很多，包括地壳运动、风力剥蚀和人工筑坝等。吉林省的湖泊较多，主要有长白山天池、松花湖、月亮泡等。

1. 长白山天池

长白山天池位于吉林省东南部长白山脉的主峰火山锥体顶部，距安图县明月镇的西南部230km，西流松花江、图们江、鸭绿江皆发源于此。长白山共有 16 个峰头，这些峰头环绕着天池，除主峰白云峰海拔为 2691m 以外，其他各峰都在 2600m 左右。天池周长 13.11km，深 373m，水面高 2194m，是东北地区地势最高的湖泊。乘槎河从天池北方直接流出，在距天池 1250m 处有一高达 68m 的瀑布，水流湍急，白浪滔天，壮丽可观，名长白瀑布。瀑布下行 900m 处有水温在 70℃以上的长白温泉。天池是熄灭的火山口积水而成的湖泊，火山口喷出的物质堆积在火山口四周，形成火山锥，向湖较陡，背湖较缓。天池出口 600m 以下处为"V"字形峡谷，该峡谷两岸陡峭，四周各峰至山脚均为熔岩高原，海拔 2000m 以上生长着苔藓、山茶等植物，海拔 2000m 以下则生长着茂密的原始森林。

2. 松花湖

松花湖位于西流松花江上游，江水被一座高达 91m 的混凝土大堤坝拦住，形成了全国著名的丰满水库，亦称其为"松花湖"。该湖范围从桦甸至丰满，全长约 200km，面积约 480km²，储水量比荣山水库、官厅水库和佛子岭水库的总和还要多。松花湖水库可调控上游的水量，从而形成了 270km 长的上游航程，方便了西流松花江流域矿产、木材的运输。松花湖盛产白鱼、鲤鱼、鲫鱼等多种鱼类。

3. 月亮泡

月亮泡位于大安、镇赉两县交界处，是洮儿河注入嫩江的必经之处。月亮泡长约 19.5km，面积达 81km²，水深 1.5 ~ 2m，周围广布湿碱地、苇塘及起伏的沙丘。该湖具有一定的调节洪水的作用，又是吉林省著名的淡水鱼产地，每年捕鱼量在 1500t 以上。

4. 大麻苏

大麻苏是天然碱湖，距乾安县城西南部 45km，于草原之低洼处成湖，面积达 400km²。夏季产盐量可达 500t，冬季可取碱约 25000t，是吉林省西部主要的盐碱产区。

5. 牛轭湖

吉林省各河流域沿岸常出现新月形的小湖。河流流经平原形成圆滑的河曲，截弯取直后旧河道即形成半圆形或月牙形的湖泊。当河水泛滥时，湖与河常相通。此种湖在沿河两岸，尤其在各河流域的中下游分布极为广泛。

6. 沼泽

各河流域的低洼地带遍布着沼泽化的地面，这是吉林省自然地理特征之一。沼泽的形成与气候、地形、植被等因素有关。吉林省年平均气温较低，冬季地表结冰较厚，长白山地还有永久性结冻层，夏季解冻不彻底，底土仍然冻结，无法渗透地表水，使地表过分潮湿而致沼泽化。此外，由于吉林省平均年降水量较为丰富，且地面蒸发量不大，土壤水分饱和，地表生长着莎草科和禾本科植物，导致地表径流减少，因而促进了沼泽的形成。吉林省的沼泽以延边州分布最多。西部嫩江、洮儿河沿岸地面组成疏松，水分易渗，地表水成为地下水，并集中潴于低洼地区，在受风力作用所形成的洼平地上易形成沼泽。

三、土壤资源

（一）吉林省土壤形成条件

土壤的形成与各种自然因素和人类的经济活动有关。

吉林省地处北温带季风气候区。夏季温暖多雨，植被生长繁茂，土壤矿物风化及淋溶作用强烈。冬季严寒少雪，土壤冻层较深（1.5 ~ 2m）。近 50 年的年平均气温为 5.1℃，年平均降水量为 617.14mm，平均年降水量从东南向西北逐渐减少，与经度变化具有显著的相关性。吉林省内地形复杂，有山地、丘陵、台地和平原。海拔 1000m 以上的长白山脉绵亘于本省东南部边境，呈东北—西南走向，坡谷陡峻，以片麻岩、花岗岩为主，并覆盖有一定面积的玄武熔岩；西部松辽平原地势平坦，是东北平原的一部分，主要由松花江、辽河冲积而成，多为黄土状黏土和砂层沉积；西流松花江及其支流流经全省东、中、西各地，河流下切，沟谷纵横，形成宽谷、阶地和盆地。复杂多样的气候、地貌、母质、水文、植被等，不仅使本省的农业生产在土地利用、作物种植、耕作、施肥、轮作制度等方面具有多样性，而且使本省形成了从东至西不同的土壤类型。不同土壤类型的地理分布不同，反映在农业生产上则表现为土壤的利用和发展方向的多样性。

同时，人类经济活动对土壤也产生了很大的影响。自从事耕种以来，人类和土壤之间便产生了密不可分的联系，开垦、种植、伐木造林、排水灌溉、耕作管理等人类经济活动对土壤的发育、性质、肥力等都产生了较大的影响。

（二）吉林省土壤区划

《中国土壤区划》一书中提出了土壤的 7 级分类标准，即：0 级，土壤气候带，分为寒温带、温带、暖温带、亚热带和热带 5 个带；1 级，土壤地区或亚地区，根据 0 级中土壤因经度的差异而发生的变化划分；2级，土壤地带与亚地带；3级，土壤省；4级，土壤区，根据地形、地貌单元划分；5级，土组，根据土壤组合划分；6级，土片，是按小范围内的地形变化划分的土壤复区。其中0至3级是土壤区划的高级单元，4至6级属低级单元。根据全国土壤区划分类标准，将本省的土壤类型分为如下2级：土壤区、土壤小区（相当于全国的土组）。具体分级标准如下。

土壤区是吉林省土壤区划的第1级分类单元，它是根据吉林省的土壤实际地带状况和农业产生的实际需求，并综合MSS多波段卫片显示的地形、植被特点等而确定的。水热条件、地带土壤类型及农业利用方向大体相似的地区，被划为1个土壤区。吉林省共划分为4个土壤区，即：东部山地冷温湿润森林灰棕壤土区，东部丘陵中温湿润杂木林棕壤、白浆土区，中部台地平原中温半湿润草甸草原黑土、黑钙土区，西部平原中温半干旱草原淡黑钙土、盐碱土区。土区命名采用"地形—气候—植被—土壤"四级命名法。

土壤小区是吉林省土壤区划的第2级分类单元，属于土壤区的一部分。土壤区内地形、地貌组合特点的变化，使气候、植被和土壤类型发生了相应的改变。土壤类型和农业利用方向基本一致的1个或几个土壤组合被划为1个小区，吉林省共划分为21个土壤小区。

1. 东部山地冷温湿润森林灰棕壤土区

本区以张广才岭—龙岗山脉连线以东至鸭绿江、图们江为界，包括长白山脉、张广才岭和龙岗山脉，是吉林省辽阔的山岳地带，面积708.9万 hm²，占全省总面积的37.83%。其中，林地占74%，耕地不足10%。本区气候受山地影响，气温较低，夏短冬长，雨水丰富，垂直变化明显，适合森林植被生长。自然植被以松、杉针叶林和松、桦树、杨树等针阔叶混交林为主。区内主要土壤为灰棕壤和棕壤，河谷盆地主要土壤为白浆土和草甸土。

灰棕壤主要分布于海拔600～1000m的山地，由于山地气温较低，有机质矿化缓慢，故得以积累。据研究资料显示，灰棕壤多含有机质（表层）5%～8%，pH 5～6，呈微酸性反应，是吉林省森林土壤中相对肥沃的土壤之一，也是种植人参和珍贵特产的适宜土壤类型。山地棕壤主要分布于通化、集安及延吉盆谷地的海拔600m左右的山地，气温高于灰棕壤区。山地棕壤表层黑土很薄，层次不明显，呈棕黄色，呈微酸性反应，肥力中等，较灰棕壤低，但该土壤热量条件好，耕作方便，多被开垦为农田和用于栽培果树。但因河流冲刷严重，肥力下降较快，农作物产量较低。山地白浆土主要分布于山区低谷阶地，是本区主要的耕地土壤。该土表层呈黑色，肥沃，一般含有机质2%～3%，少数可超过6%，因所处坡度的地位不同，其厚度为数厘米到30cm不等，多数较薄；表层之下，质地黏重，渗透性较差，呈灰白色，有机质含量不足1%，呈微酸性反应，肥力低，对作物根系生长不利，所以该土的作物产量低且不稳定。草甸土多分布于江河沿岸，土质肥沃，黑土层厚，一般为40～60cm，养分含量高。据研究资料显示，其全氮、全磷、全钾含量分别为0.3%、0.14%和2.3%，有机质含量为4%，质地适中，便于耕作，是本区最好的稻田土壤。

本区是吉林省重要的林木、特产和水稻产区。根据自然条件和土壤类型的差异，本区下分为

6个小区,分别为:长白山倾斜玄武岩高原高寒灰化土小区,抚松、靖宇、安图山地寒温湿润灰棕壤、白浆土小区,敦化、汪清山地灰棕壤小区,通化、集安山地温暖湿润棕壤小区,延吉盆谷地近海洋温湿润棕壤小区,敦化盆谷地冷温湿润白浆土小区。

2. 东部丘陵中温湿润杂木林棕壤、白浆土区

本区位于张广才岭、龙岗山脉以西,大黑山脉以东,包括老爷岭和哈达岭,面积455.2万 hm²,占全省总面积的24.3%左右。全区除龙岗山脉和南楼山为海拔1000m以上的低、中山外,大部分为海拔500m以下的褶皱丘陵,属半山区。因长期受西流松花江及其支流(饮马河、辉发河、伊通河)的切割侵蚀,地面多见浑圆山岭和宽谷盆地。本区气候温和,适宜森林植被、亚热带作物生长。

本区主要土壤为棕壤、白浆土和草甸土等。棕壤多分布于丘岗,除40%左右被森林覆盖外,其余多已被开垦为农田;受强烈的水土冲刷的影响,土壤肥力较低。白浆土和草甸土主要分布于沟谷阶地和低地,因水库塘坝河流较多,水源丰富,大部分已被开垦为水田,面积超过14万 hm²,约占全省水田面积的一半。因此,本区是吉林省重要的农林生产区。

根据自然条件和土壤类型的差异,本区下分为3个小区:舒兰、蛟河丘陵湿润白浆土和棕壤小区,梅河口、柳河、辉南丘陵湿润白浆土和棕壤小区,四平、辽源丘陵湿润生草棕壤小区。

3. 中部台地平原中温半湿润草甸草原黑土、黑钙土区

本区位于大黑山脉以西、哈大铁路沿线的山前黄土台地平原,包括榆树西部、德惠、九台、农安、扶余的大部分地区及梨树的部分地区,面积为288.8万 hm²,占全省总面积的15.4%。本区东连丘陵地区,西接松辽平原,地势如微波起伏,海拔200~220m,坡度多小于6°,适合机械化耕作。区内原始植被为草甸草原向草原植被过渡的类型,主要土壤为黑土和黑钙土。

黑土是本区的主要土壤,表层黑土厚,一般为30~70cm,肥力高,墒情好,有机质含量超过3%,结构良好,砂黏适中,保水保肥,抗旱耐涝,适合种植各类旱田作物。本区是吉林省最主要的粮食产区和经济作物基地。黑土所处的地势不同,肥力性状变化较大。岗坡黑土在长期耕作和雨水冲刷下,表土遭到侵蚀并流失,肥力下降,严重时心土暴露,成为"破皮黄"或"黄土厥子";低洼黑土因排水不畅,土壤遭到浸泡,导致结构受到破坏,虽潜在肥力很高,但产量很低。

黑钙土主要分布在扶余西部、前郭尔罗斯王府站镇一带,土壤肥力和黑土类似,略低于黑土,因蒸发较黑土强烈,有机质不如黑土丰富,表层较薄,厚度为30~40cm,表土之下有明显的灰白色石灰淀积层,抗旱性较差。

本区下分为4个小区:哈大铁路沿线波状台地黑土小区,扶余、前郭尔罗斯波状台地黑钙土小区,龙王、巴吉垒、洼中高盐化草甸土和黑钙土小区,公主岭、梨树平原黑钙土、风沙土小区。

4. 西部平原中温半干旱草原淡黑钙土、盐碱土区

本区从扶余、德惠、农安一线以西,至大兴安岭东坡山麓台地,包括白城全域,面积为420.1万 hm²,占全省总面积的22.42%。本区地处松辽平原,地势平坦,微有起伏,平均海拔200m左右。

本区西北部地势低平，泡沼星罗棋布，是吉林省水面最多的地区，但由于低地排水不佳，土壤盐碱化严重。本区气候温和干燥，春旱严重，是吉林省有名的"十年九春旱"地区。本区的原始植被以草原旱生植被为主，主要土壤为淡黑钙土、盐化草甸土和风沙土等。

淡黑钙土主要分布在地势稍高的地区，黑土层厚度和有机质含量均低于黑钙土，土色灰黑，底土为黄土，肥力中下等。

盐化草甸土分布在区内洼地，范围广、面积大。由于气候干燥，蒸发强烈，使盐分聚于地表，多形成明碱土和暗碱土覆盖区。据资料记载，该土含盐量为 0.2% ~ 0.5%，少数达 2% ~ 3%，pH 8 ~ 10，植被生长困难。而含盐量为 0.1% ~ 0.2% 的轻碱地，多已被开垦为耕地，作物生长良好。

风沙土较瘠薄，有机质含量很低，仅 1% 左右，土质粗、漏水、漏肥，是吉林省主要的低产土壤之一。

本区人少地多，农业发展较晚，草原面积大，是吉林省重要的农、牧并重发展地区。根据自然条件和土壤类型的差异，本区下分为 8 个小区：乾安台地淡黑钙土小区，长岭平原草甸淡黑钙土、盐化草甸土小区，长岭、通榆坨甸风沙土小区，镇赉、前郭尔罗斯低洼沼泽平原盐化草甸土小区，霍林河泛滥地盐化草甸土小区，镇赉、乾安淡黑钙土、盐化草甸土小区，洮儿河冲积扇淡黑钙土小区，洮北丘陵台地干旱草原栗钙土小区。

四、气候类型

吉林省位于松花江上游地区，土地面积广阔，地势起伏不断。吉林省的气候特征有别于黑龙江和辽宁两省，且省内气候也有较大差异。吉林省距离黄海、日本海较近，但东部长白山地恰好和夏季东南季风的方向垂直，阻碍了海洋湿气深入内陆，故除沿海极狭窄的区域外，仍具有显著的大陆性气候特征。吉林省属于大陆性季风气候，即夏季短而炎热，冬季长而寒冷，一年中暑寒相差较悬殊，且雨雪季节分配不均。寒冷的气候导致冰层冻结时间较长，平均积雪期在 150 天以上，河流结冻时间可达 4 ~ 5 个月之久。吉林省冬季虽长，但其雨热同季的特点对植物的生长和农业的发展颇为有利。

（一）气候特征的主要影响因素

1. 地理环境

吉林省位于东经 121° 38′ ~ 131° 19′，北纬 40° 50′ ~ 46° 19′，区跨经度 9° 41′ 和纬度 5° 29′。地理纬度的高低不仅影响四季长短的变化，也影响太阳能收入的多少。纬度愈低，夏季愈长，冬季愈短，地面每单位面积所获得的热量越多。东部高大壮阔的长白山地密布寒温带的针阔叶混交林，阻碍了气团的向外扩展。西部的广大平原难以抵挡来自北方或西方的极地大陆气团，所以吉林全省冬季气温较低。

2. 大气环流

吉林全省皆处于西风带的范围内，西风带高空波动连续通过本省，因而天气变化多端。西伯利亚贝加尔湖区的低压系统常向东南移动，该低压系统在四五月间可在我国东北地区持续扩大，当经过吉林省时，常引起春季的持久大风。寒潮从低压的后部侵入，使各地的气温显著下降。冬夏之间，吉林省气候受季风环流的影响最为显著。夏季多雨，大气环流带来了丰富的湿气，植物生长茂盛；冬季大气流动致冷作用显著，天气寒冷，地面遍布冰雪。

（二）气候要素的特征

1. 风向和风速的变化

吉林省的大气活动深受四大活动中心控制，且受气压中心消长的影响，风向的季节性变化显著，全年以西南或西北风为最多，东风最少，冬季偏西北风，夏季偏西南风或东北风，春、秋两季则西北风、西南风交替出现。

受相关位置和地形等因素影响，吉林省平均风速的地区差异很大。全省以中部风速最大，年平均风速在 4m/s 以上；西部平原一带则次之，年平均风速为 3 ~ 4m/s；东部山地风速较小，年平均风速为 2 ~ 3m/s；高山深谷的通化山地南部一带风速最小，年平均风速小于 2m/s。四季中以春季平均风速最大，此为气旋和反气旋频繁地交替来往所致，夏季平均风速最小。

2. 降水

（1）吉林省各地降水量均较丰沛，且有自西北向东南递增之势。东南部通化、集安一带年平均降水量超过 900mm，西部白城、洮南一带年平均降水量则低于 400mm。东南部不仅为全省最多雨区域，也是我国秦岭、淮河以北最多雨的区域之一。

（2）吉林省降水多集中在夏季，尤以 6 ~ 8 月为最多，6 ~ 8 月的降水量占全年降水量的 60% 以上。降水类型为典型的夏雨型，冬季常受极地大陆气团的单一控制，降水量不多，且强度较弱，多以雪的形式出现。从农业角度来看，吉林省是夏季湿热、冬季干寒的一季作物区。

（3）全年降水变率以春季为最大，超过 30%，夏、冬两季为最小。全省各地降水日数也不同，西北部年平均降水日数为 70 ~ 90 天，东南部年平均降水日数为 100 ~ 130 天。

3. 霜、雪、冰

（1）霜。霜是夜间地面冷却到 0℃以下时，空气中的水汽凝华在地面或地物上的冰晶。吉林省的无霜期比辽宁省短，年平均无霜期为 130 天以上。每年的 9 月下旬始有霜出现，终霜大部分在次年 5 月初结束。霜对农作物的生长有较大的影响，作物在开花和成熟期对于低温和霜冻十分敏感。

（2）雪。降雪为吉林省降水的一种形式，全省大部分地区的降雪始于每年 10 月。一般来讲，雪期比霜期约晚数日或数十日，全省平均初雪期多出现在 10 月中旬，东部山地则降雪较早，10 月初即有降雪。终雪期则因地势高低不一而有先后之分，一般在次年 4 月中旬或 5 月初。吉林省雪期虽长,但降雪日数相对不多,这主要是因为全省冬季常受寒冷而干燥的极地大陆气团的单独控制。

（3）冰。吉林省各地冬季气温均低于0℃。全省各地冰期都较长,西部平原地带约为200天,10月上旬地面即开始结冰,直至次年4～5月方能解冻。东部长白山地的结冰日期为全省之冠。河流的封冻期往往晚于地面结冻期,这是因为地面温度在0℃时便开始结冰,但河水因不停地流动,水温必须在0℃以下时方能结冰。例如,吉林地面10月初即开始结冰,而西流松花江在10月末才开始封冻。吉林省冬季各河全部封冻,封冻时期长达5个月,其冰层的厚度皆在1m以上。

4.湿度、云量和日照

（1）湿度。吉林省各地平均相对湿度为60%～70%,最低相对湿度出现于每年的4～5月,最高相对湿度出现于每年的7～8月。按气象学原理,相对湿度的大小与温度成反比,故相对湿度应以冬季为最高。但因吉林省夏季多受热带海洋气团控制,温暖多雨,空气中水汽丰富,加之蒸发量较大,使7～8月的平均相对湿度达到70%以上,故7～8月反而为全年平均相对湿度最大的月份。

（2）云量和日照。云是指停留于大气层上的水滴或冰晶胶体的集合体。太阳照在地球的表面,水蒸发形成水蒸气,一旦水汽过于饱和,水分子就会聚集在空气中的微尘（凝结核）周围,由此产生的水滴或冰晶将阳光散射到各个方向,这就产生了云的外观。云具有千变万化的形态,尤其夏季更为明显。云量及云的性质与在各种地理条件下发生的大气活动密切相关。冬季吉林全省在极地大陆气候笼罩之下,下降气流占优势,天气多晴朗,云量较少,且因夜长昼短,日照时数较少,仅有500～600小时。夏季受热带太平洋气团活动的影响,空气上升运动占优势,成云机会较多,故夏季为全年云量最多的季节,且由于昼长之故,日照时数多达600～800小时。春季云量少,日照时数仅次于夏季。

（三）东西气候的差异

吉林省幅员辽阔,地势高低不平,且地形多样,因此各地气候差异较大。

1.东部气候

东部是吉林省地势最高的山地丘陵区,森林茂密,面积广阔,热带太平洋气团和鄂霍次克海气团对该区气候影响较大。同时,该区又是南来的华东气旋、热带气旋（台风）入海的通道,因而天气多阴霾,雨量也较丰沛,平均年降水量多超过750mm。谷盆地降水量较少,如延吉平均年降水量为504mm。东部山地的气温低于西部平原,其1月平均气温为−20～−18℃,长白山因终年积雪不化,气温更低;夏季气温高,平均约为22℃,其中7月气温最高;春、秋两季气温变化不如西部剧烈,秋温比春温高约2℃。东部空气常年湿润,年平均相对湿度皆在70%以上,夏季凉湿,林床十分阴湿,常形成沼泽。该区霜期较长,生长季约为6个月,但可以种植水稻和小麦,且对林木生长无影响,故东部生长着茂密的森林。这些树木都是优良的建筑材料,也是本省主要的自然资源之一。

2. 西部气候

西部平原较东部山地地势偏低，平均年降水量为 400 ~ 500mm，少于东部，但降水变率大于东部。冬季 1 月最冷，平均气温为 –18 ~ –16℃，7 月为全年最热月份，平均气温约为 23℃。春、秋两季气温变化较大，尤其春季气温变化更为急剧。该区相对湿度比东部低，是全省相对湿度最小的地区。由于地势低而无霜日数较多，西部平原更能满足农作物一年一熟的生长需求，故更适宜大豆、高粱、玉米的生长。

3. 中部气候

中部气候具有东西气候过渡性，平均年降水量约为 600mm，少于东部而多于西部。1 月平均气温为 –16℃，7 月平均气温为 23℃。气温的变化程度介于东、西部之间，年平均相对湿度为65%，雨热同季，有利于中部平原区的作物生长。

五、植被资源

吉林省的植被主要由草原、森林草原和森林构成，其中草原和森林所占面积最大。

东部即吉林哈达岭以东，地势有较大起伏，多为海拔 500m 以上的山岳和丘陵，气候冬季寒冷，夏季气温较低，但因邻近海洋，故降水量颇多，平均年降水量为 600 ~ 1000mm。山地土壤多为山地棕色森林土，低地则有沼泽土。该区形成以森林为主的植被类型，大部分为针叶林、阔叶林和针阔叶混交林型，在较低的山间谷地和沼泽地还有草甸植物生长。在地势较高的长白山上，随着地势和气候的变化，植被的分布也具有显著的垂直地带性。

西部的哈大高速铁路沿线西侧，即洪积台地以西地区，其地势平坦，为辽阔的平原地带，但因气候干燥，平均年降水量均在 600mm 以下，加之有一定面积的内流流域存在，土壤盐碱度较高，多为碳酸盐黑钙土和盐碱土，因而该区植被类型主要以草原为主。

中部即于上述两区之间形成的狭长丘陵和台地区，平均年降水量多在 600mm 左右，土壤结构为黑钙土。该区处于东部和西部的过渡地带，故植被也呈现出鲜明的过渡性，即由东部山地森林型向西部草原型过渡，而形成中间的森林草原带类型。

吉林省植被种来源有其历史原因，现仍有一部分植物种是古代第三纪遗留下来的，如东部森林广泛分布的鱼鳞松、红松、赤柏松、人参等。另有一部分是以当时欧洲和西伯利亚为分布中心的植物种，这些植物种因受冰川等影响移入我国东北境内。从欧洲移入吉林省的常见植物种有斑叶兰、茅膏菜、白山茶等，从西伯利亚移入的植物种是岩菖蒲和毛赤杨。藤本软枣猕猴桃、狗枣猕猴桃是由华中地区移入吉林省的，依赖海洋性气候才得以生存下来。

吉林省植被分布特点与自然因素、人类活动、植物发展历史有着密切的关系，在多种因素的综合影响下，吉林省具有多种多样的植物种属和植被类型。

针叶林区、阔叶林区和针阔叶混交林区：森林多集中于东部山地，包括西流松花江、牡丹江、图们江、鸭绿江等水系上游的长白山地，以及吉林哈达岭、威虎岭、哈尔巴岭、英额岭、老爷岭、龙岗山脉等上部的山岳地带。在行政区划上，吉林、磐石、舒兰、海龙以东的广大地区为针叶林区、阔叶林区和针阔叶混交林区。吉林省林业用地面积为 928.6 万 hm²，占全省国土面积的 50%。

森林草原区：该区属过渡类型，介于针叶林、阔叶林、针阔叶混交林与草原之间，呈带状分布。该区域绝大部分已被开垦为农田，是吉林省主要的产粮基地。该区内森林以次生夏绿阔叶林为主，草本则以森林草本植物、草甸植物、草原植物为主。

草原区：位于吉林省的扶余、农安、梨树等市县以西，包括白城地区的 9 个县市。这里是一望无际的草原，是吉林省主要的农业、牧畜业地区。

（一）针叶林区、阔叶林区和针阔叶混交林区

该区为东北地区森林的主要组成部分。除了各河流中下游地区的交通主干道两侧，以及部分原始森林被采伐后形成的天然次生林外，其他各大分水岭和山岳地带皆存有原始森林，在原始森林中所占面积最大的即为针叶林和阔叶林的混交林型，该林型在海拔 600 ～ 1300m 的山岳地带分布较多。

针叶树代表树种有红松、黄花松、臭松、沙松、鱼鳞松、红皮云杉。阔叶树代表树种有硕桦、紫椴、香杨、胡桃楸、色木槭、黄檗等。混交林的第一层林木多为红松、硕桦、香杨，第二层林木为臭松、沙松、红皮云杉、胡桃楸、色木槭，林下灌木以胡榛及忍冬属植物为主，林下草本有绵马贯众、木贼等，林荫下以北重楼、银线草等为主，林内及林缘藤本植物常有山葡萄、北五味子，尤其软枣猕猴桃较多，藤茎有时长可达 20m 以上。

树种的分布受气候因素影响很大。山岳阳坡的树种以红松和硕桦混生为主，阴坡的树种以红松为主，并常见其与红皮云杉、臭松、沙松、鱼鳞松等混生在一起。

在针阔叶混交林带的上缘，特别是在长白山的主峰上，也存在以针叶树为主的纯林，其与分布在沼泽地上以黄花松为主的针叶林或黄花松纯林均为老林的重要组成部分。以黄花松、鱼鳞松、红皮云杉、臭松等松树为主组成的针叶树纯林多分布于长白山上海拔 1600 ～ 1800m 一带；而以黄花松为主的针叶林或黄花松纯林则分布在长白山北坡上海拔 500 ～ 800m 一带，这两种林木是在排水不良的低洼沼泽地上发育起来的，被称为黄花松甸子。林下草本植物以苔属为主，苔草和泥灰炭长年累月凝结而形成塔头墩子，其中泥炭藓类较发达。黄花松林一经采伐或破坏，实现自然更新的难度较大。在长白山秃尾巴河子一带，由于黄花松甸子地势逐渐上升，排水情况逐渐好转，黄花松林经过一系列的变化后，被针阔叶混交林及小片阔叶林取代。黄花松甸子次生沼泽地上主要生长着白桦林，此种情况在抚松县、靖宇县一带较为典型。

老林内的主要经济树种有红松、鱼鳞松、臭松、椴树、黄花松、桦树、蒙古栎、胡桃楸、黄檗等。此外，还有分布面积较广的红皮云杉林，其生长于抚松县桦皮河子一带，树龄达 103 年，

高约 30m。沙松生长于靖宇县小荣山一带，树龄达 210 年，树高约 40m，臭松高近 30m，沙松与臭松都是用途较广泛的针叶树种。

小部分阔叶树与针叶树混交成林，该类林主要分布在海拔 500m 以下的山岳、丘陵地带，是原始森林被采伐和破坏后生长起来的阔叶次生林。不同的阔叶次生林明显地表现出植被发育演替的不同阶段。白桦树是在黄花松林的次生湿润裸地或后侵入沼泽地所形成的喜阳性的先锋树种，往往形成纯林，树高达 20m 左右；杨桦林是在老林被破坏后，于较干燥的次生裸地或后侵入高草地而形成的，在敦化的北山一带尤为显著；杂木林亦见于长白山头道岭一带，是由针阔叶混交林中针叶树种被采伐后形成的，是以黑桦、蒙古栎、色木槭、紫椴、水曲柳、胡桃楸、春榆、红皮云杉、臭松为主，灌木是以忍冬属、五加科植物为主的杂木林。在该区的南部，尤其在各县及道路沿线一带，杂木林仍不断遭到破坏；同时在较干燥的气候条件下，形成了很大面积的以蒙古栎为主的阔叶林，或者形成蒙古栎纯林，如辽源至通化一带的丘陵性山地，多被此种纯林覆盖。当次生蒙古栎林再度遭到破坏时，便有了高草地的出现。此种变化加剧了土壤的流失。如何进行水土保持，已成为当前最为严峻的问题之一。

由于地势差异悬殊，气候湿润多雨，低洼地区常有雨水聚集并汇成溪流，在湿润地和积水处，水生植物和湿生植物生长繁茂，在排水不良处，由于土壤沼泽化程度高，生成一些以沼泽植物为主的草本植物群落。

水生植物最常见于沟谷、河漫滩的积水处，常以芦苇为主，形成纯群，俗称苇塘沟。此外，水生植物还有香蒲、三角蔺、水毛茛等。湿生植物常分布于水生植物的上缘和阴湿的林内，以木贼、驴蹄菜、大毛茛、野青茅及柳属植物为主，呈丛生状态，分布于吉林省老爷岭车站下沟内，生长茂盛。沼泽有黄花松沼泽和以苔属植物为主的苔草沼泽，其塔头墩子之间常有较深的积水，但有些沼泽地上无塔头墩子。苔草沼泽主要有丛苔、软苔、甘草，偶有芦苇，常分布在长白山上海拔 1000m 左右的沼泽地区，其中泥炭藓较为发达，也有杜鹃花科的矮小灌木及山玫瑰等分布。

没有完全风化的花岗岩和被河水侵蚀的山岳岩石的裸露处生有耐旱的岩生植物，它们以岩石的缝隙或凹处所积累的浮土作为生存的基质。通化周边的岩石上，常分布大量的卷柏、小石韦、北京石韦及景天属植物，长白山中部石褶子上的岩生植物主要有地衣、岩景天、土三七、紫花景天及野杜鹃花。此类植物皆能适应极干旱的恶劣环境，景天属植物的叶能储积大量的水分，卷柏在遭遇干旱时常将叶卷起，以缩小面积，减少蒸发量，挨过干旱期。

高草地也常见于长白山林内。局部森林的过度采伐和破坏、数次的火烧和虫害等导致林木大量减少，因此草本得以大量繁殖，且种类繁多，有大叶樟组成的纯群，亦有柳兰、九轮草、马先蒿等。

山岳、丘陵背风湿润的缓坡上常有早春植物，如银莲花属、顶冰花属、紫堇属植物及福寿草、五福花等，此皆发育于雪下，每年三四月开花。此类早春开花植物，以及生长在针阔叶混交林林下的人参、生于高山瘠薄土壤上的赤柏松，都是古代残留的植物种，较为珍贵。

（二）森林草原区

该区是针阔叶混交林和草原之间的过渡地带，是长白山山前丘陵及洪积台地地段，也是山地棕色森林土和普通黑钙土的交错地带，土壤肥沃，利于耕种农田，绝大部分平坦地和山坡的东南侧皆已被开发成农田，是吉林省的主要农业区。由于森林面积缩小，老林已不存在，目前的次生阔叶林也是经过数次的砍伐和破坏后形成的，且多疏散地分布于山坡、谷地、河岸等处。自然植被演替过程也较复杂，往往在废耕地上形成草本及灌木群落，植物也随着人的足迹不断地发展。该区气候属于半湿润草原型，随着土地不断被利用，森林面积不断缩小，草原植物不断东侵，加之黑钙土型是草原草本植物生长的最好基质，这一带形成了既有森林植物种又有草甸草原植物种的自然植被特点。

1.哈大高速铁路以东地区

森林植物分布偏重于丘陵地带，如土门岭、净月潭等是保存较好的地方，组成这一森林带的阔叶树种与针阔叶混交林相同，该区是东部山地山前的丘陵地带，海拔均在 600m 以下。森林草原区主要有蒙古栎、山杨、黑桦、糠椴、水曲柳、黄檗、大果榆、胡桃楸、色木械等乔木。蒙古栎、山杨、黑桦、山玫瑰、胡枝子、榛子等喜生于向阳山坡上。阴面山坡以糠椴、胡桃楸、刺五加、翼枝卫矛、山梅花等为多。该区有些树种分布范围很广，如鼠李、小青杨、胡枝子等，多分布于西部草原的洮南、白城等地。柳树丛和榆树丛生长较繁茂。柳树丛多分布于低湿的河漫滩及池塘周围，受环境的影响，柳树变种也颇多，以剑柳、朝鲜柳、蒙古柳较为普遍。榆树丛多分布在岗地及背风的坡地上，草原上常见的为家榆、春榆。

该区林下草本主要有玉竹、铃兰、轮叶王孙、山茄子、银线草、细辛、阴地苔、林地问荆等，也有藤本的山葡萄、北五味子等。草原植物多分布在较平坦的地方或草原的丘陵上，常与森林植物交错分布。

2.哈大高速铁路以西地区

该区草原植物所占比重较大，低洼地也有水生或湿生草甸植物。该区土壤 pH 较高的地方也会出现碱性草原。

组成该区草原的植物种类是复杂多样的，有萝藦、莲子菜等草甸植物种，以及龙芽草、败酱草等森林下草本植物种。草原植物主要为西伯利亚蒿、野古草、羊草、中华委陵菜、阿尔泰紫菀等。西伯利亚蒿和野古草群丛常见于一般阳坡草地上，羊草群丛常见于哈大高速铁路两侧的黄土岗地上，它们都是草原植物种的主要组成部分。这一带是由森林植物种与草原植物种混生构成的过渡地带。

（三）草原区

该区占据了吉林省西部平原的较大面积，属季风型大陆性半干燥气候，夏季气温较高，雨量丰富，而冬季则寒冷少雪。因此，草原植物大多在夏季生长，秋季则日益枯黄至干死。定向季风常携带大量的沙石堆积在该区，尤其是通榆、白城、大安西北部一带。沙石在面积较大、起伏状的沙丘和沙岗上分布较多，虽有少部分流沙不断向东流动，但大部分已被固定和半固定。沙丘对草原植被与农业生产产生了一定的影响。

该区除部分沙丘外，尚有大面积由碳酸盐黑钙土、盐碱土等构成的平原区，地势略有起伏。该区的土壤特点是地下水矿化程度颇高，地表水蒸发量大，使得盐分在地表低洼处积聚，形成碱斑地，导致土壤高度盐渍化，一般碱斑盐土层厚达 20～50cm。通过对前郭尔罗斯蒙古族自治县五家子牧场进行调查，发现该地沙丘的 pH 为 7.0～8.0，平原的碳酸盐黑钙土的 pH 为 8.0～9.0，低洼处盐积土的 pH 为 9.0～10.5。由此可见，地势的起伏引起了土壤含盐量的差异，从而影响了植物分布，进而引起了明显的植被群落反应。此区的排水能力低下，积水处有水生植物分布。

草原上很少有树木分布，除村庄周围有柳树、榆树、杨树、蒙桑外，其他自生树只存在于岗地和已被固定的黑钙土型沙丘，树木种类极少且发育不良，生长速度缓慢，分散度大，枯梢现象明显。柳树包括旱柳、蒙古柳、家榆等树种，还有花楷槭及胡枝子等。一般分布较广的草原小灌木以欧李及半灌木的麻黄居多。

草原植被在地形、土壤、盐分等因素影响下，常形成各自不同的植物群落，但组成各群落的建群种不多，往往优势种只有 10 种或更少。该区植物具有明显的适应干旱环境的特点，如深根系的豆科植物及甘草等，多毛有刺的菊科植物紫菀、假泥胡菜、漏芦等，这些植物的地下部分比地上部分发达，这是适应干旱环境的特性之一。

起伏缓丘顶部及较高地段分布的植物常以杂草类植物为主。贝加尔针茅、西伯利亚羽茅、兔毛蒿、西伯利亚蒿、野古草、红毛公、星星草等杂草多数在 6～7 月开花。

缓丘杂草草原下面略低平地上的植物群落为以"羊草"为主的羊草草原群落，其分布范围很广，生长于低湿地、丘陵上，土壤介于黑土与碱土之间。羊草的适应力极强，根系常交织在一起而形成大片的纯群落。与羊草混生的种类不多，主要有苜蓿、旋花、蕊芭草、黄耆、野古草等，但仍以羊草的覆盖度为最大。

草原上的牧草种类很多，包括西伯利亚羽茅、星星草、狗尾草、地肤、碱蓬、草木犀、苦菜等 40 余种。低洼、排水不良的浅水泡内常生有喜湿植物，如芦苇、莲花菜、蒙古苔、柳树等。

活动沙丘的水分过度缺乏导致其上生长的植物非常稀少，偶有蒺藜梗等深根系植物。已固定的沙丘和沙岗上的植物种类略多一些，主要有灌木蒙古杏、家榆、欧李、麻黄等，洮南市黑水乡的沙岗上还有大花飞燕草、猪毛菜、甘草、万年蒿、小白蒿等植物，其中麻黄、甘草的经济价值最大。麻黄、甘草可药用，麻黄可提取麻黄素，甘草根入药有清肺止咳之效，二者均向国外销售，种植麻黄、甘草为草原区的副业之一。

积水的碱斑地被称为内陆碱湖，较零散地分布于黑钙土草原低洼处，尤其是通榆、乾安一带。碱斑中心的碱层平均厚度为 3～4cm，土壤盐渍化而使碱湖成为没有任何植物生长的裸地，而其周围却生有耐碱性植物，如蒙古碱蓬、盐吸、碱灰藜、燕子尾、地肤等。碱湖附近的植被常以碱湖为中心呈同心圆状排列，主要成因是碱湖向外地势逐渐升高，土壤含盐量减少，pH 逐渐降低，故在植物群落外貌上有着不同的反映。以乾安城西的碱湖为例，其最里层中心点为裸地，但在潮湿处有沼针兰，接近裸地外围处有蒙古碱蓬、地肤、碱蓬、猪鬃草、细花碱茅、金盏菜等耐碱性植物生长。分布在碱湖周围的植物种类较多，包括马兰、白射干、南玉箒、无茎黄耆等，最占优势的是羊草，最外层是稍高的草地和干草地，包括东风菜、地榆、狗娃花、轮叶委陵菜等，但仍以西伯利亚羽茅、野古草为主。

吉林省第四次中药资源普查
实施情况

2011 年，国家中医药管理局批准吉林省开展第四次全国中药资源普查试点工作。吉林省委、省政府高度重视此项工作，连续 8 年将其列入省政府重点工作，政府文件见图 1-2-1。在省委、省政府和省中医药管理局的领导下，技术依托单位长春中医药大学举全校之力，组织全省 10 余所大专院校、科研院所等企事业单位的科研人员，历时 8 年完成了吉林省 60 个县（市、区）的中药资源普查、中药材种子种苗繁育基地、中药原料质量监测与技术服务中心、民族医药传统知识调查等 4 项工作，基本摸清了吉林省中药资源本底情况，取得了丰硕成果。

吉林省人民政府办公厅

吉政办函〔2011〕191 号

吉林省人民政府办公厅
关于成立吉林省全国中药资源
普查试点工作领导小组及
专家指导委员会的通知

各市（州）人民政府，长白山管委会，各县（市）人民政府，省政府各厅委办、各直属机构：

中药资源是中医药事业和中药产业赖以生存、发展的重要物质基础，是国家重要的战略性资源。为全面掌握我国中药资源基础情况，促进中药资源管理、保护和开发利用，推动中医药事业和中药产业发展，国家中医药管理局决定在“十二五”期间启动全国中药资源普查工作，并将我省确定为 10 个试点省之一。为做好试点工作，省政府决定成立吉林省全国中药资源普查试点工作领导小组及专家指导委员会，并确定技术依托单位和责任人。现将有关事宜通知如下：

一、吉林省全国中药资源普查试点工作领导小组

（一）组成人员名单。

在领导小组的领导下，负责指导中药资源普查试点技术工作；根据《全国中药资源普查实施方案》和《全国中药资源普查技术规范（试行）》总体要求，编制《吉林省全国中药资源普查试点方案》，并接受全国中药资源普查筹备技术专家组的指导和评估；对中药资源普查试点工作实施方案进行论证并提出调整、完善建议；编写中药普查目录，为普查试点工作决策提供咨询和建议等。

三、吉林省全国中药资源普查试点工作技术依托单位及责任人

（一）技术依托单位：长春中医药大学

（二）技术依托单位责任人：曲晓波（副校长，教授）

吉林省人民政府办公厅

二〇一一年十二月三十日

主题词：机构　通知

抄送：省委各部门，省纪委办公厅，吉林日报社、新华社吉林分社，各人民团体，各民主党派。
省人大常委会办公厅，省政协办公厅，省法院，省检察院。

— 4 —

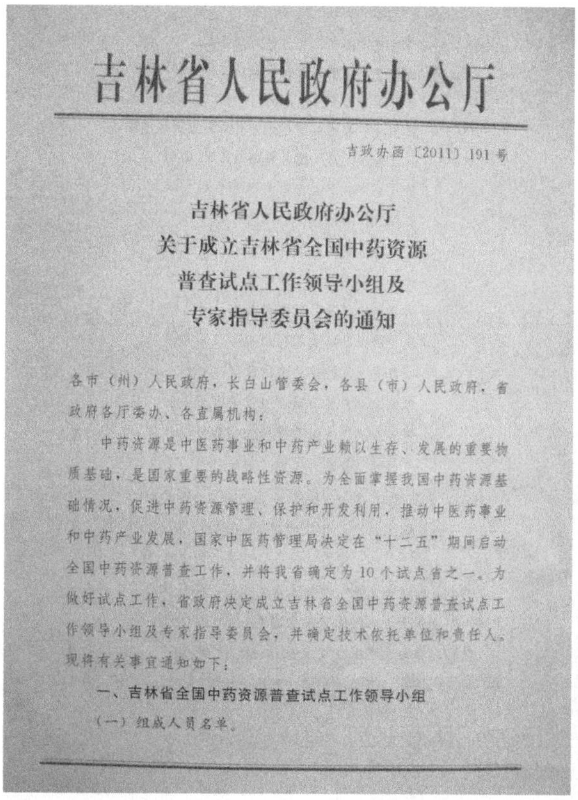

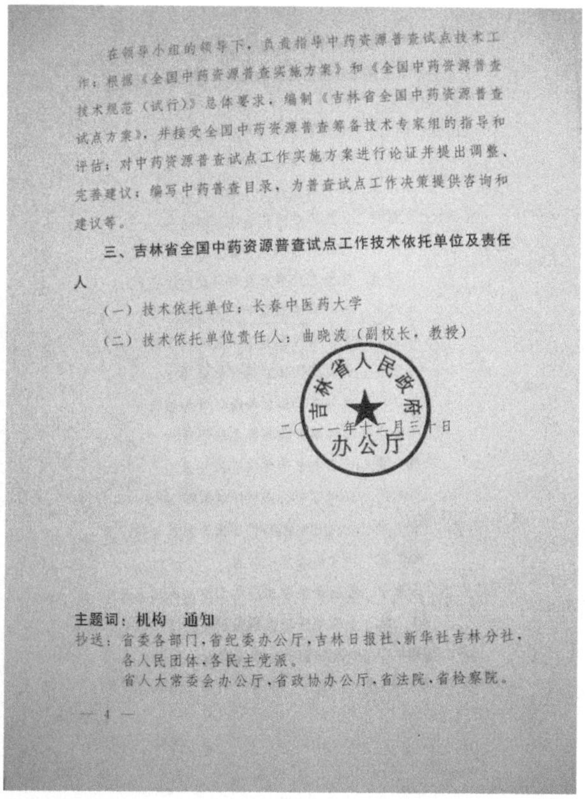

图 1-2-1　吉林省人民政府文件

一、成立中药资源普查组织管理机构

（一）省级组织管理机构

2011 年 12 月 30 日，吉林省委、省政府成立了吉林省中药资源普查试点工作领导小组。时任副省长马俊清任组长，吉林省卫生和计划生育委员会、吉林省中医药管理局、吉林省发展和改革委员会、吉林省科学技术厅、吉林省民族事务委员会、吉林省财政厅、吉林省农业委员会、吉林省林业厅、吉林省质量技术监督局、吉林省食品药品监督管理局等厅局领导任组员。同时，成立

了吉林省第四次全国中药资源普查试点工作领导小组办公室，负责试点工作的组织协调，办公地点设在吉林省中医药管理局。

普查领导小组确定了以长春中医药大学为技术依托单位，由其负责本次普查的具体实施工作。技术依托单位组织了吉林农业大学、吉林农业科技学院、中国农业科学院特产研究所、通化师范学院、延边大学、延边朝医医院、吉林省长白山科学研究院、吉林省中医药科学院、长白山职业技术学院、吉林紫鑫药业股份有限公司、吉林省昌农实业集团有限公司等 10 余所大中专院校、科研单位、医药企业，协同开展了吉林省第四次全国中药资源普查系列工作。与此同时，吉林省还成立了中药资源普查技术专家指导委员会、吉林省第四次全国中药资源普查技术办公室，办公室下设综合组、药材组、种子组、信息组、植物组 5 个小组，以充分保障全省资源普查试点工作的良好运行。

为了保障吉林省中药资源普查工作的顺利进行，技术依托单位召开了普查试点工作动员会、启动会、中期督导会及总结表彰会，不仅强调要认真贯彻落实国家中医药管理局和省政府的总体部署，层层落实责任制，而且还通过召开普查试点工作中期督导会、总结表彰会来调动普查人员的积极性。同时，省内相关部门积极配合试点工作，发挥专家力量，加强普查队伍建设，并将普查工作项目化、任务化，以确保中药资源普查工作的圆满完成。

（二）县级组织管理机构

吉林省率先建立了省、市（州）、县（市、区）、镇（乡）、村 5 级普查试点工作领导小组的运行机制，成立了县级中药资源普查试点工作领导小组。由县（市、区）政府分管领导担任领导小组组长，负责该区域内实地调查工作的组织与落实，帮助普查队解决普查工作中的实际困难。同时，成立了县级领导小组办公室。长春中医药大学联合其他科研院所，兼顾当地部分中药专业技术人员，组建了 60 支县级普查队伍，省资源普查技术依托单位向县级普查队派一名联络员，以确保普查工作的规范性、实效性，从而保障普查工作的良好运行。

为做好各方面的保障工作，各县（市、区）政府各部门积极配合，主管领导亲自挂帅，抽调了专门的行政人员，积极配合各普查队开展中药资源普查工作，保证了此次资源普查试点工作的良好运行。

（三）召开资源普查试点工作保障会议

1. 试点工作动员会和启动会

为了保障吉林省中药资源普查工作的顺利进行，2012 年 2 月 20 日，吉林省中药资源普查领导小组在长春中医药大学组织召开了吉林省中药资源普查动员会。会议着重强调了中药资源普查的重要性、基础性、战略性，强调要认真贯彻落实国家中医药管理局和省政府的总体部署，保质保量地完成此次中药资源普查任务，具体实施要做到有"大局意识""精品意识""团结合作意识"。

同时，为了促进资源普查工作的顺利开展，吉林省分别于 2012 年、2013 年、2015 年、2017 年召开了吉林省第四次全国中药资源普查试点工作启动会，见图 1-2-2。会上有关领导为中药资源普查专家颁发了聘书，并为各县级普查队授旗。吉林省中药资源普查办公室（以下简称"省普查办"）与技术依托单位长春中医药大学签订了目标责任书，技术依托单位与普查队交换了目标责任书，层层落实责任制，确保中药资源普查工作的圆满完成。

图 1-2-2　资源普查试点工作启动会

2. 试点工作中期督导会

按照吉林省中药资源普查试点工作的总体部署，为了保证中药资源普查试点工作的质量，更好地掌握普查过程中的技术方法，解决存在的问题，普查领导小组分别于 2012 年、2013 年、2015 年、2017 年、2018 年召开了 5 次中药资源普查试点工作中期督导会，见图 1-2-3。到会的各普查队长、队员及相关专家进行了广泛的经验交流，取长补短，为普查工作的进一步开展奠定了基础。

图 1-2-3　资源普查试点工作中期督导会

3. 试点工作总结表彰会

为了鼓励先进、发扬成绩，进一步促进普查工作的深入开展，2013 年 4 月、2017 年 11 月，省普查办召开了中药资源普查试点工作总结表彰会，见图 1-2-4，表彰了在 2012 年、2013 年、2015 年度普查工作中做出突出贡献的先进集体和个人，极大地调动了大家的工作积极性。

图 1-2-4　资源普查试点工作总结表彰会

（四）创建资源普查管理"吉林模式"

1. 强化省级专家委员对试点县普查工作的技术指导

为了推进普查工作的顺利进行，保障普查成果的统一性、准确性，省普查办组织省内经验丰富的知名专家，设立了药材组、种子组、信息组、植物组，便于对试点县普查工作进行指导、把关，见图 1-2-5。各试点县将在普查过程中遇到的实际问题及时反馈到各个技术指导组，技术指导组委派相关专家进行技术指导，及时解决问题，提高普查工作效率。各技术指导组对于各试点县上传的数据及上交的标本进行仔细核查，保障普查成果的准确性。

（1）初步筛查阶段。专家依据省普查办制订的"上交药材、种子的相关标准"进行初步筛查，

图 1-2-5　对试点县普查工作的技术指导

将相关标签、包装不合格的标本返回各个普查队，要求其按照标准整改。信息组主要负责填报数据的核查工作，包括对各个试点县普查数据填报过程中疑难问题的解答，县级技术方案的审核，数据填报的准确性、真实性的核查等工作。发现问题及时反馈，及时解决，必要时进行现场数据填报指导。植物、药材、种子标本核查专家组成员由长春中医药大学、吉林农业大学、延边大学、通化师范学院的相关专家组成。专家依据《中国植物志》《东北植物检索表》《中国药典》等文献，对各队上交的实物标本进行核查，对于其中存在疑问的植物品种，要求各普查队提供其生境照片、原植物照片，必要时普查队长可与核查专家当面沟通，以保证上交品种的准确性。标本核查完成以后，由植物标本内业整理队负责制作合格的腊叶标本，拍照留档，并上交至中国中医科学院中药资源中心。

（2）标本鉴定阶段。对于标签及包装筛查合格的标本，专家依据相关文献进行品种鉴定。鉴定内容包括品种来源是否正确、药用部位是否正确、药材的纯净度（即非药用部位及杂质是否超过相关标准）。《中国药典》收载的品种按照《中国药典》中的相关规定执行，《中国药典》未收载的品种按照其他权威文献执行。对于品种有疑问的标本，专家应与原植物腊叶标本进行核对，并且要求普查队提供生境照片、原植物照片、采挖过程照片等，对标本进行进一步核对鉴定，以保证品种的准确性。将杂质过多的品种退回普查队，要求其处理后重新上交合格的标本。

2. 开展督导对接，解决普查工作中的实际问题

为保障普查工作的顺利进行，省资源普查领导小组办公室相关成员、各普查队长先后到吉林省60个试点县（市、区）进行实地走访，召开市（州）中医药管理局、试点县政府领导、试点县卫生局（中医药管理局）领导及相关成员参加的普查工作对接会，见图1-2-6。资源普查对接督导工作，加强了各普查队同地方政府及相关部门的接洽工作，解决了一系列的实际问题，为吉林省中药资源普查工作的顺利开展奠定了坚实的基础。例如：有的普查区域交通情况差，普通车辆难以到达，督导人员积极与相关部门协商，最后相关部门委派越野车协助调查。同时，通过督导工作，省资源普查领导小组也了解了地方政府急需解决的资源问题。

图1-2-6　开展督导对接

3. 采用理论培训与现地演练相结合的普查技术培训新模式

第四次全国中药资源普查规模大，参与人员众多，采用了"3S"、计算机网络、数据库等先进的技术手段。为此，吉林省采取理论培训与现地演练相结合的培训模式，开展了普查技术方案、先进技术手段、数据库管理等方面的理论培训，见图 1-2-7，同时结合理论培训知识开展了野外现地实践演练培训。自 2012 年资源普查工作开展以来，吉林省共组织了 3 次大规模的培训及多次小规模的培训。此外，吉林省于 2013 年、2015 年各召开了 2 次资源普查工作研讨会。

2012 年 4 月 13 日，在长春中医药大学举办了吉林省全国中药资源普查试点工作启动仪式暨培训会，启动仪式结束以后，各普查队的成员接受了资源普查理论培训，培训内容包括普查方案的制订、普查实施的方式方法等。

2012 年 5 月 6 日，在吉林市左家镇开展了吉林省全国中药资源普查试点工作野外操作现地演练培训会，各普查队代表出席了培训会。此次培训会就资源普查的生态环境分析与描述、样地选择、样方划定、样方内药用植物识别、信息记录、植物标本和药材采挖、标本压制、照片拍摄等野外相关科目进行了实地操作演练。

2012 年 6 月 3 日，召开了吉林省全国中药资源普查试点工作数据库系统填报专项培训会，各普查队代表出席了培训会，相关专家及技术人员就野外调查样线辅助设计技术方法、使用 PDA 硬件和软件获取数据的技术方法、调查数据录入全国中药资源普查数据库的方法进行了详细的讲解和示范。

2013 年 6 月 10 日，召开了吉林省第二批全国中药资源普查试点工作经验交流会，与会人员就普查过程中的问题与经验进行了研讨与交流，以充分保障普查工作的顺利进行、提高工作质量。

2013 年 8 月 5 日，召开了吉林省中药资源普查标本采集、制作研讨会，会上内业工作组强调了各类普查标本采集、制作中存在的问题，并与各普查队长进行了交流，达成了吉林省中药资源普查标本采集、制作标准的共识。

2015 年 4 月 24 日，召开了吉林省第三批全国中药资源普查试点工作培训会，会上省普查专

图 1-2-7　资源普查技术培训

家总结了前两次资源普查过程中存在的问题，并对数据库填报、标本采集与制作、重点品种调查等工作进行了培训。

2015 年 7 月 14 日，召开了吉林省中药资源普查生物量调查培训会，会上省中药资源普查技术工作办公室针对中药资源普查生物量调查工作中存在的具体问题进行了专门的讲解，并要求各普查队认真对待此项工作，保质保量完成吉林省中药资源普查生物量调查工作。

二、成立中药资源普查技术队伍

为了更好地开展中药资源普查工作，对吉林省重点中药材品种的资源量及市场变动情况进行监测，为中药资源普查留下宝贵的中药资源专业队伍和平台，省资源普查领导小组办公室依托科研院所和大专院校成立了省级中药资源普查试点工作技术专家指导委员会，其成员名单见表 1-2-1。该专家委员会主要由省内大专院校及科研院所相关专业的专家组成，指导委员会的每位专家参与其负责的普查县（市、区）的相关普查方案的审核，并对普查工作进行督导，解决技术疑难问题。

表 1-2-1 吉林省中药资源普查试点工作技术专家指导委员会名单

序号	姓名	单位	职务 / 职称	专业	人员类别
1	曲晓波	长春中医药大学	副校长 / 教授	中药学	主任委员
2	邱智东	长春中医药大学	副校长 / 教授	中药学	副主任委员
3	张连学	吉林农业大学	教授	栽培学	副主任委员
4	王英平	中国农业科学院特产研究所	副所长 / 研究员	中药学	副主任委员
5	张 辉	长春中医药大学	教授	中药学	副主任委员
6	严仲恺	吉林省中医药科学院	研究员	中药学	委员
7	高士贤	长春中医药大学	教授	中药学	委员
8	王绍先	吉林省长白山科学研究院	院长 / 研究员	资源学	委员
9	陈建军	吉林省林业科学研究院	研究员	林学	委员
10	杨洗尘	吉林市食品药品检验所	研究员	中药学	委员
11	常维春	中国农业科学院特产研究所	研究员	中药学	委员
12	徐 飞	吉林省食品药品检验所	副所长 / 研究员	中药学	委员
13	林 喆	长春中医药大学	处长 / 教授	中药学	委员
14	董方言	吉林省中医药科学院	副院长 / 研究员	药学	委员
15	古怀明	延边州卫生局	处长 / 副研究员	中药资源学	委员
16	刘玉忠	伊通满族自治县民族医院	院长 / 主任医师	管理学	委员
17	胡权德	吉林农业大学	教授	药用植物学	委员
18	周 繇	通化师范学院	教授	药用植物学	委员
19	肖洪兴	东北师范大学	教授	植物分类学	委员
20	包国章	吉林大学	教授	植物生态学	委员
21	杨利民	吉林农业大学	院长 / 教授	中药学	委员
22	姜大成	长春中医药大学	教授	中药鉴定学	委员
23	张亚芝	长春中医药大学	教授	药用植物学	委员

序号	姓名	单位	职务/职称	专业	人员类别
24	吕惠子	延边大学	教授	药用植物学	委员
25	秦佳梅	通化师范学院	教授	野生植物资源	委员
26	郑春哲	延边朝医医院	研究员	中药学	委员
27	张强	长春中医药大学	副教授	药用植物学	委员
28	翁丽丽	长春中医药大学	教授	中药鉴定学	委员
29	于俊林	通化师范学院	教授	植物学	委员
30	肖井雷	长春中医药大学	副教授	中药学	秘书
31	安海成	磐石市烟筒山镇海成药材花卉苗木专业合作社	—	生药学	委员
32	王兆武	东丰县中药材协会	—	生药学	委员

注：排名不分先后。

三、制订中药资源普查实施方案

依据国家中药资源普查技术规范的要求，技术依托单位组织专家制订了《吉林省全国中药资源普查试点工作方案》（以下简称"《省级方案》"），明确了中药资源普查试点工作的目的、任务、各部门职责、工作时间安排等内容，并制订了省、县两级普查方案。

（一）县级普查队伍

基于吉林省中药资源分布广、普查任务重的现状，省资源普查领导小组办公室研究决定，根据吉林省的特点，采取外业与内业分别建队的模式，集合全省中药学、植物学、生药学及相关专业的专家、学者，组建 60 支专业性强、野外工作经验丰富的外业普查队，队长名单见表 1-2-2，规定每个普查队至少有 1 名植物学或生药学方面的专家，以保障野外普查工作的准确性和实效性。同时，要求各普查队成员间做好明确分工，样方、植物摄影、信息记录、数据填报、标本压制、信息联络等工作内容均由专人负责，部分普查队工作照片见图 1-2-8；并成立了植物标本组、药

图 1-2-8 部分普查队工作照片

材标本组、种子标本组 3 支内业整理队，成员名单见表 1-2-3、表 1-2-4。

此外，为做好优势与特色资源研究，吉林省还开展了资源普查专项普查，成立了人参、鹿茸、哈蟆油 3 个专项普查队。

表 1-2-2　县级普查队队长名单

年度	序号	普查队	普查队队长
	1	安图县	李福子
	2	东丰县	董方言
	3	敦化市	张　辉
	4	抚松县	张　强
	5	桦甸市	林　喆
	6	珲春市	吕惠子
	7	集安市	秦佳梅
	8	蛟河市	王英平
	9	靖宇县	张景龙
2012 年	10	临江市	李宜平
	11	前郭尔罗斯蒙古族自治县	尹春梅
	12	双辽市	张凤瑞
	13	双阳区	翁丽丽
	14	通化县	于俊林
	15	通榆县	杨利民
	16	汪清县	朴明杰
	17	伊通满族自治县	姜大成
	18	长白朝鲜族自治县	杨世海
	19	和龙市	郑春哲
	1	农安县	翁丽丽
	2	德惠市	张　强
	3	榆树市	李宜平
	3	九台区	张景龙
	4	公主岭市	姜大成
	5	梨树县	张凤瑞
	6	柳河县	于俊林
	7	辉南县	周　繇
2013 年	8	梅河口市	秦佳梅
	9	长岭县	杨利民
	10	乾安县	刘　霞
	11	扶余市	杨世海
	12	图们市	吕惠子
	13	龙井市	李福子
	14	舒兰市	郑永春
	15	永吉县	林　喆
	16	磐石市	王英平
	17	东辽县	董方言

续表

年度	序号	普查队	普查队队长
2013 年	18	洮南市	包海鹰
	19	大安市	尹春梅
	20	镇赉县	高晨光
2015 年	1	龙潭区	翁丽丽
	2	丰满区	肖井雷
	3	昌邑区	林　喆
	4	铁东区	姜大成
	5	东昌区	秦佳梅
	6	二道江区	于俊林
	7	浑江区	张　强
	8	江源区	李宜平
	9	宁江区	张凤瑞
	10	洮北区	杨利民
	11	延吉市	吕惠子
2017 年	1	二道区	肖井雷
	2	南关区	翁丽丽
	3	船营区	张　强
	4	铁西区	张天柱
	5	龙山区	张景龙
	6	西安区	姜大成
2018 年	1	绿园区	翁丽丽
	2	宽城区	肖井雷
2019 年	1	朝阳区	肖井雷

表 1-2-3　植物标本核查专家名单

序号	姓名	职称	单位	专业方向
1	张景龙	副教授	长春中医药大学	药用植物学、植物分类学
2	张　强	副教授	长春中医药大学	生物学、植物学
3	张天柱	讲　师	长春中医药大学	植物学、植物栽培学
4	齐伟辰	讲　师	长春中医药大学	药用植物学、植物分类学
5	韩　梅	教　授	吉林农业大学	植物学、植物分类学
6	韩忠明	副教授	吉林农业大学	植物学、植物分类学
7	张永刚	副教授	吉林农业大学	植物学、植物分类学
8	刘翠晶	讲　师	吉林农业大学	植物学、植物分类学
9	林红梅	讲　师	吉林农业大学	植物学、植物分类学
10	杨　莉	讲　师	吉林农业大学	植物学、植物分类学
11	于俊林	教　授	通化师范学院	植物学
12	秦佳梅	教　授	通化师范学院	植物学
13	刘　霞	副教授	吉林农业大学	植物学
14	吕惠子	教　授	延边大学	植物学

注：排名不分先后。

表 1-2-4 药材、种子标本核查专家名单

序号	姓名	职称	单位	专业方向
1	姜大成	教授	长春中医药大学	中药鉴定学
2	翁丽丽	教授	长春中医药大学	中药鉴定学
3	蔡广知	讲师	长春中医药大学	中药鉴定学
4	王哲	讲师	长春中医药大学	生药学
5	朱键勋	讲师	长春中医药大学	生药学
6	肖井雷	副教授	长春中医药大学	中药学
7	杨利民	教授	吉林农业大学	中药学
8	于俊林	教授	通化师范学院	植物学
9	秦佳梅	教授	通化师范学院	植物学
10	王兆武	农艺师	桦甸农业站	生药学
11	安海成	农艺师	磐石农业站	生药学
12	雷钧涛	教授	吉林医药学院	中药学

注：排名不分先后。

（二）普查实施方案

1. 省级普查实施方案

吉林省普查领导小组及省级专家委员会成立之后立即展开工作，对吉林省以往的资源情况进行全面核查，将吉林省分为 4 个典型区域，包括吉林省东部寒温带针阔叶混交林、中部阔叶林带、西南部草甸草原区、西北部典型草原区，并按照国家《第四次全国中药资源普查技术规范》要求，对 60 个县（市、区）的中药资源情况进行实地调查，全面查清吉林省中药资源本底情况。

省级普查实施方案的意义在于：全面、准确地获取吉林省中药资源信息，为第四次全国中药资源普查提供相关数据和实物样本；建立吉林省的中药资源普查机构体系；掌握吉林省此次中药资源重点普查品种的种类、分布、蕴藏量、栽培与野生情况、收购量、需求量、质量等中药资源本底资料；掌握吉林省具有民族特色的传统用药知识；建立吉林省中药资源的实体库和信息库，初步建立吉林省中药资源数据库、动态监控网络、预警体系，以及网络化共享服务系统；通过普查，为制订中药资源保护措施提供客观依据，为建立中药资源保护区提供科技支撑；探索普查队伍的组建模式和普查方案的可行性，摸索普查人员的遴选与培训方法。

2. 县级普查实施方案

省级普查实施方案编制完成以后，各个试点县根据省级方案的技术要求，结合各个试点县中药资源的具体情况，编制县级实施方案。编制县级实施方案过程中有省级专家委员会的具体指导，包括指导各项技术指标的制订及具体实施过程，同时还可提供试点县原有野生药用资源名录。方案编制完成以后，各个试点县按照方案执行，全面、准确地获取吉林省长白、桦甸、珲春等 60 个县（市、区）的中药资源信息，掌握其中药资源现状，并提出中药资源管理、保护及开发利用的建议，为当地政府科学决策、实现中药资源可持续利用提供依据。

四、调查内容与方法

（一）调查内容

依据《第四次全国中药资源普查技术规范》《吉林省中药资源普查实施方案》（图 1-2-9），以及吉林省的不同地形地貌特征，选定双阳区、桦甸市、蛟河市、敦化市、珲春市等 60 个县（市、区）作为普查试点重点区域，并进行如下内容的调查。

1. 野生中药资源调查

结合吉林省原有中药资源品种名录，普查队对 60 个县（市、区）的野生中药资源进行调查，重点对其中 97 种药材（96 种基原）进行野外调查。同时，对吉林省的特色中药材苦碟子、返魂草等进行重点调查。按照《第四次全国中药资源普查技术规范》的要求，对每一个调查品种都填写相应的调查表，拍摄每种重点植物的生态环境照片、药用植物照片、药用部位照片，以及其腊叶标本照片、药材标本照片、普查工作照片等影像资料，收集并制作重点药材的腊叶标本、药材标本、种质资源库等。

2. 传统医药知识调查

结合吉林省的民族区域特点，对特定区域内的医药，如伊通满族自治县满族医药、延边州朝鲜族医药等，以及民间药的药材名称（包括民族、民间、地方名称）、基原、药用部位、药物炮制加工方法、用药理论、功能与主治、用药形式、用法与用量、临床疗效、病例、验方等信息进行收集整理。

3. 市场调查

按照《第四次全国中药资源普查技术规范》的要求，并结合《吉林省中药资源普查实施方案》，对 60 个县（市、区）所产的 66 个药材的种类、名称、来源、功效、使用情况或使用方法、年需求量、

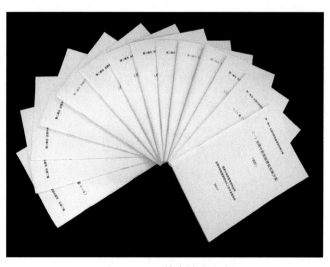

图 1-2-9　普查技术方案

交易量、价格、产地、进出口情况、生产单位等内容进行市场调研。

4. 中药资源动态监测体系建立

采用不同时间段的卫星遥感图像对比、野外实地调查及市场变化情况分析、网络技术等方法，对吉林省道地药材，包括人参、五味子、桔梗、天南星、龙胆、威灵仙、平贝母、淫羊藿、刺五加、黄芪、穿山龙、鹿茸、哈蟆油等 15 种中药材进行动态监测。人参的动态监测点设在抚松县，鹿茸的动态监测点设在双阳区，细辛的动态监测点设在通化县，桔梗的动态监测点设在长白朝鲜族自治县，哈蟆油的动态监测点设在桦甸市，五味子的动态监测点设在汪清县。初步建立吉林省中药资源动态监测系统与预警体系。

（二）调查方法

依据《第四次全国中药资源普查技术规范》中的"全国中药资源普查重点调查名录"，并结合吉林省中药资源本底资料，初步拟定吉林省中药资源普查重点品种名录，并经吉林省中药资源普查技术专家指导委员会研究讨论，确定了吉林省资源普查方法。

在传统野外调查方法的基础上，运用先进适用的现代技术和方法（全球卫星定位系统、地理信息系统、计算机网络）开展普查，以确保普查基础数据的准确性和客观性，提高普查的效率和质量。

1. 传统野外调查方法

（1）线路调查。对于资源分布不均且区域资源储量和种类较少的情况，采用此方法对调查地区中药资源分布的范围、气候特征、地形地貌、植被类型、土壤类型及中药资源种类和分布的一般规律进行全面了解，以获取中药资源品种、分布等相关信息。

（2）样方调查。采用此方法对分布密度和蕴藏量进行详细调查，可以获取资源种类和储量等信息。

（3）座谈访问。通过座谈访问的方式获取资源分布、开发利用、资源变化、用药经验等相关信息。

2. 现代技术和方法

（1）全球卫星定位系统（GPS）与地理信息系统（GIS）技术。各普查队应用 GPS 进行样方的精确定位和样地面积的确定，辅助进行重要资源的动态监测。普查数据管理机构使用 GIS 将普查数据空间化，并实现这些空间数据的管理、分析、信息发布和生成专题地图（直观可视化管理），辅助进行中药资源的动态监测。

（2）计算机网络技术。各普查队、省普查办通过计算机网络技术实现普查数据的汇总及共享服务等。

（3）数据库技术。省普查办使用由专业的软件开发单位和专家委员会共同开发建立的中药资源专题数据库和数据管理系统，进行中药资源普查数据的收集汇总、保存、管理和应用服务等。

五、普查成果与经验

2012—2019 年，吉林省全面开展了 60 个县（市、区）的中药资源普查试点工作，普查区域覆盖了全省，普查区域总面积达 18.74 万 km²，占全省总面积的 100%。在国家及省普查办的指导和组织下，组成了 60 支普查队。根据《吉林省中药资源普查实施方案》，各普查队分别制订了各县、市、区的中药资源普查方案，并签订了任务书，进行了大量的野外普查和相关内业工作，按要求完成了普查任务，且全部通过国家组织的验收，见图 1-2-10。同时，吉林省开展了人参、鹿茸、哈蟆油等中药资源保护与利用的研究，以及吉林省代表区域中药标本实体及数字化信息平台建设项目。

图 1-2-10　普查试点工作成果验收会

（一）普查成果

1. 一般品种调查

根据国家普查技术指导办公室要求，2012—2018 年间吉林省各县级普查队在野外共完成普查品种 1564 种，采集植物标本 32298 份、药材标本 5410 份、种子标本 2887 份，拍摄照片 29.7 万张。

2. 重点品种调查

2012 年 5 月，依据国家重点调查品种名录，确定了 112 种吉林省重点调查品种。截至 2019 年 12 月，全省共计完成重点调查品种 129 种，采集植物标本 19350 份、药材标本 1808 份、种子标本 1215 份，拍摄各类照片 3.87 万余张。

（1）2012 年中药资源普查工作。19 个县（市、区）共完成普查样地 757 个、样方套 3599 个。采集植物标本 810 种、11008 份，采集药材标本 638 种、2088 份，采集种子标本 407 种、993 份。完成重点调查品种 122 种，共计拍摄照片 87480 张。此外，拍摄内业等相关工作照片 15000 余张，总计拍摄照片超过 10.2 万张。具体普查数据见表 1-2-5 至表 1-2-7。

表 1-2-5　19 个县（市、区）基本调查数据

序号	普查区域	样地和样方			药用植物品种基本数量			照片数量 / 张
		完成样地数 / 个	完成样方套数 / 个	调查品种总数 / 种	普查品种			
					重点调查品种数 / 种	普遍调查品种数 / 种		
1	双阳区	36	187	106	46	60		3936
2	蛟河市	39	192	166	31	135		1918
3	桦甸市	38	190	158	43	115		10232
4	伊通满族自治县	39	195	162	50	112		2894
5	双辽市	37	186	123	29	94		3611
6	东丰县	37	184	217	45	172		7155
7	通化县	38	181	227	50	177		4729
8	集安市	43	184	161	49	112		2739
9	抚松县	36	180	263	69	194		4055
10	靖宇县	52	188	309	70	239		7405
11	长白朝鲜族自治县	36	182	205	57	148		3892
12	临江市	46	205	242	48	194		1719
13	前郭尔罗斯蒙古族自治县	36	180	69	26	43		3279
14	通榆县	47	235	142	20	122		4208
15	敦化市	49	186	171	57	114		4905
16	珲春市	36	182	249	66	183		3023
17	和龙市	38	185	174	63	111		3419
18	汪清县	38	195	426	70	356		10245
19	安图县	36	182	153	62	91		4116

表 1-2-6　19 个县（市、区）采集的植物标本数据

序号	普查区域	普遍调查品种		国家重点调查品种	
		品种数 / 种	标本数 / 份	品种数 / 种	标本数 / 份
1	双阳区	111	327	46	136
2	蛟河市	154	457	29	82
3	桦甸市	153	433	34	101
4	伊通满族自治县	149	368	49	133
5	双辽市	121	363	30	90
6	东丰县	72	177	18	45
7	通化县	175	446	41	115
8	集安市	144	397	39	110
9	抚松县	234	618	58	157
10	靖宇县	271	739	61	170
11	长白朝鲜族自治县	117	306	39	106
12	临江市	159	462	48	139

序号	普查区域	普遍调查品种		国家重点调查品种	
		品种数 / 种	标本数 / 份	品种数 / 种	标本数 / 份
13	前郭尔罗斯蒙古族自治县	73	197	18	50
14	通榆县	113	336	18	53
15	敦化市	117	309	34	103
16	珲春市	220	657	64	190
17	和龙市	312	812	53	147
18	汪清县	324	795	71	189
19	安图县	169	501	64	192

表 1-2-7　19 个县（市、区）采集的药材、种子标本数据

序号	普查区域	项目	总计数量	数量 / 份		重量 /g		
				国家重点调查品种	普遍调查品种	≥ 500	100 ~ 500	≤ 100
1	双阳区	药材	103	42	61	31	50	22
		种子	51	18	33	2	15	34
2	蛟河市	药材	47	23	24	7	28	12
		种子	29	10	19	0	0	29
3	桦甸市	药材	102	41	61	13	26	63
		种子	53	18	35	0	10	43
4	伊通满族自治县	药材	116	48	68	22	56	38
		种子	49	25	24	2	10	37
5	双辽市	药材	98	25	73	21	54	23
		种子	56	18	38	3	8	45
6	东丰县	药材	59	22	37	29	27	3
		种子	4	1	3	0	0	4
7	通化县	药材	71	24	47	26	33	12
		种子	101	21	80	8	30	63
8	集安市	药材	90	45	45	47	27	16
		种子	59	26	33	2	9	48
9	抚松县	药材	195	44	151	8	121	66
		种子	105	15	90	0	0	105
10	靖宇县	药材	173	52	121	30	83	60
		种子	68	9	59	24	6	38
11	长白朝鲜族自治县	药材	66	35	31	31	26	9
		种子	4	3	1	0	4	0
12	临江市	药材	135	40	95	6	73	56
		种子	23	11	12	0	1	22
13	前郭尔罗斯蒙古族自治县	药材	34	18	16	3	19	12
		种子	19	8	11	0	4	15
14	通榆县	药材	103	19	84	55	31	17
		种子	76	15	61	0	5	71

续表

序号	普查区域	项目	总计数量	数量/份		重量/g		
				国家重点调查品种	普遍调查品种	≥500	100～500	≤100
15	敦化市	药材	129	45	84	12	60	57
		种子	46	15	31	5	25	16
16	珲春市	药材	90	47	43	47	42	1
		种子	20	9	11	4	4	12
17	和龙市	药材	246	60	186	201	43	2
		种子	93	10	83	12	25	56
18	汪清县	药材	154	54	100	29	93	32
		种子	108	36	72	3	51	54
19	安图县	药材	77	51	26	57	18	2
		种子	29	19	10	13	10	6

（2）2013年中药资源普查工作。21个县（市、区）共完成普查样地850个、样方套4251个。采集植物标本1223种、12846份，采集药材标本590种、1927份，采集种子标本385种、1241份。完成重点调查品种128种，共计拍摄照片102893张。此外，拍摄内业等相关工作照片1.8万张，总计拍摄照片12万余张。具体普查数据见表1-2-8至表1-2-10。

表1-2-8　21个县（市、区）基本调查数据

序号	普查区域	样地和样方套			药用植物品种基本数量		照片数量/张
		完成样地数/个	完成样方套数/个	调查品种总数/种	普查品种		
					重点调查品种数/种	普遍调查品种数/种	
1	农安县	36	180	78	19	59	5023
2	德惠市	36	180	68	14	54	4879
3	榆树市	38	190	132	21	111	4214
4	辉南县	47	235	137	43	94	4419
5	梅河口市	43	216	144	42	102	5209
6	镇赉县	36	180	67	10	57	4310
7	东辽县	38	190	276	39	237	4549
8	大安市	46	230	25	6	19	4893
9	永吉县	43	215	158	35	123	5746
10	梨树县	36	180	267	37	230	4981
11	扶余市	38	190	181	41	140	3841
12	乾安县	43	215	107	13	94	3294
13	长岭县	50	250	184	26	158	4561
14	公主岭市	36	180	114	35	79	3912
15	洮南市	36	180	152	18	134	4793
16	龙井市	37	185	218	63	155	5690
17	舒兰市	47	235	162	28	134	4120
18	柳河县	48	240	398	41	357	3800
19	磐石市	36	180	195	30	165	5766

序号	普查区域	样地和样方套			药用植物品种基本数量			照片数量 / 张
		完成样地数 / 个	完成样方套数 / 个	调查品种总数 / 种	普查品种			
					重点调查品种数 / 种	普遍调查品种数 / 种		
20	图们市	36	180	258	62	196		5970
21	九台区	44	220	330	55	275		4722

表 1-2-9　21 个县（市、区）采集的植物标本数据

序号	普查区域	普遍调查品种		国家重点调查品种	
		品种数 / 种	标本数 / 份	品种数 / 种	标本数 / 份
1	农安县	82	244	18	54
2	德惠市	83	240	13	38
3	榆树市	193	517	24	70
4	辉南县	137	400	34	101
5	梅河口市	136	401	32	95
6	镇赉县	120	360	16	48
7	东辽县	162	462	25	60
8	大安市	150	444	20	58
9	永吉县	158	435	22	64
10	梨树县	245	725	37	111
11	扶余市	199	593	56	166
12	乾安县	130	390	27	81
13	长岭县	157	470	26	78
14	公主岭市	116	324	35	101
15	洮南市	98	311	14	36
16	龙井市	218	654	63	189
17	舒兰市	159	467	26	78
18	柳河县	404	1054	51	133
19	磐石市	195	585	31	93
20	图们市	259	777	62	186
21	九台区	356	991	58	162

表 1-2-10　21 个县（市、区）采集的药材、种子标本数据

序号	普查区域	项目	总计数量	数量 / 份		重量 /g		
				国家重点调查品种	普遍调查品种	≥ 500	100 ~ 500	≤ 100
1	农安县	药材	58	13	45	14	24	20
		种子	19	5	14	2	6	11
2	德惠市	药材	49	8	41	2	10	48
		种子	35	6	29	0	4	16
3	榆树市	药材	105	24	81	3	42	93
		种子	94	19	75	0	7	94
4	辉南县	药材	138	54	84	60	46	40
		种子	66	23	43	7	22	43

续表

序号	普查区域	项目	总计数量	数量 / 份		重量 /g		
				国家重点调查品种	普遍调查品种	≥ 500	100 ~ 500	≤ 100
5	梅河口市	药材	92	59	33	61	44	36
		种子	66	22	44	7	20	41
6	镇赉县	药材	54	24	30	19	27	9
		种子	35	9	26	2	10	24
7	东辽县	药材	78	32	46	15	73	31
		种子	46	15	31	0	6	40
8	大安市	药材	83	18	65	1	61	21
		种子	53	17	36	0	13	73
9	永吉县	药材	148	43	105	21	72	42
		种子	79	27	52	0	4	75
10	梨树县	药材	123	27	96	25	53	45
		种子	40	17	23	0	2	56
11	扶余市	药材	61	22	39	3	40	22
		种子	44	14	30	0	6	38
12	乾安县	药材	42	9	33	0	26	67
		种子	64	8	56	0	0	32
13	长岭县	药材	101	24	77	13	53	35
		种子	82	21	61	0	5	61
14	公主岭市	药材	92	27	65	13	38	41
		种子	41	17	24	2	11	28
15	洮南市	药材	6	4	2	1	0	5
		种子	17	2	15	0	0	12
16	龙井市	药材	110	56	54	81	30	5
		种子	57	30	27	0	33	25
17	舒兰市	药材	156	48	108	20	76	42
		种子	125	27	98	0	6	75
18	柳河县	药材	90	23	67	29	17	45
		种子	99	22	77	1	62	86
19	磐石市	药材	70	23	47	3	67	10
		种子	51	13	38	0	0	51
20	图们市	药材	91	50	41	9	18	64
		种子	57	19	38	1	19	36
21	九台区	药材	180	40	140	53	105	66
		种子	71	11	60	0	18	53

（3）2015 年中药资源普查工作。11 个市、区共完成普查样地 428 个、样方套 2140 个。采集植物标本 991 种、7446 份，采集药材标本 575 种、1149 份，采集种子标本 320 种、527 份。完成重点调查品种 106 种，共计拍摄照片 50643 张。此外，拍摄内业等相关工作照片 8000 余张，总计拍摄照片 5.8 万余张。具体普查数据见表 1-2-11 至表 1-2-13。

表 1-2-11　11 个市、区基本调查数据

序号	普查区域	样地和样方套			药用植物品种基本数量			照片数量 / 张
		完成样地数 / 个	完成样方套数 / 个	调查品种总数 / 种	普查品种			
					重点调查品种数 / 种	普遍调查品种数 / 种		
1	龙潭区	36	180	120	40	80		3499
2	丰满区	36	180	298	53	245		4321
3	昌邑区	38	190	191	31	160		3365
4	铁东区	37	185	189	39	150		4087
5	东昌区	37	185	262	47	215		7437
6	二道江区	40	200	320	34	286		6329
7	浑江区	43	215	375	60	315		3796
8	江源区	39	195	387	43	344		4473
9	宁江区	36	180	133	12	121		3796
10	洮北区	44	220	176	26	150		3878
11	延吉市	42	210	419	47	372		5662

表 1-2-12　11 个市、区采集的植物标本数据

序号	普查区域	普遍调查品种		国家重点调查品种	
		品种数 / 种	标本数 / 份	品种数 / 种	标本数 / 份
1	龙潭区	122	334	35	105
2	丰满区	169	474	25	70
3	昌邑区	113	377	25	75
4	铁东区	123	369	24	71
5	东昌区	196	683	39	110
6	二道江区	349	859	30	85
7	浑江区	415	1274	44	124
8	江源区	286	1149	29	110
9	宁江区	109	342	20	60
10	洮北区	172	505	31	90
11	延吉市	353	1080	30	90

表 1-2-13　11 个市、区采集的药材、种子标本数据

序号	普查区域	项目	总计数量	数量 / 份		重量 /g		
				国家重点调查品种	普遍调查品种	≥ 500	100 ~ 500	≤ 100
1	龙潭区	药材	83	27	56	15	45	23
		种子	31	11	20	9	9	13
2	丰满区	药材	17	8	9	12	4	1
		种子	33	11	22	8	4	21
3	昌邑区	药材	70	27	43	11	50	9
		种子	38	12	26	9	9	20
4	铁东区	药材	57	27	30	10	37	10
		种子	43	19	24	15	14	14
5	东昌区	药材	122	33	89	82	23	17
		种子	52	9	43	11	17	24

续表

序号	普查区域	项目	总计数量	数量 / 份		重量 /g		
				国家重点调查品种	普遍调查品种	≥ 500	100 ~ 500	≤ 100
6	二道江区	药材	76	23	53	23	40	13
		种子	35	5	30	21	8	6
7	浑江区	药材	321	75	246	6	230	85
		种子	95	20	75	1	6	88
8	江源区	药材	169	30	139	25	39	105
		种子	76	4	72	3	23	50
9	宁江区	药材	30	7	23	1	22	7
		种子	5	3	2	2	2	1
10	洮北区	药材	133	21	112	8	101	24
		种子	91	20	71	8	16	67
11	延吉市	药材	71	35	36	9	57	5
		种子	28	7	21	14	7	7

（4）2017 年、2018 年、2019 年中药资源普查工作。2017 年，6 个区共完成普查样地 89 个、样方套 430 个，采集植物标本 879 份、药材标本 206 份、种子标本 111 份，共计拍摄照片 13596 张。2018 年与 2019 年，由于天然植被面积过小，3 个区无法提取样地，共采集植物标本 119 份、药材标本 40 份、种子标本 15 份，共计拍摄照片 1301 张。具体普查数据见表 1-2-14 至表 1-2-16。

表 1-2-14 9 个区基本调查数据

序号	普查区域	样地和样方套			药用植物品种基本数量			照片数量 / 张
		完成样地数 / 个	完成样方套数 / 个	调查品种总数 / 种	普查品种			
					重点调查品种数 / 种	普遍调查品种数 / 种		
1	二道区	35	175	150	54	96		2350
2	南关区	30	150	90	28	62		5100
3	船营区	6	30	60	22	38		3000
4	铁西区	—	—	25	10	15		698
5	龙山区	6	20	38	15	23		1548
6	西安区	12	55	95	25	70		900
7	绿园区	—	—	42	12	30		1050
8	宽城区	—	—	26	5	21		125
9	朝阳区	—	—	16	3	13		126

表 1-2-15 9 个区采集的植物标本数据

序号	普查区域	普遍调查品种		国家重点调查品种	
		品种数 / 种	标本数 / 份	品种数 / 种	标本数 / 份
1	二道区	85	260	40	135
2	南关区	90	270	28	84
3	船营区	58	116	22	44
4	铁西区	25	48	10	30

序号	普查区域	普遍调查品种		国家重点调查品种	
		品种数 / 种	标本数 / 份	品种数 / 种	标本数 / 份
5	龙山区	38	95	15	45
6	西安区	95	90	35	35
7	绿园区	21	41	5	12
8	宽城区	22	41	5	25
9	朝阳区	16	37	3	15

表 1-2-16 9 个区采集的药材、种子标本数据

序号	普查区域	项目	总计数量	数量 / 份		重量 /g		
				国家重点调查品种	普遍调查品种	≥ 500	100 ~ 500	≤ 100
1	二道区	药材	43	15	28	30	7	6
		种子	40	15	25	10	25	5
2	南关区	药材	50	16	34	2	26	3
		种子	16	4	12	—	5	11
3	船营区	药材	27	8	19	—	7	20
		种子	14	3	11	—	4	10
4	铁西区	药材	13	4	9	1	2	10
		种子	5	1	4	—	5	—
5	龙山区	药材	30	6	24	—	13	17
		种子	15	4	11	—	—	15
6	西安区	药材	43	10	33	2	25	6
		种子	21	4	17	1	—	20
7	绿园区	药材	14	2	12	—	14	
		种子	5	1	4	—	5	
8	宽城区	药材	16	2	14	—	5	11
		种子	4	1	3	—	4	—
9	朝阳区	药材	10	1	9	—	10	
		种子	6	1	5	—	—	6

3. 栽培药用植物调查

吉林省中草药资源丰富，其中，人参、西洋参、五味子、细辛、龙胆、黄芪、柴胡、淫羊藿、梅花鹿茸、哈蟆油、返魂草、平贝母、穿龙薯蓣、刺五加、防风、关白附、玉竹、关黄柏、天南星、藁本等已成为国内外市场上的主流品种。2000 年，吉林省曾开展中药材规范化生产（GAP）认证工作，当时已经完成要产业化和有产业化前景的中药材生产基地 36 个，包括人参、西洋参、五味子、细辛、龙胆草、黄芪、柴胡、淫羊藿、梅花鹿茸、哈蟆油、返魂草、平贝母、穿山龙、刺五加、防风、关白附、甘草、红景天、玉竹等 22 个中药材品种。其中，人参、西洋参、梅花鹿茸 3 个品种的 7 个基地通过了国家 GAP 认证。为开发丰富的长白山中药材资源，吉林省实行了立足生态环保和资源永续利用的中药材保护开发政策，重点扶持人参、西洋参、梅花鹿茸、哈蟆油、五味子

等中药材大品种产业化。

在吉林省第四次全国中药资源普查中，共派出 60 支普查队分别对各县域内的中药材种植基地和中药材公司进行了走访，对具有一定规模的栽培基地进行了全面了解，包括其栽培品种的年产量、销售价格、病虫害防治、农药使用量等。吉林省第四次全国中药资源普查发现，吉林省栽培的中药材有 70 余种，其种植总面积约 50 万亩①，其中吉林省栽培面积达百亩以上的中药材品种名称、栽培面积、主要分布地区见表 1-2-17。从表中可以看出，人参、林下参、西洋参的栽培总面积占 68.4%，超过表中所有中药材总面积的 2/3，其余超过万亩的只有五味子、轮叶党参（羊乳）、刺五加、平贝母 4 个品种，栽培面积达千亩以上的中药材品种有 18 个。栽培药材调查数据见表 1-2-18 至表 1-2-21。

表 1-2-17 吉林省栽培面积达百亩以上的中药材的情况

序号	栽培品种	栽培面积 / 亩	主要分布地区（市、县、区）
1	林下参	195300	白山地区、通化地区、延边地区、吉林地区
2	人参	108300	白山地区、通化地区、延边地区、吉林地区
3	五味子	54000	白山地区、通化地区
4	西洋参	26600	白山地区、通化地区
5	轮叶党参（羊乳）	20200	集安市、磐石市
6	刺五加	15000	白山地区、通化地区
7	平贝母	12000	敦化市、靖宇县
8	桔梗	7500	舒兰市、通榆县、磐石市、柳河县
9	黄芪	7000	通榆县、长岭县、磐石市、舒兰市
10	玉竹	6000	抚松县、敦化市、靖宇县
11	穿龙薯蓣	4500	磐石市、集安市、通化县
12	赤芍	4500	柳河县、靖宇县、抚松县、蛟河市
13	甘草	4500	洮北区、镇赉县
14	细辛	3500	通化县、集安市、靖宇县
15	返魂草	3000	抚松县、靖宇县、通化县
16	北苍术	3000	九台区、舒兰市、磐石市、柳河县
17	黄精	1500	柳河县
18	龙胆	1100	靖宇县
19	朝鲜当归	900	延边地区
20	天麻	800	白山地区、吉林地区
21	威灵仙	800	柳河县、舒兰市
22	蒲公英	600	靖宇县、抚松县
23	桑黄	500	通化县
24	苦参	300	梅河口市
25	黄花败酱	300	梅河口市
26	关苍术	300	柳河县
27	黄芩	200	长岭县

---

① 亩为中国传统土地面积单位，1 亩约等于 667m²。在中药材生产实践中，亩为常用面积单位，本书未作换算。

序号	栽培品种	栽培面积 / 亩	主要分布地区（市、县、区）
28	灵芝	200	抚松县、靖宇县、通化县、蛟河市
总计		482400	

表 1-2-18　19 个县（市、区）调查的栽培药材品种数据

序号	普查区域	栽培调查品种数 / 种	序号	普查区域	栽培调查品种数 / 种
1	东丰县	7	11	珲春市	4
2	蛟河市	3	12	安图县	3
3	桦甸市	5	13	通榆县	2
4	敦化市	3	14	集安市	5
5	双阳区	0	15	前郭尔罗斯蒙古族自治县	1
6	双辽市	1	16	汪清县	1
7	抚松县	8	17	和龙市	3
8	临江市	4	18	长白朝鲜族自治县	2
9	靖宇县	9	19	通化县	3
10	伊通满族自治县	6			

表 1-2-19　21 个县（市、区）调查的栽培药材品种数据

序号	普查区域	栽培调查品种数 / 种	序号	普查区域	栽培调查品种数 / 种
1	农安县	1	12	乾安县	2
2	德惠市	1	13	长岭县	1
3	榆树市	0	14	公主岭市	1
4	辉南县	3	15	洮南市	0
5	梅河口市	3	16	龙井市	3
6	镇赉县	2	17	舒兰市	11
7	东辽县	1	18	柳河县	8
8	大安市	2	19	磐石市	5
9	永吉县	3	20	图们市	1
10	梨树县	1	21	九台区	1
11	扶余市	1			

表 1-2-20　11 个市、区调查的栽培药材品种数据

序号	普查区域	栽培调查品种数 / 种	序号	普查区域	栽培调查品种数 / 种
1	龙潭区	2	7	浑江区	4
2	丰满区	1	8	江源区	2
3	昌邑区	2	9	宁江区	0
4	铁东区	2	10	洮北区	1
5	东昌区	2	11	延吉市	1
6	二道江区	3			

表 1-2-21　9 个区调查的栽培药材品种数据

序号	普查区域	栽培调查品种数 / 种	序号	普查区域	栽培调查品种数 / 种
1	二道区	0	3	船营区	2
2	南关区	0	4	铁西区	2

序号	普查区域	栽培调查品种数 / 种	序号	普查区域	栽培调查品种数 / 种
5	龙山区	3	8	宽城区	0
6	西安区	0	9	朝阳区	0
7	绿园区	0			

4. 中药材市场调查

吉林省第四次全国中药资源普查的市场调查对象主要是中药生产企业、医院、药店等药材及药品使用部门，中药材收购及零售的企业、个体商户等药材收购部门及个人，以及中药材种植基地和个体采药人员等药材采收部门及个人。普查队针对中药材品种、价格、收购量、销售去向等信息开展调查研究，为中药材的合理利用和资源调配提供依据和指导。

2012—2020 年，60 支普查队分别走访了各县域内的中药材市场，见图 1-2-11，累计走访了制药企业 91 家、连锁药店 20 家、中药材收购站 140 家，调查了五味子、西洋参、天麻、人参、返魂草、紫苏、蒲公英等中药材的市场收购情况，充分掌握了吉林省各相关县（市、区）的主要中药材及中药加工产品的销售情况。中药材市场调查数据见表 1-2-22 至表 1-2-24。

图 1-2-11 中药材市场调查

表 1-2-22 19 个县（市、区）调查商户数据

序号	普查区域	调查商户数	序号	普查区域	调查商户数
1	东丰县	5	9	靖宇县	17
2	蛟河市	6	10	伊通满族自治县	5
3	桦甸市	8	11	珲春市	5
4	敦化市	7	12	安图县	4
5	双阳区	7	13	通榆县	6
6	双辽市	14	14	集安市	13
7	抚松县	6	15	前郭尔罗斯蒙古族自治县	24
8	临江市	7	16	汪清县	3

序号	普查区域	调查商户数	序号	普查区域	调查商户数
17	和龙市	2	19	通化县	14
18	长白朝鲜族自治县	11			

表 1-2-23　21 个县（市、区）调查商户数据

序号	普查区域	调查商户数	序号	普查区域	调查商户数
1	农安县	7	12	乾安县	11
2	德惠市	8	13	长岭县	6
3	榆树市	10	14	公主岭市	10
4	辉南县	9	15	洮南市	3
5	梅河口市	9	16	龙井市	8
6	镇赉县	7	17	舒兰市	4
7	东辽县	6	18	柳河县	14
8	大安市	5	19	磐石市	6
9	永吉县	8	20	图们市	5
10	梨树县	7	21	九台区	10
11	扶余市	5			

表 1-2-24　11 个市、区调查商户数据

序号	普查区域	调查商户数	序号	普查区域	调查商户数
1	龙潭区	2	7	浑江区	8
2	丰满区	3	8	江源区	7
3	昌邑区	3	9	宁江区	1
4	铁东区	1	10	洮北区	1
5	东昌区	5	11	延吉市	5
6	二道江区	6			

　　60 支普查队累计走访和调查的制药企业、医院、药房、农户栽培基地、中药材市场、中药材收购站及收购点共 376 家，调查累计获得 950 余条中药信息，其中获得中药材市场交易信息 805 条。

　　吉林省中药材市场调查的品种主要以吉林省内道地药材及地产药材为主，包括人参、鹿茸、五味子、穿山龙、桔梗、苦参、赤芍、龙胆、天麻、升麻、威灵仙、玉竹、猪苓、蒲公英、北豆根、白鲜皮、刺五加、秦皮等 70 余种。从 2014 年吉林省中药材市场交易情况看，除人参、鹿茸和中国林蛙三大品种外，吉林省中药材市场交易的中药材品种有近百种，交易量约 1.5 万 t，其中单个品种交易量超过千吨的有 2 种，分别是穿山龙（3500t）和五味子（1100t），超过百吨的有 30 种，其中前 10 种分别为穿山龙、五味子、板蓝根、延龄草、月见草、返魂草、刺五加、威灵仙、淫羊藿、天麻，见表 1-2-25。

表 1-2-25　吉林省中药材市场交易百吨以上品种数据（2014 年）

序号	药材	全省交易总量 /t	序号	药材	全省交易总量 /t
1	穿山龙	3500	2	五味子	1100

序号	药材	全省交易总量/t	序号	药材	全省交易总量/t
3	板蓝根	783	18	蒺藜	194
4	延龄草	700	19	紫苏子	193
5	月见草	690	20	芡实	167
6	返魂草	550	21	寄生	160
7	刺五加	535	22	白鲜皮	152
8	威灵仙	429	23	升麻	145
9	淫羊藿	418	24	两头尖	128
10	天麻	404	25	水红花子	118
11	玉竹	320	26	公英根	112
12	关苍术	305	27	北豆根	111
13	贯众	285	28	甘草	108
14	赤芍	266	29	桔梗	100
15	平贝母	240	30	红小豆	100
16	老牛肝	240	31	刺玫果	93
17	木贼	230			

5. 传统知识调查

自2012年以来，吉林省各普查队按照国家中医药管理局下发的《关于中药资源相关传统知识调查》的要求，积极开展传统知识调查工作（图1-2-12），调查对象包括各县域内的乡（镇）卫生院、村（屯）诊所、民间医生、普通群众等。全省60支普查队共调查县域内卫生院、诊所150余所，调查民间医生及群众超过1000人，调查累计获得485条中药传统知识信息。调查过程中发现，由于很多处方涉及保密，多数被调查者不愿意配合调查，普查队未能收集到更多传统知识方面的信息。通过传统知识调查了解到，吉林省对中药资源学相关传统知识的掌握和使用极其稀少，人们对中医药学知识认知不足。

图1-2-12 传统知识调查

6. 中药资源普查取得的主要成果

（1）完成了51个主要县（市、区）的中药资源发展规划。通过对药材市场需求及供求关系的调查，提出了各县（市、区）中药材资源管理、保护及开发利用的总体规划建议，完成了省内51个主要县（市、区）的中药资源发展规划，并在此基础上初步形成了吉林省中药资源发展规划，见图1-2-13。

图1-2-13　吉林省中药资源发展规划

（2）编写吉林省中药资源普查系列丛书一套。为了更好地体现中药资源普查成果，吉林省中药资源普查团队在中药资源普查获得的各项数据信息的基础上，陆续编写并出版了《吉林省中药材规范化栽培技术》《吉林省中药资源志要》《朝药图志》《吉林省药用植物彩色图志》《吉林省民间单验方》《吉林省常用中药材》《吉林省人参、鹿茸、哈蟆油资源》7部专著，见图1-2-14、表1-2-26。

图1-2-14　吉林省中药资源普查系列丛书

表 1-2-26　吉林省中药资源普查系列丛书

序号	图书名称	作者	出版社
1	《吉林省中药材规范化栽培技术》	杨利民	吉林科学技术出版社
2	《吉林省中药资源志要》	林　喆	吉林科学技术出版社
3	《朝药图志》	吕惠子	吉林科学技术出版社
4	《吉林省药用植物彩色图志》	于俊林	吉林科学技术出版社
5	《吉林省民间单验方》	张凤瑞	吉林科学技术出版社
6	《吉林省常用中药材》	姜大成	吉林科学技术出版社
7	《吉林省人参、鹿茸、哈蟆油资源》	李宜平	吉林科学技术出版社

（3）发表相关论文 33 篇。自 2012 年起，吉林省普查团队在《吉林中医药》杂志开设专栏，刊登与中药资源普查工作相关的文章，见图 1-2-15。60 支普查队累计发表文章 33 篇。

图 1-2-15　吉林省中药资源普查发表的论文

（4）获得普查工作相关专利 4 项。

1）靖宇县普查队发明的"多功能样方设置器"获得了国家专利授权，解决了夏季野外作业中样方设置困难的问题，大大提高了工作效率。

2）汪清县普查队发明的用于植物资源普查的围样方用量具——围样方带尺获得国家专利。此发明可显著缩短布样方和收尺时间，降低队员的劳动强度，见图 1-2-16。

3）汪清县普查队发明的拍摄工具——第四次全国中药资源普查摄影卡获得国家专利。

4）敦化市普查队发明的便携式林下参播种器，获得国家专利。

（5）培育中药资源专业人才近千人。第四次全国中药资源普查与前 3 次不同，不仅采用了"3S"、计算机网络、数据库等先进技术手段，而且普查规模之大、参与人员之多，亦是前 3 次资源普查无法相比的。为此，吉林省开展了普查技术方案、先进技术手段、数据库管理等方面的理论培训，同时结合理论培训知识开展了野外现地实践演练培训。

通过此次普查，吉林省培育了中药资源专业人才近千人，培养的学生达 500 余人，为吉林省

图 1-2-16 资源普查发明的专利

中药资源产业发展储备了人才，见图 1-2-17。目前，曾参与普查工作的 4 名硕士生和 17 名本科生已毕业并走上工作岗位，为产业发展提供了新生力量。

图 1-2-17 中药资源专业人才

（6）获得资源普查工作相关奖励 12 项，见图 1-2-18。

1）通化县普查队于 2012 年获得"吉林省优秀普查队"的荣誉称号，普查摄影作品《登高雀跃》获摄影大赛一等奖。

2）靖宇县普查队于 2012 年获得"吉林省优秀普查队"的荣誉称号，获国家中医药管理局优秀成果奖 1 项、吉林省普查优秀成果奖 1 项。

图 1-2-18　资源普查工作相关奖励

3）安图县普查队于 2012 年获得吉林省"优秀普查队"的荣誉称号，并荣获"最佳植物标本制作奖"。

4）珲春市普查队在 2012 年普查工作总结大会上获得"优秀普查队"的荣誉称号，摄影作品《水中花》荣获摄影大赛二等奖，同时，一张名为《岩石上做样方》的照片成为资源普查网吉林省资源普查组的标志性图片。

5）汪清县普查队的普查工具——《用于植物资源普查围样方带尺及其使用方法》获得国家中医药管理局"创新奖"，并于 2013 年在上海世博会展出。2013 年 4 月应国家中医药管理局要求，在南宁举办的第四次全国中药资源普查试点工作交流大会上对此技术进行推广。

6）汪清县普查队在 2013 年 4 月举办的吉林省全国中药资源普查试点工作总结会上荣获"最佳种子采集奖"。

7）汪清县普查队在 2013 年 4 月举办的吉林省全国中药资源普查试点工作总结会上荣获"国家资源普查创新成果奖"。

8）伊通满族自治县普查队设计的便携式套方测量"九绳法"在国家中医药管理局中药资源普查试点工作办公室获奖，并在 2013 年举办的中药资源普查试点工作交流大会上荣获"优秀作品奖"。

（7）普查专项成果。

1）人参资源保护利用成果。此次人参专项普查共动用了 13 辆普查车、2 辆实验车、85 名普查人员，耗时近 3 个月，途经 77 个县市、227 个乡镇，深入 2751 块参地，见图 1-2-19。地理分布经度范围为东经 125° 17′ 37.50″ ～ 133° 57′ 5.17″，纬度范围为北纬 39° 52′ 40.53″ ～ 56° 5′ 27.72″，海拔范围为 22 ～ 1500m。共取得基因组 DNA 人参叶样本 1362 份、基因组 RNA 人参叶样本 2182 份、代谢组人参叶样本 1155 份、代谢组土壤样本 1940 份、代谢组种子样本 7 份、腊叶标本样本 2783 份、保鲜土样本 684 份、农残重金属样本 1153 份、全株生晒样本 3251 份。

2）鹿茸资源保护利用成果。在全国第四次中药资源普查及吉林省鹿资源普查的基础上，普查

图 1-2-19　人参资源专项普查

团队对双阳、东丰等吉林省鹿资源主产区进行调查，采用填写调查表、实地调查和鹿资源信息数据库检索法相结合的方法对吉林省鹿资源进行调查，见图 1-2-20。调查了养殖场及养殖散户，收集了养殖历史、鹿养殖业的分布格局、种群数量及性比和成幼结构、养殖模式和规模、产茸量等相关信息，目前已完成对四平市、辽源市、白山市、松原市、白城市、双阳区、永吉县、汪清县的 1300 余家鹿场及养殖户的调查。普查队对鹿资源的分布状况、存栏量、出栏量、产茸量等基本信息进行了普查，以及对历史文献数据进行了整理和分析，为科学管理、合理利用鹿资源奠定了坚实的基础，对吉林省鹿资源的产业发展提供了助力。

图 1-2-20　鹿茸资源专项普查

　　3）哈蟆油资源保护利用成果。为了更好地了解吉林省林蛙资源，掌握林蛙资源的数量变化及动态变化规律，普查团队对通化、白山等地区的野生林蛙数量及林蛙生存的生态结构进行了调查，见图 1-2-21。通过建立数据模型，对通化和白山等地区的野生林蛙数量进行测算；通过实地调查，研究野生林蛙、养殖林蛙的数量及组成结构；最后统计通化、白山等地区的林蛙种群密度、林蛙数量。结果表明，通化市的林蛙密度为 17 只 /hm²，白山市的林蛙密度为 22 只 /hm²，白山市的野生林蛙数量多于通化市的野生林蛙数量，对两市现今的野生林蛙数据与历史数据对比发现，两市野生林蛙的数量和种群密度均有所下降。虽然仅调查了吉林省2个地区野生林蛙的数量和密度，但也能够说明吉林省野生林蛙的数量在减少。对通化、白山地区进行实地调查，发现林蛙幼体占总体数量的比例最高，林蛙成体占总体数量的比例最低。同时对养殖户也进行了调查，调查内容包括养殖户内幼体、变态体、成体的数量等。

图 1-2-21   哈蟆油资源专项普查

（8）吉林省代表区域中药标本实体及数字化信息平台建设成果。目前，吉林省普查团队正在对普查中采集的数万份标本实体和照片进行声影像数字化处理，已有110种吉林省大宗常用中药材的图文信息通过计算及相关程序的处理上传至信息平台，见图1-2-22。平台建设完成以后，可提供在线的中药标本相关信息、标本存放管理规范及展示管理规范的查询（网址：http://biaoben19.jjjkg.com/）。数字平台的建设是实体标本在现代科技条件下的拓展和延伸，也是资源普查成果的体现，有利于实现中药材信息的资源共享。

图 1-2-22   吉林省中药标本实体及数字化信息平台

（9）建立了中药资源活体保存圃。为做好吉林省第四次全国中药资源普查成果的承接与转化工作，本着服务北药基地建设和保护长白山生物多样性及药用植物资源的思想，普查团队建立了吉林省重点物种活体保存圃，见图 1-2-23，目前该保存圃已引种保存药用植物 429 种。

图 1-2-23　吉林省重点物种活体保存圃

（10）成立了吉林省种植养殖专业委员会。在中药资源普查过程中，普查团队成立了吉林省中药协会中药材种植养殖专业委员会，见图 1-2-24，并召开了首届东北地区中药材种植养殖经验技术交流大会。此举加强了中药材种植养殖户的交流合作和中药质量管理，提高了吉林省中药材种植养殖的水平及中医药服务大健康的能力。

图 1-2-24　吉林省中药协会中药材种植养殖专业委员会

（11）获得吉林省科学技术进步一等奖。见图 1-2-25。中药资源普查项目的完成为促进吉林省中医药产业健康和快速发展提供了重要的科技支撑，结束了吉林省 34 年未系统开展中药资源普查的局面，摸清了吉林全省中药资源本底。省级中药数据库的建立为国家中药资源标本馆和数据库的建设打下了基础；中药材种子种苗繁育基地的建立提供了规范化、专业化和社会化的种子种苗服务，探索出一条利用中药材种植助力精准扶贫的路子；吉林省中药资源动态监测预警体系的建立助力了吉林省中药产业的可持续发展；东北三省栽培人参种质资源调查研究为人参产业的进一步发展壮大提供了有力的支撑。

图 1-2-25　吉林省科学技术进步一等奖获奖证书

（二）普查经验

通过本次中药资源普查，普查团队掌握了吉林省野生中药资源的种类、资源量及开发利用状况，较为全面地了解了吉林省在中药资源保护与利用中存在的问题，对吉林省中药资源的保护与开发起到了推动作用。

1. 采取统一部署、明确责任的省级管理模式

吉林省率先建立了省、市（州）、县（市、区）、镇（乡）、村 5 级普查试点工作领导小组的运行机制。在成立了省资源普查试点工作领导小组和办公室以后，又依托科研院所和大专院校确定了省级中药资源普查试点工作技术专家指导委员会。为加强对外业普查队、内业整理队工作的管理，提高中药资源普查工作质量，吉林省普查团队组织了 60 支外业普查队、3 支内业整理队填写《吉林省中医药管理局中医药科研项目任务书》，进一步量化工作任务，明确完成时限，加强对各外业普查队、内业整理队工作进程的管理。为保证普查工作的顺利进行，吉林省中医药管理局、吉林省工业和信息化厅、吉林省农业委员会、吉林省卫生厅、吉林省食品药品监督管理局、吉林省畜牧业管理局联合发文，要求各县（市、区）政府部门积极配合各普查队开展中药资源普查工作。同时，吉林省资源普查领导小组办公室相关成员、各普查队长先后到 60 个试点县（市、区）进行实地走访，召开市（州）中医药管理局、试点县政府领导、试点县卫生局（中医局）领导及相关成员参加的项目对接会。资源普查对接督导工作，加强了各普查队同地方政府及相关部

门的协作，解决了一系列实际问题，为吉林省中药资源普查工作的顺利开展奠定了坚实的基础。相关文件与证书见图1-2-26。

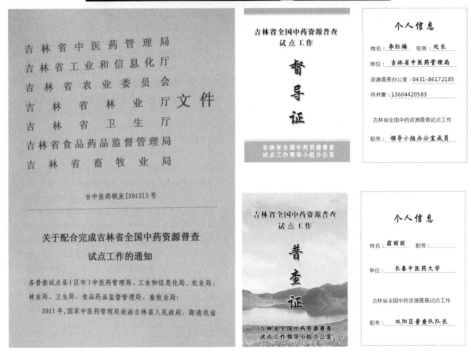

图1-2-26　任务书、联合发文与督导证、普查证照片

2. 组建专业的技术队伍

长春中医药大学作为吉林省第四次中药资源普查技术依托单位，负责本次普查项目的具体实施，组织省内十余所大中专院校及科研单位，协助完成本次普查项目。吉林省普查团队采取外业与内业分别建队的模式，组建了60支外业普查队及3支内业整理队。内业整理队包括植物标本队、种子标本队、药材标本队。每个外业普查队至少配有1名植物学或生药学方面的专家，以保障野外普查工作的准确性和实效性。同时，为保障各普查队成员间做好明确分工，样方、植物摄影、

信息记录、数据填报、标本压制、信息联络等工作均由专人负责。同时，普查团队积极吸纳当地基层科研单位的技术人员作为普查队员，充分发挥其自身优势，也有利于普查工作的开展。

3. 开展专项调查研究

为做好优势与特色资源研究，吉林省普查团队开展了资源普查专题项目，成立了人参、鹿茸、哈蟆油3个专项研究队。

通过与吉林紫鑫药业股份有限公司合作，普查团队开展了人参种质资源专项普查，基本摸清了吉林省人参资源现状。基于第四次全国中药资源普查，专项研究队对双阳、东丰等吉林省鹿资源的主产区进行了调查，为科学管理、合理利用鹿资源奠定了坚实的基础。为了更好地了解吉林省的林蛙资源，即时掌握林蛙资源的数量变化及动态变化规律，普查团队对通化、白山等地区的野生林蛙数量及林蛙生存的生态结构进行了调查，此调查对林蛙资源的开发和利用具有一定的现实意义。

4. 建设了吉林省代表区域中药标本数字化信息平台

目前，普查团队正在对第四次中药资源普查过程中采集的数万份实体标本和照片进行声影像数字化处理，110种吉林省大宗常用中药材的图文信息已通过计算及相关程序的处理上传至数字化信息平台。数字化信息平台建设完成后，可在线查询吉林省大宗常用中药材的相关图文信息，动态监测站调查的吉林省中药材的产量、流通量、质量、价格等信息，以及对吉林省中药材进行区划研究的成果。数字化信息平台的建设不仅为在校学生提供了一种学习的途径，也为农民提供了技术支撑，有助于提高吉林省中药材种植的整体水平。

5. 开展吉林省重点中药材内在质量评价

为了做好普查成果的承接与转化工作，经省技术专家指导委员会决定，依据2015年版《中国药典》质量标准的要求，对资源普查中不同产地的大宗传统中药材进行质量评价，评价项目包括性状鉴定、显微鉴别、检查及含量测定等。目前，已评价了人参、西洋参、升麻等近10种中药材的区域质量特征。

第三章

吉林省各县（市、区）普查报告

一、双阳区中药资源普查报告

2012年，长春中医药大学翁丽丽教授任队长，带领18名队员，开展了双阳区第四次中药资源普查，基本摸清了双阳区现存中药资源的种类、分布、蕴藏量等本底情况。

（一）中药资源现状

双阳区位于吉林省中部、长春市区东南部。全区幅员面积1677km²，占长春市区总面积的8.1%。全区辖鹿乡、太平、齐家3个镇，双营回族乡1个乡，平湖、云山、山河、奢岭4个街道，总人口39.6万人。

双阳区山川秀美、空气清新，全区森林覆盖率达24.7%；其山地及丘陵主要集中在东南部的山河及太平界内。其中山河界内有东北地区海拔最高、落差最大、面积最广的岩溶景观，以及长春市第一峰——海拔711m的老道洞山。

1.中药资源种类、分布与蕴藏量

（1）中药资源种类。据文献记载，双阳区的野生中药资源比较丰富，包括满山遍野的桔梗、挖不尽的山辣椒（铁线莲）、采不尽的爬山虎（穿龙薯蓣）、成片的玉竹、大量的防风和柴胡等。第四次中药资源普查完成了对双阳区8个乡镇的36个样地、187个样方套、1122个样方的实地调查，共采集药用植物106种，其中国家重点调查品种46种；采集药材103种，其中国家重点调查品种42种；采集种子52种，其中国家重点调查品种18种。

（2）中药资源分布与蕴藏量。双阳区的山地主要集中在东南部的山河街道及太平镇界内，大小山峰连绵不断，双阳区西部亦有丘陵、灌丛分布。据调查，双阳区常见药用植物有188种。常用药材中的优势品种，即普遍分布的品种有活血丹、东北铁线莲、穿龙薯蓣，分布稍广的品种有棉团铁线莲、草芍药、白头翁、朝鲜白头翁，也可见一定量的芍药、白鲜、红蓼、刺五加、黄檗。当地农民有采挖东北铁线莲、棉团铁线莲、草芍药、芍药、白鲜及白头翁出售的。其他药用植物如桔梗、防风、柴胡、远志也有分布，但蕴藏量较少。

2.中药资源生产与产品销售

（1）中药材种植（养殖）业。双阳区种植的药用植物极少，无中药材GAP基地。但是鹿养殖业的发展势头很强，双阳区的梅花鹿养殖历史悠久，被国务院认定为全国唯一的"中国梅花鹿之乡"。据统计，全区梅花鹿有规模养殖户1348户，其中养殖规模超千只的有8户。2011年，全区鹿茸与其副产品产值分别达到3.65亿元及6.85亿元。全区有2个投资超过亿元的梅花鹿产品加工企业、2个获得进出口贸易权的企业，国际市场销售额达140万美元。近2年以来，全区不断加快鹿产品开发的步伐，到目前为止，以鹿为原料的产品（滋补酒类、口服液类）种类达 130 种。

普查团队通过对双阳区部分规模养殖户走访调查发现，该区的鹿产品主要以鹿茸为主，其收购价格逐年攀升，从 2009 年的 1000 元 /kg 上涨至 2012 年的 2400 ~ 2600 元 /kg。销售去向既有北京等外地市场，也有本地市场及深加工企业。除鹿茸以外，该区的鹿产品还包括鹿鞭、鹿角、鹿筋、鹿心、鹿血、鹿胎及鹿角帽等。

（2）大宗中药材商贸业。双阳区中药材（植物药）产量不大，全区无规模较大的中药材市场及收购站。普查队走访调查发现该区仅有几家规模不大的药材收购站，收购的品种也仅限于穿山龙、威灵仙、白头翁及赤芍，销售去向为辽宁省西丰县。由以上可知，双阳区的中药材收购、销售并未形成规模。

3. 中药资源存在的问题

为了中药产业的可持续发展，双阳区应加大对野生资源的保护力度，合理地开发利用优势品种。目前，对野生资源存在威胁的因素主要有以下几方面。首先是土地的过度开垦，普查队在资源普查过程中发现很多本应植被丰富的丘陵地带现已被开垦成耕地，登高远眺时，常会看到山的一面是绿地，而另一面则已成为玉米地；还有些中药资源喜欢生长在田间、路边，如独行菜、莴麻，它们常常在农民耕种时被当作杂草除掉，普查人员曾在商店发现有"专杀莴麻"的农药。其次是采石场的过度涌现，虽然这有助于经济的发展，但从中药资源保护的角度来看，则是不利的。普查人员调查时发现，采石场附近几乎不见绿色，有植物的地方树叶也都成了灰色，更甚者半个山体都被采挖一空，此种情况何谈中药资源的保护与利用。最后，人们对中药资源的保护意识淡薄，过度放牧、乱砍滥伐也是对中药资源的威胁。例如，普查人员在调查中发现，作为国家 Ⅱ 级保护植物的黄檗被随意砍伐，倒在林边。

目前来看，双阳区的部分优势药材品种没有得到充分的利用，缺乏产业化体系。例如，唇形科植物活血丹，其药材名为连钱草，虽然其主产地在江苏，但双阳区的蕴藏量也很多，在海拔二三百米的阴坡随处可见，可惜的是此种丰富的中药资源并没有得到很好的利用，市场上也没有活血丹产品流通。

（二）中药资源发展建议

1. 中药材种植（养殖）业

在双阳区中药材品种最佳生态区域建立中药材规范生产基地，以山河街道大将村为重点，建立优质五味子生产种植基地；以鹿乡镇尖山村、黄家村一带阳坡灌丛区为重点，建立柴胡、防风生产种植基地；以太平镇为重点，建立卷丹、桔梗生产种植基地；以山河街道立新村、柳树村区域为重点，建立北细辛、龙胆、玉竹生产种植基地。此外，建议在双阳区山河街道、太平镇，建立中药材资源保护区。

2.中药材商贸业

双阳区鹿乡镇历史悠久、底蕴深厚，是全国知名的"梅花鹿之乡"，也是中国北方最大的鹿产品集散地和批发交易中心。建议在其原有的交易市场的基础上，扩大规模，筛选重点，整合资源，改善硬件设施，构建大型、国际性的鹿产品交易市场。同时在太平镇、山河街道建立中药材收购企业及饮片加工厂，形成动物类、植物类药材产业链。

二、九台区中药资源普查报告

2013 年，长春中医药大学张景龙高级实验师任队长，带领 11 名队员，开展了九台区第四次中药资源普查，基本摸清了九台区现存中药资源的种类、分布、蕴藏量等本底情况。

（一）中药资源现状

九台区位于吉林省中部、长白山与松辽平原的过渡地带，隶属于长春市。该区地处东经 125° 25′ ~ 126° 30′，北纬 43° 51′ ~ 44° 32′，以莽卡满族乡东三家屯、波泥河乡（现波泥河街道）耿家屯、卡伦湖镇（现卡伦湖街道）太平沟屯、上河湾镇四合子屯为东、南、西、北 4 个极点。全区幅员面积 3372km²，其中林地面积 649.3km²，草地面积 131.2km²，水域面积 252km²。

该区属中温带大陆性季风气候，四季分明。年平均日照时数 2900 小时，无霜期 140 ~ 155 天，年平均气温 4.7℃，平均气温年较差 39.5℃，平均气温日较差 12.3℃，年大于 10℃活动积温 2880℃，平均年降水量 577mm，年平均风力 8 级以上，大风日 16 天左右，多西南风，平均风速 3.4m/s。

全区共有 2 个民族乡、2 个建制镇、14 个街道、310 个行政村。除汉族外，还有满族、回族、朝鲜族、蒙古族、壮族、瑶族、苗族、彝族、藏族、赫哲族、土家族、锡伯族、水族等少数民族。

九台区第四次中药资源普查涉及兴隆镇（现兴隆街道）、纪家镇（现纪家街道）、西营城镇（现西营城街道）等 9 地、35 个自然村，完成了对 44 个样地、220 个样方套、1080 个小样方的实地调查，共采集药用植物 330 种，其中国家重点调查品种 55 种；采集药材 180 种，其中国家重点调查品种 40 种；采集种子 71 种，其中国家重点调查品种 11 种。

九台区的中药资源特点是野生中药资源较多，包括刺五加、五味子、北细辛、关白附、芍药、桔梗、关黄柏、龙胆等道地药材，且蕴藏量丰富，九台区为上述中药材的主产区之一，在东北地区道地药材产区中具有很重要的地位。

（二）中药资源发展建议

依托九台区丰富的药材资源，打响"天然、纯正、独特"的吉林品牌，建立稳定的具备一定产业规模的现代中药产业基地；建成符合 GAP 标准的龙胆、刺五加、北柴胡、五味子等道地药材及濒危药用植物黄檗等的保护基地；充分利用退耕还林的土地，发展穿山龙、北细辛、蒲公英 3

个人工种植中药材生产基地。

同时，建成符合 GSP 标准的中药企业，形成以农业为基础、工业为骨干、商业为纽带的现代中药产业群；完善中药材流通行业规范；完善该区常用中药材商品规格等级，建立中药材包装、仓储、养护、运输行业标准，为中药材的流通发展夯实基础。

三、农安县中药资源普查报告

2013 年，长春中医药大学翁丽丽教授任队长，带领 18 名队员，开展了农安县第四次中药资源普查，基本摸清了农安县现存中药资源的种类、分布、蕴藏量等本底情况。

（一）中药资源现状

农安县位于松辽平原腹地，地理位置为东经 124° 31′ ~ 125° 45′，北纬 43° 55′ ~ 44° 55′。该县东临德惠市，南接省会长春市，西以公主岭市和长岭县为邻，北与松原市接壤。全县辖 22 个乡镇、3 个省级工业园区、3 个市级工业园区、377 个行政村，总人口 105.8 万人。

农安县年平均气温 4.7℃，无霜期 145 天，平均年降水量 507.7mm。地势平坦，四季分明，属中温带大陆性气候。全县幅员面积 5400km²，其中，耕地面积 3750km²，林地面积 650km²，草原面积 350km²，水域面积 220km²。

农安县水资源丰富，基础设施齐备。松花江、伊通河、新开河穿县而过，有大、中型水库 4 座，县域内的波罗湖是吉林省第三大自然湿地。

1. 中药资源种类、分布与蕴藏量

（1）中药资源种类。第四次中药资源普查完成了对农安县 11 个乡镇的 36 个样地、180 个样方套、1080 个样方的实地调查，共采集药用植物 78 种，其中国家重点调查品种 19 种；采集药材 58 种，其中国家重点调查品种 13 种；采集种子 19 种，其中国家重点调查品种 5 种。

（2）中药资源分布与蕴藏量。农安县耕地面积大，天然植被较少，仅在青山口乡、伏龙泉镇新阳乡的顺山屯、三盛玉镇的空军靶场有少量的丘陵分布，土质较好，适合部分药用植物生长；此外，田间、地头及林缘等地分布着一些常见的中药材品种，如萹蓄、益母草等。据调查，农安县常见药用植物有 79 种。

活血丹主要分布于海拔 250m 左右的丘陵地带或针叶林林下，农安县仅在青山口乡及伏龙泉镇新阳乡的顺山屯有少量分布；穿龙薯蓣主要分布于海拔 250m 左右的林下，该县仅在青山口乡及伏龙泉镇新阳乡的顺山屯有少量分布；蝙蝠葛主要分布于海拔 240m 左右的林地或林缘，该县仅在青山口乡及伏龙泉镇新阳乡的顺山屯有分布；苦参主要分布于林地或林缘，该县仅在伏龙泉镇新阳乡的顺山屯有分布；路边青主要分布于林地或林缘，该县仅在青山口乡及伏龙泉镇新阳乡的顺山屯有分布；远志主要分布于向阳的坡地，该县仅在青山口乡、伏龙泉镇新阳乡的顺山屯及三盛玉镇空军靶场有少量分布；知母主要分布于向阳的坡地，该县仅在青山口乡、伏龙泉镇新阳乡的顺山屯有少量分布；白屈菜主要分布于林缘及林地，该县仅在青山口乡、伏龙泉镇新阳乡的顺山屯有少量分布；在丘陵地带普查时，还发现一些分布极少的药用植物品种，如伞形科防风、百合科玉竹、毛茛科棉团铁线莲、石竹科石竹，上述药用植物品种均少量分布于青山口乡、伏龙泉镇新阳乡的顺山屯。

此外，农安县还在田间、地边、村旁及沟边分布有部分国家重点调查品种，如萹蓄、独行菜、苘麻等。益母草、洋铁酸模、龙葵、车前、平车前、苍耳、旋覆花等国家非重点品种在农安县的分布区域相对较广，蕴藏量较多。

2. 中药资源生产与产品销售

农安县由于天然植被较少，中药材生产与销售未形成规模，县域内只有哈拉海镇有零散种植万寿菊的农户。万寿菊的花序常被用作提取叶黄素等成分的原料药，但该县县域内没有药材收购站。

3. 中药资源存在的问题

为了更好地发展中药产业，农安县应加大对仅存的野生药用植物资源的保护力度，合理地开发利用优势品种。对资源保护存在威胁的因素主要有以下几方面。

（1）土地的过度开垦，农田的无限制扩大。在资源普查过程中，普查队经常发现既往为大片草原的地区被开垦成耕地。有些中药资源生长在田间、路边，如独行菜、苘麻，它们在农耕时常常被当作杂草除掉。

（2）资源保护意识淡薄，过度放牧，对资源开发利用的重视程度不够。人们的中药资源保护意识淡薄，草原的过度放牧，也对中药资源产生了威胁。农安县部分优势中药品种未得到充分的重视及利用，如蓼科萹蓄，尽管其蕴藏量较多，但没有得到合理的开发利用。

（二）中药资源发展建议

农安县雨量充足，土质肥沃，适合玉米等农作物生长。由于野生中药资源分布较少、缺乏中药材种植经验及加工基础，未形成中药材产业链，因此该县不适合大范围发展中药材产业。但可以进行小范围的中药材种植，例如，在青山口乡、伏龙泉镇新阳乡进行一些品种的试种，如柴胡、防风、玉竹、桔梗等。同时，在这些乡镇建立中药材收购点，收购一些资源量较多的品种，如益母草等，但是步子不要迈得太大，宜稳步前进，做到种、产、销一条龙。

四、榆树市中药资源普查报告

2013 年，长春中医药大学李宜平教授任队长，带领 8 名队员，开展了榆树市第四次中药资源普查，基本摸清了榆树市现存中药资源的种类、分布、蕴藏量等本底情况。

（一）中药资源现状

榆树市位于吉林省中北部，地处长春市、吉林市、哈尔滨市三大城市构成的三角区域中心，西南以西流松花江为界与德惠市毗邻，西靠松原市，北、东隔拉林河与黑龙江省哈尔滨市双城区、五常市相望，南接舒兰市。全市南北、东西距离均为 85km，周长 345km，幅员面积 4712km²，下辖 4 个街道、15 个镇、9 个乡。总人口 122.3 万人，其中农村人口 100.9 万人，城镇人口 21.4 万人。

榆树市属东北地区中温带季风性半湿润气候，气温多受季风影响，春季干旱多风，夏季湿润多雨，平均年降水量为 500 ~ 700mm，秋季温和凉爽，冬季漫长寒冷。年平均气温为 4℃，最高温出现在 7 月，最低温出现在 1 月，冬季 1 月的平均气温约 −18℃，夏季 7 月的平均气温约 22.6℃。雨热同期，日照较长，有利于农作物生长。

榆树市地处长白山区向西部草原的过渡地区，具有较丰富的资源和优越的自然条件，对发展粮食生产和林、牧、渔业均十分有利。该市中、西部地势平坦，土壤肥沃，适宜各种一季作物生长；东部为丘陵地带，森林资源比较丰富，木材积蓄量可达 160 万 m³。野生植物及土特产品种繁多，产量大，野生药材达 140 余种，蕨菜、黄花菜、榛蘑等销往全国各地。全市有 48 万亩的宜牧草地，畜牧业发展前景广阔，有 26 万亩的水域面积，渔业和水面养殖业发展潜力大。

1. 中药资源种类、分布与蕴藏量

（1）中药资源种类。据文献记载，榆树市的野生植物种类繁多，以禾本科、菊科、豆科、蔷薇科植物居多，包括云芝、大马勃、问荆、菵草、狭叶荨麻等药用植物。其中，树类包括油松、樟子松、黄花落叶松等，草类包括香蒲、大花剪秋萝、无冠菱、野燕麦等，菜类包括小根蒜、黄花菜、马齿苋、荠菜等，蕈类包括木耳、侧耳、念珠藻等，水生类包括十字藻、冠盘藻、裸藻、蓝纤维藻等。在此次榆树市中药资源普查中，普查队共设置了 44 个样地、180 个样方套、1080 个样方，采集腊叶标本 186 种、药材标本 68 种、种子标本 91 种。通过普查发现该市较为丰富的药用植物资源有黄檗、泽泻、穿龙薯蓣、东北铁线莲、苘麻、蝙蝠葛、石竹、刺五加、紫苏、活血丹、菖蒲、紫菀、红蓼、白屈菜、五味子、旋覆花、菟丝子、鼠掌老鹳草、白花曼陀罗、刺儿菜、黄花蒿、芦苇、酸浆、益母草、牛蒡、翻白委陵菜、地榆、马勃、朝鲜天南星、东北南星、长柱金丝桃等。

（2）中药资源分布与蕴藏量。调查显示，榆树市市域内野生中药资源较丰富的地区主要位于东部与黑龙江省的接壤地带，主要包括青山乡、泗河镇、于家镇、土桥镇、先锋乡、谢家乡（现黑林镇）。且该市国家重点调查品种资源比较丰富，包括泽泻、石竹、刺五加、紫苏、活血丹、蝙蝠葛、东北南星、东北铁线莲等数十种。

2. 中药资源生产与产品销售

调查发现，近年来随着市场需求的增加，榆树市当地开始种植月见草、紫苏、益母草等中药，但均为农民自发种植且主要种植在居民点附近，十分分散，未形成规模，管理也未达到规范化。市域内无专门的大宗中药材加工企业，有 4 家药品生产企业，但均为化药生产企业；无专门的中药材交易市场，也未形成大宗中药材商贸产业链，中药材交易均为小规模分散进行。

3. 中药资源存在的问题

（1）黄檗是国家Ⅱ级保护植物，由于我国的黄檗资源还在不断减少，当地林业部门非常重视对黄檗的保护。但榆树市对其他多种重要野生资源的保护措施尚不完善，导致野生资源破坏比较严重。

（2）榆树市为我国重要的粮食生产基地，当地政府部门十分重视和鼓励粮食种植，且由于榆树市没有中药材生产加工企业，也没有大宗中药材交易场所，因此当地的中药资源未得到有效利用，更未形成产业。

（3）普查走访发现，榆树市主要栽培的中药资源有月见草、紫苏及益母草。人们对中药资源的产业化意识不强，只是单纯当作农作物进行栽培和交易。

（二）中药资源发展建议

1. 中药材种植（养殖）业

建议榆树市有重点地选择好的中药材品种，建立典型示范基地。按照示范基地建设标准配备相应的硬件和软件设备，以供当地农民进行参观学习、技术咨询、种苗采购等，通过基地辐射带动周边县区和乡镇，进而推动榆树市中药材产业的发展和规范化种植。

2. 中药材商贸业

目前，全国建立并形成规模化的药材集散市场仅有17家，短期内在榆树市开展药材集散市场体系建设不符合当地的经济需求。但相关部门可出台相关建设规划，定期安排人员去17家药材集散市场调研学习，为今后市场需求的掌握和集散市场的建设奠定基础。

五、德惠市中药资源普查报告

2013年，长春中医药大学张强副教授任队长，带领9名队员，开展了德惠市第四次中药资源普查，基本摸清了德惠市现存中药资源的种类、分布、蕴藏量等本底情况。

（一）中药资源现状

德惠市位于吉林省中北部，地处美丽富饶的松辽平原腹地，隶属于长春市。该市地理位置为东经125°14′~126°24′，北纬44°02′~44°53′，幅员面积3322km²，辖建设、胜利、惠发、夏家店4个街道，大青嘴、布海、天台、郭家、松花江、菜园子、大房身、达家沟、岔路口、朱城子、米沙子、万宝12个镇，以及同太、边岗、五台、朝阳4个乡，296个村。

德惠市属温带季风性半湿润地区，受季风影响，春季干燥多风，夏季炎热多雨，秋季温和凉爽，冬季漫长寒冷。年平均气温为4.9℃，平均年降水量为520.13mm，无霜期114天。

德惠市的自然资源较为丰富，全市有耕地 2733km²，占幅员面积的 82.3%，土壤以黑钙土、黑土和草甸土为主，土壤肥沃，适宜发展种植业；森林覆盖率达 13%。

1. 中药资源种类、分布与蕴藏量

德惠市野生中药材的基原以草原植物和湿生植物为主。因野生荒芜的草甸、湿地、沟壑等大片土地被开发为农耕用地，野兔、狐狸及迁徙候鸟等分布也大量减少，野生动植物资源相对较少。该市林业资源主要以人工防风林带为主，人工林树种主要为落叶松、樟子松、榆树、杨树、柳树及各类灌木柳和果树等，东部和东南部主要分布的是落叶松，中、西部以杨树为主。

德惠市第四次中药资源普查完成了对 38 个样地、190 个样方套、1140 个样方的实地调查，共采集药用植物 68 种，其中国家重点调查品种 14 种，国家普遍调查品种 54 种；采集药材 49 种；采集种子 35 种。

由于农业现代化的加速发展，德惠市的野生动植物资源锐减。现存较为丰富的野生植物资源有泽泻、苘麻、石竹、紫苏、菖蒲、紫菀、红蓼、白屈菜、旋覆花、菟丝子、老鹳草、刺儿菜、黄花蒿、芦苇、酸浆、益母草、牛蒡、翻白委陵菜、地榆等。

2. 中药资源存在的问题

（1）德惠市的土地利用以耕地为主，且近年来，旱地多改为水田，野生生态环境遭到破坏，野生植物的生存环境不复存在，导致野生中药植物资源减少。

（2）中药产业在该市没有发展历史，未形成支柱产业。

（3）德惠市为我国重要的粮食生产基地，当地政府部门十分重视和鼓励粮食种植，在一定程度上忽视了中药产业的发展。该市没有中药材生产加工企业，也没有大宗中药材交易场所，因此，当地的中药资源未得到有效利用，更没有形成一定的产业联盟。

（二）中药资源发展建议

由于该区域土壤腐殖质含量高，雨量充足，适宜玉米、水稻生长，而不利于多年生宿根植物的生长，不具备中药材种植的自然条件；且该市历史上便没有中药材种植加工基础，未形成产业链，不具备中药材种植的社会条件，因此，该市不具备发展小农经济模式中药材种植的优势。但该市可以发展车前子、线麻、益母草、马齿苋等野生中药资源的收购产业。

六、昌邑区中药资源普查报告

2015 年，长春中医药大学林喆教授任队长，带领 9 名队员，开展了吉林市昌邑区第四次中药资源普查，基本摸清了昌邑区现存中药资源的种类、分布、蕴藏量等本底情况。

（一）中药资源现状

昌邑区为吉林省吉林市的直辖区，位于吉林市西北部，地理位置为东经 126° 31′ ~ 126° 47′，北纬 43° 50′ ~ 44° 06′。城区三面环江，一面靠山，西侧与船营区为邻，南、东两侧以松花江为界，与丰满区、龙潭区相隔，北侧与九台区相连。全区幅员面积 769.92km²，辖 12 个街道、3 个镇、2 个民族乡，总人口 566833 人。

昌邑区地处长白山脉向松辽平原的过渡地带，其地势西高东低，自西向东为丘陵到平原，起伏不大。丘陵主要分布在西北部，平原主要分布在中部和东南部。该区属温带大陆性季风气候，四季分明。春季干燥少雨，夏季温热多雨，秋季凉爽多晴，冬季漫长寒冷。昌邑区年平均气温为 3 ~ 5℃。无霜期山区 120 天，平原区可达 130 ~ 140 天，平均年降水量约 700mm，年日照时数 2400 ~ 2600 小时。

昌邑区的野生动植物资源主要分为木材利用植物、食用植物、食用菌、药用植物、山果植物、野生动物六大类：木材利用植物类有针叶林（包括长白落叶松等 9 种植物）、阔叶林（包括山杨等 13 种植物）、灌木林（包括胡枝子等 8 种植物），食用植物类有蕨菜等 9 种，食用菌类有黄蘑等 10 余种，药用植物类有刺五加、五味子等 31 种，山果植物类有山葡萄等 9 种，野生动物类有狐狸、黄鼬等 23 种。

1. 中药资源种类、分布与蕴藏量

（1）中药资源种类。据文献记载，昌邑区具有药用植物 184 科 827 种，蕴藏量较多的品种包括刺五加、五味子、桔梗、地榆、二苞黄精、穿龙薯蓣、细辛、黄檗、玉竹、羊乳。此外，还有天麻、柴胡、月见草等 20 余种常见药用植物。梅花鹿的人工饲养也形成了一定规模。昌邑区第四次中药资源普查，共设置了 38 个样地、190 个样方套、1040 个样方。本次普查共发现药用植物 191 种，其中很多品种的分布量较多，品种优良，且大部分加工成中药材后在中医临床上已得到普遍使用，如野山参、刺五加、五味子、穿龙薯蓣、细辛、东北铁线莲、黄檗、桔梗、玉竹、轮叶沙参等。

（2）中药资源分布与蕴藏量。昌邑区的中药材主要包括野生中药材和人工栽培中药材两类。近年来，随着人工栽培面积的逐年扩大，形成了林下参、五味子、东北天南星 3 个主要栽培品种，以左家镇、两家子满族乡等林区面积较大的乡镇药用植物蕴藏量较多。

1）左家镇资源分布情况。左家自然保护区位于吉林省东部山地和西部平原的过渡地带，野生动植物资源比较丰富。其中，大马虎头山为省级自然保护区，地处长白山脉向松辽平原过渡的余脉，是吉林市与长春市之间唯一的一块绿地，为有名的半山区。大马虎头山海拔 559m，最低处海拔 210m，山势险峻，溪流交错，林木茂盛，野生动植物种类繁多，自然生态环境保护较好。大马虎头山分布的植物主要为天然次生林，树种繁多，常见的乔木有黑桦、春榆、胡桃楸、花曲柳、蒙古栎、落叶松、椴树、色木槭、茶条槭、黄檗及杂木等，常见的灌木有卫矛、胡枝子、刺五加、山里红、榛、长白忍冬、金银忍冬等,常见的草本植物有玉竹、莓叶委陵菜、歪头菜、辣蓼铁线莲、地榆、穿龙薯蓣、蝙蝠葛、东北南星、白屈菜、蚊子草、活血丹、侧金盏花、鸡腿堇菜、龙芽草、路边青、紫菀、球果堇菜、铃兰、唐松草、兔儿伞、小玉竹、北重楼、牛迭肚、宝珠草、二苞黄精等,常见的藤本植物有山葡萄、五味子、宽叶蔓乌头等。

2)两家子满族乡资源分布情况。两家子满族乡位于吉林省东部长白山余脉区域,以丘陵坡地为主要地形特征,既有高山又有平原,植被丰茂,野生植物蕴藏量较多。其中,桔梗科桔梗、轮叶沙参,菊科关苍术、蒲公英,毛茛科唐松草、辣蓼铁线莲、褐毛铁线莲、宽叶蔓乌头、黄花乌头,百合科二苞黄精、小玉竹、铃兰、玉竹、东北百合,蔷薇科山刺玫、莓叶委陵菜、龙芽草、蚊子草,鸢尾科山鸢尾,堇菜科鸡腿堇菜、球果堇菜、茜堇菜,伞形科鹅参、柴胡及唇形科薄荷、益母草、藿香等分布较为广泛。该乡林地资源丰富,有落叶松、黄檗、蒙古栎、花曲柳等乔木及卫矛、刺五加等多种药用灌木。

2. 中药资源生产与产品销售

随着昌邑区农村经济结构发展模式的转变,以及在中药材种植业较高利润的吸引下,当地很多农民都开始种植中药材,中药材的栽培也越来越专业化、科技化、规范化、产业化、密集化和集约化。目前中药材栽培品种主要有林下参、五味子、玉竹、细辛等。

昌邑区有 2 家中药材企业,分别是中国农业科学院特产研究所参茸制品厂和吉林特研药业有限公司。对中药饮片使用、销售情况的调查显示,昌邑区使用的中药饮片达 300 余种,饮片的购买渠道为国内规模较大的多家药材市场;仅某诊所使用的中药饮片已达 88 种,年使用量约922kg,年销售额约 12.34 万元。在个体商户收购中药材方面,普查队在对昌邑区中药材市场的调查中仅发现 1 户个体收购商户,主要收购五味子、北豆根、天麻、平贝母和穿山龙,收购的中药材多来源于野生资源,其中平贝母和五味子有部分为栽培资源。

3. 中药资源存在的问题

(1)中药材种植分散,未形成一定规模。

(2)林区交通不畅,药材运输不便。

(3)资源破坏严重,野生中药材品种锐减。

(二)中药资源发展建议

1. 中药材种植(养殖)业

昌邑区的优势种质资源包括野生和栽培 2 个来源。其中,野生类优势种质资源中的玉竹、五味子、两头尖主要分布在左家镇,关苍术、南沙参主要分布在两家子满族乡。栽培类种质资源中的五味子主要分布在左家镇,乌头主要分布在两家子满族乡。由于各类优势种质资源药材分布不同,建议由政府主导,企业参与,因地制宜,投入资金和技术支持,在相关乡镇建立相关野生中药材驯化研究基地和栽培品种优良选育基地,在对其进行规模化建设的基础上开展研究和生产。

2. 中药材加工业

建议在昌邑区建立一个中型药材加工厂，将左家镇、两家子满族乡及种植面积较大的乡镇联合在一起，对收购和种植的中药材进行加工，使昌邑区的中药材资源得到更好的利用。

3. 中药材商贸业

昌邑区经销中药材的历史悠久，从事中药材营销的企业和人才众多，建议利用原材料产地的优越自然条件，加工销售当地的特色药材，充分利用现代通讯手段进行网络销售，形成正规的网络销售平台，开拓全方位的产业市场。同时，建议在区综合市场内建立中药材专区，增强市场对中药材的拉动力。

七、龙潭区中药资源普查报告

2015 年，长春中医药大学翁丽丽教授任队长，带领 18 名队员，开展了龙潭区第四次中药资源普查，基本摸清了龙潭区现存中药资源的种类、分布、蕴藏量等本底情况。

（一）中药资源现状

龙潭区是吉林市的 4 个市辖区之一，因地处龙潭山山麓而得名，位于吉林市东北部、松花江北岸，东部与蛟河市接壤，东南部与丰满区相连，南部和西部与昌邑区隔江相望，北部与舒兰市毗邻。该区属中温带大陆性季风气候，年平均气温 3 ～ 5℃，平均年降水量 650 ～ 750mm，无霜期 130 天。全区共管辖 13 个街道、6 个乡镇。

1. 中药资源种类、分布与蕴藏量

（1）中药资源种类。龙潭区地处长白山脉向松嫩平原的过渡地带，西侧为松花江。该区西部是肥沃的冲积平原，东部是长白山野生资源丰富的低山丘陵区。龙潭区第四次中药资源普查共完成了对 36 个样地、180 个样方套、1080 个样方的实地调查，共采集药用植物 120 种；采集药材 83 种，其中国家重点调查品种 27 种；采集种子 31 种，其中国家重点调查品种 11 种。

（2）中药资源分布与蕴藏量。龙潭区的野生中药资源主要集中在东部的低山丘陵区，缸窑镇、杨木乡（现已并入缸窑镇）及江密峰镇野生资源相对比较丰富。但是据调查显示，随着经济的发展，人们对中药资源的保护意识有所降低，导致野生资源不断减少，如桔梗、柴胡、防风等曾经的优势品种已很难见到。

据调查显示，龙潭区的常见药用植物共 132 种，常用药材中的优势品种有东北铁线莲、穿龙薯蓣，分布稍广的品种有棉团铁线莲、活血丹、山楂、萹蓄、独行菜等，可见一定量的品种有红蓼、刺五加、黄檗、路边青、龙芽草、五味子，其他品种如桔梗、防风等也有分布，不过蕴藏量较少。

2. 中药资源生产与产品销售

龙潭区极少种植中药材，目前还没有中药材 GAP 基地。江密峰镇双桠山村有 1 农户从事天麻种植，种植规模达 10 余亩，年产量达 7500kg。此外，江密峰镇还有 1 农户从事林蛙养殖。龙潭区中药材（植物药）产量不大，全区没有规模较大的中药材市场及收购站。

3. 中药资源存在的问题

目前，从发展中药产业方面来看，龙潭区要加大野生资源的保护力度，合理地开发利用优势品种。随着经济的发展、采石场的建设、农田的过度开垦及过度放牧，人们的资源保护意识不断下降，药用植物赖以生存的环境不断遭到破坏，使得原本就较少的资源变得更加稀少，如生长在林缘或玉米地边的苘麻常常被当作杂草除掉。近年国家出台了退耕还林的政策，普查队在实际调查中也发现了很多退耕还林的迹象，这对于中药资源的发展大有裨益。

（二）中药资源发展建议

1. 中药材种植（养殖）业

建议以龙潭区优越的自然条件和丰富的中药资源为基础，以农民增收为目标，进行中药材规范化生产，满足市场需求，以促进龙潭区的经济发展和助力祖国中医药事业的可持续发展。建议做到开发利用和保护资源并举，社会、生态、经济效益并重，加快中药材产业化、规模化进程。建议以道地药材为主，加强科学研究，结合退耕还林工程，有计划地在该区建立中药材（如五味子、龙胆、柴胡、防风、桔梗等）种植基地。具体建设内容包括：优质五味子生产种植基地，重点在江密峰镇杨家村区域建立；柴胡、防风、桔梗生产种植基地，重点在江密峰镇东方红村建立；龙胆生产种植基地，重点在缸窑镇建立。

2. 中药材加工业

中药材加工业的发展是延长中药材产业链、实现中药材产业增值的关键。建议建立中药饮片加工厂，统一道地中药饮片的质量标准，将中药材传统加工技术与现代化加工技术相结合，逐步向现代中药材的发展方向转变。建议在江密峰镇建立中药材收购企业及中药饮片加工厂。

3. 野生中药材自然生产保护区

建议在缸窑镇及江密峰镇建立中药材资源保护区，且根据资源的分布情况，分为重点保护区及一般保护区。重点保护区为禁采区；一般保护区可以根据资源丰缺情况酌情处理，资源丰富时允许限量采收，资源缺乏时禁止采收。

八、丰满区中药资源普查报告

2015 年，吉林医药学院肖井雷教授任队长，带领 10 名队员，开展了丰满区第四次中药资源普查，基本摸清了丰满区现存中药资源的种类、分布、蕴藏量等本底情况。

（一）中药资源现状

丰满区位于吉林市城区南部，地处长白山脉向松嫩平原的过渡地带，东南部为山地，西北部为冲积平原，间有部分丘陵，地理位置为东经126°21′38″~126°56′22″，北纬43°26′34″~43°51′42″。该区属中温带大陆性季风气候，四季变化和季风进退都比较明显，春季干燥，大风较多；夏季温热，降水集中；秋季霜早，晴好天多；冬季漫长，寒冷干燥。该区平均年降水量150~160mm，无霜期127~130天。全区辖3个乡、1个镇、6个街道、1个省级经济开发区，总人口207414人。

1. 中药资源种类、分布与蕴藏量

（1）中药资源种类。据记载，丰满区野生药用植物资源丰富，有细辛、五味子、黄耆、刺五加等178种，多分布在东部山区，其次为东部低山丘陵区。丰满区第四次中药资源普查完成了对36个样地、180个样方套、1080个样方的实地调查，共采集药用植物321种，其中真菌类1科1种，孢子植物1科1种，双子叶植物58科267种，单子叶植物8科52种；采集药材17种；采集种子33种。丰满区资源比较丰富的中药材大约有147种，其中蕴藏量较多的药材有穿山龙、北豆根、牛蒡子、月见草、地榆、桔梗等；因过度开垦导致濒临灭绝的有瞿麦、龙胆草等药材；其中为我国传统中药的有贯众、杠板归、穿山龙、仙鹤草、茜草、赤芍等。该区采集品种中属于《中国药典》记载的有69种。

（2）中药资源分布与蕴藏量。

1）资源分布情况。全区总计3个乡、1个镇，此次中药资源普查了江南乡、小白山乡、前二道乡、旺起镇。普查乡镇面积占全区乡镇的80%。各乡镇的主要品种见表1-3-1。

表1-3-1 丰满区各乡镇主要品种分布情况

序号	乡镇	特点	主要品种
1	江南乡	—	洋金花、马齿苋、苘麻子、月见草、小蓟、紫菀、车前草、地榆等
2	小白山乡	森林覆盖面积达35.5%	白头翁、穿山龙、北豆根、牛蒡子、防风、地榆、关白附、芍药、徐长卿、龙胆、远志，其中穿山龙、北豆根、牛蒡子等药材蕴藏量很多
3	前二道乡	—	羊蹄、茜草、紫菀、升麻、柴胡、苘麻子、月见草、威灵仙等
4	旺起镇	药用植物资源丰富	藜芦、玉竹、刺五加、穿山龙、北豆根、威灵仙、两头尖、地榆等，其中穿山龙、北豆根、威灵仙、地榆等蕴藏量丰富，分布广泛

2）蕴藏量较多的中药材。调查发现，苍术和玉竹在丰满区内的自然资源十分丰富，尤其是在一些林区的林下和林缘，往往分布面积较大。据调查，丰满区有20余种中药材资源的蕴藏量较多。通过市场走访调查和入户了解，该区药农进山主要采收的药材为穿山龙及威灵仙（东北铁线莲）。同时还发现玉竹、活血丹、毛梗豨莶、龙芽草、蝙蝠葛等在该区也有广泛分布，蕴藏量较多，未来有望成为中药资源开发的新品种。

3）重点品种资源情况。据中药资源普查结果可知，普查队在丰满区共采集到《中国药典》记载的品种 69 种，部分品种为当前市场紧俏品种，极具开发利用价值。这些中药材品种在该区各乡镇均有较大面积的分布，且部分中药材已呈现规模化生产，全年产量可观。

2. 中药资源生产与产品销售

丰满区的药用植物栽培面积超过 1.5 万亩，其中发展规模较大的芍药的栽培面积为 5000 余亩，百合和桔梗的栽培面积也分别达到 1000 余亩。经走访调查发现，该区重点栽培的药材包括桔梗、芍药、卷丹、黄檗等品种。目前，丰满区尚无中药材生产基地、加工企业及中药材交易市场，仅有个别收购站。

3. 中药资源存在的问题

（1）重视不够，中药资源的可持续发展任重道远。本次调查发现丰满区内虽然中药材品种较多，但多数蕴藏量有限，未形成规模，且对珍稀濒危物种的保护有待加强。该区主要中药材资源均以野生为主，资源量受外界影响较大，同时没有深加工企业，资源优势无法转化为产业优势。因此，如何利用合理开发来保护资源、促进中药资源的优势转化，显得迫在眉睫。

（2）中药材种植业发展缓慢。大力发展中药材种植业是保证中药资源可持续发展的必由之路，但调查发现，丰满区目前只有百合、芍药、桔梗等极少数药材有种植，且种植面积有限，尚未形成规模。

（二）中药资源发展建议

1. 中药材种植（养殖）业

丰满区的天然植被具有明显的区域特征，西南部山区内有较多中药资源分布，可以充分利用这一资源优势，大力发展中药材种植业和加工业，促进地方经济的发展。

首选中药材品种是百合、桔梗、细辛、龙胆草、黄檗等，项目建设时不宜分散，应先行示范带动，探索运行机制。建议与相关制药企业联合，由企业及区政府牵头进行市场调研，与省内外需求企业建立供需合作关系，建立中药材规范化示范生产基地。

同时，建设中药材种苗繁育基地是中药材生产的重要保证。种苗生产技术性较强，特别是很多中药的种子萌发都具有一定的难度，普通农民不易掌握，种苗繁育基地可以实现专业技术人员常年指导生产，能够满足全区大量栽培的需要。由于种苗繁育需要一定的时间周期，且受市场行情的影响较大，发展大规模种苗繁育基地具有一定的风险，若想规避价格风险，需做好市场预测，以实行订单式种植为宜。

2. 中药材加工业

充分利用丰满区的中药资源原材料优势，建设药材加工企业。建议在该区建设一个中型药材加工厂，与种植面积较大的乡镇联合起来，收购原料药材，加工后销售。

3. 中药材商贸业

丰满区经销中药材的历史悠久，从事中药材营销的企业和人才众多，他们具有丰富的中药材营销经验和广泛的网络营销渠道。建议利用中药资源产地的优越自然条件，以适宜的中药企业为龙头，组成众多的营销群体，建立该区的中药材网站，利用现代通讯手段进行网络销售。同时，建议在该区综合市场内建立中药材专区，增强市场对中药材的拉动力，此举具有较好的市场前景。借助现代物流业的经验，大力发展中药材贸易，进而带动现代化物流业的发展。建议提前与适宜的物流企业建立联系，将包装好的药物发给物流公司，以防二次污染，通过专门的中药物流进行运输，采用先进的中药保存技术，确保运输途中货物的质量。

九、永吉县中药资源普查报告

2013年，长春中医药大学林喆教授任队长，带领10名队员，开展了永吉县第四次中药资源普查，基本摸清了永吉县现存中药资源的种类、分布、蕴藏量等本底情况。

（一）中药资源现状

永吉县地处吉林省中东部，东与吉林市丰满区接壤，南与桦甸市、磐石市相邻，西与长春市双阳区隔饮马河相望，北与九台区、吉林市船营区及丰满区前二道乡毗连，位于东经125°48′09″~126°40′01″，北纬43°18′07″~43°35′。全县幅员面积2625km²，辖7个镇、2个乡、1个省级开发区。总人口37.7万人，有朝鲜族、满族、回族、蒙古族等21个少数民族。

永吉县同东北大部分地区一样，冬季漫长，夏季短暂，属北温带大陆性季风气候，特点是四季分明，春季干燥多风，夏季温热多雨，秋季凉爽多晴天，冬季漫长寒冷。该县年平均积温27.9℃，年平均气温5.3℃，≥10℃平均活动积温2994.6℃，平均气温年较差38.9℃；平均年降水量677.4mm，降水集中在每年6月至8月，7月最多；平均无霜期142天，最长达163天，最短达117天。独特的气候条件和地形使永吉县拥有极为丰富的森林资源，也使永吉县成为吉林省林业重点县和木材生产基地之一。该县地处低山丘陵地带，地势由东向西逐渐降低，坡降平缓，山势浑圆，有南楼山、肇大鸡山、马虎山等7座海拔超千米的山峰。

永吉县土地肥沃，水源充足，气候条件良好，适宜现代农业种植业和养殖业的发展。全县已形成绿色稻米、紫苏、柞蚕等特色农业产业化规模发展基地，农畜产品产量可观。该县森林茂密，植被丰富，现有林地1169km²，活立木蓄积量1027万m³，年砍伐量5万m³。该县的野生动植物达175科654种，其中可供药用的植物有122科567种，动物有53科87种。

1.中药资源种类、分布与蕴藏量

（1）中药资源种类。据记载，永吉县山峦起伏，森林茂盛，县内的南楼山、肇大鸡山、马虎山等高山中蕴藏着丰富的生物资源，包括水曲柳、黄檗、胡桃楸等大量珍贵树种，人参、天麻、黄耆等药用资源，开发利用潜力巨大。县内国家重点保护动植物分布广泛，品种繁多。省级重点保护动植物多达31种，其中，鸳鸯等Ⅱ级保护动物2种，红松等Ⅱ级保护植物10种；中国林蛙等Ⅲ级保护动物 9 种，蕨菜等Ⅲ级保护植物 4 种；斑啄木鸟等Ⅳ级保护动物 6 种。永吉县第四次中药资源普查共设置了 43 个样地、215 个样方套、1290 个小样方，采集植物标本 158 种、药材标本 148 种、种子标本 79 种。

（2）中药资源分布与蕴藏量。永吉县的野生中药资源丰富，其中，北大湖镇分布有木耳、香菇、山鸡、山核桃、猕猴桃、蕨菜、猴腿、山芹菜、辣蓼铁线莲、五味子、天麻、黄耆、人参、穿龙薯蓣、细辛、龙胆等 60 余种野生中药资源，产量可达 800～900t。岔路河镇分布有忍冬、榛子、刺五加、木贼、五味子等药用植物，资源分布均匀，数量可观。一拉溪镇药用、食用菌类资源丰富，如灵芝、木耳等，山中还有人参、贝母、五味子、刺五加、天麻、延胡索、玉竹、天南星等野生药用植物资源。该县紫苏的种植和销售渐成燎原之势，从一拉溪镇辐射到四平、延吉、松原、白城等其他地区。万昌镇有丰富的药用资源，乔木类包括色木槭、茶条槭、黄檗、蒙古栎、榛子、水曲柳等 15 种，灌木类包括胡枝子、刺五加等 22 种，草本类包括鹿药、铃兰、玉竹、二苞黄精、天南星等 90 余种。黄榆乡药用植物有乔木类包括黄檗、榛子、胡桃楸、花曲柳等 10 余种，灌木类包括卫矛、山葡萄、葛枣猕猴桃等 10 余种，草本类包括龙芽草、路边青、龙胆、草芍药、乌头类等 70 余种。金家满族乡则忍冬和刺五加比较常见。永吉县有贝母、细辛、五味子等 10 个重点品种，其中野生贝母蕴藏量约为 33t，贝母蕴藏量约为 80t，五味子蕴藏量约为 800t，野山参蕴藏量约为 1t，玉竹蕴藏量约为 2000t，穿山龙蕴藏量约为 4024t，刺五加蕴藏量约为 10 万 t，党参蕴藏量约为 577t，天麻蕴藏量约为 10t。

2. 中药资源生产与产品销售

经走访调查显示，永吉县栽培药材大致包括平贝母、林下参、西洋参、园参、五味子、细辛、龙胆、天麻、桔梗、黄耆、刺五加、独角莲、月见草、大黄等 30 余种。其中，林下参遭受多年的过度采挖，已几乎绝迹，细辛、龙胆、刺五加、山胡萝卜、穿龙薯蓣、玉竹、月见草等 20 余种的栽培面积较小。此外，还有个别园区试验栽培黄花乌头、白花乌头等新品种。

3. 中药资源存在的问题

（1）资源破坏严重，人们资源保护意识薄弱。

（2）无大宗中药材加工企业。

（二）中药资源发展建议

1. 中药材种植（养殖）业

永吉县优势种质资源分为野生和栽培 2 类。其中，野生类优势种质资源包括玉竹、穿龙薯蓣、多被银莲花、刺五加、红蓼、南沙参、关苍术、东北铁线莲、细辛、益母草、鸭跖草、五味子、木贼等，栽培类优势种质资源主要包括紫苏、五味子、林下参、平贝母、灵芝、白附子等。到目前为止，野生类优势种质资源中的玉竹、五味子、木贼、细辛、多被银莲花主要分布在双河镇，东北铁线莲、关苍术、南沙参主要分布在北大湖镇。建议在以上 2 镇建立种质种苗基地，为规范化种植提供服务。

2. 中药材商贸业

建议将现已存在的中药材集贸市场、季节性道地药材市场纳入统一监管范畴，以促进形成多规模、多层次、多元化的市场结构。同时，依据评估体系，对专业市场进行"进退"调整，允许有实力的企业根据政府职能部门确立的市场交易标准及综合评估指标体系，建立高水平的中药材交易市场。

十、蛟河市中药资源普查报告

2012 年，中国农业科学院特产研究所王英平研究员任队长，带领 8 名队员，开展了蛟河市第四次中药资源普查，基本摸清了蛟河市现存中药资源的种类、分布、蕴藏量等本底情况。

（一）中药资源现状

蛟河市位于吉林省东部、长白山西麓，东与敦化市相邻，南与桦甸市接壤，西隔松花湖与吉林市相望，北与舒兰市、黑龙江省五常市毗连，幅员面积 6429.3km²。全市辖民主街道、长安街道、河南街道、奶子山街道、拉法街道、河北街道和新农街道 7 个街道，新站镇、天岗镇、白石山镇、漂河镇、黄松甸镇、天北镇、松江镇和庆岭镇 8 个镇，乌林朝鲜族乡和前进乡 2 个乡，总人口约 41.7 万人，其中农业人口 27 万人，朝鲜族、满族、回族等 18 个少数民族人口共约 4 万人。

蛟河市被松花江、牡丹江水系贯穿，属亚温带大陆性季风气候，年平均气温 3 ~ 5℃，平均年降水量约 710mm，无霜期 120 ~ 130 天。

蛟河市自然资源丰富，森林面积约占全市总土地面积的 2/3，是吉林省的主要林区之一。全市有林地面积 2645.09km²，森林覆盖率为 59.36%，蛟河烟、貂皮、鹿茸、哈蟆油久负盛名。

1. 中药资源种类、分布与蕴藏量

（1）中药资源种类。蛟河市地处长白山山麓，素有"长白山立体宝库"之称，动植物资源十分丰富。据记载，全市有 500 余种植物，其中具有经济价值的植物共有 87 科 354 种。经济植物主要有人参、刺五加、天麻、五味子、桔梗、当归、蕨菜、薇菜、山葡萄、软枣猕猴桃等。全市有 200 余种动物，现存经济价值较高的野生经济动物有 20 余种，主要包括黑熊、野猪、狐狸、梅花鹿、紫貂、狍子、山鸡、树鸡、青鼬、黄鼬等，国家重点保护动物东北虎经常在该市出现。

在蛟河市第四次中药资源普查中，普查队共设置了 39 个样地、192 个样方套、1152 个样方，采集植物标本 166 种，其中国家重点调查品种 31 种，国家普遍调查品种 108 种，省重点调查品种 11 种，省次重点调查品种 14 种；采集药材标本 47 种，其中国家重点调查品种 23 种，国家普遍调查品种 24 种；采集种子标本 29 种，其中国家重点调查品种 10 种，国家普遍调查品种 19 种。由于林场清林作业、毁林开荒、放牧及农田大量喷施农药，蛟河市现有中药材资源种类和数量锐减，曾经常见的田边、路旁的药用植物荠蓂在蛟河域内已很难见到；素有"小长白山"之称的老爷岭风景区的高山草地，由于过度放牧，资源遭到破坏，现仅零星分布一些生命力较强的蒲公英。

（2）中药资源分布与蕴藏量。蛟河市气候类型、区域海拔、地形地貌差异均不明显，自然资源丰富，林地面积达 4500km²，是全省林业重点县和木材生产基地之一，以林蛙、食用菌、中草药材为代表的野生动植物资源的开发利用潜力很大。野生药用植物资源分布均衡，以蛟河市为中心，按照交通路线可划分为西北、西南、北、东北、东、东南、南 7 个药材分布带。

2. 中药资源生产与产品销售

蛟河域内主要以玉米、水稻和大豆等粮食作物以及黄烟等经济作物为主，有关中药材的种植，仅发现松江镇沙松岭有农户种植 105 亩五味子，以及黄松甸镇有农户种植灵芝。

在资源普查过程中，普查队对蛟河市中医院、天岗镇卫生院、庆岭镇卫生院、松江镇卫生院、上海北杰集团关东药业有限公司的常用大宗药材进行了调研。蛟河市中医院收购的药材品种有防风、黄芪、红花、侧柏、关黄柏、夏枯草、艾叶、白鲜皮、猪苓、威灵仙、当归、马齿苋、荆芥、地肤子、蛇床子、穿山龙、淫羊藿、紫花地丁、火麻仁、王不留行、甘草、赤芍、丹参、苦参、人参、平贝母、天麻、五味子、柴胡、桃仁、白芍、茯苓、地骨皮、百部、延胡索等。天岗镇卫生院收购的药材品种有黄芪、五味子、远志、萹蓄、甘草、泽泻、天麻、桔梗、南沙参、防风、龙胆、火麻仁、苍术、菟丝子、白鲜皮、威灵仙、穿山龙、柴胡、茯苓、金银花、黄精、车前子、牛蒡子、刺五加、猪苓、泽兰、韭菜子、细辛等。松江镇卫生院收购的药材品种有黄芪、益母草、茜草、牡丹皮、丹参、石菖蒲、桃仁。上海北杰集团关东药业有限公司收购的药材品种有黄芪、五味子、人参、丹参、枸杞子、川芎、山楂、麦冬、淫羊藿、草乌等。

3. 中药资源存在的问题

（1）野生资源保护滞后。野生药材资源保护和开发滞后，珍贵稀有品种濒临灭绝。由于项目少、资金短缺、科技力量薄弱，蛟河市一些珍贵稀有野生药材资源的人工驯化栽培和开发利用工作滞后，如五味子、月见草等药材品种存在有些产区的药农为了获利，在药材尚未成熟时便开始采收的情况。野生药材的采收与植被保护已形成矛盾，严重限制了该市中药资源的可持续发展。

（2）技术推广服务体系不健全，专业人员不足。蛟河市的中药材生产目前仍以各农户自发生产为主，从事药用作物栽培、育种和技术推广的专业技术人员较少。基层农技推广人员大多长期从事粮食和经济作物推广工作，药用作物栽培专业知识欠缺，指导生产实践经验不足，能力有限，导致技术推广服务无法满足中药材生产发展的需求。

（二）中药资源发展建议

1. 中药材种植（养殖）业

建议在蛟河市优质道地中药材品种最佳生态区域，集中建立 GAP 基地。其中，以黄松甸镇为核心，向周边辐射，建立全省优质灵芝生产基地；以松江镇为核心，向周边辐射，建立优质五味子生产基地；以新站镇为核心，以发展龙凤林场林下经济为主，发展优质天麻、党参生产基地；以前进乡、新站镇、白石山镇为产业带，发展优质人参、西洋参生产基地。

2. 中药材加工业

中药材加工业的发展是延长中药材产业链，实现加工增值的关键。建议利用蛟河市的中药材资源优势，大力扶持和发展特色中成药（如"艾康"）及中草药提取物，做精特色，做优质量，做大规模，大力促进中药材加工业的发展。

3. 中药材商贸业

建议通过筛选重点，整合资源，加大基础设施改造力度，建立仓贮、货运、信息等配套设施，通过规范管理、提高服务、改善环境等，促进产区特色品种（如黑木耳等）药材的交易，形成批发集散市场与区域性交易市场相协调的市场主体。

十一、桦甸市中药资源普查报告

2012 年，长春中医药大学林喆教授任队长，带领 10 名队员，开展了桦甸市第四次中药资源普查，基本摸清了桦甸市现存中药资源的种类、分布、蕴藏量等本底情况。

（一）中药资源现状

桦甸市位于吉林省东南部，地理位置为东经 126° 16′ ~ 127° 45′，北纬 42° 34′ ~ 43° 29′，隶属于吉林省吉林市。全市共辖 1 个省级经济开发区、5 个街道、9 个乡镇，人口以汉族为主，幅员面积为 6624.49km²，占全省总面积的 3.5%。

桦甸市地处长白山脉向松辽平原过渡的前缘，地势起伏较大，东南部、西北部高，中部低，是典型的半山区。域内最高山为南楼山，海拔 1405m，最低处为错草沟屯，海拔仅 249m，高低相差达 1156m。全市总的地貌结构特征为"八分山林，一分田，一分草地、村屯、道路和水面"。该市气候属于北温带大陆性季风气候，年平均气温 3.9℃，≥ 10℃年平均活动积温 2731℃，年平均日照时数 2379 小时，日照率 54%，平均年降水量 748.1mm，无霜期 125 天左右。

桦甸市森林资源极为丰富，是吉林省林业重点市和木材生产基地之一。该市林地面积达 5130km²，森林覆盖率达 68.2%；浩瀚的林海中蕴藏着 1051 种具有较高价值的野生动物资源，生长着东北虎、豹、梅花鹿、紫貂等珍贵的国家级保护动物，备受中外客商青睐的哈蟆油主要产在该市，同时该市也是饮誉中外的东北三宝——人参、貂皮、鹿茸的产地。

1. 中药资源种类、分布与蕴藏量

（1）中药资源种类。据文献记载，桦甸市有中药材品种 148 科 772 种。野生中药材蕴藏量约为 135 万 t，其中需求量较大的 16 个品种的储量约为 16.7 万 t，全市各乡镇均有分布，其中红石砬子、二道甸子、常山、横道河子、八道河子、苏密沟（现桦郊乡）等林区面积较大的乡镇蕴藏量较多。

野生中药材年采集量为 1833t, 年产值为 925 万元, 主要采集品种包括山参、龙胆草、威灵仙、玉竹、天麻、五味子、细辛、刺五加、云芝蘑、树舌等。

在桦甸市第四次中药资源普查中, 普查队共设置了 38 个样地、190 个样方套、1140 个样方, 调查药用植物、动物及矿物共计 158 种, 其中国家重点调查品种有 36 种, 分别是粗茎鳞毛蕨、轮叶沙参、兴安升麻、北马兜铃、风轮菜、暴马丁香、穿龙薯蓣、辣蓼铁线莲、林下参、桔梗、细叶百合、苦参、黄耆、白鲜、蝙蝠葛、薄荷、五味子、黄檗、苘麻、萹蓄、杠板归、紫菀、东北南星、龙胆、天麻、刺五加、多被银莲花、平贝母、白屈菜、细辛、芍药、辽东楤木、玉竹、荠、木贼、泽泻。

(2) 中药资源分布与蕴藏量。桦甸市地处北温带大陆性季风气候区, 其分布的中药材有着明显的寒地生长习性和药理特点, 道地名贵药材更有得天独厚之处, 名贵药材有野山参、天麻、鹿茸、田鸡等, 道地药材包括北五味子、关黄柏等, 此多种药材驰名国内外, 桦甸市为其国内的主要产区之一。

桦甸市的药材种类繁多, 且各乡镇均有较大面积的分布。其中, 红石砬子镇现有林地面积达 3000km², 野生植物种类繁多, 人参、松子、贝母、天麻、细辛等中药材分布较为广泛。桦郊乡野生植物蓄藏量较多, 其中芸香科白鲜、桔梗科桔梗、菊科关苍术、毛茛科多被银莲花等分布较为广泛, 且该乡林地资源丰富, 五味子、辽东楤木、刺五加等药用灌木种类繁多。常山镇药用、食用菌类资源丰富, 如灵芝、木耳等, 且已初步形成梅花鹿、黄牛、江鱼、林蛙及中药材等特色产业发展基地。二道甸子镇野生中药材资源十分丰富, 山林中有人参、贝母、五味子、刺五加、天麻、延胡索、玉竹、天南星等 30 余种中药材, 且蕴藏量较多。夹皮沟镇分布有山参、天麻、贝母、龙胆等 80 种中药材。八道河子镇分布有人参、五味子等中药材。

野山参是珍贵的药材品种, 在桦甸市林区有分布, 全市储量约为 1t; 刺五加在桦甸市各山区均有分布, 全市储量约为 10 万 t; 五味子全市储量约为 800t; 野生贝母全市储量约为 33t; 细辛全市储量约为 80t; 天麻全市储量约为 10t; 穿山龙全市储量约为 4024t; 龙胆草全市储量约为 614t; 玉竹全市储量约为 2000t; 党参全市储量约为 577t。

2. 中药资源生产与产品销售

在药用植物栽培方面, 桦甸市栽培品种有平贝母、林下参、林下西洋参、园参、西洋参、五味子、细辛、龙胆、天麻、桔梗、黄耆、刺五加、独角莲等 20 余种。据统计, 全市药用植物栽培面积为 195123 亩, 年产量为 12568t, 年产值为 16258 万元。其中发展规模较大的品种有林下参 (138480 亩)、平贝母 (17964 亩)、五味子 (8568 亩)、西洋参和普通人参 (315 亩)。

桦甸市拥有得天独厚的药材资源, 因此很多中药材企业在此安家落户, 如吉林省龙兴生态农业开发有限公司、吉林韩边外野山参种植有限公司、桦甸市鸿泰实业有限公司、吉林隆泰制药集团有限公司、桦甸市日晖 (华良) 药业有限公司及吉林正源康赛医药科技有限公司等。常山镇有

2 家药材收购站，收购品种分别为五味子和猪苓。横道河子乡有 1 户个体收购者，主要收购野生天麻等药材。

3. 中药资源存在的问题

（1）部分地区毁林开荒，资源破坏严重。

（2）种植分散，没有形成一定规模。

（3）林区道路不畅，药材运输受阻。

（二）中药资源发展建议

1. 中药材种植（养殖）业

桦甸市优势种质资源分为野生和栽培 2 类。其中，野生类优势种质资源有玉竹、穿龙薯蓣、多被银莲花、刺五加、红蓼、天麻、南沙参、关苍术、东北铁线莲、细辛、益母草、鸭跖草、五味子、木贼等；栽培类优势种质资源主要有紫苏、五味子、林下参、平贝母、灵芝、白附子等。由于各类优势种质资源药材分布不同，建议由政府主导，企业参与，因地制宜，投入资金和技术支持，在相关乡镇建立起相关野生药材驯化研究基地和栽培品种良种选育基地，如已建成的龙兴北五味子基地、二道甸子长白山韩边外林下参栽培基地等。依托技术支持，集中连片规模化地进行建设和研究生产。

2. 中药材加工业

建议利用桦甸市的原材料优势，在该市建设一个中型药材加工厂。建议将红石砬子镇、二道甸子镇、常山镇、横道河子乡、八道河子镇、桦郊乡等野生药材较多，同时种植面积较大的乡镇联合在一起。建议与其他药材厂进行合作，共同开发药材，使桦甸市的药材得到更好的利用。

3. 中药材商贸业

桦甸市经销中药材的历史悠久，从事中药材营销的企业和人才众多，他们具有丰富的中药材营销经验和广泛的营销网络。建议各乡镇建立各自的中药材网站，利用现代通讯手段进行网络销售。建议在各大城市的中药材市场设立窗口，与药企建立稳定的合作关系。同时，在该市综合市场内建立中药材专区，增强市场对中药材的拉动力。

十二、舒兰市中药资源普查报告

2013 年，吉林农业科技学院郑永春教授任队长，带领 13 名队员，开展了舒兰市第四次中药资源普查，基本摸清了舒兰市现存中药资源的种类、分布、蕴藏量等本底情况。

（一）中药资源现状

舒兰市为省辖县级市，位于吉林省北部，地理位置为东经 126°24′～127°45′，北纬

43°51′～44°38′，南与吉林市龙潭区、蛟河市交界，西隔松花江与九台区相望，东北与黑龙江省五常市接壤。全市幅员面积 4557.05km²，下辖 5 个街道、10 个镇、5 个乡、1 个省级经济开发区，总人口为 60.2 万人。

舒兰市地处长白山余脉向松嫩平原的过渡地带、长白山脉张广才岭与老爷岭汇合处，地貌类型复杂，一般海拔为 170～220m。该市属于温带大陆性季风气候，年平均气温 4.3℃，年平均有效积温 2708.6℃，年平均日照时数 2426.5 小时（年日照百分率 55%），年辐射总量 45×10⁸J/m² 左右，平均年降水量 683mm，相对湿度 69%，无霜期 140 天，有霜期 225 天，主导风向南风频率 19%，西南风频率 13%。

舒兰全市有林地 3280.21km²，森林蓄积量为 3016.9 万 m³，森林覆盖率为 52.3%，主要树种有红松、水曲柳、椴树、胡桃楸、蒙古栎等。地被植物以蕨类、山茄子、苔草、蒿类为主，藤本植物有山葡萄、五味子、软枣猕猴桃等。

1. 中药资源种类、分布与蕴藏量

（1）中药资源种类。据记载，舒兰市早期具有药用植物品种 119 科 587 种，常用药材 265 种，有长白参、天麻、平贝母、细辛、鹿茸等名贵药材，尤以人参、天麻、平贝母等药用植物产量较大。在舒兰市第四次中药资源普查中，普查队共设置了 47 个样地、235 个样方套、1380 个小样方，采集植物标本 160 种、药材标本 156 种、种子标本 125 种；其中，国家重点调查品种有木贼、粗茎鳞毛蕨、萹蓄等，省重点调查品种有齿瓣延胡索、落新妇、山刺玫等，国家普遍调查品种有红豆杉、胡桃楸、蒙古栎等。

（2）中药资源分布与蕴藏量。舒兰市各山区均有刺五加、五味子、北细辛、穿龙薯蓣、龙胆、玉竹、木贼、蝙蝠葛等国家重点品种资源的分布。其中，新安乡的人参、平贝母、天麻、细辛等分布较为广泛。朝阳镇有红松、黄檗、花曲柳、五味子等多种乔木、灌木类中药资源。上营镇的白鲜、桔梗、关苍术等野生植物及毛茛科多被银莲花等分布较为广泛。水曲柳镇有蒙古栎、黄檗、胡桃楸等分布。法特镇有人参、平贝母、五味子等 30 余种中药资源。小城镇有红松、茶条槭、山参、天麻、平贝母、龙胆等 80 余种中药资源。莲花乡有落叶松、山葡萄、软枣猕猴桃及人参、五味子等中药资源。亮甲山乡有刺五加、胡枝子、卫矛、穿龙薯蓣、木贼及蕨类等中药资源。

2. 中药资源生产与产品销售

随着农村经济结构发展模式的转变，中药材种植备受关注，药材加工厂和种植合作社在舒兰市迅速发展起来，如吉林省均林中草药种植有限公司、舒兰市海荣中药材种植专业合作社、舒兰市青松中草药种植专业合作社等，主要栽培品种有五味子、平贝母、桔梗、玉竹、北细辛、关苍术等。由于野生平贝母资源不断减少，市场价格逐年升高，平贝母的人工栽培面积也在逐年增加。

基于得天独厚的中药资源基础，不少药材企业在舒兰市安家落户，如吉林省舒兰市制药厂、吉林济邦药业有限公司、舒兰市荣康生物制品有限责任公司、吉林省舒兰制药厂活力药材加工厂。

经营中药材的企业有吉林省舒兰市中药材公司、舒兰市江恒医药药材有限责任公司（现吉林省馨康医药科贸有限责任公司）和舒兰市利康药材有限公司。同时舒兰市在各大城市的中药材市场都设立了窗口，与多家药企建立了稳定的合作关系，并在该市的综合市场内建立了中药材专区。

3. 中药资源存在的问题

（1）资源破坏严重，人们保护意识不强。

（2）舒兰市中药材资源较为丰富，中药材种植业规范化程度不高，生产加工人员素质和业务能力参差不齐。

（二）中药资源发展建议

1. 中药材种植（养殖）业

舒兰市的中药材资源丰富，质量好，储量多，是北方主要的药材产地之一，黑土广布，土壤肥沃，条件适宜，良好的自然环境为中药材种植产业的发展提供了优越的条件。该市优势种质资源有木贼、粗茎鳞毛蕨、萹蓄、穿叶蓼、褐毛铁线莲、毛茛、多被银莲花、阴行草、北细辛、长柱金丝桃、白屈菜、薪蓂、费菜、林大戟、黄檗、月见草、刺五加、线叶柴胡、龙胆、东北南星、金银忍冬、轮叶沙参、紫菀、平贝母、穿龙薯蓣、银线草等。建议在现有的上营镇药材生产基地、小城镇药材生产基地、亮甲山乡药材生产基地的基础上，扩大种植规模。同时，建议由政府主导，企业参与，因地制宜，投入资金和技术支持，在相关乡镇建立起相关野生药材驯化研究基地和栽培优良品种选育基地。依托技术支持，集中连片规模化地进行建设和研究生产。

2. 中药材加工业

建议在舒兰市各乡镇建立小型的药材收购点，收购周边农户采收的药材。然后建设 1 个中型药材加工厂，将各乡镇联合在一起，对收购的药材进行销售，销售范围可从周边的药店、医院至全国各地的药店、医院，还可与其他药材厂进行合作。

3. 中药材商贸业

舒兰市经销中药材的历史悠久，从事中药材营销的企业和人才众多，他们具有丰富的中药材营销经验和广泛的营销网络。建议利用原材料产地优越的自然条件，加工销售当地特色药材，打造舒兰市独特的中药材品牌。同时利用现代通讯手段进行网络销售，形成正规的网络销售平台，打造全方位的产业市场。

十三、磐石市中药资源普查报告

2013 年，中国农业科学院特产研究所王英平教授任队长，带领 8 名队员，开展了磐石市第四次中药资源普查，基本摸清了磐石市现存中药资源的种类、分布、蕴藏量等本底情况。

（一）中药资源现状

磐石市位于吉林省东南部，地理位置为东经 125° 39′ ~ 126° 41′，北纬 42° 39′ ~ 43° 27′，为隶属于吉林省吉林市的县级市，地处松辽平原向长白山的过渡地带，属丘陵半山区。全市南北最长 87.5km，东西最宽 85km，总面积 3866.5km²。

磐石市地处长白山西麓。长白山系吉林哈达岭山脉老爷岭横亘磐石市东西，构成中部、东北部高，南部、北部低，状似屋脊的地势，海拔 500 ~ 1000m，为辉发河水系、饮马河水系的分水岭。在分水岭的南北两侧，河流顺向斜南北分流。沿河两岸经过长期的侵蚀、冲积等外营力作用，发育为常态地貌，成为宽谷地区。柴河、烟筒山两镇之间的界山——鸡爪顶子海拔为 1049m，是全市最高点；烟筒山镇北部的碱场村鸡冠山屯西 1.3km 处的海拔为 230m，是全市的最低点，相对高度差为 819m。该市气候属于温带大陆性季风气候，年平均气温 4.1℃，平均年降水量 676.5mm，年平均日照时数 2491.2 小时，无霜期约 125 天。

磐石市农用地总面积为 3512.01km²，占全市土地总面积的 90.83%。在农用地中，耕地面积为 1717.80km²，占农用地总面积的 48.91%；园地面积为 7.71km²，占农用地总面积的 0.22%；林地面积为 1783.94km²，占农用地总面积的 50.80%；其他农用地面积为 2.56km²，占农用地总面积的 0.07%。该市森林资源丰富，主要植物资源有落叶松、樟子松、红松、云杉、沙松、蒙古栎、杨树、桦树、柳树、水曲柳、花曲柳、黄檗、胡桃楸、紫椴、糠椴、色木槭、拧筋槭、春榆、黄榆、槐树、暴马丁香等。

1. 中药资源种类、分布与蕴藏量

（1）中药资源种类。磐石市拥有丰富的野生植物资源，其中药用植物有 112 科 676 种，以干皮或根皮入药的植物主要有黄檗、花曲柳、黑桦、刺五加、短梗五加等，以果实、种子入药的植物主要有山杏、五味子、苘麻、牛蒡等，以地下部分或全株入药的植物主要有人参、党参、北细辛等。在磐石市第四次中药资源普查中，普查队共设置了 36 个样地、180 个样方套、951 个样方，采集植物标本 195 种，其中国家重点调查品种 30 种，国家普遍调查品种 165 种，省重点调查品种 17 种，省次重点调查品种 18 种；采集药材标本 70 种，其中国家重点调查品种 23 种，国家普遍调查品种 28 种，省重点调查品种 15 种，省次重点调查品种 13 种；采集种子标本 51 种，其中国家重点调查品种 13 种，国家普遍调查品种 22 种，省重点调查品种 10 种，省次重点调查品种 6 种。

（2）中药资源分布与蕴藏量。调查结果显示，磐石市的西北部、北部、东北部等林地面积较大的乡镇药用植物资源较多，如朝阳山镇、吉昌镇、名城镇、取柴河镇、烟筒山镇等，其他乡镇的药用植物资源则相对较少。其中，木贼的蕴藏量约为 1t，连钱草约为 20t，关黄柏约为 7t，蓝布正约为 7t，玉竹约为 1.5t，穿山龙约为 8t，威灵仙约为 6t，细辛约为 0.1t，北豆根约为 1t，平贝母约为 0.2t，其他品种如红蓼、苘麻、萹蓄等资源比较丰富，生于田间、路旁，未对其进行蕴藏量调查。而龙胆仅发现 10 余株，居群数量较少，区域资源枯竭。

2. 中药资源生产与产品销售

通过对磐石市的 10 余个乡镇进行走访调查发现，曾经大规模种植五味子的取柴河镇兴隆川、八家子等村屯，现已改为种植玉米；仅有极少数林场种植林下参，而其他药材则未见大规模种植。朝阳山镇致富林场在红石村种植了约 300 亩的林下参，参龄为 5 ～ 6 年；驿马镇官马林场种植了约 150 亩的林下参，参龄为 3 ～ 4 年，均未达采收年限。

磐石市所需大宗药材均从安徽亳州、河北安国等药材市场及饮片公司购进，吉林省西点药业科技发展有限公司主要针对黄芪、当归、白术、地龙、红花、酸枣仁、丹参、葛根、郁金等品种进行产品开发及加工。磐石市中医院的中药材年交易总量约 6.8t，主要销售给患者，用量较多的中药材包括黄芪（738kg）、白术（346kg）、地黄（332kg）、当归（328kg）、丹参（308kg）；明城骨伤医院的中药材年交易总量约 1t，各种药材的用量相差不大；吉林省西点药业科技发展有限公司年收购药材总量约 56t，收购量较大的中药材品种为黄芪、当归、白术，占收购总量的 80%，该企业收购的药材主要用于生产复方硫酸亚铁叶酸片和心脑康胶囊。

3. 中药资源存在的问题

当前，磐石市药用植物资源保护和开发利用方面还存在诸多问题，主要有：过度采挖，资源保护力度不够，导致资源量不断减少，有些物种已濒临灭绝，如龙胆、北乌头等；野生药用植物的引种驯化、大面积人工栽培工作有待加强；药用植物基础科研水平、教育水平和从业人员的素质有待提高，从业人员的数量有待增加；药用植物种质资源的收集研究工作不够深入。

（二）中药资源发展建议

1. 中药材种植（养殖）业

磐石市拥有得天独厚的自然资源和气候条件，早期有农户在取柴河镇、烟筒山镇、吉昌镇、朝阳山镇等地种植过中药材，他们具有一定的种植经验和技术，且对药材的辨识水平和热情较高。建议坚持走市场主导、政府引导、科学规划、规范种植、规模发展的路子，实现中药材种植由布局分散向优势区域集中规模化发展转变，建议由粗放型管理向集约化管理转变，由简单追求数量向增加数量与提高质量并重转变，由产品向商品转变。建议集中连片地建立优质中药材 GAP 生产基地，以形成磐石市中药材优势产业带。

2. 中药材加工业

建议促进市域内的药材加工龙头企业与其他企业的合作，以带动整个加工业的发展；建议推进制药企业实施项目带动及技术创新战略，在不断提高现有产品品质和市场占有率的基础上，搞好项目建设，培育新的经济增长点；建议加大科技创新力度，主抓以产区道地药材为原料的新产品开发和传统药物的二次开发，提高产品的技术含量，扩大生产规模，提高磐石市中药材加工水平。

3. 中药材商贸业

建议通过筛选重点，整合资源，加大基础设施改造力度，建立仓贮、货运、信息等配套设施，通过规范管理、提高服务、改善环境等，促进产区特色品种药材的交易，形成批发集散市场与区域性交易市场相协调的市场主体。

十四、铁东区中药资源普查报告

2015 年，长春中医药大学姜大成教授任队长，带领 10 名队员，开展了铁东区第四次中药资源普查，基本摸清了铁东区现存中药资源的种类、分布、蕴藏量等本底情况。

（一）中药资源现状

铁东区地处吉林省西南部，位于四平市区东部，地理位置为东经 123° 20′ ~ 125° 46′，北纬 42° 49′ ~ 44° 15′，南接辽宁省昌图县、西丰县，北连四平市梨树县，东邻吉林省辽源市，西与四平市铁西区隔长大铁路相望。全区幅员面积 904.99km²，现辖 4 个乡镇、8 个街道、54 个行政村、46 个社区，总人口 31.7 万人。

铁东区位于吉林省中部，地处长白山脉向松辽平原过渡的丘陵地带，同时也是长白山植被体系分布的最北部边缘地带，以及研究长白山特有药用植物分布及资源的地区之一。该区属于中温带半湿润季风气候区，呈明显的大陆性气候，年平均气温 5.7℃，无霜期 160 天左右，平均年降水量约 660mm，年平均日照时数约 2690 小时。

铁东区生态优美，自然资源丰富，长白山余脉延绵于此，山峦起伏，生长着茂密的天然林，森林覆盖率达 40%，境内的转山湖景区是国家林业部命名的 100 个天然森林公园之一。

1. 中药资源种类、分布与蕴藏量

（1）中药资源种类。在铁东区第四次中药资源普查中，普查队共设置了 37 个样地、185 个样方套、1080 个样方，采集药用植物 189 种，其中《中国药典》记载的重点品种有 39 种，如桔梗、刺五加、平贝母、细辛、穿山龙、龙胆草、玉竹等，部分品种为当前市场紧俏品种，极具开发利用价值。这些中药材种类均有较多分布，且有些中药材已经形成规模化生产，全年产量可观。

（2）中药资源分布与蕴藏量。调查显示，穿龙薯蓣和东北铁线莲在该区域内的资源十分丰富，尤其是在部分林区的林下和林缘，通常有较大面积的分布。据调查，铁东区大约有 20 种中药材的资源蕴藏量较多，部分品种见表 1-3-2，有望成为中药资源开发的新品种。

表 1-3-2　铁东区大宗中药材资源信息

植物名	植物生境	分布小样方数 / 个	出现率 /%	蕴藏量 /t
穿龙薯蓣	林下	54	31.76	150
东北铁线莲	林下、林缘及路旁	39	22.94	140
龙芽草	林下、路旁	119	70.00	140
地榆	向阳干燥山坡	27	15.88	150
蝙蝠葛	林下	43	25.29	150
白屈菜	林下、林缘	24	14.12	120

2. 中药资源生产与产品销售

据调查显示，铁东区的药用植物栽培面积达 2000 余亩。其中，发展规模较大的品种包括人参（400 余亩）、桔梗（100 余亩）、芍药（100 余亩）；栽培的重点药材品种包括桔梗、芍药、卷丹、黄檗等。目前铁东区主要的中药材栽培品种情况如下：铁东区叶赫满族镇张家村、营盘村、杨木林子村的人参栽培面积达 450 亩；铁东区张家村的百合栽培面积达 30 亩；桔梗为铁东区传统的栽培品种，主要分布在东升村，栽培面积达 255 亩，年产量达 25.5t；近几年铁东区芍药的人工栽培面积增长较快，已达到 150 亩；其他的中药材栽培品种还有细辛、龙胆草、刺五加、月见草、黄檗等，但栽培面积较小；个别园区正在进行黄花乌头等新品种的试验栽培，为今后中药材的种植探索新的品种。

铁东区没有大型中药材交易市场，只有个别收购站，如百草堂中药材收购站，其主要收购品种有穿山龙、牛蒡子、白头翁、北豆根等。

3. 中药资源存在的问题

（1）重视不够，中药资源的可持续发展任重道远。调查发现，虽然铁东区的中药材品种较多，但多数品种蕴藏量有限，未能形成规模；主要药材品种均以野生品种为主，蕴藏量受外界影响较大；没有深加工企业，资源优势无法转化为产业优势。因此，如何利用合理开发实现资源保护，特别是促进中药资源的优势转化，更显得迫在眉睫。

（2）资源破坏严重，野生资源保护力度有待加强。调查发现，该区域内多种中药材品种数量锐减，部分已濒临灭绝；受经济利益的驱动，部分地区毁林开荒和过度放牧现象十分严重，因此保护珍稀动植物的任务十分艰巨。

（3）中药材种植业发展缓慢。大力发展中药材种植业是促进中药资源可持续发展的必由之路，但调查发现，铁东区药材种植品种目前仅有百合、芍药、桔梗等少数几种，且种植面积有限，尚未形成规模。

（4）尚无规范的中药材市场，药材收购行业管理不明确。调查发现，铁东区存在中药材市场不规范、药材收购混乱、行业管理不明确等现象，因此无法了解具体中药材品种和数量，相关部门亦无从下手进行引导。

（二）中药资源发展建议

1. 中药材种植（养殖）业

铁东区的天然植被具有明显的区域特征，东南部和西北部有山区分布，中药资源丰富，可以充分利用这一中药资源优势，大力发展中药材种植业和加工业，促进地方经济的发展。建议优先开展优质中药材规范化生产基地建设、中药材种苗繁育基地建设、药材集散市场体系建设三大项目。建议将张家村、杨木林子村等作为试点，与相关制药企业联合，大面积种植百合、桔梗、芍药、细辛、龙胆、黄檗等品种。

2.中药材加工业

建议充分利用铁东区的中药资源原材料优势建设药材加工企业。建议在铁东区建设 1 个中型药材加工厂，与种植面积较大的乡镇联合在一起，将收购的药材加工后销售，销售范围可从周边的药店、医院、诊所至全国各地的药店、医院、诊所，还可与其他药厂进行合作，共同开发药材，使铁东区的药材资源得到更好的利用。

3.中药材商贸业

长期以来，铁东区的多个乡镇均有收购穿山龙、威灵仙、赤芍、北豆根、黄柏等常用中药材的历史，并且收购量不小。建议由政府相关部门牵头，整合收购队伍，以铁东区为中心，立足于吉林省中部地区的野生中药资源，逐步建立铁东区中药材集散市场。同时，在铁东区综合市场内建立中药材专区，增强市场对中药材的拉动力。

十五、梨树县中药资源普查报告

2013 年，长春中医药大学张凤瑞教授任队长，带领 11 名队员，开展了梨树县第四次中药资源普查，基本摸清了梨树县现存中药资源的种类、分布、蕴藏量等本底情况。

（一）中药资源现状

梨树县位于吉林省西南部，隶属于四平市，地理位置为东经 123° 45′ ~ 124° 53′，北纬 43° 02′ ~ 43° 46′。该县地处松辽平原腹地，土地肥沃平坦，素有"东北粮仓"和"松辽明珠"之美称。全县幅员面积 4209km²，总人口 81 万余人，辖 14 个镇、6 个乡，分别是梨树镇、郭家店镇、榆树台镇、小城子镇、喇嘛甸镇、蔡家镇、刘家馆子镇、十家堡镇、孟家岭镇、万发镇、东河镇、沈洋镇、林海镇、小宽镇以及白山乡、泉眼岭乡、胜利乡、四棵树乡、双河乡、金山乡。

梨树县属大陆性季风气候，四季分明。春季升温快，干燥少雨，多大风天气；夏季炎热，雨量充沛；秋季降温快，霜降早，多晴好天气；冬季漫长，寒冷干燥，少雪。

1.中药资源种类、分布与蕴藏量

（1）中药资源种类。梨树县第四次中药资源普查完成了对 36 个样地、180 个样方套、1080 个样方的实地调查，采集植物标本 230 种；采集药材标本 123 种，其中国家重点调查品种 27 种，国家普遍调查品种 96 种；采集种子标本 40 种，其中国家重点调查品种 17 种，国家普遍调查品种 23 种。目前，梨树县的中药资源状况并不乐观，县域内耕地面积较大，草场逐渐退化，林地多为次生林，再加之过度开采石料，使得梨树县只有少量的地域分布有药用植物。该县山地面积较小，仅在石岭等地有分布不多的山地。

（2）中药资源分布与蕴藏量。梨树县域内大部分为耕地，导致中药资源分布区域十分有限。该县重点中药材品种有 30 余种，部分品种为当前市场紧俏品种，极具开发利用价值。但梨树县中药资源蕴藏量极少，产量有限。资源普查结果显示，该县防风的蕴藏量约为 1t，活血丹的蕴藏量约为 0.5t，柴胡的蕴藏量约为 0.5t，玉竹的蕴藏量约为 1t，威灵仙的蕴藏量约为 0.5t，罗布麻叶的蕴藏量约为 0.1t，萹蓄的蕴藏量约为 3t，南沙参的蕴藏量约为 0.1t，远志的蕴藏量约为 0.2t，白屈菜的蕴藏量约为 1t。

2. 中药资源存在的问题

（1）大量开垦农田和采石。大量开垦农田，使中药赖以生存的环境遭到了破坏。梨树县域内采石场较为常见，大量开采石料导致周围环境遭到破坏，绿色植物难以生存，现梨树县仅存的山地也正在逐年减少，政府应加以重视。

（2）中药资源利用少。目前，梨树县中医事业的发展较省内其他地方相对落后，除了梨树县中医院较具规模外，其他乡镇卫生院大多没有中医医生，更不用提使用中药了，且县内个体中医诊所相对较少，中药的使用比较局限。

（3）药材产销脱节。梨树县具有适宜种植的中药品种，但多种原因导致了中药材种植业未能发展起来，其中最突出的是产销问题。目前梨树县没有中草药收购点，种植的中药材没有销路，极大地打击了人们对中药资源保护、种植的积极性。调查发现，也存在收购中药材的经济效益不理想而导致无人收购的情况。

（二）中药资源发展建议

1. 中药材种植（养殖）业

建议充分发挥梨树县的自然优势，大力发展适合梨树县生长环境、相对有特色的中药，并作为产业带进一步发展，争取形成一定的规模。在此建议几种较适合梨树县地质地理环境、临床需求量较大、本地分布较多的中药，如罗布麻、苦参、柴胡、玉竹、防风等。

2. 中药材加工业

建议建立现代化的中药材加工企业，对地产中药材进行就地加工，尤其是梨树县特色的刺五加、罗布麻等中药的加工前景十分良好。同时，建立中药材收购站，促进地产中药材的商品交易。

十六、伊通满族自治县中药资源普查报告

2012 年，长春中医药大学姜大成教授任队长，带领 10 名队员，开展了伊通满族自治县第四次中药资源普查，基本摸清了伊通满族自治县现存中药资源的种类、分布、蕴藏量等本底情况。

（一）中药资源现状

伊通满族自治县（以下简称"伊通县"）位于吉林省中南部、伊通河上游，隶属于四平市，地理坐标为东经 124° 49′ ~ 125° 46′，北纬 43° 03′ ~ 43° 38′。全县幅员面积 2523km²，辖 12 个镇、

3 个乡、2 个街道，总人口 44.7 万人。

伊通县地处长白山脉向松辽平原过渡的丘陵地带，东南部和西北部分属吉林哈达岭余脉和大黑山脉，多为连绵起伏的低山丘陵，中部、西部为伊通河与东辽河的冲积平原和侵蚀台地，地势大致由南向北倾斜。全县年平均气温 5.5℃，无霜期仅 138 天，平均年降水量 651.7mm。

伊通县属于温带针阔叶混交林区域，森林覆盖率为 27.7%。全县土地肥沃，自然资源丰富，野生药用植物种类繁多，主要有细辛、五味子、百合、枸杞、蒲公英、知母、平贝母、桔梗等。其中，乔木类主要有蒙古栎、山杨、椴树、山榆、曲柳、山槐、桦树等；灌木类主要有榛、胡枝子、山玫瑰等，针叶树以落叶松为最多。全县人工林面积为 298.73km²，占林地总面积的 36%，树种以落叶松为主。

1. 中药资源种类、分布与蕴藏量

（1）中药资源种类与分布。伊通县第四次中药资源普查共调查 11 个镇、2 个乡，完成了对 39 个样地、195 个样方套、1072 个小样方的实地调查，共采集到药用植物 162 种、药材 116 种、种子 49 种。本次中药资源普查结果表明，伊通县的中药资源品种比较丰富，其中蕴藏量较多的中药材有穿山龙、北豆根、牛蒡子、月见草、防风、柴胡、桔梗等。

西苇镇、河源镇、营城子镇、靠山镇、莫里青乡、马鞍山镇等林区面积较大的乡镇中药资源蕴藏量较多。各乡镇中药资源重点品种的分布情况如下：伊通镇主要产出的药材有洋金花、马齿苋、苘麻子、月见草、小蓟、紫菀、车前草、地榆等；营城子镇的森林覆盖面积达 35.5%，主要产出的药材有白头翁、穿山龙、北豆根、牛蒡子、防风、地榆、关白附、赤芍、徐长卿、龙胆、远志等，其中穿山龙、北豆根、牛蒡子等野生药材蕴藏量很多；二道镇主要产出的药材有羊蹄、茜草、紫菀、升麻、柴胡、苘麻子、月见草、威灵仙等；西苇镇的药用植物资源丰富，主要产出的药材有藜芦、玉竹、刺五加、穿山龙、北豆根、细辛、威灵仙、防风、平贝母、两头尖等，其中穿山龙、北豆根、威灵仙、防风等蕴藏量丰富，分布广泛；景台镇主要产出的药材有穿山龙、刺五加、赤芍、百合、黄柏、山楂、接骨木、云芝、柞树皮、连钱草、白屈菜、车前草等；河源镇主要产出的药材有延胡索、北豆根、赤芍、百合、云芝、软枣猕猴桃、白头翁、远志、防风、绵马贯众、龙胆、地榆、玉竹等；伊丹镇主要产出的药材有蛇床子、山楂、老鹳草、马齿苋、苘麻子、紫菀、接骨木、玉竹等；大孤山镇主要产出的药材有白薇、白鼓、防风、苦碟子、萹蓄、豨莶草、鸡眼草、老鹳草、杠板归、苦菜、桔梗、远志等；马鞍山镇主要产出的药材有北豆根、细辛、白头翁、苋菜、风轮菜、益母草、蓝布正、杠板归、费菜、车前草、威灵仙等；靠山镇主要产出的药材有薄荷、龙葵、仙鹤草、卫矛、透骨草、藜芦、金沸草、旋覆花、苘麻子等；黄岭子镇主要产出的药材有薤白、牛蒡子、卫矛、萹蓄、杠板归、北豆根、穿山龙、鸡眼草等；莫里青乡主要产出的药材有苦参、鸡眼草、威灵仙、白薇、白鼓、桔梗、锦灯笼、百合、苘麻子等；三道乡主要产出的药材有薤白、白鼓、威灵仙、北豆根、穿山龙等。

（2）中药资源蕴藏量。本次资源普查结果表明，伊通县有20余种中药材的资源蕴藏量较多，伊通县大宗中药资源信息见表1-3-3，其中穿龙薯蓣和活血丹的蕴藏量特别丰富。在所调查的39个样地中，75个小样方内有穿龙薯蓣分布，占总样方量的50.68%；东北铁线莲在59个小样方中出现，占总样方量的39.86%。经过市场走访调查和入户了解显示，以上2种也是伊通县当地药农进山采收的主要药材。同时资源普查还发现活血丹、毛梗豨莶、仙鹤草、蝙蝠葛等药材在该县有广泛的分布，蕴藏量较多。

表1-3-3 伊通县大宗中药资源信息

植物名	植物生境	分布小样方数/个	出现率/%	蕴藏量*/t
穿龙薯蓣	林下	75	50.68	50
活血丹	阴坡林下	61	41.22	50
东北铁线莲	林下、林缘及路旁	59	39.86	40
毛梗豨莶	林下、路旁	54	36.49	40
香薷	林下、路旁	50	33.78	30
龙芽草	林下、路旁	38	25.68	40
白头翁	向阳干燥山坡	31	20.95	50
地榆	向阳干燥山坡	29	19.59	50
蝙蝠葛	林下	25	16.89	50
白屈菜	林下、林缘	13	8.78	20

注：*为粗略估计。

2. 中药资源生产与产品销售

在药用植物栽培方面，随着伊通县农村经济结构发展模式的转变，以及受中药材种植业较高利润的吸引，部分本地农民改为种植经济效益较高的药材。走访调查发现，伊通县栽培的重点药材大致有桔梗、芍药、卷丹、黄柏等品种，药用植物栽培面积达15000余亩，其中发展规模较大的种类有芍药（5000余亩）、百合（1000余亩）和桔梗（1000余亩）。

目前伊通县仅有1家中药企业——吉林省七星山药业有限公司，主要生产中成药，对中药材的需求量较大，每年需要中药材77种，总量约36t。伊通县的药材收购站主要有西韦镇孙大强药材收购站和营城子镇于国兵药材收购站2家，主要经营穿山龙、牛蒡子、白头翁、北豆根、威灵仙、关白附等药材。

3. 中药资源存在的问题

（1）资源破坏严重，野生资源保护力度有待加强。本次资源普查发现，虽然伊通县的中药材品种较多，但大多数药材的蕴藏量有限，未能形成规模，主要药材品种均以野生品种为主，蕴藏量受外界影响较大，且没有深加工企业，资源优势无法转化为产业优势。因此，如何利用合理开发实现资源保护，特别是促进中药资源的优势转化，更显得迫在眉睫。同时，县域内多种中药材品种数量锐减，部分已濒临灭绝；受经济利益的驱动，部分地区毁林开荒和过度放牧现象十分严重，因此保护珍稀动植物的任务十分艰巨。

（2）中药材种植业发展缓慢，尚无规范的中药材市场，药材收购行业管理不明确。为进一步促进中药资源的可持续发展，大力发展中药材种植业是必由之路，但调查发现，伊通县的药材种植品种目前仅有百合、芍药、桔梗等少数几种，且种植面积有限，尚未形成规模。经调查，该县还存在中药材市场不规范、药材收购混乱、行业管理不明确等现象，导致无法了解具体中药材品种和数量，相关部门无从下手进行引导。另外，目前全县只有 1 家中药企业——吉林省七星山药业有限公司，且主要以生产中成药为主，中药产业规模有限，极需扶持龙头企业。

（3）满族医药产业文化发展挖掘不够。伊通县为满族自治县，满族历史和文化悠久，但在满族医药的发展方面重视不够，全县几乎已寻不到医术精专的满族医生，相关的满药资源及其加工炮制方法等也已被现代医药湮没，有必要对其进行保护和挖掘。

（二）中药资源发展建议

1.中药材种植（养殖）业

伊通县的天然植被具有明显的区域特征，东南部和西北部有山区分布，中药资源丰富，可以充分利用这一中药资源优势，大力发展中药材种植业和加工业，促进地方经济的发展。建议优先开展优质中药材规范化生产基地建设、中药材种苗繁育基地建设、药材集散市场体系建设三大项目。建议在原有基地的基础上，在河源镇、营城子镇等适宜地区，大面积栽种百合、桔梗、芍药、穿龙薯蓣等药用植物。

2.中药材加工业

建议充分利用伊通县的中药资源原材料优势建设药材加工企业。建议在伊通县建设 1 个中型药材加工厂，将河源镇、西苇镇、莫里青乡等原料药材较多，同时种植面积较大的乡镇联合在一起，对收购的药材进行加工销售，销售范围可从周边的药店、医院、诊所至全国各地的药店、医院、诊所，还可与其他药厂进行合作，共同开发药材，使伊通县的药材资源得到更好的利用。

3.中药材商贸业

建议依托伊通县现有的中药资源，鼓励和引导有实力的企业收购或新建中药材交易市场，成立药材收购站，接收全县采收的野生及栽培药材。推进中药材专业市场企业化转型，由企业主体统一经营和管理。

在这三大类项目充分发挥作用后，逐步进行中药材种质资源及品种繁育圃建设、中药材生物技术研究中心建设、中药材技术推广服务体系建设、中药材市场信息网络建设和野生中药材自然生产保护区建设。建立良好的中药材种、产、销体系，从而更好地保证伊通县中药资源的可持续发展。

十七、公主岭市中药资源普查报告

2013 年，长春中医药大学姜大成教授任队长，带领 10 名队员，开展了公主岭市第四次中药资源普查，基本摸清了公主岭市现存中药资源的种类、分布、蕴藏量等本底情况。

（一）中药资源现状

公主岭市地处吉林省中西部、东辽河中游右岸，地理位置为东经 124° 02′ ~ 125° 18′，北纬 43° 11′ ~ 44° 09′。全市下辖 10 个街道、18 个镇、2 个乡，全市总人口为 1067113 人。

公主岭市的地貌类型分为南部山地和北部平原两大地貌区，南部山地属张广才岭的大黑山脉，北部平原属松辽平原的东部高平原。全市有富峰山、内小山、平顶山、尖山子、大青山、黑山嘴、元宝山。域内地貌景观由波状台地与河谷平原构成，地势东南高，西北低，呈阶梯状向东辽河倾斜，海拔 180 ~ 220m。该市气候为温带大陆性季风气候，春季多风少雨，夏季热而多雨，秋季晴朗，早晚温差大，冬季漫长，严寒少雪。全市年平均气温 5.6℃，年平均日照时数 2743 小时左右，年平均日照率 57%，平均年降水量 600mm 左右，7、8 月的降水量占全年降水量的 55% 以上；无霜期 140 天左右，初霜期为 9 月下旬，终霜期为 4 月中旬；常年主导风向为西南风。

公主岭市的林业经营总面积为 470.92km^2，森林覆盖率为 9.5%。全市的主要林种为防护林和用材林，农田防护林占绝对比重，基本呈老化趋势，成熟林面积为 105.92km^2，占全市农田防护林总面积的 80.7%，蓄积量为 197 万 m^3，占全市蓄积量的 95.1%。

1. 中药资源种类、分布与蕴藏量

（1）中药资源种类。本次中药资源普查共设置了 57 个样地（国家数据库系统自动设定了 2 个代表区域的 41 个样地，其中有 21 个样地为经济作物栽种地，无法做样方，因此增补 16 个样地，共计 36 个样地）、180 个样方套、1080 个样方，采集腊叶标本 114 种、药材标本 92 种、种子标本 41 种。其中，贯众、杠板归、穿山龙、仙鹤草、白薇、茜草、赤芍、白鼓等都是我国的传统中药。采集品种中有 56 种属于《中国药典》收载的中药品种。

（2）中药资源分布与蕴藏量。公主岭市有中药资源分布的乡镇主要有龙山满族乡、二十家子满族镇、八屋镇、十屋镇、桑树台镇、杨大城子镇等林区面积较大的乡镇，其中龙山满族乡和二十家子满族镇储量稍多。龙山满族乡地处公主岭市最南端、二龙湖北岸，药用植物资源较丰富，穿山龙、北豆根、威灵仙、防风等蕴藏量丰富，分布广泛。二十家子满族镇位于公主岭市西南部，主要分布有白鼓、白薇、防风、苦菜、桔梗、远志等常用中药。八屋镇位于公主岭市西北部的东辽河北岸，有蒲公英、苦菜等分布。十屋镇位于公主岭市西北部，东西分别与八屋镇和桑树台镇接壤，有蒲公英、苦菜等分布。桑树台镇位于公主岭市西北部 90km 处，中药资源较少，仅有苦菜、防风、蒲公英等。杨大城子镇位于公主岭市西北部，南与八屋镇相连，有蒲公英、苦菜、桔梗、旋覆花等分布。

调查发现，穿龙薯蓣和东北铁线莲在公主岭市南部区域内资源比较丰富，尤其是在部分林区的林下和林缘，通常有较大面积的分布。在所调查的 36 个样地、148 个草本小样方中，75 个小样方内有穿龙薯蓣分布，占总样方量的 50.68%；东北铁线莲在 59 个小样方中出现，占总样方量的 39.86%。经过市场走访调查和入户了解显示，以上 2 种药材也是公主岭市当地药农进山采收的主要药材。同时，调查还发现玉竹、活血丹、毛梗豨莶、仙鹤草、蝙蝠葛等药材在该区有广泛的分布，资源量较多，有望成为未来中药资源开发的新品种。

2. 中药资源生产与产品销售

在公主岭市第四次中药资源普查中，普查队对全市展开了中药资源野生和栽培情况的全面调查工作。调查发现公主岭市基本不存在中药材的栽培及收购情况，仅在公主岭市南部与伊通县接壤的龙山满族乡和二十家子满族镇，有农户栽培极少量的平贝母和桔梗。

3. 中药资源存在的问题

（1）资源破坏严重，野生资源保护力度有待加强。公主岭市区域内的中药资源品种不多，且多数品种的蕴藏量有限，未形成规模，且主要药材品种均以野生品种为主，资源量受外界影响较大，同时没有深加工企业，中药资源的可持续发展受到限制。同时，县内多种中药材品种数量锐减，部分已濒临灭绝；受经济利益的驱动，部分地区毁林开荒和过度放牧现象十分严重，野生资源遭到破坏。

（2）药材种植业发展缓慢，尚无规范的中药材市场，药材收购行业管理不明确。为进一步促进中药资源的可持续发展，大力发展中药材种植业是必由之路。但调查发现，公主岭市除个别中药材品种外，基本没有具有一定规模的种植品种。该市还存在中药材市场不规范、药材收购混乱、行业管理不明确等现象，导致无法了解具体中药材品种和数量，相关部门无从下手进行引导。同时，缺乏中药材加工企业，中药产业规模极其有限，极需扶持龙头企业。公主岭市中药资源的合理开发和利用是一项长期而复杂的系统工程，若想长期发展需要当地政府部门的配合和支持。

（二）中药资源发展建议

1. 中药材种植（养殖）业

公主岭市地处长白山区边缘地带，其广大山地丘陵区域由于受封山育林和退耕还林等政策影响，林下产值不高，因此影响了当地经济的发展。该市只有西北部的地理位置和自然环境等适宜药用植物的生长，可以在此开展中药材种植，并开展多种中药资源的开发和利用。选择具有产业价值的品种，是中药材种植产业要解决的首要问题。面对当前市场对中成药、中药饮片等需求逐步扩大的现状，药材种植企业须认真研究市场，选择适宜品种进行种植。根据调查结果，特提出如下建议：龙山满族乡、二十家子满族镇适合种植赤芍、百合（卷丹）、龙胆草，龙山满族乡、二十家子满族镇、杨大城子镇、八屋镇、十屋镇、桑树台镇适合种植穿山龙、桔梗、威灵仙、玉竹，龙山满族乡、二十家子满族镇、杨大城子镇适合种植北豆根、旋覆花、白薇。

2. 中药材加工业

建议对发展快、贡献大、成效显著的龙头企业、农民专业合作社给予大力扶持。鼓励龙头企业加大市场开发力度，并给予适当补助。

十八、双辽市中药资源普查报告

2012 年，长春中医药大学张凤瑞教授任队长，带领 11 名队员，开展了双辽市第四次中药资源普查，基本摸清了双辽市现存中药资源的种类、分布、蕴藏量等本底情况。

（一）中药资源现状

双辽市地处吉林省西南部、松辽平原与科尔沁草原接壤带，位于东经 123° 20′ ～ 124° 05′，北纬 43° 20′ ～ 44° 05′，是吉林省、内蒙古自治区、辽宁省的交界处，素有"鸡鸣闻三省"之称。该市南接辽宁省昌图县和吉林省梨树县，东邻吉林省公主岭市，北靠吉林省长岭县，西连内蒙古自治区通辽市科尔沁左翼中旗和后旗，幅员面积 3121.2km²，全市辖 6 个街道、8 个镇、4 个乡，总人口 39.2 万人。

双辽市处于中温带亚湿润大区第二气候区，属大陆性季风气候，四季分明。全年光照充足，但降水偏少，年平均气温 5.8℃，一年中最大年温差 70℃，无霜期 145 天，年平均日照时数 2714.9 小时，平均年降水量 494mm，干燥度 1.23。双辽市的土地基本分为河套地区、沿公路和铁路地区、沙坨地区 3 部分。由于沙坨地、轻碱地居多，土质差且肥力低，再加之风沙大、"十年九旱"等不利因素，严重阻碍了该市种植业的发展。

1. 中药资源种类、分布与蕴藏量

（1）中药资源种类。双辽市位于平原地带，草原随处可见，沙土地质特点明显，其中药资源具有明显的地域特色，适合甘草、黄芪、大青叶、地黄、罗布麻、麻黄、苦参等宜沙土种植的中药生长。该区域内非沙土地质适宜柴胡、红花、益母草、防风、地榆等中药的种植。

20 世纪 80 年代以前，我国经济相对落后，双辽市的自然资源基本未遭到破坏，牧草茂盛，牛羊成群，飞禽无数，中药资源丰富，大概有 200 余种，具有非常明显的平原特色。麻黄、香附、柴胡、牵牛子、木贼、萹蓄、知母、旋覆花、苦参、罗布麻、赤芍、黄芩、百合、桔梗、甘草、萱草、防风、沙参等中药随处可见。采挖中药成为当地人的主要经济来源之一，并有专门收购中药材的商户。

20 世纪 90 年代以来，过度开垦农田、过度放牧，导致双辽市自然环境迅速恶化，植被遭到前所未有的破坏，药用植物锐减。2000 年以后，草原大量被农田侵占，中药资源遭到毁灭式破坏，除生命力极强的马齿苋、蒲公英、紫花地丁、益母草、罗布麻之外，其他药用植物几乎很少能见到。尤其是那木斯蒙古族乡一带，几乎不见药用植物。但因双辽市独特的地理位置，其中药资源仍具有一定的地域特色，麻黄、罗布麻等为该市特色中药品种。

双辽市第四次中药资源普查完成了对 9 个乡镇的 37 个样地、186 个样方套、1104 个样方的实地调查，共采集药用植物 123 种，其中国家重点调查品种 29 种；采集药材 98 种，其中国家重点调查品种 25 种；采集种子 56 种，其中国家重点调查品种 18 种。

（2）中药资源分布与蕴藏量。双辽市的中药资源分布十分有限，盐碱化严重的草甸子几乎没有药用植物分布。目前双辽市的中药资源仅分布于吉林省生态草建设基地、玻璃山机械林场附近被保护的坨子、卧虎镇的公路旁被保护的人工林带、卧虎镇的成片草原、市郊张家大队公路旁荒芜的农田，此外，地头路边、水库堤坝、农舍院外等也能见到一些药用植物。

本次中药资源普查得出的双辽市中药资源分布情况如下。那木斯蒙古族乡分布的中药材资源主要有红花、水红花子、益母草、小茴香、龙葵、水蓼、刺果甘草、地肤子、东北堇菜等。服先镇分布的中药材资源主要有苦参、射干、瞿麦、柴胡、威灵仙、远志、蛇床子、旋覆花、唐松草、地榆、车前子等。玻璃山镇分布的中药材资源主要有麻黄、麻黄根、白蔹、枸杞子、委陵菜、鸭跖草、蒲黄、火麻仁、车前子等。向阳乡（现已并入服先镇）分布的中药材资源主要有防风、鹤虱、甘草、地锦草、蒺藜等。卧虎镇分布的中药材资源主要有萹蓄、黄芩、南沙参、徐长卿、知母、地榆、洋金花、千屈菜、旋覆花、沙参、萱草根等。兴隆镇分布的中药材资源主要有桔梗、泽泻、茵陈等。双山镇分布的中药材资源主要有茜草、菟丝子、小蓟、三棱等。永加乡分布的中药材资源主要有辣蓼、毛茛、问荆、益母草、荞麦等。

双辽市的重点中药品种有 20 余种，且部分为当前市场紧俏品种，极具开发利用价值。但该市中药资源蕴藏量极少，产量有限。据调查，双辽市苦参的蕴藏量约为 0.2t，草麻黄的蕴藏量约为 0.01t，防风的蕴藏量约为 0.1t，柴胡的蕴藏量约为 0.1t，威灵仙的蕴藏量约为 0.01t，罗布麻叶的蕴藏量约为 0.1t，甘草的蕴藏量约为 0.01t，南沙参的蕴藏量约为 0.1t，远志的蕴藏量约为 0.02t，知母的蕴藏量约为 0.02t。

2. 中药资源生产与产品销售

双辽市的中药材种植业较少。约 10 年前，玻璃山机械林场尚经营菘蓝、地黄、甘草、黄耆等药用植物的种植，后因受产销脱节、当地利用度太低等诸多经济因素影响而放弃经营，现栽培品种仅能见到有限的柴胡、红花、麻黄。

双辽市没有大宗中药材加工业，也没有小型的中药材加工厂，因此未能发展大宗中药材商贸业。双辽市农工商总公司曾经营过麻黄，现已无此项业务。

3. 中药资源存在的问题

本次中药资源普查发现双辽市的中药资源存在诸多问题，可以用"四少五化两脱节一失误"来概括。

（1）四少。

1）品种少。双辽市现有野生中药品种很少，属于国家重点调查的中药品种有 20 余种，如知母、柴胡、防风、远志、威灵仙、沙参、甘草等。

2）分布少。目前，双辽市的中药资源分布较少，并且有进一步减少的趋势，如知母、轮叶沙参、远志、罗布麻、甘草；威灵仙仅在草地、甸子有散在分布，具有双辽市特色的麻黄仅在玻璃山的南坨子能见到。

3）种植少。目前，双辽市内几乎没有中药的种植场所。

4）使用少。目前，双辽市中医事业的发展相比省内其他地方较落后，仅双辽市中医院较具规模，其他个体中医诊所较少，对于中药的使用也比较有限。

（2）五化。双辽市存在土地沙化、土地碱化、农田化、过度放牧化、过度私有化等问题，从而导致中药资源急剧减少。

（3）两脱节。

1）产销脱节。双辽市虽然适合多种中药材的种植，但产销问题突出，目前双辽市没有中药收购点，导致种植的中药材没有销路，这在很大程度上打击了人们对中药资源保护、种植的积极性。

2）产用脱节。政府不允许个人种植中药材并药用，即便是常见无毒品种，亦不允许乡医与农户自行种植与使用。

（4）一失误。双辽市曾经争取过兴建麻黄碱生产基地的项目，但由于各方面原因而未成功，使双辽市失去了一个绝佳的发展机会。

（二）中药资源发展建议

1.中药材种植（养殖）业

双辽市的土壤以沙土为主，应充分发挥这一自然优势，大力发展适合双辽市生长环境、具有双辽市特色的中药，争取逐渐形成一定的规模。建议在玻璃山镇建立麻黄、大青叶的生产种植基地；在生态草地建设基地建立柴胡、防风、远志生产种植基地；在卧虎镇建立南沙参、知母生产种植基地；在兴隆镇建立桔梗生产种植基地；在向阳乡（现服先镇）建立甘草生产种植基地；在那木斯蒙古族乡白市村一带建立红花、益母草生产种植基地。

2.中药材商贸业

双辽市曾有一段的经销中药材历史，且具有较丰富的中药材营销经验。建议利用中药资源产地的优越自然条件，以合适的中药企业为龙头，在双辽市条件比较成熟的综合市场内建立中药材专区，增强市场对中药材的拉动力，以促进双辽市药材集散市场体系的建立。同时，应充分利用网络优势，收集国内外中药材的相关信息，建立中药材市场信息网络，尤其要充分了解和分析自然气候对双辽市乃至全国中药材生长的影响，做到提前预判、提前储备。

十九、东丰县中药资源普查报告

2012 年，吉林省中医药科学院董方言研究员任队长，带领 8 名队员，开展了东丰县第四次中药资源普查，基本摸清了东丰县现存中药资源的种类、分布、蕴藏量等本底情况。

（一）中药资源现状

东丰县位于吉林省中南部，隶属于辽源市，地处长白山分支吉林哈达岭余脉、辉发河上游，地理位置为东经 125°03′～125°50′，北纬 42°18′～43°14′，素有"中国梅花鹿之乡"的美誉。全县平均海拔 374m，幅员面积 2522km²，下辖 14 个乡镇、3 个街道、37 个居民委员会、229 个村民委员会、1682 个村民小组。

东丰县属温带季风性湿润气候，四季分明，年平均日照时数 2656.4 小时，年平均气温 4.5℃，平均年降水量 672.9mm，无霜期 128 天。森林覆盖率达 33.4%，活木蓄积量 466 万 m³。野生药用动植物种类丰富，特产有猕猴桃、山野菜、寒葱，主要鸟类有雉鸡、斑翅山鹑、山鸡、雕等。该县人工饲养梅花鹿的历史已有 200 余年，早在清朝光绪年间就被列为"养鹿官山"；《辞海》记载东丰"以产鹿茸著名，有全国较早的养鹿场"；"马记鹿茸"作为国家免检产品驰名中外；清朝末代皇帝溥仪之胞弟溥杰先生曾亲笔题词"神州鹿苑"；著名爱国将领张学良也为东丰县题词"中国梅花鹿之乡"。

1.中药资源种类、分布与蕴藏量

据文献记载，东丰县有野生药用植物 101 科 431 种，总储量达 5000t 以上，人工种植中药材面积达 7500 亩，主要品种有人参、西洋参、桔梗、黄耆、贝母、细辛、月见草、柴胡、龙胆等。东丰县第四次中药资源普查完成了对 37 个样地、184 个样方套、1104 个样方的 13 个乡镇的实地调查，共采集药用植物 217 种、药材 59 种、种子 4 种。

东丰县现有的中药资源在全县各地均有分布，常见品种主要集中在吉林哈达岭余脉的山地，多呈东西平行垄状走向。常见品种及其蕴藏量为威灵仙 2000t、地龙骨 4000t、白鲜皮 500t、苍术 1500t、白头翁 300t、升麻 1200t、龙胆草 50t、玉竹 3000t、北豆根 3500t、车前子 200t、贯众 500t、牛蒡子 30t、南沙参 400t、仙鹤草 5000t 等。

2.中药资源生产与产品销售

东丰县原有的药材种植基地并没有形成一定的规模，现仅存个别农户散在种植五味子、贝母、细辛和西洋参，且种植面积均不大。横道河镇五味子的种植面积约 80 亩，年产量约 5000kg，西洋参（人参）的种植面积约 10 亩，细辛的种植面积约 10 亩；猴石镇贝母的种植面积约 10 亩；其他乡镇有散在的梅花鹿和林蛙养殖。县域内无大型中药材加工企业，只有少数个体药材收购户。

东丰县域内没有大型中药材交易市场，走访调查发现了 5 个个体药材收购和批发零售点，分别为东丰镇的天光药店（批发、零售）、东丰镇的全益生大药房（零售）、猴石镇的百利药材有限公司（收购、批发）、四平镇的小四平农副特产收购部（收购、批发）、横道河镇的北方药材开发部（收购、批发）。但药材收购的品种和数量均不多，种类约14种，收购量约606t。收购的野生药材品种主要有穿山龙、北豆根、龙胆草、牛蒡子、玉竹、威灵仙、升麻、土芍药、白鲜皮、刺五加根、水红花子、车前子、关苍术等。

3.中药资源存在的问题

东丰县域内的野生中药材资源相对较丰富，自然状况良好，但个别品种存在掠夺式采集现象，生态环境遭到一定程度的破坏，如平贝母的野生资源较少，已濒临灭绝，穿龙薯蓣的野生资源虽较多，但过度采集的现象也比较严重。

东丰县生产的药材多以原药材形式进入市场流通，药材质量缺乏监控体系，且县域内仅有1家中药制药企业，中药产业没有优势，处于相对封闭、自我发展的阶段，缺少竞争力。中药材则面临野生资源日益减少、人工种植的规范化程度不高、农民对于标准化种植的认识不够的问题。

（二）中药资源发展建议

1.中药材种植（养殖）业

东丰县拥有得天独厚的自然和社会条件，建议在现有的五味子、贝母、细辛和西洋参基地的基础上，广泛调研并组织专家论证，扩大和规范中药材生产基地建设，提高中药材的产量和质量，保证药材质量的安全性、稳定性，促进东丰县中药材生产加工业的发展，提高其中药材的市场竞争力。同时，应加快中药材种质资源及品种繁育圃的建设，通过选育得到优良中药品种，确保基地优质药材种苗的供应，提高药材质量。

2.中药材加工业

东丰县的中药资源较丰富，但县域内尚无大型药材加工企业，故建议建立中药材加工企业，将其定位为原药材的初加工，以提高县域内中药材产业的附加值。

二十、东辽县中药资源普查报告

2013年，吉林省中医药科学院董方言研究员任队长，带领8名队员，开展了东辽县第四次中药资源普查，基本摸清了东辽县现存中药资源的种类、分布、蕴藏量等本底情况。

（一）中药资源现状

东辽县位于吉林省中南部，隶属于辽源市，地处长白山余脉和松辽平原的过渡地带，属低山丘陵区，东辽河发源于此，其地理位置为东经124°52′～125°33′，北纬42°51′～42°56′，全县幅员面积2186.1km²，辖9个镇、4个乡、234个行政村，总人口33.4万人。

东辽县属于中温带大陆性半湿润气候区，四季分明。全县年平均日照时数2504.2小时，年平均日照率 57%，年平均气温 5.2℃，平均年降水量 658mm，夏季雨热同期，光、热、水自然条件较好，有利于农作物的生长。

东辽县的土特产具有较高的知名度，如柞蚕、梅花鹿、食用菌、山菜等。尤其是以梅花鹿为主的鹿副产品因具有较大的医疗保健价值备受消费者青睐。东辽县是国家商品粮基地县，也是全国 500 个粮棉大县之一。粮食产量一直稳定在 50 万 t 左右，主要粮食作物为玉米和水稻，还有其他杂粮类。

1. 中药资源种类

据文献记载，东辽县原有野生药用植物 96 科 396 种，总储量达 4000t 以上，人工种植中药材面积很小。东辽县第四次中药资源普查完成了对 13 个乡镇的 38 个样地、190 个样方套、1140 个样方的实地调查，共采集药用植物 276 种、药材 78 种、种子 46 种。

2. 中药资源分布与蕴藏量

东辽县内的常见中药材品种主要集中在吉林哈达岭余脉的山地。常见中药材品种的蕴藏量为威灵仙 1500t、穿山龙 3000t、白鲜皮 800t、白头翁 300t、升麻 1000t、龙胆 80t、北豆根 3000t、车前子 100t、贯众 400t、牛蒡子 30t、仙鹤草 2000t 等。

（二）中药资源发展建议

东辽县中药资源存在的问题有：野生中药材资源掠夺式采集过度、生态环境破坏严重、人工种植药材尚不规范、农民对于标准化种植的认识程度不高；该县在中药资源、研发能力、产业基础和出口规模等方面相对薄弱。建议加大政府投入，改善中医药产业的软、硬环境，加强该区域内中医药网点的建设，提高覆盖率；完善中医药服务体系，建立中医药服务和管理考核制度等自律机制；初步建成中医药资源动态监测网络和信息服务平台。

建立中医药文化宣传平台，充分展示该县的优秀中医药文化，进行中医药文化普及教育；适时出版东辽县常用中药材手册，以指导中药材的采集和应用，提高该县中医药的知名度和影响力，推进中医药产业的发展。

推动中药材贸易，发展中药材物流，利用现代科技手段推进中药材产品的研发，形成集采集、制造、生产、物流于一体的中医药产业链；改变传统中药材交易模式，整合中药材交易市场，运用连锁经营、网络销售、配送中心等形式，加强对定点零售的管理，规范发展医药营销网络，努力开拓更广阔的中医药市场。

实行市场牵龙头、龙头带基地、基地连农户的产业化经营机制，促进中药材种植产业的协调发展。

二十一、东昌区中药资源普查报告

2015 年，通化师范学院秦佳梅教授任队长，带领 9 名队员，开展了东昌区第四次中药资源普查，基本摸清了东昌区现存中药资源的种类、分布、蕴藏量等本底情况。

（一）中药资源现状

东昌区位于吉林省东南部，隶属于通化市，地处东经 125°50′～126°07′，北纬 41°32′～41°49′。全区幅员面积 382.6km²，南北长 32km，东西宽 23km，总人口约 32 万人，辖 2 个乡、1 个镇、7 个街道。

东昌区地处长白山脉西南部老岭山脉与龙岗山脉之间的浑江坳盆地中，城区四周山岭连绵，山峰起伏，为侵蚀构造低山区。区内最高处为金厂镇与通化县交界处的白鸡腰山峰，海拔为 1318.3m，最低处为金厂镇江沿村六组的浑江河谷，海拔为 332m，全区平均海拔为 493m。全区有大小河流 10 余条，均属浑江、鸭绿江水系。该区气候为温带大陆性季风气候，四季分明，冬季较长且干冷，夏季较短而温湿；年平均气温 6.5℃，7 月最高气温 22.2℃，年平均日照时数 2200～2884 小时，无霜期 115～133 天，平均年降水量 950mm，年平均蒸发量 1167mm。

东昌区的主要树种有红松、云杉、樟子松、落叶松、榆树、椴树等近 20 种。野生经济植物有 117 科 480 种，其中药用植物有人参、天麻、贝母、细辛、党参、五味子、黄耆、刺五加、龙胆、防风、柴胡等百余种，为发展"通化医药城"提供了丰富的原料资源。另有大量的蕨菜、薇菜、酸浆、山葡萄、桔梗、木耳、元蘑等食用植物和食用菌分布。野生经济动物有兽类、两栖类、鱼类、鸟类、爬行类等共 9 纲 36 目 48 科 77 种。

1. 中药资源种类、分布与蕴藏量

（1）中药资源种类。东昌区本次中药资源普查共设置了 37 块样地、185 个样方套、1140 个样方，采集腊叶标本 262 种、药材标本 122 种、种子标本 52 种，拍摄的照片数超过 4000 张。调查到人参、白屈菜、关黄柏、汉城细辛、桑、萹蓄、玉竹、暴马子皮、绵马贯众、路边青、天南星、桔梗、断血流、木贼、穿山龙等 45 种国家重点调查品种，部分原有品种未发现，可能与林地砍伐种参和林下栽参对资源造成破坏、线路考察范围受限及农民大量使用除草剂有关。

（2）中药资源分布与蕴藏量。东昌区分布范围广、蕴藏量多的国家重点调查品种有白屈菜、关黄柏、萹蓄、车前、两头尖、玉竹、暴马子皮、绵马贯众、断血流、路边青、木贼、苘麻子、穿山龙、蓝布正、水红花子、薤白、威灵仙、北豆根、秦皮、紫菀等。白鲜、龙胆、薤蓂、射干分布范围小且资源已较少见。《中国药典》有收载的品种以益母草、山楂、牛蒡子、仙鹤草、菁草、地榆、锦灯笼等蕴藏量较多。

2. 中药资源生产与产品销售

东昌区的中药材种植面积超过 6200 亩，均为药农自发种植，年产量达 618t，主要集中在金厂镇的上龙头村，品种及其种植面积为人参 4060 亩（林地栽参 1660 亩、林下参 2400 亩）、西洋参 1053 亩、五味子 975 亩、平贝母 160 亩。

东昌区有 13 家药企，均以生产中成药为主，使用的药材主要源自国内较大的药材市场，地产药材使用较少，对当地农村经济和药农增收的引导、拉动作用小。该区产量较大的人参、西洋参主要由收购商集中以采收地块估产估价的方式收购，或部分于集安市清河镇人参交易市场和通化县快大人参市场销售。野生药材淫羊藿、细辛、穿山龙、五味子的采集数量较少，主要由流动商贩收购。

3. 中药资源存在的问题

（1）野生资源状况、保护利用方面。东昌区为通化市政府所在地，虽为山区，但由于城市建设扩张及"围城经济"的存在，种植业呈现萎缩趋势。由于该区离城区较近，野生资源的人为破坏较为严重。城市菜篮子工程使远郊的药材栽培受到影响。

（2）中药质量与监控方面。中药材在存储过程中可能会出现变色、发霉甚至虫蛀的现象，储存室的温度、湿度和通风情况等都会影响中药材的性状和存储年限。

（3）产业科技含量与服务体系、产业化程度方面。该区医药企业产业化程度不高，13 家规模企业各自经营，未形成集研究开发、生产加工、物流配送为一体的现代化中药材加工企业。技术推广服务体系不健全，从事药用作物栽培、育种和技术推广的专业技术人员不足，人才队伍建设不健全，也存在研究不够系统、欠缺中医药特色等问题。

（二）中药资源发展建议

1. 中药材种植（养殖）业

建议除将现有林下药材品种中的人参、细辛做大做强外，进行多被银莲花、异叶天南星、朝鲜淫羊藿等道地药材基原的林下仿生态栽培。以夹皮沟村宿老头山药种植专业合作社为核心，利用山地、耕地发展山药生产。山药作为药食同源植物，其食疗保健价值已得到广泛认可，肾形山药的栽培技术已申请国家发明专利，产品的销售及开发成为当前的首要任务。对现有江沿村的花海进行药材品种的替换，引进赤芍、白鲜、威灵仙、锦灯笼、刺五加、五味子、软枣猕猴桃等，将其打造成药食兼用、药用观赏兼具的观光采摘园区。

2. 中药材加工业

扶持龙头加工企业，推动龙头加工企业与中药材专业合作社等组织进行种苗供应、培植生产、产品收购等合作，以促进中药材种植的产业化发展。金厂镇的上龙头村、夹皮沟村、江沿村为远郊山区，有道地药材的生产基础。建议引导知名中药生产企业向产地延伸产业链，针对现有大宗优势药材建立自然药材采收基地，并开展趁鲜切制和精深加工，推进产地初加工标准化、规模化、集约化，发展绿色循环经济。

3.中药材商贸业

充分利用各级网络媒体,选择 4 ~ 6 个道地药材品种、3 ~ 5 个优势产品进行集中宣传,强策划、强推介,在区域内的旅游景区、宾馆、饭店、城市街区、交通主干道开展区域中药材产业的宣传活动。

二十二、二道江区中药资源普查报告

2015 年,通化师范学院于俊林教授任队长,带领 29 名队员,开展了二道江区第四次中药资源普查,基本摸清了二道江区现存中药资源的种类、分布、蕴藏量等本底情况。

(一)中药资源现状

二道江区位于吉林省东南部,地处长白山西麓、浑江中游,隶属于通化市,地理位置为东经 125° 50′ ~ 126° 20′,北纬 41° 32′ ~ 41° 52′。全区幅员面积 378km²,辖 3 个镇、1 个乡、2 个街道,总人口 11.6 万人。

二道江区 2/3 以上的面积为山区,区域内有浑江、大罗圈河、小罗圈河穿过。该区属温带季风性气候,夏季短而热,冬季冷且长,全年最高气温 34.2℃,最低气温 -24.6℃,年平均气温 6.7℃,平均年降水量 800.7mm,年积温 3000℃。

二道江区耕地面积为 39.23km²,林地面积为 280.33km²,水资源总量达 65.7 亿 m³,森林覆盖率达 73.1%。野生经济植物众多,达 123 科,可食用植物资源有 2000 余种,包括蕨菜、山核桃、山芹菜、山葡萄等,林木类资源有 170 余种,包括红松、榆树、椴树等。

1.中药资源种类、分布与蕴藏量

(1)中药资源种类。二道江区属长白山野生动植物区系,物种繁多。野生动植物药材、矿物药材资源达 1100 余种,有山参、天麻、平贝母、柴胡、党参等。二道江区第四次中药资源普查完成了对 4 个乡镇的 40 个样地、200 个样方套、1200 个样方的实地调查,共采集药用植物 320 种、药材 76 种、种子 35 种,其中重要中药材有五味子、细辛、龙胆、林下参、天南星、穿山龙、威灵仙、柴胡等;国家级保护植物 9 种,国家重点保护植物 2 种,国家重点保护野生中药材 6 种,吉林省重点保护野生植物 2 种。

(2)中药资源分布与蕴藏量。二道江区内的中药资源分布广泛,样方内草本植物按照多度排名前 10 位的是荨麻叶龙头草、猪牙花、山茄子、朝鲜淫羊藿、东北羊角芹、荷青花、木贼、大叶芹、东北延胡索、球果堇菜,排名后 10 位的是宽叶打碗花、刺蓼、牛蒡、关苍术、华北风毛菊、问荆、辽细辛、紫草、野豌豆、朝鲜当归。柴胡、龙胆等药材资源量十分稀少,全区内未发现人参、平贝母、防风、桔梗、天麻等野生资源,仅发现两处荒弃的林下参地,由此可见该区域内野生中药资源的蕴藏量正在衰减。另外,对于山西杓兰、吉林延龄草、山兰等资源稀少、市场价格较高的品种应予以重点保护。

2. 中药资源生产与产品销售

经调查，二道江区规模化种植的中药材品种有 3 个，分别是人参、天麻、刺五加，人参种植面积 300 亩，年产量 3t，天麻种植面积 20 亩，年产量 20t，刺五加种植面积 15 亩，年产量 10t，均以农户小规模栽培为主。目前，二道江区没有规模较大的中药材栽培企业，也没有通过 GAP 认证的中药栽培品种。全区未发现药材加工企业，农民自产药材多晒干或简单烘干后直接销售。全区没有药材交易市场和药材收购站，农民采挖的野生中药材均被小商贩零散收购，早市的蔬菜市场有林下参、天麻、山兰、乌苏里瓦韦、大叶小檗等植物品种销售。

3. 中药资源存在的问题

二道江区属于工矿区，吉林省最大的钢铁冶炼企业通化钢铁集团股份有限公司就坐落于此。五道江镇、鸭园镇、铁厂镇有丰富的煤矿资源，开采历史悠久，小煤窑星罗棋布，长期的煤矿开采对环境造成了很大的破坏，一是矿区的开采直接破坏了山体植被，二是小煤窑内部结构需要大量坑木，致使矿区周围的成年蒙古栎被大量盗伐，植被和生态环境的破坏导致了野生中药资源的减少。

二道江区的整体生态环境保护基本良好，未发现大规模破坏植被的违法行为，如毁林开荒、毁林种参等。该区多为城乡接合部，乡镇内村屯人员密度较大，蕨菜、山芹菜、山葡萄、酸浆等野生食用植物资源丰富，存在因采摘野菜、人员践踏等导致自然资源减少的情况。

（二）中药资源发展建议

1. 中药材种植（养殖）业

受地域狭小、处于城乡接合部的影响，二道江区想要形成大的中药材优势产业带具有一定的难度。但该区具有较好的生态环境，可发展中药材种植业。从鸭园镇的头道沟到铁厂镇的四道沟区域山高林密，生态环境良好，有野猪等野生动物出没，此区域可以大力发展林下参产业。二道江乡的桃园到大龙山区域的生态环境也较好，也可作为林下参发展基地。五道江镇北砬子有种植天麻的历史，可以作为野生天麻种植基地。因此，建议在大龙山、五道江镇大梨树沟、二道沟、三道沟等生态环境较优越的区域发展林下参和天麻种植，同时，可以广泛向社会招标，吸引资金，大力发展中药材种植产业。

2. 中药材加工业

通化作为"中国医药城"拥有众多制药企业，依托于此，应在二道江区建设具有药品生产质量管理规范（GMP）资质的药材饮片加工厂，以加工地产药材为主，供应本地制药企业，同时还可销往外地。此外，也可从其他地区购进本地制药企业需要但本地不产的药材原料，将其加工成饮片，供应本地制药企业。

3. 中药材商贸业

中国通化医药城闻名中外，二道江区可借助通化便利的交通优势，打通区域地产药材销售渠道，但不宜在该区域内建设药材集散市场。

二十三、通化县中药资源普查报告

2012年，通化师范学院于俊林教授任队长，带领10名队员，开展了通化县第四次中药资源普查，基本摸清了通化县现存中药资源的种类、分布、蕴藏量等本底情况。

（一）中药资源现状

通化县位于吉林省东南部、长白山西南麓、浑江中游，东与白山市交界，西与辽宁省新宾满族自治县和桓仁满族自治县毗邻，南与集安市接壤，北与柳河县相连。全县环绕通化市区，幅员面积3726.5km²，辖15个乡镇、153个行政村、25个社区，总人口23.5万人。

通化县总体地势东南、东北部高，西南、西北部低，属中低山区。龙岗、老岭为域内2条主干山脉，最高处在石湖镇的老岭山脉主峰——东老土顶子，海拔1589m，最低处在大泉源满族朝鲜族乡内的江口回水面，海拔288m。该县地貌分为中山山地、低山山地、丘陵、平岗和平川地。东部山地较多，山高林密；西部山地与河谷平原分布较为平均。该县属北温带大陆性季风气候，四季分明。春季干燥多风，气温回升较快；夏季短暂，炎热多雨；秋季温和凉爽，昼夜温差大；冬季漫长寒冷，多雪。

通化县林业用地面积达2990km²，森林植被较好，主要以针阔叶混交林、次生阔叶混交林、人工针阔叶林为主，森林覆盖率达76.9%。全县已发现中药材500余种。

1. 中药资源种类、分布与蕴藏量

（1）中药资源种类。通化县属长白山野生动植物区系，物种繁多。据记载，县内野生动物有4门11纲36目86科182种。其中，主要经济动物有3纲7目15科24种；野生植物有1200余种，含主要经济植物102科416种；药用植物主要有山参、平贝母、细辛、天麻、五味子、龙胆、百合、柴胡、木贼、防风、桔梗、益母草、天南星、穿龙薯蓣等300余种。在通化县第四次中药资源普查中，普查队共设置了38个样地、181个样方套、1116个样方，共采集植物227种，含草本176种、木本51种。其中，重要中药材有人参、平贝母、五味子、细辛、龙胆、益母草、天南星、穿山龙、威灵仙、柴胡等，只发现野生人参10余株，发现柴胡1株，发现龙胆草不足10株，发现野生平贝母共计10余株，未发现防风、桔梗、天麻，说明该县现有资源状况正在衰落。

（2）中药资源分布与蕴藏量。调查结果显示，样方内草本植物按照多度排名前10位的是黑水银莲花、荨麻叶龙头草、多被银莲花、荷青花、木贼、猪牙花、东北羊角芹、朝鲜淫羊藿、山茄子、牡丹草，排名后10位的是宽叶打碗花、刺蓼、细叶百合、山兰、牛蒡、北重楼、紫草、山芥、黑果类叶升麻、双色鹿药。样方内木本植物按照多度排名前 10 位的是卫矛、五味子、蒙古栎、山楂叶悬钩子、紫花槭、刺五加、胡桃楸、胡枝子、黄檗、色木槭，排名后 10 位的是刺楸、小楷槭、春榆、白檀、东北杏、花楸树、大青杨、土庄绣线菊、东北土当归、蛇葡萄。

2. 中药资源生产与产品销售

通化县规模化种植的中药材品种有 5 个，按照种植面积大小依次为平贝母、五味子、人参、细辛、西洋参。人工种植的中药材，多以农民小面积分散种植为主，全县通过 GAP 认证的品种只有平贝母，即位于通化县湾川开发区的湾湾川村的"通化县平贝母栽培基地"，该基地依托通化金汇药业股份有限公司，种植面积达 2000 亩，年产量达 600t。

通化县的大型药材加工企业有 3 家，加工品种均为人参。栽培较多的品种如五味子、细辛、平贝母等，尚未形成具有一定规模的专业加工厂。县域内分布的野生药用植物中，市场收购的品种包括穿龙薯蓣、关苍术、白鲜、辣蓼铁线莲、玉竹、蒲公英、槲寄生等。

近年来，在抚松的万良镇和集安的清河镇均建立了以长白山人参为主的药材交易市场，现已形成一定的规模，在国内小有名气。通过实地调查显示，通化县域内收购的药材种类不超过 10 种，主要有穿山龙、威灵仙、白鲜皮、关苍术、蒲公英、槲寄生等。此外，普查队在野外调查过程中发现，少数日本、韩国药商曾通过国内经纪人深入村屯高价收购一些野生中药资源，如山兰（民间称"山芋头"）、白花延龄草（民间称"高丽西瓜"）等。

3. 中药资源存在的问题

（1）野生资源状况。通化县政府官方网站数据显示，县域内有记录的野生高等植物有 1200 余种，中药材 300 余种。在此次中药资源普查中，共采集植物 227 种，与通化县原有的记录相差甚远。此种情况一方面说明虽然普查样方数达 1000 余个，但仍未完全覆盖全县的代表区域，另一方面表明县域内的植物资源正在减少，有些品种较难发现或已消失。

（2）资源保护情况。普查发现，通化县域内的生态环境保护良好，未发现大规模破坏植被的违法行为，如毁林开荒、毁林种参等。但是少量乱砍盗伐现象时有发生，人工种植地有向高海拔山林发展的趋势，此种情况应该引起政府部门的重视。

（3）药材质量监控及产业化。通化县的野生药材均由农民分散采挖，采集时间无法控制，药材质量参差不齐，加之缺乏规范的质量标准，没有质量监控部门，导致野生药材的质量难以保证。政府部门对于野生药材的生产采收和加工等扶持不够，药材一直以原料形式进行销售，产销、质量控制等服务体系也没有建立，加之野生药材分布分散、储量有限、采挖困难，该县的野生中药材无法形成产业化。

（二）中药资源发展建议

1. 中药材种植（养殖）业

优质中药材多为道地药材，需要有特定的种质、产地、栽培和加工技术。通化县的特定种质资源有人参、五味子、平贝母、北细辛、龙胆、麻叶千里光、羊乳、党参、东北铁线莲、天麻、穿龙薯蓣等。全县通过 GAP 认证的品种仅有平贝母 1 个。GAP 基地虽然能保证药材质量，但由于通化县全部地处山区，少有适合大面积栽培中药材的区域，多数药材不宜在同一田地里连续多年种植，需要经常轮换种植或异地种植，这对于 GAP 生产极为不利。此外，GAP 的栽培成本高，经济效益较普通种植低，且需要专门的管理人才，所以，不是每个品种、每个地区都适用 GAP 项目。建议该县因地制宜，"不求大、不求洋"，采用公司加农户的模式，进行小面积分散栽培，提供有效的技术指导，制定统一的技术标准，并适时地在农户中推广 GAP 模式，让农民主动接受GAP 标准，同样可以生产出优质的道地中药材。

2. 中药材加工业

建议在县域内建设 1 ~ 2 个具有 GMP 资质的药材饮片加工厂，以加工地产药材为主，供应该地制药企业，同时也可销往外地。此外，也可从其他地区购进本地制药企业需要但本地不产的药材原料，将其加工成饮片，供应本地制药企业。既往本地药材都以原料的形式低价销往其他地区，本地的制药企业需要时则又以高价购回，此举可避免这种既增加原料采购成本又增加物流运输成本的现象发生。

3. 中药材商贸业

建议在各个乡镇设置药材收购部，不宜在县域内设置多个药材交易市场。

二十四、辉南县中药资源普查报告

2013 年，通化师范学院周繇教授任队长，带领 8 名队员，开展了辉南县第四次中药资源普查，基本摸清了辉南县现存中药资源的种类、分布、蕴藏量等本底情况。

（一）中药资源现状

辉南县位于吉林省东南部、通化市东北部，东与靖宇县相接，西与梅河口市毗邻，南和西南与柳河县接壤，东北与桦甸市交界，北与磐石市隔江相望，地理位置为东经125° 58′ 49″ ~ 126° 44′ 39″，北纬 42° 16′ 19″ ~ 42° 49′ 15″。全县东西长 66km，南北宽 60km，幅员面积 2275km²，辖 11 个乡镇和 1 个省级经济开发区，总人口 32.5 万人。

辉南县属半山区，分为低山、丘陵和河谷平原 3 种地貌类型。长白山支脉龙岗山脉斜卧县域东南部，构成自东南向西北渐低的地势。该县属北温带大陆性季风气候，气候温和，雨量充沛，无霜期 138 天，年平均日照时数 2300 小时，有效积温 2200 ~ 2800℃，平均年降水量 750mm。

辉南县森林资源丰富，有林地 1710km²，树木品种达 20 余种，原木蓄积量 488 万 m³，森林覆盖率为 52%。县域内东部山区面积 1100km²，森林覆盖率达 90% 以上。水利资源充沛，流域面积为 2138km²。该县特产资源丰富，具有经济价值的动植物达 600 余种。矿产资源可观，多达 25 种。

1. 中药资源种类、分布与蕴藏量

（1）中药资源种类。辉南县的植被类型属长白山植物区系，原始植被红松针阔叶混交林现已退化为次生阔叶林。据记载，该县原有野生植物 108 科 276 属 462 种，其中常见中药材有 200 余种，较常用并具有一定储量的有 30 余种。此次辉南县中药资源普查共设置了 47 个样地、235 个样方套、1410 个样方，共采集了腊叶标本 137 种、药材标本 138 种、种子标本 66 种，包括国家重点调查品种 54 种。调查结果显示，县域内储量较大的优势野生资源品种主要有两头尖、白屈菜、细辛、关黄柏、桑、萹蓄、玉竹、暴马子皮、绵马贯众、路边青、断血流、木贼、葛根、苘麻子等，栽培面积较大的品种有人参、平贝母、五味子、天麻。

（2）中药资源分布与蕴藏量。辉南县各乡镇均有常用药材分布，其中国家重点调查品种有人参、两头尖、白鲜等 54 种，国家普遍调查品种有东北延胡索、益母草、山里红等 135 种。分布范围广、蕴藏量多的国家重点调查品种有两头尖、白屈菜、萹蓄等，其中白鲜、龙胆、薤蒉、葶苈子资源已较少见。《中国药典》有收载的品种以益母草、山楂、牛蒡子等蕴藏量较多。

2. 中药资源生产与产品销售

辉南县的中药材种植主要分布在石道河镇、金川镇、样子哨镇、抚民镇、庆阳镇，品种有林下参、五味子、天麻、贝母、刺五加、龙胆。现有椅山湖中药材合作组织 15 个，全县发展达千亩以上的林下参栽培基地 30 余个，其中辉南县冰雾山野山参种植基地被省政府认定为全省 20 个人参标准化种植基地之一。

全县从事中药材加工的企业有 11 家，年加工中药材 2600t。辉南县政府全力扶持辉发、天宇、三和、长龙、一晟达、天泰、大俊、宏久等医药企业。辉南县域内主要生产的药材为人参，商品为林下参，以专业合作社或种植协会组织收购为主，林下参价格每只不等，产品主要销往国内市场。其次生产的药材是天麻，由喜霞林下中药材种植专业合作社收购本社社员自产和协议出售的天麻，收购价格不等，用种子繁殖的一等商品 100 元 /kg、二等商品 80 元 /kg、三等商品 60 元 /kg，无性繁殖的统一按 60 元 /kg 收购，统一加工后销往广东、广西等药材市场，销售价 800 ～ 1800 元 /kg。

3. 中药资源存在的问题

（1）调查显示，辉南县域内的药材资源品种较多，但多数品种蕴藏量有限，未能形成规模，开发利用受限，且因生态旅游业为该县的支柱产业，景区开发、游客产生的垃圾等使自然环境受到严重破坏，珍稀濒危物种保护亟待加强。

（2）县域内 11 家规模企业各自经营，未形成集研究开发、生产加工、物流配送为一体的现代化中药材加工企业。中药材种植方面的技术含量偏低，从事药用作物栽培、育种和技术推广的专业技术人员较少，技术推广服务无法满足中药材生产发展的需要。

（3）目前除少数成立专业合作组织外，该县的中药材种植基本为药农自发种植，产业化程度不高。道地中药材仅人参、天麻等少数品种可进行深加工，缺乏龙头加工企业带动，深度开发受限。

（二）中药资源发展建议

1. 中药材种植（养殖）业

辉南县林地资源丰富，可开展人参、天南星、山兰、两头尖等林下中药材的仿生态栽培。该县平贝母野生资源保存良好，可为平贝母优良品种选育更新提供丰富的种质资源。另外，可结合生态花谷的打造开展可供观赏药材的栽培。建议在现有中药材种植专业合作社发展水平的基础上，做大做强现有品种，尤其是天麻、穿山龙、刺五加。建议建设 1 ~ 2 个 1000 亩以上的规范化生产基地，以提升该县中药材产品的知名度。

2. 中药材加工业

建议发展 1 ~ 2 家具备中药前处理技术、药用成分提取技术的生产企业，将其培育成中药材产业化龙头企业，重点消化地产药材，根据企业生产能力和药用植物生产周期制订药材栽培生产计划，进而带动中药材种植业的发展。

3. 中药材商贸业

建议在朝阳镇建设药材市场销售中心，在各乡镇设收购点以减少销售环节，或由收购企业组织销售。

二十五、柳河县中药资源普查报告

2013 年，通化师范学院于俊林教授任队长，带领 29 名队员，开展了柳河县第四次中药资源普查，基本摸清了柳河县现存中药资源的种类、分布、蕴藏量等本底情况。

（一）中药资源现状

柳河县位于吉林省东南部、通化市北部，地处东经 125°17′ ~ 126°35′，北纬 41°54′ ~ 42°35′，东北与辉南县接壤，东与白山市浑江区、江源区、靖宇县相连，北与梅河口市毗邻，南与通化县相依，西与辽宁省清原满族自治县、新宾满族自治县交界。全县东西两极点长 107km，南北两极点宽 76.5km，幅员面积 3348.3km²，辖 12 个镇、3 个乡、3 个街道、219 个行政村，总人口 35.7 万人。

柳河县地处长白山脉向松辽平原的过渡地带，中低山地由南龙岗、北龙岗、老岭、馨岭 4 条山脉组成，占全县总面积的 70%。丘陵主要分布在一统河、三统河流域，占全县总面积的 10%。该县属温带大陆性季风气候，四季分明，夏季湿润多雨，秋季温和凉爽，年平均气温 5.5℃，年平均日照时数 2479 小时，平均年降水量 736mm。

柳河县系长白山林区的组成部分，森林资源丰富，森林由天然针阔叶混交林、次生阔叶林和人工林构成。县域内植被较好，珍稀野生植物有人参、天麻、平贝母等，珍贵的树种有紫椴、红松、长白侧柏、长白松、水曲柳、黄檗、胡桃楸等。

1. 中药资源种类、分布与蕴藏量

（1）中药资源种类。柳河县属长白山野生动植物区系，物种繁多。据记载，全县的药用植物主要有山参、平贝母、细辛、天麻、五味子、龙胆、百合、柴胡、木贼、防风、桔梗、益母草、天南星、穿龙薯蓣等 300 余种，但文献中无具体中药资源物种的科属统计数据。柳河县第四次中药资源普查共涉及 14 个乡镇，占全县乡镇的 93%，完成 48 个普查样地、240 个样方套、1470 个样方，共记录植物 435 种，其中，草本植物 337 种，木本植物 98 种。普查发现的重要中药材有五味子、细辛、龙胆、益母草、天南星、穿山龙、威灵仙、柴胡、桔梗等，其中，柴胡仅在 1 个乡镇发现有少量分布，天麻仅在 1 个乡镇发现 3 株，野生平贝母、人参、防风未被发现。

（2）中药资源分布与蕴藏量。柳河县共普查到中药资源 435 种，县域未发现野生人参，仅在 1 处样地发现柴胡，1 处样地发现野生天麻，发现的龙胆草不足 10 株，野生平贝母共计 10 余株，未发现防风、桔梗，说明该县现有资源蕴藏量正在衰落。

2. 中药资源生产与产品销售

柳河县规模化种植的中药材品种有五味子和人参 2 个，五味子种植面积 6000 亩，年产量 1000t，人参种植面积 3000 亩，年产量 500t，均以农户小规模栽培为主。迄今为止，柳河县没有通过 GAP 认证的中药栽培品种。

柳河县大宗药材加工业不发达，由于栽培品种少，产量低，且均为分散栽培，未形成规模化的大宗药材加工产业，农民自产药材多晒干或简单烘干后直接销售。全县没有药材交易市场，三源浦朝鲜族镇有 1 家药材收购站，收购地产的野生干制药材，收购品种约 20 种，包括威灵仙、升麻、白鲜、牛蒡、关苍术、月见草、车前子、蒲公英、细辛、五味子、黄芪、党参、老鹳草、贯众等，收购量在几十千克至数吨不等，价格也在每千克三五元至数十元不等。凉水河子镇有 2 家收购药材的商铺，但收购品种单一，仅收购类叶牡丹根、白花延龄草根、贯众等少量品种，其中类叶牡丹根、白花延龄草根的收购量较大，已经对野生资源构成威胁。

3. 中药资源存在的问题

（1）野生资源状况。柳河县地处长白山脉和松辽平原的交界处，受农牧业发展的影响，野生中药资源遭到一定程度的破坏，此次中药资源普查共记录植物 435 种，包括草本植物 337 种、木本植物 98 种，与该县原有的记录相差甚远。此项数据一方面说明虽然普查了超过 1000 个样方，但是仍未完全覆盖全县的代表区域，还有部分植物没有普查到，另一方面说明县域内的植物资源正在减少，有些品种较难发现或已消失。

（2）资源保护情况。柳河县域内的整体生态环境保护良好，未发现大规模破坏植被的违法行为，如毁林开荒、毁林种参等。但是少量乱砍盗伐现象时有发生，如盗伐黄檗，剥取树皮等。有些以往无人收购的药材现在却被大量采挖，如类叶牡丹、白花延龄草等资源正遭受严重破坏，应该引起政府部门的重视。

（3）药材质量监控及产业化。该县的野生药材均由农民分散采挖，采集时间及产地加工工艺无法控制，药材质量参差不齐。政府部门对于野生药材的生产、采收和加工等扶持不够，药材一直以原料的形式进行销售，产销、质量控制等服务体系也没有建立，加之野生药材分布分散、储量有限、采挖困难，柳河县的野生中药材难以形成产业化。

（二）中药资源发展建议

1. 中药材种植（养殖）业

根据柳河县的自然条件和传统种植习惯，建议将柳河县划分为以下几个中药材种植带：以哈泥湿地为中心的哈泥河源头、上游湿地返魂草种植带，具体包括凉水河子镇、孤山子镇等；龙岗山脉林下参种植带；其他乡镇可根据本地的自然条件发展相应的种植品种，如五味子、细辛等。同时，充分发挥柳河县山区和平原过渡区的自然优势，推进中药材的人工栽培，包括被大量收购的野生药材白花延龄草、类叶牡丹等品种。建议采取原产地半野生化的人工栽培方式，或利用农田地进行人工栽培，不宜采取毁林开荒的栽培方式。

2. 中药材加工业

柳河县中药资源丰富，制药企业也比较多，但均为中成药企业，建议建设符合 GMP 标准的药材饮片生产企业。此举对该县的中药材加工业有较大获益，既可加工本地的药材，也可加工该地制药企业需要的外地药材；既能满足本地制药企业的需要，也能将本地生产的药材饮片销售到外地；降低本地制药企业原料采购成本的同时又可增加地产药材的附加值，进一步完善制药行业产业链。

3. 中药材商贸业

柳河县属于"中国医药城"通化的一部分，位置介于通化市市区和梅河口市之间，中药材市场应该以现有的长白山药谷中药材交易市场为中心，以梅河口商埠为纽带，建议在各乡镇设置多个药材收购站，但不宜设置药材交易市场。

二十六、梅河口市中药资源普查报告

2013 年，通化师范学院秦佳梅教授任队长，带领 7 名队员，开展了梅河口市第四次中药资源普查，基本摸清了梅河口市现存中药资源的种类、分布、蕴藏量等本底情况。

（一）中药资源现状

梅河口市位于长白山西麓、辉发河上游、吉林省东南部，地理位置为东经125° 15′ ~ 126° 03′，北纬 42° 08′ ~ 43° 02′，全市南北长 97km，东西宽 35km，辖 19 个乡镇。

梅河口市地处吉林哈达岭东南端与龙岗山脉西北部的接合部，地势总趋势为西南部高，东部低，最高点位于西南部的鸡冠砬子山，海拔 969.1m，最低点位于东部新合镇双胜村，海拔 300.1m，相对高差 669m，全市南北斜长，东西较窄，宛如靴形。该市属温带大陆性季风气候，年平均气温 4.6℃。全市长度达 10km 以上的河流有 4 条，流域面积 1291km²，水资源总量为 6.05 亿 m³。全市林业用地面积 787km²，森林覆盖率达 26.99%。

全市总土地面积 2164km²，分为 3 个综合区域。其中，西南部山地为林下参经营区，属山区，土壤主要以灰棕壤、草甸土、白浆土为主，种植业多为旱田；中部平原为粮豆产区，土壤以水稻土、冲积土、白浆土为主，种植业以水稻、玉米为主；东北部低山丘陵为农牧经济区，土壤以白浆土、草甸土为主，土质贫瘠，种植业以玉米、大豆为主。全市野生植物资源种类繁多，主要树种有水曲柳、胡桃楸、红松、长白落叶松、赤松、杉松、黄檗、桦树、椴树、蒙古栎、山杨、粗榆、钻天柳，药用植物有人参、刺人参、细辛、贝母、龙胆、天南星、穿龙薯蓣、黄耆、天麻、木通、五味子、刺五加、大叶杜鹃、小叶杜鹃、薇菜、蕨菜、山梨、山楂、山葡萄、越桔等。

1. 中药资源种类、分布与蕴藏量

（1）中药资源种类。据文献记载，梅河口市有野生植物 3120 种，包括地衣类 190 种，苔藓类 280 种，真菌类约 670 种，蕨类 110 种，裸子植物约 20 种，被子植物 1850 种。其中，药用植物 680 种，包括常见中药材 200 余种，较常用并具有一定储量的有 30 余种。在此次梅河口市中药资源普查中，普查队共设置了 43 个样地、216 个样方套、1350 个样方，采集腊叶标本 144 种、药材标本 92 种、种子标本 66 种。其中，储量较多的有黄花败酱、车前、地榆、蒲公英、关苍术、益母草等，储量较多的国家重点野生药用植物主要有多被银莲花、白屈菜、细辛等 15 种，栽培面积较大的品种有人参、平贝母、五味子、穿龙薯蓣、天麻、玉竹、桔梗，而菥蓂、葶苈、白屈菜、路边青、益母草、苘麻、龙葵等常生长在田间、路旁的植物则因田间除草剂的使用而极为少见。

（2）中药资源分布与蕴藏量。调查结果显示，全市各乡镇均有药材分布。其中，粗茎鳞毛蕨、多被银莲花、水杨梅、白屈菜、轮叶泽兰、辣蓼铁线莲、野葛、苦枥白蜡树、紫菀、木贼、蝙蝠葛、穿龙薯蓣、黄檗、风轮菜等资源分布较多，与资源自身繁殖能力强有关；白鲜、轮叶沙参、汉城细辛、东北细辛、卷柏、刺五加、射干、苦参分布少，可能与开垦耕种粮食作物或考察线路范围受限有关；红蓼、菥蓂、苘麻、穿叶蓼极其稀少，可能与农田大量使用除草剂有关；东北龙胆、苦参、黄耆濒临灭绝，可能与资源用途广泛和既往大量收购有关。

2. 中药资源生产与产品销售

据调查，玉竹、桔梗、平贝母、人参、五味子在当地种植较多，以林下参、桔梗、玉竹为主，总面积 4.9 万亩，主要分布在小杨满族朝鲜族乡、吉乐乡、水道镇。其中，种植面积较大的为林下参和桔梗，各为 2 万亩，生产中常发生的一些病害，如平贝母的菌核病、五味子的茎基腐病、黄耆的白粉病等，多使用高效低毒农药和农业综合措施加以防治。

梅河口市有四环、四长等 18 家制药企业，以及 2 家大宗药材加工企业，分别是吉林平泰药材种植有限公司和吉林省鸡冠山参茸饮片有限公司，还有一批医药批发零售企业，药材种植合作社生产的药材多直销药材市场。该市是吉林省除长春、吉林 2 市以外医药批发企业数量最多的地区，具有吉林省县市级批发企业首家 GSP 认证单位。

3. 中药资源存在的问题

（1）野生资源破坏严重。梅河口市的农业主要以粮食生产为主，人们的观念停留在传统大农业上，且种植中药材的风险较大，在"求稳不求变"的传统生产意识下，人们种植中药材的积极性不高。同时，农田除草剂的使用使得薪蒉、茼麻、杠板归等药用植物变得稀少。

（2）产业科技含量不高，服务体系不完善。由于中药材生产的主体为农民，受文化程度和认知水平等多方面的制约，中药材生产过程中面临诸多问题，如道地药材老产区病虫害严重；新产区病虫害不断出现，中药材减产、绝收事件频发；农药残留超标问题突出，严重威胁中药材质量；技术推广服务部门的专业人员经验不足，学习机会较少。

（3）产业化程度低。梅河口市的中药材种植除少数成立专业合作组织外，均为药农的自发行为，产业化程度低。已成立的中药材种植专业合作社大部分未能充分发挥其作用，而处于各自经营的状态，销售方面也以自行销售为主。

（二）中药资源发展建议

1. 中药材种植（养殖）业

水道镇、吉乐乡、小杨满族朝鲜族乡 3 个乡镇的中药材资源较为丰富，有道地药材生产的基础，农民专业合作组织较多，建议建成梅河口西部中药材种源基地产业带。杏岭乡（现杏岭镇）、红梅镇、山城镇位于市中心地带，现有生产品种相对单一，但其辐射带动效果较好，适合引导并发展企业所需品种的规模化生产产业带。兴华乡（现兴华镇）为平泰药材种植有限公司的五味子、桔梗规模化生产基地，可直接规划为东部中药材规模化生产产业带。同时，将已有的黄耆、黄芩、玉竹、桔梗、败酱、黄花败酱、苦参、五味子、芍药、白鲜、辽藁本、黄精等品种做大做强。

2. 中药材加工业

建议吸引四环、步长、万通等龙头企业投入到中药材产业化工作中来，推动龙头企业与中药材专业合作社等组织建立种苗供应、培植辅导、产品收购等方面的合作，鼓励龙头企业拓宽中药材发展渠道，配套发展仓储设施和物流运输。在促进中药饮片、中药提取物发展的同时，拓宽中药材在中成药、食品、保健品、日化产品等领域的发展渠道。

3. 中药材商贸业

利用现有基础，培育一批药材专业经济组织、药材种植大户、经销大户，建立中药材产销信息网络。同时，鼓励新闻媒体单位支持中药材产业的宣传工作，集中宣传龙头企业和优势品种，在县域旅游景区、宾馆、饭店、城市街区、交通主干道等进行大范围中药材产业的宣传。

二十七、集安市中药资源普查报告

2012 年，通化师范学院秦佳梅教授任队长，带领 9 名队员，开展了集安市第四次中药资源普查，基本摸清了集安市现存中药资源的种类、分布、蕴藏量等本底情况。

（一）中药资源现状

集安市位于吉林省东南部，地理位置为东经 125° 34′ ～ 126° 32′，北纬 40° 52′ ～ 41° 35′。全市东西长 80km，南北宽 75km，幅员面积 3341km²，总人口 21.1 万人，辖 4 个街道、11 个乡镇。

集安市整体属北温带大陆性气候，四季分明，春风早度，秋霜晚至。老岭山脉自东北向西南横贯全市，形成一道天然屏障，造就了集安市岭南、岭北 2 个小气候区。岭南属半大陆半海洋性气候，气候温和，空气湿润，降水充沛，风力弱小；岭北属温带大陆性季风气候；岭南、岭北冷暖转换时差为 10 ～ 15 天。该市气候条件在全省有"四最"，即平均年降水量最多（800 ～ 1000mm）、年积温最高（3650℃）、无霜期最长（150 天左右）、年平均风速最低（1.6m/s）。

集安市地处长白山南麓，是一个"八山一水半分田"的山区市，林地面积 2876km²，森林覆盖率 82.16%，林木蓄积量 1706 万 m³，包括松树、椴树、楸树、桦树、曲柳等 250 余种，其中天女木兰、紫松、红豆杉、银杏等十分珍稀。

1. 中药资源种类、分布与蕴藏量

（1）中药资源种类。集安市野生药材资源丰富，原有野生经济植物 600 余种，其中，常见中药材有 200 余种，较常用并具有一定储量的有 30 余种。在集安市第四次中药资源普查中，共设置了 43 个样地、184 个样方套、1266 个样方，采集了腊叶标本 161 种、药材标本 90 种、种子标本 59 种。储量较多的野生资源主要有两头尖、白屈菜、淫羊藿、关黄柏、桑、萹蓄、玉竹、绵马贯众、蓝布正、木贼、葛根等，栽培面积较大的品种有人参、西洋参、桔梗、穿山龙。

（2）中药资源分布与蕴藏量。经野外调查，县域内常用药材有 180 余种，其中，国家重点调查品种有人参、西洋参、两头尖等 52 种，国家普遍调查品种有益母草、山里红、锦灯笼等 135 种。分布广、蕴藏量多的国家重点调查品种有人参、西洋参、桔梗、两头尖、白屈菜、淫羊藿、关黄柏、桑、萹蓄、车前、玉竹、绵马贯众、蓝布正、木贼、葛根、穿山龙、水红花子、威灵仙、北豆根、紫苏、五味子、秦皮、紫菀等，其中，人参、西洋参、桔梗、穿山龙、紫苏、五味子以栽培为主。白鲜、龙胆、徐长卿、天南星、苦参、薏苡、葶苈子分布范围窄且资源已较少见。《中国药典》有收载的品种以益母草、山楂、牛蒡子、仙鹤草、地榆、锦灯笼等储量较多。

2. 中药资源生产与产品销售

集安市中药材种植面积达 19 万亩，年产量达 17854t，种植品种有人参、西洋参、五味子等。3058 亩新开河人参种植基地已通过国家 GAP 认证，新开河人参被评为"中国名牌农产品"。该市的人参产量占全国的 1/6，吉林省的 1/5，集安市享有"中国人参之乡"的美誉，且是吉林省和全国人参产业发展的核心区和示范区。目前集安市有省级人参生产示范基地 4 个（绿色人参生产示范基地 312hm²、非林地人参生产示范基地 386hm²、良种繁育生产示范基地 12.6hm²、林下山参生产示范基地 4300hm²），GAP 标准化生产示范基地面积达 181.9hm²。

集安市有吉林省集安益盛药业股份有限公司、吉林省通化博祥药业股份有限公司、康美新开河（吉林）药业有限公司等生产企业。吉林省集安益盛药业股份有限公司为医药行业内首家实现人参全株开发的企业，康美新开河（吉林）药业有限公司是国际上规模最大的集人参种植、加工、研发、销售为一体的专业人参制品企业。

清河人参市场占地 26.7hm²，建筑面积 24hm²，摊位 6000 个，固定门店 1000 家，市场内建有中华药材网和药通网等中药专业信息网站，是该市最大的人参交易集散地，现已成为全国最大的野生人参交易市场。2008 年被确定为新开河人参中药材国家定点批发市场。

3. 中药资源存在的问题

龙头企业数量少，质量控制技术水平偏低，没有形成集研究开发、生产加工、物流配送为一体的现代化中药材加工企业。

（二）中药资源发展建议

1. 中药材种植（养殖）业

建议重点发展规范化、特色化中药材种植基地和药企原料基地。扩大基地规模，北以清河镇为中心，逐步建设林下天麻、桔梗、穿山龙生产基地；南以榆林镇为中心，建设五味子、朝鲜淫羊藿生产基地。

2. 中药材加工业

扶持中药材加工龙头企业，重点促进龙头企业的带动作用和产业链的延伸。支持龙头企业拓宽中药材的发展渠道，在促进中药饮片、中药提取物发展的同时，拓宽中药材在中成药、食品、保健品、日化产品、消毒杀菌产品领域的发展渠道，建立健全销售网络。

二十八、浑江区中药资源普查报告

2015 年，长春中医药大学张强副教授任队长，带领 11 名队员，开展了浑江区第四次中药资源普查，基本摸清了浑江区现存中药资源的种类、分布、蕴藏量等本底情况。

（一）中药资源现状

浑江区地处吉林省东南部，隶属于白山市，地势西南高，东北低，中部属浑江盆地，域内最高海拔 1487m，最低海拔 320m。全区总面积 1388km²，辖七道江镇、六道江镇、红土崖镇、三道沟镇 4 镇，以及红旗街道、新建街道、东兴街道、通沟街道、城南街道、板石街道、江北街道、河口街道 8 个乡镇级街道。

浑江区属北温带大陆性季风气候，春秋更迭，四季分明，气温年较差较大。年平均气温 3～5℃，无霜期一般 115～140 天，平均年降水量 800～1000mm。

浑江区水利资源丰富，区域内河流众多，长度 10km 以上的河流有 12 条，其中较大的河流有浑江、红土崖河等。辖区森林覆盖率为 76.6%，适宜开发种植红松、落叶松、白松、鱼鳞松、柞木、桦木、椴木、曲柳等生态林和经济林；林下可种植人参、五味子、天麻、贝母、天女木兰、黑木耳、山芹菜、刺棒菜、核桃仁等中药材和绿色食品；林下可圈养或散养紫貂、猞猁、獐、梅花鹿、林蛙等经济动物。

1. 中药资源种类、分布与蕴藏量

（1）中药资源种类。浑江区原有野生植物 1300 余种，经济植物 800 余种，其中，有人参、灵芝、高山红景天、刺五加、天麻、月见草等药用植物 400 余种，白丁香、铃兰、夜来香、天女木兰等芳香植物 200 余种，木耳、山芹菜、蕨菜、薇菜、松子、榆黄蘑等绿色食用植物 200 余种。浑江区第四次中药资源普查完成了对 43 个样地、215 个样方套、1290 个样方的实地调查，共采集药用植物 387 种、药材 321 种、种子 95 种。现有野生药用植物种群分布个体数量有所改变，总体生物数量在减少。例如，野生人参基本绝迹，天麻、灵芝存量罕见，五味子、刺五加存量尚有，但植株矮小，长势不旺盛。

（2）中药资源分布与蕴藏量。浑江区现有野生药用植物资源仅存在于外围几个乡镇中未被农耕厂矿占据的林下、林缘及河谷地区，以六道江镇、红土崖镇、三道沟镇 3 个镇为代表的远离村屯的山坡林地野生资源比较丰富。平坦地段多为人工种植区，如红土崖镇内有沙棘种植园区、食用菌种植园区、大榛子种植园区、蓝莓产业园等近千亩人工种植园区。但从整体来看，该区中药资源的分布区域仍在缩小，蕴藏量也在减少。

2. 中药资源生产与产品销售

本次调查结果显示，浑江区尚无 GAP 认证的规模化中药材种植基地，仅个别乡镇有小规模种植灵芝、天麻等。区域内有较大规模的食用菌加工企业，但未见中药材加工企业。大宗中药材商贸业仅限土特产，露天农贸市场有少量中药材交易。

3. 中药资源存在的问题

农业生产的发展逐步侵占、破坏了原始自然环境，野生动植物的生态领域逐年萎缩，生态系统受到破坏，野生动物种群数量急剧降低，野生植物的生长也遭到严重破坏。农耕面积的扩大、农药的过分使用导致原始植物群落被破坏，野生植物个体数量减少，例如，林缘地头常见的茵陈、薪蒉已较少见。长期的林业采伐、毁林开荒导致很多野生植物种群迁移，个体不再。

受药材市场影响，一些价值较高的野生药材资源，由于没有监管措施，被过度采挖，且未保留繁育种栽，已濒临灭绝，如近年来被大量收购的白花延龄草（高丽瓜）、山兰等。

穿山龙等野生根茎类药材的采挖，导致土壤流失，周边植被遭到破坏。辽东楤木、刺五加等嫩芽类木本植物，作为山野菜被大量采挖，资源遭到破坏。

（二）中药资源发展建议

1. 中药材种植（养殖）业

浑江区地处长白山腹地，自然资源分布广泛，种类繁多，是我国重要的中医药资源宝库。其独特的地理条件孕育了人参、鹿茸、林蛙、五味子、刺五加等道地药材，为满足日益增长的市场需求，人工种植中药材正在迅速发展。药农不断扩大种植规模来创收，导致大片山林被毁，长白山生态系统受到严重威胁。为解决保护林地与扩大种植规模以满足市场需求这一矛盾，建议采用林下立体种植模式，如林下种植细辛、五味子、玉竹等，此种种植模式的推广将会使更多的药农受益。

目前，药农种植中药材的生产过程中机械化程度低，大多靠人工种植、管理、采收，生产效率低且成本较高，中药材的质量也较难控制。同时药农对市场信息了解不够，易盲目跟风种植，从而导致中药材的价格波动。因此，建议将药材开发的重点集中于品种选育、规范生产方面，即繁育出优良品种，依规范进行种植，这样可最大程度地保证收获药材的品质。以上措施既可保护现有中药材资源，又可加快优良中药材品种繁育，推进中药材 GAP 基地种植。

2. 野生中药材自然生产保护区

由于当地对野生中药材资源的认识不够，很多重要的野生中药材资源遭到破坏，如东北红豆杉、黄檗等。因此，加强当地野生资源生产保护区的建设刻不容缓，保护区内应严禁私自采挖野生中药材，并退耕还林以保护生态环境。

二十九、江源区中药资源普查报告

2015 年，长春中医药大学李宜平教授任队长，带领 9 名队员，开展了江源区第四次中药资源普查，基本摸清了江源区现存中药资源的种类、分布、蕴藏量等本底情况。

（一）中药资源现状

江源区地处吉林省的东南部，位于东经 126° 23′ ~ 127° 11′，北纬 41° 48′ ~ 42° 13′。全区总面积 1348km²，辖 4 个街道、6 个镇、60 个行政村、29 个社区，总人口近 19.9 万人，共有 34 个民族。

江源区地处中纬度内陆山区，属北温带大陆性季风气候，年平均气温 4℃左右，平均年降水量 910mm 左右，年平均日照时数 2002 小时左右，无霜期 140 天左右。全区有头道松花江、浑江两大水系，共 130 余条河流。

1. 中药资源种类、分布与蕴藏量

既往未对江源区中药资源种类进行详尽的调查统计，蕴藏量较多的品种主要有贯众、木贼、刺五加、穿龙薯蓣、暴马丁香、山参等。江源区第四次中药资源普查完成了对 6 个镇、4 个街道的 39 个样地、195 个样方套、1230 个样方的实地调查，共采集药用植物 387 种、药材 169 种、种子 76 种。

江源区辖 6 个镇和 2 个林业局，各镇天然植被分布较密，森林覆盖率高达 76%，全区各镇均有中药资源分布。江源区的中药资源一度遭到较为严重的破坏，经过保护、人工抚育等得以恢复的中药资源有刺五加、朝鲜淫羊藿、五味子、北细辛、羊乳、云芝、树舌；资源稀少且遭到较为严重破坏、恢复困难的中药资源为野山参；由于农业生产使用除草剂造成严重萎缩的中药资源有薪蓂、地锦、鹅不食草等；蕴藏量丰富但尚未开发的中药资源有粗茎鳞毛蕨、木贼、槲寄生、东北雷公藤等。

2. 中药资源生产与产品销售

（1）中药材种植（养殖）业。江源区中药材种植品种及面积为人参 780 亩、林下参 11145 亩、五味子 300 亩、细辛 450 亩、贝母 350 亩及其他中药材 2400 亩。

吉林省国姿北药科技发展有限责任公司在砟子镇建设了 356 亩的五味子中药材示范园区。长白山制药股份有限公司在大阳岔镇新建了 200 亩的无公害桔梗基地。鸿运中药材协会带动 100 余户种植大户种植五味子、辽东楤木、贝母、党参、细辛等中药材品种。

（2）大宗药材加工商贸业。山芝中草药有限责任公司是该区域内仅有的集中药材收购、初加工、销售于一体的药材加工企业。除此之外，该区无专门的中药材加工企业，人参加工主要为小作坊分散加工，加工品种为生晒参和红参；五味子、穿山龙、淫羊藿等药材的加工为各农户晾晒干燥后出售给收购站。

该区内无专门的中药材交易市场，因此基本不存在大宗中药材商贸活动，中药材交易均为小规模分散进行。

3. 中药资源存在的问题

（1）江源区的野生中药材资源（除黄檗外）的开发利用基本处于无序状态。

（2）江源区早在 20 世纪末就开展了符合当地特点的中药材种植和仿生态栽培（野外抚育）的研究工作，相关中药材品种包括刺五加、五味子、黄耆、关龙胆、羊乳等，但缺乏后续的管理经营，基地严重萎缩，没有形成产业优势。

（3）政府部门非常重视中药材产业发展，但因缺乏大型企业或知名企业带动，资源优势尚未转化为产业优势。

（二）中药资源发展建议

1. 中药材种植（养殖）业

建议利用林下人工仿生生产技术，在阔叶林或针阔叶混交林林下发展人参、朝鲜淫羊藿的种植生产；利用林下人工模拟生产技术，在疏林地、林缘、灌木林、林间空地发展五味子的种植生产；利用林下人工仿生生产技术，在林下发展刺五加的种植生产；利用无公害规范化人工仿生栽培技术，发展东北红豆杉的人工仿生栽培；大力推广林蛙的规范化放养技术，建设林蛙和梅花鹿养殖基地。同时，对形成规模的品种和已开展规范化种植的品种大力发展良种培育，退化品种要提纯复壮，以良种良苗保证优质高产。建议继续与省内外各高校合作，指导药农种植适销对路的产品，确保中药材产业的可持续发展。

2. 中药材商贸业

按照大市场、大流通的要求，建设集中药材收购、仓储、加工、行情预测、信息发布、产业服务、产品检测、市场监管等功能的物流平台。广泛吸纳省内外药厂、药商参与中药材流通，以解决该区中药材销售有市无场的现状。大力培养和发展中药材中介组织和经纪人队伍，充分发挥中药材专业生产大户和中药材营销大户的特殊作用，拓宽和搞活中药材销售渠道。同时，利用现代信息流、物流和电子商务技术，逐步搭建中药材网上交易平台，减少中药材交易成本，扩大道地中药材的市场份额。

三十、抚松县中药资源普查报告

2012 年，长春中医药大学张强副教授任队长，带领 12 名队员，开展了抚松县第四次中药资源普查，基本摸清了抚松县现存中药资源的种类、分布、蕴藏量等本底情况。

（一）中药资源现状

抚松县位于吉林省东南部、长白山西北麓、松花江上游，隶属于白山市，地理位置为东经127° 01′ ~ 128° 05′，北纬 41° 42′ ~ 42° 49′。全县地势东南高，西北低，最高处为白云峰，海拔 2691m，最低处为榆树镇与靖宇县、桦甸市交界处的两江口，海拔 307.9m，全县平均海拔600 ~ 800m。全县幅员面积 6159km²，辖抚松镇、松江河镇、露水河镇、泉阳镇、万良镇、东岗镇、北岗镇、仙人桥镇、漫江镇、兴参镇、新屯子镇 11 个镇和抽水乡、兴隆乡、沿江乡 3 个乡。

抚松县四季分明，冬季漫长寒冷，积雪深；夏季短促较热，雨量集中；春、秋两季冷空气活动十分活跃，气候多变，冷暖阶段性变化显著。长白山自然保护区在抚松县内的面积达 930km²，占保护区总面积的 45%。

1. 中药资源种类、分布与蕴藏量

（1）中药资源种类。抚松县素有"立体资源宝库"之称，几乎囊括了亚欧大陆的所有物种。

在茂密的原始森林中，蕴藏着极为丰富的野生植物资源，野生植物达 823 属 3900 余种，主要珍稀药用植物有木灵芝、草苁蓉、瑞香、人参、刺参、天麻、北五味子、红景天、贝母、黄耆等，展现出长白山区生物的特殊性和多样性。抚松是中国"三大中药材基因库"之一，人参、五味子等 10 种道地中药材的产量居全国之首，天麻、木灵芝、草苁蓉、长白瑞香、红景天、贝母、黄耆等主要珍稀药用植物遍布山野林间，还有许多可作为酿酒原料、蜜源、香料、油料、工业原料及观赏植物等的经济植物。

抚松县第四次中药资源普查中，普查队踏遍了 11 个乡镇，从泉阳镇、北岗镇、露水河镇到沿江乡，再转战松江河镇、东岗镇、漫江镇，向西至仙人桥镇、兴隆乡，最后到北部的新屯子镇、兴参镇。普查区域占县域面积的 80%。本次普查完成了对 36 个样地、180 个样方套、1080 个样方的实地调查，共采集药用植物 263 种（其中国家重点调查品种 67 种）、药材 195 种、种子 105 种。本次普查发现抚松县的中药资源种类与以往相比变化不大，但蕴藏量与分布区域方面变化较大。

（2）中药资源分布与蕴藏量。县域内露水河镇、泉阳镇、松江河镇、漫江镇及沿江乡的野生中药资源种类和数量较丰富。随着工农业生产活动范围的扩大，尤其是农耕地的扩大、矿产的开采、旅游业的发展、城镇规模的扩大，野生中药资源的分布面积逐渐减小。除人参、天麻、灵芝、五味子、返魂草、贝母、玉竹等因药材的市场需求而得以发展人工种植外，其他大部分资源种类的野生量均因生态环境的破坏而逐年减少，而人参、天麻、灵芝、长白瑞香、东北红豆杉等野生中药材品种已非常罕见。

2. 中药资源生产与产品销售

（1）中药材种植（养殖）业。由于抚松县具有得天独厚的地理位置和自然植被条件，县域内的中药材种植（养殖）业历史悠久，经验丰富。但市场需求的不稳定性导致部分种植户放弃经营中药材。目前，抚松县内比较有规模的中药材种植基地有：新屯子镇白石岗村的林下参生产示范基地，面积达 5000 亩，且有 500 亩的种源基地；松江河镇的绿色人参规范化生产示范基地，面积达 1400 亩；东岗镇西江村的中国北玉竹种植基地，面积达 800 亩，归属于吉林省中北老关东玉竹产业科技开发有限公司（现更名为吉林省华勤农业有限公司）；北岗镇的五味子种植基地，面积达 600 亩，归属于抚松县果丰药用植物有限责任公司。除此之外，还有多家零散的灵芝、天麻、人参、贝母、返魂草种植户。

（2）大宗药材加工和商贸业。抚松县目前有中药材加工能力的企业多为集中在万良镇的人参初加工企业，这些企业规模小，相对分散，以手工作业为主，简单机械为辅，加工期短暂，多集中在 9 月中旬到 10 月末。抚松县内的中药材交易以人参为主，虽各乡镇均有不同规模的药材收购站，但最后都集中在万良镇和北岗镇 2 个大的人参交易市场。其中，万良长白山人参市场是全国最大的人参交易市场，万良也因此被誉为"世界人参第一乡"。据调查，万良长白山人参市场、北岗人参市场、个体收购站收购的药材品种主要有人参、天麻、灵芝、猪苓、草苁蓉、平贝母、五味子、党参、桔梗、刺五加、蒲公英、牛蒡子、龙胆草、山核桃、柴胡、穿山龙、榛蘑、猴头菌、冬青等。

3. 中药资源存在的问题

本次调查发现，虽然抚松县的中药材品种较多，但主要品种均以野生品种为主，资源量受外界影响较大。同时没有深加工企业，资源优势无法转化为产业优势。县域内多种中药材品种数量锐减，部分濒临灭绝；受经济利益的驱动，部分地区毁林开荒和过度放牧现象十分严重，因此保护珍稀动植物的任务十分艰巨。

为进一步促进中药资源的可持续发展，大力发展中药材种植业是必由之路，但调查发现，抚松县目前的中药种植品种仅有人参、五味子、细辛、玉竹等少数几种。同时还存在中药材市场混乱、药材收购混乱、行业管理不明确等现象，导致无法了解具体中药材品种和数量，相关部门无从下手进行引导。

（二）中药资源发展建议

1. 中药材种植（养殖）业

建议在抚松县中药材品种的最佳生态区域，建立中药材规范生产基地。根据资源的分布情况，分为重点保护区和一般保护区，重点保护区为禁采区；一般保护区可根据资源丰缺情况酌情处理，资源丰富时允许限量采集，资源缺乏时禁止采集。

2. 中药材加工业

中药材加工业的发展是延长中药材产业链、实现中药材产业增值的关键。目前抚松县域内甚至全省均没有大型的中药饮片加工厂，建议在县域内建立中药饮片加工厂，统一道地中药饮片的质量标准。建议利用丰富的山珍绿色食品资源，加大资源转换力度，加速建设长白山五味子饮品加工、红松果仁加工、山野菜系列加工、哈蟆油加工等项目，就地转化增值抚松年出产的 1 万 t 山野菜、8000t 红松果仁、2000 万只林蛙等绿色食品。将中药材传统加工技术与现代化加工技术相结合，逐步向现代中药材的方向发展。

3. 中药材商贸服务业

建议建立中药材收购企业，以市场促流通，以流通促生产，从而带动抚松县的中药材产业化发展，进而促进经济发展。

三十一、靖宇县中药资源普查报告

2012 年，长春中医药大学张景龙教授任队长，带领 11 名队员，开展了靖宇县第四次中药资源普查，基本摸清了靖宇县现存中药资源的种类、分布、蕴藏量等本底情况。

（一）中药资源现状

靖宇县位于吉林省东南部、长白山西麓、松花江上游，地理位置为东经 126° 30′ ~ 127° 16′，北纬 42° 06′ ~ 42° 48′，东临抚松县，南接江源区，西靠辉南县，北连桦甸市。全县幅员面积 3094.4km²，下辖 7 个镇、1 个乡，总人口 13.4 万人。

靖宇县东靠松花江，西、南、北三面均被长白山系龙岗山脉环抱，形成西、南、北高而东低的地势特点。该县处在东亚季风气候区和东北部山地寒温带湿润气候区，具有冷凉湿润、雨量充沛、无霜期短、光照适中的气候特点。四季气候特点是大陆性明显，四季分明，春季气温变化剧烈，冷暖干湿无常，多偏西大风；夏季短暂，温凉而潮湿，多局地暴雨；秋季凉爽，多晴朗天气，受寒潮威胁严重；冬季漫长而寒冷。

靖宇县的林地面积为 2169km²，森林覆盖率达 84%，活立木蓄积量近 3000 万 m³。野生动植物资源丰富，野生动物达 300 余种，野生植物达 900 余种，其中药用植物 788 种，食用植物 123 种，蜜源植物 116 种，主要盛产吉林人参、西洋参和贝母等中药材。

1. 中药资源种类、分布与蕴藏量

（1）中药资源种类。据文献记载，靖宇县原有药用植物 70 余科 130 余属 788 种。本次中药资源普查共设置了 52 个样地、188 个样方套、1140 个样方，累计采集植物标本 309 种，其中，国家重点调查品种 70 种，国家普遍调查品种 162 种，省重点调查品种 28 种，省次重点调查品种 31 种；采集药材标本 173 种，其中，国家重点调查品种 52 种，国家普遍调查品种 61 种，省重点调查品种 24 种，省次重点调查品种 21 种；采集种子标本 68 种，其中，国家重点调查品种 9 种，国家普遍调查品种 21 种，省重点调查品种 16 种，省次重点调查品种 10 种。

（2）中药资源分布与蕴藏量。靖宇县中药资源丰富，是吉林省的人参主产区，西洋参、人参、穿山龙、北五味子、平贝母、细辛、鹿茸、哈蟆油等中药材道地性突出，质量优良，西洋参的产量与质量均居全国之冠。

2. 中药资源生产与产品销售

花园口镇、景山镇、三道湖镇等乡镇是靖宇县的人参产业园区，目前，中药材种植规模达到 3.6 万亩，建设了 100 亩以上的北五味子、平贝母、细辛、蒲公英、返魂草等道地中药材标准化种植基地 26 个，涌现出南阳村、南天门村、赤松村、燕平村等中药材专业村 11 个；景山镇、三道湖镇、花园口镇等乡镇也是特色养殖产业园区，封沟 153 条，林蛙放养面积为 64 万余亩，林蛙储量达到 2 亿余只，养殖梅花鹿 8500 余只，长白山特种野猪 1.1 万余头，涌现出富阳村、白江河村、上营子村、护林村等特种养殖专业村 8 个；赤松镇、景山镇、那尔轰镇等乡镇是食药用菌栽培产业园区，以黑木耳、香菇、元蘑、榆黄蘑等为主的食药用菌栽培面积 5700 亩，涌现出西南岔村、小西头村、珠子河村、前进村等食药用菌专业村 12 个；赤松镇、龙泉镇、三道湖镇等乡镇是经济林产业园区，发展以山葡萄、蓝莓、大果榛子等为主的生态经济林 11800 亩，涌现出清泉村、青松村、岳家村、龙东村等经济林专业村 6 个；景山镇、花园口镇、那尔轰镇等乡镇是山珍野果保护开发产业园区，建设以山野菜、红松果林、山核桃林等为主的山珍野果保护与种植产业基地 20 余处，山珍野果保护开发每年实现产值 1.2 亿元。

靖宇县以北京同仁堂吉林人参有限责任公司、靖宇美康人参基地有限责任公司、吉林省通宝中药材科技开发有限责任公司、靖宇县天源绿色食品有限责任公司、吉林省鼎源特产经贸有限公司、吉林省北佳中药材科技开发有限公司等龙头企业为主打造现代中药材产品精深加工产业园区。截至目前，全县资产和产值达百万元以上的中药生产加工企业已达 20 余家，加工业年产值达 2 亿元以上。

靖宇县有 1 个专业中药材交易市场——长白山特产大市场和 1 个自然形成的中药材交易市场——特产市场（原山货市场）。靖宇县有多个药材收购站，覆盖全部乡镇，流动收购药材，覆盖药材商户近千家，大宗药材的交易多为委托收购，销售去向多为外地药材市场或大的药企，如修正药业集团委托收购返魂草、安国中药材市场委托收购蒲公英根等。

3. 中药资源存在的问题

（1）气候改变，森林萎缩，资源减少。

（2）资金短缺，产业发展受到制约。

（3）抵御风险能力差。

（4）科技人员缺乏，创新意识淡薄。

（二）中药资源发展建议

1. 中药材种植（养殖）业

建议建设中药材优质种苗繁育基地。种子、种苗是中药材种植的关键，目前多种中药材的种子、种苗由于没有进行必要的提纯筛选，大部分已染毒退化，在一定程度上影响了产品的产量及有效成分的含量，因而具有稳定可靠的中药材品种已成当务之急。同时，建议引进和开发濒危中药材品种，规范种子、种苗标准。建议建设林下参、刺五加、北柴胡、五味子四大道地中药材保护基地，发展西洋参、吉林人参、林蛙、平贝母、穿龙薯蓣、细辛、北芪（黄芪）、蒲公英等八大人工中药材生产基地。实施参业振兴工程，大力开展农田土、老参地、草炭土种参实验，解决林参矛盾，实现参业的可持续发展。

2. 中药材加工业

建议继续加大招商引资力度，对引进的知名企业如东北虎药业股份有限公司、修正药业集团、北京同仁堂吉林人参有限责任公司、北京中科孚德科技有限公司、天士力控股集团有限公司、中国吉林森林工业集团有限责任公司等龙头企业坚持资源招商、诚信招商、服务招商等原则，助力这些企业在靖宇县达成良好的发展态势。

3. 中药材商贸业

建议以电子商务物流配送中心为基础，整合全县的信息资源，建立连接全国主要中药材交易市场的中药物流信息网，形成国家级中药材信息服务中心，汇集全国中药种植、生产、研发、医疗、保健等动态信息，为靖宇县医药产业的发展提供全方位的信息服务。

三十二、长白朝鲜族自治县中药资源普查报告

2012 年，吉林农业大学杨世海教授任队长，带领 7 名队员，开展了长白朝鲜族自治县第四次中药资源普查，基本摸清了长白朝鲜族自治县现存中药资源的种类、分布、蕴藏量等本底情况。

（一）中药资源现状

长白朝鲜族自治县（以下简称"长白县"）位于吉林省东南边陲、长白山南麓、鸭绿江上游，东南与朝鲜的两江道隔江相望，西与临江市接壤，北与抚松县交界。全县共有人口 7.7 万人，下辖 8 个乡镇、77 个行政村、50 个自然屯和 4 个社区。该县属温带大陆性季风气候，冬长夏短，温差很大，平均年降水量约 700mm，最大风速 14m/s，平均风速 2.8m/s。

1. 中药资源种类、分布与蕴藏量

据文献记载，长白县原有野生经济植物 126 科 1200 余种，较为名贵的有人参、鹿茸、哈蟆油、黄芪、党参、越桔、薇菜、山葡萄、大叶杜鹃等，野生动物有 300 余种。长白县第四次中药资源普查完成了对 36 个样地、182 个样方套、1092 个样方的实地调查，共采集药用植物 205 种，其中国家重点调查品种 57 种；采集药材 66 种，其中国家重点调查品种 35 种；采集种子 4 种，其中国家重点调查品种 4 种。

据初步调查，长白县共有野生经济植物和药材资源 1200 余种，其中可食用的有 152 种，如蕨菜、薇菜、辽东楤木、山葡萄、榛子、松子等；工业用的有 153 种，如长白侧柏、臭松、落叶松、鱼鳞松、红松、白桦、水曲柳、樟子松等；药用植物 136 科 890 种，其中，药用植物 55 科 112 种，含珍稀濒危药用植物 33 科 61 种，总蕴藏量 11500t，野生道地中药材有山参、黄芪、五味子、党参、灵芝、桔梗、细辛、天麻等几十种，蕴藏量达 1597t，其他成片药材资源有 8 种 18 片，面积为 7.65 万亩，总储量 27140t；观赏类有牡丹草、东北梅花、百合、杜松（崩松）、垂柳等 103 种；蜜源类植物有大黄柳、千金榆、暴马丁香、猕猴桃、臭李子（稠李）等百余种；食用菌类遍及全县，有 70 余种，如关杜菌（关杜蘑）、侧耳（元蘑）、松花菇、猴头菌、金顶蘑（榆黄蘑）、粘蘑、木耳、金耳、银耳等。

2. 中药资源生产与产品销售

长白县域内有中药 GAP 栽培基地 11 个，栽培品种包括人参、天麻、五味子、党参、桔梗、玉竹等。宝泉山镇尼粒河人参栽培基地，种植面积 1400 亩，年产量 980t；宝泉山镇撂荒地人参栽培基地，

种植面积 1300 亩，年产量 910t；马鹿沟镇参场，种植面积 1800 亩，年产量 1350t；宝泉山镇五味子基地，种植面积 1500 亩，年产量 600t；十四道沟镇桔梗基地，种植面积 60 亩，年产量 18t 等。

长白县域内有大宗中药材加工企业 3 家，主要加工的中药材品种为人参，年产量 260t。长白县域内有中药材商贸企业 2 家，主要收购的药材品种有五加皮、白鲜皮、细辛、穿山龙、丹参、桔梗、玉竹等。

3. 中药资源存在的问题

近年来，长白县中药材种植（养殖）科技产业虽然取得了较快的发展，但仍存在一些亟待解决的问题，包括：中药材龙头企业规模较小，专业合作组织的带动作用不明显，市场开拓能力弱；种源混杂，种植规范化程度低，加工技术粗放，药材质量不稳定；规模化种植品种少，资源优势尚未转化为经济优势，效益不高；野生中药材资源破坏严重，部分资源稀缺，资源保护不力，可持续利用困难；人才缺乏，基础研究滞后，创新能力不足；技术推广与服务体系不健全。

（二）中药资源发展建议

1. 中药材种植（养殖）业

立足优势产区设基地，依托龙头企业建基地，促进产销对接活基地，提供科技支撑强基地，大力推进中药材规范化种植基地建设。科学规划，建设特色鲜明、产区集中、规模适度、管理标准、竞争有力的中药材规范化生产基地。发展特色优势品种，推广标准化生产技术，提高规范化管理水平，挖掘产量质量潜力。

按照不同种类药材的生物学特性、地域分布范围并结合产区药农栽培习惯，选择最佳生态区域，集中连片建立优质中药材 GAP 基地，形成长白县中药材优势产业带。

分品种生产基地布局：①优质人参生产基地；②优质北五味子生产基地；③优质玉竹生产基地；④优质桔梗生产基地。

2. 中药材加工业

立足特色品种优势，着力改进技术设备，提高科技含量，促进中药材传统加工向现代化加工的转变，全面提升加工能力，重点建设特色中药、草药新型饮片、提取纯化生产基地。

明确中药材初级加工业的发展方向，筹措专项资金，制定优惠政策，顺应发展趋势，因势利导，积极推进产业向更高层次发展。重点围绕技术含量高、产品符合市场要求、规模化程度较高的龙头企业，提高清洗、分选、切片、烘干和包装的机械化、自动化水平，逐步向高品质饮片、浸提、纯化、超微粉剂、挥发油开发等高层次加工方向发展。

3. 中药材商贸业

以现有中药材大中型产区市场为基础，通过优选整合，资源配置，增加投资，扩大市场容量，提高成交水平，改善基础设施条件，建设高标准的储藏库，配备高层次处理、流转设备，改善交易、信息和服务等设施条件，培育 4 个达到国内一流水平的省级大型中药材核心批发交易市场。根据优势产区、优质生产基地和初加工能力，以现有的市场为基础，在全省改建中心集散市场。同时，在中药材主产区建设产地交易市场。

成立中药材生产技术服务中心。制订全县的药材种植规划，编制栽培技术规程，开展技术推广与服务。成立县、乡、村中药材种植协会。

在区域药材市场建立中药材信息中心，发布产品市场交易信息，在优势产区生产基地乡镇建立信息网点。

以现有产区市场为基础，整合资源，加大投资，加快基础设施建设和中药材集散基地建设，改善长白县中药商贸环境，建立长白县现代中药流通体系。在长白县建立中药材物流中心，建设以企业为主体的中药材及其产品的物流产业园。加大市场设施和信息网络改造，建设规模化、标准化中药材仓库、晒场和交易大厅，配备药材装载、流转机械，打造东北中药材的旗舰市场。扩大市场规模，增加收购网点，形成现代中药材物流体系。

三十三、临江市中药资源普查报告

2012 年，长春中医药大学李宜平教授任队长，带领 11 名队员，开展了临江市第四次中药资源普查，基本摸清了临江市现存中药资源的种类、分布、蕴藏量等本底情况。

（一）中药资源现状

临江市位于吉林省东南部、长白山腹地、鸭绿江畔，隶属于白山市，与朝鲜的"两道三郡"（两江道、慈江道、中江郡、金亨稷郡、慈城郡）隔江相望。全市下辖 6 个街道、6 个镇、1 个乡，幅员面积 3008.5km²，人口约 15.2 万人。该市属温带大陆性季风气候，年平均气温 2 ~ 4℃，平均年降水量 750 ~ 1000mm。市内有林地 2380km²，森林覆盖率达 83% 以上。

1. 中药资源种类、分布与蕴藏量

（1）中药资源种类。临江市为温带季风气候，日照、降水充足，物种众多，许多华北区系的植物在该市也有分布，素有"长白山立体资源宝库"之称，文献记载的药材有山参、天麻、细辛、贝母、党参、高山红景天等 100 余种。临江市第四次中药资源普查完成了对 46 个样地、205 个样方套、1206 个样方的 7 个乡镇的实地调查，共采集药用植物 242 种、药材 135 种、种子 23 种。此外，结合吉林农业大学胡全德教授 24 年的野外实地考察结果可知，临江市的天然中药资源（不含栽培、养殖品种）共 2210 种，包括菌物 31 科 197 种、植物 175 科 1356 种、动物 167 科 623 种、矿物 34 种。

（2）中药资源分布与蕴藏量。本次资源普查发现，临江市中药资源丰富。市内山高林密，沟壑纵横，是吉林省林蛙资源最为丰富的地区之一。目前，市内有封沟 153 条，面积约 45 万亩，年回捕商品蛙近 2400 万只。林下参在临江市已有近 20 年的发展历史，面积现已超过 3 万亩。朝鲜淫羊藿分布较广，主要集中在六道沟镇、闹枝镇，种植面积约 9450 亩，年收购量为 25 ~ 30t，但也仅为历史最高值的 1/3 左右。黄檗在该市也有野生分布，黄芪是当地的道地药材，又称北芪。

2. 中药资源生产与产品销售

人参、西洋参种植加工业是临江市的特色优势产业，人参、西洋参留存面积约 3000 亩（地方 1650 亩，林业局 1350 亩），主要集中于六道沟镇、桦树镇、蚂蚁河乡等乡镇，其中六道沟镇人参、西洋参的种植面积占全市的 35%。

目前，野生刺五加的保护面积及仿生态栽培面积已超过 19950 亩，其开发利用不再只依赖野生资源。五味子的种植主要集中在六道沟镇、蚂蚁河乡、四道沟镇，面积约 6150 亩，年产鲜果约 560t，干果约 125t。

临江市的自然环境适合东北梅花鹿、东北马鹿栖息，历史上本地的鹿资源即较为丰富，鹿养殖业曾为该市的特色产业。目前，鹿养殖主要集中于桦树镇、蚂蚁河乡，存栏数约 5300 只，年产鹿茸约 900kg。

临江市无专门的中药材加工企业，人参加工品种主要为生晒参和红参，主要为小作坊分散加工；五味子、穿山龙、淫羊藿等药材的加工则为各农户自行晾晒干燥后出售给收购站。

3. 中药资源存在的问题

（1）临江市野生中药资源（除黄檗外）的开发利用基本处于无序状态。

（2）早在 20 世纪 80 年代吉林农业大学胡全德教授等就开展了符合当地特点的中药材种植和仿生态栽培（野外抚育）研究工作，并取得了阶段性的成功。但因缺乏后续的管理经营，基地严重萎缩，没有形成产业优势。

（3）政府部门非常重视中药材产业发展，但因缺乏大型企业或知名企业带动，资源优势尚未转化为产业优势。

（二）中药资源发展建议

1. 中药材种植（养殖）业

依据临江市的自然生态环境，建议在桦树镇、闹枝镇、六道沟镇、蚂蚁河乡等乡镇发展人参生产基地；在六道沟镇、蚂蚁河乡、四道沟镇等乡镇发展五味子生产基地；在花山镇、蚂蚁河乡、闹枝镇等乡镇发展刺五加生产基地；在六道沟镇、闹枝镇等乡镇发展淫羊藿生产基地；在六道沟镇、蚂蚁河乡等乡镇发展黄芪生产基地；在桦树镇、六道沟镇等海拔 800m 以上的乡镇建立高山红景天生产基地；利用无公害规范化人工仿生栽培技术建立东北红豆杉生产基地；在四道沟镇、蚂蚁河乡等乡镇发展蒲公英生产基地；利用蛹虫草培养技术，重点在闹枝镇建立蛹虫草生产基地；推广规范化放养技术，利用六道沟镇、苇沙河镇、闹枝镇、桦树镇的资源优势，建立林蛙养殖基地；推广梅花鹿养殖技术，利用六道沟镇、桦树镇丰富的农产品资源建立梅花鹿养殖基地；利用香菇食用菌生产技术，在桦树镇推广香菇种植技术，建立香菇种植基地。

2. 中药材商贸业

建议建立中药材技术推广服务体系，发挥人才优势，建设适应中药健康产业基地的各类人才队伍，通过与大专院校、科研单位的技术协作，更加广泛地吸引实用型专家学者加入到临江市中药健康产业的发展建设中来。通过与区域外高等院校、研究机构的合作，采取研究成果入股、委托研发、提供新产品试验基地、提供学生实习基地等各种方式，吸引区域外的研发企业及人才以提升临江市中药产业的科技含量。开展市场化运作与应用研究相结合的模式，提高区域内科研机构的积极性，充分挖掘本地在种植基地和原料药加工基地建设方面的潜力。同时，注重发现和挖掘人才，建立起适应临江市中药健康产业基地发展的人才和专家队伍。

三十四、宁江区中药资源普查报告

2015 年，长春中医药大学张凤瑞教授任队长，带领 11 名队员，开展了宁江区第四次中药资源普查，基本摸清了宁江区现存中药资源的种类、分布、蕴藏量等本底情况。

（一）中药资源现状

宁江区位于吉林省中西部、松原市北端，地处松嫩平原的腹地，地理位置为东经 124° 36′ ~ 125° 05′，北纬 45° 05′ ~ 45° 32′，东西宽 38km，南北长 50km，辖区面积 1313km²，其中城区面积 69.4km²，东与扶余市为邻，西、南与前郭尔罗斯蒙古族自治县接壤，北与黑龙江省肇源县隔江相望。宁江区水资源十分丰富，拥有三江一河，泡沼遍地。

宁江区属中温带大陆性季风气候，春季干旱少雨，升温较快；夏季炎热，降水集中；秋季凉爽，变温快，温差大，天气晴好；冬季漫长，降雪量小，寒冷干燥。该区年平均气温 4.5℃左右，1 月气温最低，极端最低气温 −36.1℃；最高气温出现在 7 月，极端最高气温 37℃。年平均日照时数 2900 小时左右，无霜期 135 ~ 140 天。平均年降水量 400 ~ 500mm，降水多集中在 7、8 月。春季多风，春、夏、秋季以西南风为主，冬季则多为西北风，年平均风速为 13.3m/s。

1. 中药资源种类、分布与蕴藏量

（1）中药资源种类。在 20 世纪 80 年代以前，我国经济相对落后，自然资源基本未遭到破坏，加之宁江区土质肥沃，生态环境良好，中药资源十分丰富，防风、桔梗、萹蓄等药用植物分布广泛。目前，宁江区的中药资源状况并不乐观。大量开垦耕地，草场逐渐退化甚至消失，生态环境遭到破坏，使得该区现今只有少量的地域有药用植物分布。宁江区第四次中药资源普查完成了对 36 个样地、180 个样方套、1080 个样方的实地调查，共采集药用植物 133 种，其中国家重点调查品种 12 种；采集药材 30 种，其中国家重点调查品种 7 种；采集种子 5 种，其中国家重点调查品种 3 种。

（2）中药资源分布与蕴藏量。宁江区的中药资源分布区域十分有限，区域内绝大部分土地均被耕地占有，仅有极少数植物分布。中药资源普查结果显示，在宁江区共采集到野生药用植物 124

种。

宁江区重点中药材品种有 20 余种，部分品种为当前市场紧俏品种，极具开发利用价值，但其蕴藏量极少，产量相应地也较少。具体蕴藏量为：防风蕴藏量约为 1t，蝙蝠葛蕴藏量约为 0.5t，芡实蕴藏量约为 10t，地笋蕴藏量约为 0.5t，甘草蕴藏量约为 0.5t，蛇床蕴藏量为 1t，萹蓄蕴藏量约为 3t，泽泻蕴藏量约为 2t。

2. 中药资源存在的问题

（1）大量开垦农田。过度开垦使中药材自然生长的环境遭到了极大的破坏，导致大量的天然中药材失去了生存条件。

（2）中药材使用少。目前，宁江区中医事业的发展较省内其他地方相对落后，除了松原市宁江区中医院比较有规模外，其他乡镇卫生院几乎没有中医医生，更不用提使用中药了，个体中医诊所也不多，中药的使用相对有限。

（3）中药材产销脱节。宁江区具有一些较适宜种植的中药材品种，但多种原因导致了中药材种植业未能发展起来，其中最突出的是产销问题。目前宁江区没有中草药收购点，即使种植了中药材也没有销路，无法获取经济利益极大地打击了人们对中药资源保护、种植的积极性。另外还存在收购中药材的经济利益不理想而导致无人收购的情况。例如，宁江区原有大面积的野生芡实，但因为市场开发不利，加之收购价格过低，农民没有种植管理的积极性，现已逐步改种其他农作物。

（二）中药资源发展建议

建议充分发挥宁江区的自然优势，大力发展适合宁江区生长环境、相对有特色的中药，作为产业带进一步发展，争取形成一定的规模。

三十五、前郭尔罗斯蒙古族自治县中药资源普查报告

2012 年，吉林农业大学尹春梅教授任队长，带领 11 名队员，开展了前郭尔罗斯蒙古族自治县第四次中药资源普查，基本摸清了前郭尔罗斯蒙古族自治县现存中药资源的种类、分布、蕴藏量等本底情况。

（一）中药资源现状

前郭尔罗斯蒙古族自治县（以下简称"前郭县"）位于吉林省西北部、松嫩平原南部，隶属于吉林省松原市，县城与松原市共处一城，是松原市政治、经济、文化的核心。该县地理位置为东经 123° 35′ ~ 125° 19′，北纬 44° 17′ ~ 45° 28′，幅员面积 7000km²，辖 9 个镇、13 个乡，总人口 57.2 万人。

前郭县地形由高到低呈西南—东北走向，由台地和风蚀岗地逐渐变为平地，最高处海拔

292.4m（洪泉乡尖山子），最低处海拔 126.5m（查干湖底）。松花江和嫩江从东部和北部边界流过，形成了沿江冲积平原。该县属温带大陆性季风气候，四季分明，最高气温为 36℃左右，最低气温为 -36℃左右，年平均晴天日数 110 天，年平均日照时数 2879 小时，年平均气温 4.5℃，无霜期 130 ~ 140 天，平均年降水量 400 ~ 500mm。

前郭县位于科尔沁草原边缘，土肥水美，生态、绿色、民族是前郭县的三大优越资源。但由于自然灾害、开荒及对草原不合理的利用等因素，草原面积减少并逐渐"三化"（沙化、碱化、退化）。至 2000 年，全县草原面积为 1806.36km²，占总幅员面积的 25.8%。森林覆盖率为 21.8%，主要树种有杨树、柳树、榆树等。

1. 中药资源种类、分布与蕴藏量

（1）中药资源种类。据有关资料显示，前郭县的野生中药材有甘草、枸杞子、防风、黄芩、北柴胡等几十个品种。20 世纪 80 年代初，个别农户种植了甘草、枸杞、防风等地产中药材。其中，菊花为引进品种，种植范围较广，但以农民自发种植为主；黄芩为原生品种，长势良好；桔梗为引进品种，长势良好。中药资源按用途主要分为 9 类，其中，药用类有甘草、防风、桔梗、柴胡、麻黄、罗布麻、知母、苦参等 385 种，食用类有黄花菜、苋菜、苦荬菜等 36 种，蜜用类有黄花菜、百合、百里香等 25 种，油料类有苍耳、大籽蒿、一叶萩等 23 种，芳香类有艾蒿、蚊子草等 20 种，农药类有狼毒、苦参、毒芹等 49 种，酿酒类有山里红、慈姑等 16 种，淀粉类有山尖菜、白花地榆、狗尾草等 17 种，观赏类有飞燕草、芍药、百合等 69 种。在前郭县第四次中药资源普查中，普查队共设置了 36 个样地、180 个样方套、1080 个样方，收集药用植物标本 69 种、药材标本 34 种、种子标本 19 种。通过走访，普查队了解到该县大多数农民对药用植物的价值并不十分了解，认为种植中药材的经济价值远不如种植水稻、玉米、花生等农作物，中药资源知识比较匮乏，因此，对野生中药资源重视不够，缺少保护意识，致使野生中药资源减少。

（2）中药资源分布与蕴藏量。本次调查结果显示，海勃日戈镇、查干花镇、哈拉毛都镇、套浩太乡、长龙乡、乌兰图嘎镇、宝甸乡等乡镇的中药资源种类较多，但资源分散，储量很少。桔梗、防风、甘草、柴胡、黄芩、地榆、车前子、紫苏子、枸杞子等都是当前市场紧俏品种，极具开发利用价值，但这些中药材在前郭县各乡镇分布不均，多为零散分布，野生药材年产量未达到一定规模。前郭县各乡镇重点品种的分布情况见表 1-3-4。

表 1-3-4　前郭县各乡镇重点品种分布情况

序号	乡镇	主要品种
1	海勃日戈镇	桔梗、防风、泽兰、石竹、远志、轮叶沙参、柴胡、薄荷、地榆、旋覆花、萱草、毛茛、达乌里芯芭、黄金菊、翠雀、丝毛飞廉、委陵菜、茴茴蒜、千屈菜、黄芩、百合、女菀、棉团铁线莲、黑心金光菊
2	查干花镇	京大戟、马蔺、山莴苣、长叶点地梅、轮叶委陵菜、线棘豆、林大戟、葶苈、紫花地丁、辽东蒲公英、台湾蒲公英、蛇床
3	哈拉毛都镇	百里香、杂配藜、米口袋、蓬子菜、蓝盆花、旋花、菊叶委陵菜、金荞麦

续表

序号	乡镇	主要品种
4	套浩太乡	枸杞、山藜豆、还阳参、茵陈蒿、白车轴草、荠
5	长龙乡	旋覆花、蒺藜、苍耳、斜茎黄耆
6	乌兰图嘎镇	车前、狗舌草、唐松草、点地梅、小蓟
7	宝甸乡	抱茎苦荬菜、苍耳、夏至草、益母草
8	东三家子乡	香青兰
9	查干湖镇	问荆、红梗蒲公英
10	王府站镇	白屈菜、珠果紫堇
11	乌兰傲都乡	萹蓄、甘草
12	浩特芒哈乡	知母
13	额如乡	紫苏
14	洪泉乡	苘麻

2. 中药资源生产与产品销售

在药用植物栽培方面，虽然前郭县的地域条件适宜多种中药材的生长，但该县仍以生产粮食和发展畜牧业为主，经过走访调查，普查队未发现中药材人工栽培基地，动物药方面仅有零星养殖的梅花鹿，共有 6 户养殖户，总饲养量为 386 头，规模小，未形成产业链，经济效益不显著。

3. 中药资源存在的问题

（1）资源破坏严重，野生中药材品种锐减。

（2）梅花鹿养殖规模小，未形成产业链。

（二）中药资源发展建议

1. 中药材种植（养殖）业

根据前郭县的自然环境条件和中药资源历史，该县适宜生产的中药材种类有枸杞、防风、甘草、桔梗、益母草、紫苏等。建议建设天然次生林的枸杞生产基地和"中华养生抗衰老研究中心"。建立集养生、美容、疗养、药膳、旅游为一体的多元化中药材生产基地，充分利用基地的中药材资源，尤其是通过养生抗衰老研究中心的工作，对中药材进行深加工，加快养生、抗衰老药品及保健食品的开发，打开新的市场销路。

2. 中药材加工业

扶持中药材龙头企业，包括设备引进、技术改造、新品种引进、基地建设及原料采购等方面。将企业资本、金融资本和社会资本有效地融合在一起，充分发挥专项资金的政策导向作用。

三十六、长岭县中药资源普查报告

2013 年，吉林农业大学杨利民教授任队长，带领 13 名队员，开展了长岭县第四次中药资源普查，基本摸清了长岭县现存中药资源的种类、分布、蕴藏量等本底情况。

（一）中药资源现状

长岭县位于吉林省西部、松原市西南部，东与农安县接壤，南与公主岭市、双辽市交界，西与内蒙古科尔沁左翼中旗毗邻，北与通榆县、乾安县、前郭县为邻。全县辖 12 个镇、10 个乡，幅员面积 5736.3km²，总人口约 63 万人。

长岭县地处松辽平原西部，地势西北高，东南低，平均海拔 160m。土壤可分为 7 种类型，黑钙土、风沙土及盐碱土为主要类型，约占 89%。该县属北温带大陆性季风气候，年平均气温 4.9℃，极端最低气温 −25.9℃，极端最高气温 36.5℃，无霜期 140 天，平均年降水量 470mm，最大冻土深度 125cm，全年主导风向为西南风和西北风。

长岭县的主要自然植被类型有草甸草原、盐碱化草甸、沙地榆树疏林、杠柳灌丛和少量的湖盆沼泽湿地。全县土地大致以 203 国道为界，东南区域土地较肥沃，以农业乡镇为主，自然植被基本被开垦成农田；西北区域属农牧交错区，现存的自然植被以盐碱化草甸为主，沙地榆树疏林多已遭到破坏，被农田和人工杨树林取代，不合理的农业开垦和过度的草原放牧导致土地盐碱化和沙化十分严重，少量保存的中药资源及相对丰富的草甸草原植被也已危在旦夕。由于自然植被的严重破坏，野生动植物中药资源已濒临灭绝。

1. 中药资源种类、分布与蕴藏量

（1）中药资源种类。据记载，长岭县有药用植物 330 余种，分属于 60 科 200 余属，其中，国家重点调查品种 30 种，占长岭县药用植物种类的 9.09%，占吉林省应有全国重点调查种类的 27.03%，占全国重点调查种类的 8.57%；吉林省重点调查品种 47 种，占长岭县药用植物种类的 14.24%，占吉林省重点调查种类的 49.47%；吉林省次重点调查品种 27 种，占长岭县药用植物种类的 8.18%，占吉林省次重点调查种类的 33.33%。长岭县资源量较多的重要药用植物主要有旋覆花、防风、远志、知母、罗布麻、苘麻、扁茎黄芪、独行菜、蓝刺头、甘草、杠柳等。

在长岭县第四次中药资源普查中，普查队共设置了 50 个样地、250 个样方套、1530 个样方。本次普查共采集植物标本 159 种，隶属于 42 科 119 属，其中，国家重点调查品种 28 种，隶属于 16 科 27 属；国家普遍调查品种 95 种，隶属于 31 科 77 属；省重点调查品种 24 种，隶属于 14 科 19 属；省次重点调查品种 12 种，隶属于 9 科 12 属。采集药材标本 117 种，隶属于 36 科 96 属，其中，国家重点调查品种 25 种，隶属于 15 科 24 属；国家普遍调查品种 59 种，隶属于 21 科 38 属；省重点调查品种 22 种，隶属于 13 科 18 属；省次重点调查品种 11 种，隶属于 8 科 11 属。采集种子标本 99 种，隶属于 36 科 77 属，其中，国家重点调查品种 22 种，隶属于 14 科 21 属；国家普遍调查品种 46 种，隶属于 17 科 34 属；省重点调查品种 21 种，隶属于 12 科 17 属；省次重点调查品种 10 种，隶属于 7 科 10 属。

（2）中药资源分布与蕴藏量。目前，长岭县的中药资源主要分布于被围栏封育或以割草为目的的杂类草草原、羊草杂类草草原和羊草草原等植物群落中。在 203 国道以东，土地较肥沃的区域已开垦为农田，仅有少量中药资源存于田间地头及路旁林地；在 203 国道以西，仅在"长岭县城—龙凤水库—侯家窑—长岭县城"三角形区域内保存较好的羊草杂类草草原和羊草草原等植物群落中的中药资源较为丰富，但面积很小；长岭县城的西北、西南方向是广阔的"坨甸"农牧交错区域，大多也已被开垦为农田，包括中药资源在内的野生动植物资源已消失殆尽。调查结果显示，该县国家中药资源重点调查品种中蕴藏量较多的主要有扁茎黄耆、红蓼、独行菜、远志、防风、菵麻和杠柳；曾经较多的细叶百合、桔梗、石竹、徐长卿等几近消失，甘草、棉团铁线莲、白头翁、苦参、狭叶柴胡和罗布麻等数量也正在锐减。该县吉林省中药资源重点调查品种中蕴藏量较多的主要有大麻、委陵菜、地榆、牻牛儿苗、蒺藜、地锦、柽柳、益母草、车前、刺儿菜、旋覆花等。

2. 中药资源生产与产品销售

据调查，长岭县曾种植过甘草和防风，但由于成本较高和销路问题而放弃了种植，目前收购、出售的为野生资源，并且很大一部分来源于内蒙古自治区。全县仅有 1 家中药制药企业，即长岭县制药厂，曾以加工生产中药材及中成药为主，但目前已经停产。有 2 家个体收购商户，收购的药材品种有蒺藜、防风、罗布麻和苍耳子等，全部为野生资源，年收购量 14500kg，年销售额 3.2 万元，利润约 1.6 万元，收购的中药材主要供应制药企业或被药商收购。

3. 中药资源存在的问题

从本次普查的过程和结果来看，长岭县中药资源保护、开发和利用存在的问题较多。一是资源破坏严重。长岭县过度的农业开发，导致榆树疏林、草甸草原等中药材资源较丰富的生态环境遭到严重破坏，仅部分围栏封育草场有中药资源分布，但面积有限，且生境脆弱。长岭县西南地区部分羊草杂类草草原和羊草草原群落保护较好，目前以割草利用为主，中药资源较为丰富，但这一区域处于长岭县的外延发展区，资源保护需要决策者的智慧、魄力和远见。二是资源未得到有效利用，主要表现在：①中药材收购规模极小，在对所有乡镇的调查中仅发现 2 家个体药材收购商户；②没有中药材种植生产，长岭县有较多的国家重点中药材品种分布，如防风、甘草、黄芩、罗布麻、桔梗等，但中药材种植尚处于无序状态；③仅有的 1 家制药企业已经停产。

（二）中药资源发展建议

1. 中药材种植（养殖）业

长岭县地处温带内陆半湿润半干旱地区，地势平坦，微地形和土壤、植被组合复杂。按不同中药资源品种的生态适应特点，可划分为 3 类区域：以羊草杂类草草原或杂类草草原为本底的区域，这里土壤较肥沃，无明显的盐碱化，适宜种植黄耆、远志、防风、桔梗、石竹、黄芩等中药材；以羊草草原为本底的区域，这里土壤处于相对较轻的盐碱化水平，适宜种植罗布麻、防风等耐轻度盐碱的中药材；以榆树疏林为本底的俗称"沙坨子"的区域，这里土壤比较贫瘠，易受干旱影响，适宜种植甘草、草麻黄、杠柳等中药材。建议以长岭镇、北正镇和三十号乡为试点，首选黄耆、远志、防风、桔梗、细叶百合、石竹、徐长卿、黄芩、罗布麻、甘草和草麻黄等中药材品种，建立中药材规范化示范生产基地。项目建设不宜分散，应先行先试，示范带动，探索运行机制。

2. 中药材加工业

建设以长岭县制药厂为基础，与省内外大型中药制药企业建立股份合作关系，注入资金以盘活长岭县制药厂。企业应以地产中药材的产地加工为主，成为大型中药制药企业的"卫星厂"，开展中药材原料初加工生产。

三十七、乾安县中药资源普查报告

2013 年，吉林农业大学刘霞教授任队长，带领 13 名队员，开展了乾安县第四次中药资源普查，基本摸清了乾安县现存中药资源的种类、分布、蕴藏量等本底情况。

（一）中药资源现状

乾安县位于吉林省西北部、松原市西部、松嫩平原腹地、松花江与嫩江汇合处以南，属松花江二级和三级阶地，有"乾安台地"之称，地处东经 123° 21′ 16″ ~ 124° 22′ 50″，北纬 44° 37′ 47″ ~ 45° 18′ 08″。全县幅员面积 3616.6km²，辖 3 个街道、6 个镇、4 个乡，总人口 27.1 万人，有蒙古族、回族、朝鲜族、满族、锡伯族、苗族、壮族等 18 个少数民族。

乾安县属于温带大陆性季风气候，年平均气温 4.6℃，年平均日照时数 2866.6 小时，无霜期 146 天，平均年降水量 425.8mm。

乾安县的自然资源得天独厚，在农业方面，全县有耕地 268.5 万亩，林地 130.65 万亩（宜林地 74.65 万亩、有林地 56 万亩）、草原 116 万亩，土壤为淡黑钙土，呈弱碱性，通透性强。野生植物有羊草、稗子（水稗草）、鬼针草、海乳草、星星草、狗尾巴草、飞燕草、黄蒿、驼绒蒿、裂叶蒿、万年蒿、茵陈蒿、艾蒿、苜蓿、碱葱、碱茅、罗布麻、蒺藜、碱蓬、芦苇、鹅绒藤、野亚麻、苣荬菜、黄花菜、猪毛菜、刺儿菜、马齿苋、蒲公英、麻黄、甘草、桔梗、百合、狼毒、益母草、车前、防风、柴胡、地锦、远志、黄芩、苍耳、文冠果、菖蒲、毒芹、慈姑、地榆、拉条榆、苕条（胡枝子）、水蓼、风毛菊、马蔺、大麻、玉竹、知母、白头翁、黄金菊、鼠李、细辛、龙胆等。

1. 中药资源种类、分布与蕴藏量

（1）中药资源种类。据文献记载，乾安县原有野生植物 68 科 215 属 348 种，成片计产野生植物 15 种，登记品种 333 种。野生药材有甘草、柴胡、麻黄、远志、地榆、桔梗等 124 种，其中部分为珍贵药材。据第三次全国中药资源普查结果可知，乾安县有国家重点调查品种约 30 种，占乾安县药用植物种类的 8.06%，占全国重点调查种类的 8.57%，占吉林省应有全国重点调查种类的 27.03%；吉林省重点调查品种约 40 种，占乾安县药用植物种类的 11.49%，占吉林省重点调查种类的 42.11%；吉林省次重点调查品种约 28 种，占乾安县药用植物种类的 8.04%，占吉林省次重点调查种类的 34.57%。该县芦苇资源丰富，全县苇地面积 7500hm²，尚有可开发苇地 7400hm²，现有苇场 3 个，年产苇 3000t。在乾安县第四次中药资源普查中，普查队共设置了 43 个样地、215 个样方套、1290 个样方，调查到药用植物 50 科 115 属 127 种，其中，国家重点调查品种 17 种，隶属于 16 科 17 属；国家普遍调查品种 97 种，隶属于 31 科 75 属；省重点调查品种 19 种，隶属于 13 科 15 属；省次重点调查品种 10 种，隶属于 9 科 10 属。从普查结果看，乾安县自然资源破坏严重，自然植被较好的草原被大面积开垦成农田，残存下来的草原也因为过度放牧导致植被严重退化。

（2）中药资源分布与蕴藏量。调查结果显示，县域内有野生中药材 127 种，分布于全县各乡镇。被围栏保护起来的草原内药用植物资源丰富，蕴藏量较多，如大遐畜牧场、余字乡附余村个人承包草场及较小的个人围栏内草场。国家重点调查品种中，防风、远志、萹蓄、苘麻子、旋覆花、大麻、蒺藜、芦苇、葶苈子、威灵仙、益母草等资源量较多，有些成片分布。一些重要的野生中药材如知母、狼毒、苦参、龙胆、徐长卿、杠柳等数量极少，表明现有资源状况正在衰退，已出现资源稀少甚至濒临灭绝的情况。曾有记载的野生黄耆、麻黄、桔梗、龙胆等未被发现。省重点调查品种包括芦苇、旋覆花、刺儿菜、苍耳、车前、益母草、柽柳、蒺藜、牻牛儿苗、地榆、大麻、龙芽草等。省次重点调查品种包括米口袋、香青兰、龙葵、火绒草、马蔺、月见草等，分布量也较多。

2. 中药资源生产与产品销售

乾安县位于吉林省西部地区，中药材种植业不发达，在 2013—2014 年期间，仅调查到 1 个个体种植户，主要栽培板蓝根及黄芪。2015 年，有公司在该县建立了黄芪栽培基地。目前，乾安县栽培的中药材均为小面积散在栽培，未形成规模，品种也不固定。全县有 1 家国营梅花鹿养殖场和一些养殖个体户。乾安县没有大宗药材加工企业，唯一的制药厂——乾安县制药厂也于几年前停产了。

3. 中药资源存在的问题

（1）资源种类较少，资源破坏十分严重。

（2）中药生产与产品销售业不发达。

（二）中药资源发展建议

1. 中药材种植（养殖）业

目前，乾安县的中药材种植面积几乎为零，建议在当地政府及中医药管理局的组织引导下，动员企业及个人发展中药材种植业，可选择当地有分布且比较重要的种植品种，如黄耆、远志、知母、防风、甘草、狼毒、桔梗等。建议争取建立 1 ~ 2 种中药材的 GAP 基地。以 GAP 基地为基础，带动当地农民大力生产中药材，逐步形成品牌化、规模化，同时带动其他品种中药材产业的发展，形成当地的特色中药经济，促进当地的经济发展。中药材种植风险较大，建议不要盲目发展，要循序渐进。

2. 中药材加工业

建议发展 1 ~ 2 家具备中药前处理技术、药用成分提取技术的企业，不断培育成中药材产业化龙头企业。至少发展 1 家制药厂，以带动当地中药材产业的发展。

三十八、扶余市中药资源普查报告

2013 年，吉林农业大学杨世海教授任队长，带领 7 名队员，开展了扶余市第四次中药资源普查，基本摸清了扶余市现存中药资源的种类、分布、蕴藏量等本底情况。

（一）中药资源现状

扶余市位于吉林省东北部，松原市东部，坐落在松嫩平原上，地理位置为东经 124° 40′ ~ 126° 12′，北纬 44° 50′ ~ 45° 30′，西与松原市宁江区接壤，南隔西流松花江依次与前郭县、农安县、德惠市为邻，北以松花江为界与黑龙江省肇源县相对，东北隔拉林河同黑龙江省双城区相望，东以会塘沟为界与榆树市接壤。全市幅员面积 4658km²，辖 12 个镇、5 个乡，总人口约 71 万人。

扶余市属东部温带季风气候区，大陆性明显，四季分明，春季干旱多风；夏季湿热多雨；秋季温和凉爽；冬季漫长寒冷，降雪稀少，江河结冰，大地封冻时间长。年平均气温 4.5℃，无霜期 145 天，平均年降水量 145.8mm，降水量由东向西呈递减趋势。受夏季气压形式和松辽平原地形风洞的影响，常刮西南风。

扶余市的天然植被分布具有森林草甸和草原相间的特征，主要自然植被类型有草甸草原、盐碱化草甸、少量的湖盆沼泽湿地。较好的自然植被区域已基本被开垦为农田，现存的自然植被以盐碱化草甸为主，还有少量人工杨树林，不合理的农业开垦和过度的草原放牧导致土地盐碱化和沙化十分严重，只有少量被围栏保护的草甸草原内的中药资源相对丰富，可以看到甘草、防风、柴胡、黄芩等重点调查品种。由于自然植被的严重破坏，包括中药资源在内的重要野生动植物资源已濒临灭绝。

1. 中药资源种类、分布与蕴藏量

（1）中药资源种类。据 1986 年的中药资源普查结果显示，扶余市内野生植物共计有 91 科 564 种，其中，菊科 87 种，禾本科 52 种，豆科 39 种，藜科 28 种，蔷薇科 28 种，其他科均不超过 25 种。较常见的野生植物有 60 余科约 160 种，分布于全市各地。其中，国家重点调查品种约 60 种，占扶余市药用植物种类的 10.64%，占全国重点调查种类的 17.14%，占吉林省应有全国重点调查种类的 36.03%；吉林省重点调查品种 32 种，占扶余市药用植物种类的 5.67%，占吉林省重点调查种类的 33.68%；吉林省次重点调查品种 25 种，占扶余市药用植物种类的 3.90%，占吉林省次重点调查种类的 27.16%。扶余市资源量较大的重要药用植物主要有萹蓄、苘麻、远志、独行菜、甘草、车前、马蔺、鸡眼草、地锦、香青兰、大麻、地肤、蒲公英、旋覆花等。

吉林省第四次中药资源普查对扶余市的12个镇、5个乡、1个农业高效示范园区、1个农场做了较全面的踏查。在国家设置的样地位置的基础上，普查队结合扶余市自然植被的分布状况，共设置了38个样地、190个样方套、1140个样方，全面调查了扶余市内的中药资源。普查队在本次调查中发现，该市有松花江、嫩江流经，故水生药用植物资源相对丰富。本次普查到野生药用资源200种，其中，药用菌类2种（马勃和地星），药用植物198种。采集腊叶标本198种，其中国家重点调查品种56种；采集药材标本61种，其中国家重点调查品种22种；采集种子标本44种，其中国家重点调查品种14种。据野外实地调查，该市野生药用植物的种类、数量变化很大，由于放牧、开荒等原因，林下植被破坏严重，有些种类已经灭绝，资源蕴藏量也锐减，部分药材的分布区域缩小。

（2）中药资源分布与蕴藏量。目前，扶余市的中药资源主要分布于少数围栏保护区内，自然植被类型主要为草甸草原、盐碱化草甸。扶余市共调查发现国家重点调查品种56种，蕴藏量较多的种类有远志、苘麻、防风、柴胡、车前、旋覆花、大麻、蒺藜、芦苇、米口袋、香青兰、火绒草等10余种，呈小规模成片分布，其他重要种类如京大戟、苦参、百合、黄芩、桔梗等蕴藏量均较少，部分仅零星可见；调查发现省重点调查品种29种，省次重点调查品种21种，多数蕴藏量较多，有些品种为成片分布，具有一定的开发价值；一些重要的野生药材如知母、黄芪、杠柳、罗布麻、麻黄、龙胆等在此次调查中未被发现。

扶余市资源退化的主要原因是资源较丰富的草原被大面积开垦成农田，所剩无几的草原盐碱化严重，加之过度放牧等导致生态环境遭到严重破坏，重要中药资源趋于濒临灭绝状态。而大量农药残留和过度耕种造成的土壤板结，加重了人工林内药用植物种类的日渐稀少。

2. 中药资源生产与产品销售

通过对扶余市的全面走访，普查队发现该市几乎没有药材栽培企业、大宗药材加工企业及药材收购企业。

3. 中药资源存在的问题

（1）药用植物赖以生存的生境遭到严重破坏。中药资源较丰富的草甸草原几乎均被开垦为农田，天然植被面积缩小，仅存的草原由于过度放牧，退化严重。扶余市的资源状况衰退严重，如不尽快加以保护，中药资源赖以生存的生境将全部消失，部分品种即将灭绝。

（2）几乎没有中药材栽培、生产加工与产品销售企业。扶余市中药材种植（养殖）业不发达，市内没有规模化药材栽培企业，偶有极少数个体种植户，但中药材种植的面积较小。几乎没有中药材生产加工与产品销售企业及制药企业。

（二）中药资源发展建议

1. 中药材种植（养殖）业

目前，扶余市几乎没有种植中药材，建议在当地政府及中医药管理局的组织引导下，选择当地有分布且比较重要的中药材品种，如远志、防风、甘草、黄芩、桔梗等，在 1～2 个乡镇建立 1～2 种中药材 GAP 基地，辐射带动其他品种中药材种植业的发展。中药材种植风险较大，建议不要盲目发展，要循序渐进。建议加强中药材野生转家种的研究工作，扩大中药材的种植面积，大力发展道地中药材。在进行严格、细致的市场调研和需求分析的情况下，适时把握国家中药行业总体政策导向，明晰发展方向和发展重点。制订中长期中药材种植业发展规划，合理谋划，优化种植布局，建立与之相适应的田间管理规范和组织管理机制，以 GAP、绿色、有机、优质道地药材基地等认证标准指导药材生产，建设优质道地药材基地，为中药工业和大健康产业提供安全、优质、充足的原料，做好良心药、放心药的"第一车间"。

2. 中药材加工业

发展 1～2 家具备药用成分提取技术的中药材加工企业，不断培育成中药材产业化龙头企业。至少发展 1 家制药厂，以带动当地中药材产业的发展。建议政府加大中药材产业化专项资金投入，统筹安排，合理规划，集中管理，科学使用，对中药材开发建设项目加强管理，组织专家论证，保证项目的真实有效。

三十九、洮北区中药资源普查报告

2015 年，吉林农业大学杨利民教授任队长，带领 13 名队员，开展了洮北区第四次中药资源普查，基本摸清了洮北区现存中药资源的种类、分布、蕴藏量等本底情况。

（一）中药资源现状

洮北区位于吉林省西北部、松嫩平原西端，是吉林省白城市的市辖区之一，地理位置为东经 122°19′～123°10′，北纬 45°02′04″～45°55′02″。该区东邻镇赉县、大安市，西、南与洮南市隔洮儿河相望，总面积 2568.8km²，下辖 6 个镇、5 个乡、7 个街道，总人口约 48.3 万人。

洮北区地势较为平坦，西北高，东南低，东南向西北略有抬升，海拔 140～292m，相对高度差约 148m。该区地貌特征主要为微倾斜台地，沿山前呈北—东向展布，在平安—平台—大岭一线形成比高为 20m 的陡坎与扇形地分界。区域地质处于松辽平原沉降带与大兴安岭隆起带的过渡地带。洮北区属温带大陆性季风气候，其特点是四季分明，春季干燥风大；夏季高温炎热，雨量集中；秋季天高气爽，昼夜温差大；冬季寒冷漫长，干燥少雪。该区热量、水分、光照资源较为丰富，水热同季，年平均气温 5.2℃，年平均生长期 190 天，年平均无霜期 158 天，年平均日照时数 2885.8 小时，平均年降水量 399.8mm，春季大风持续时间长，年平均大风日数 18～27 天。

洮北区植被类型单调，主要有草甸草原、盐碱化草甸和人工杨树林。目前，草甸草原多数已被开垦为农田，以种植玉米、水稻为主。中药资源主要有桔梗、防风、狭叶柴胡、罗布麻、远志、徐长卿、知母等。

1. 中药资源种类、分布与蕴藏量

（1）中药资源种类。据文献记载，洮北区原有药用植物360余种，分属60科约200属，资源蕴藏量较多的重要药用植物主要有防风、黄芩、狭叶柴胡、桔梗、远志、知母、甘草、杠柳、细叶百合、芍药、苘麻、棉团铁线莲、宽叶蓝刺头等。在洮北区第四次中药资源普查中，普查队共设置了44个样地、220个样方套、1320个样方，覆盖11个乡镇；共采集药用植物标本176种、药材标本133种、种子标本91种、中药饮片53种，收集传统知识11个。

（2）中药资源分布与蕴藏量。洮北区农业发达，中药资源生境破坏严重。目前，洮北区的中药资源集中分布于东北部的镇南种羊场内，其内自然植被类型为草甸草原、盐碱化草甸。洮北区共有国家重点和省重点调查品种56种，其中，国家重点调查品种27种，蕴藏量较多的种类有远志、苘麻、防风、桔梗、罗布麻等，呈小规模成片分布，其他种类蕴藏量均不多，部分仅零星可见；吉林省重点调查品种和次重点调查品种分别为20种、9种，多数蕴藏量较多，具有一定的开发价值。

2. 中药资源生产与产品销售

洮北区的药用植物栽培基地有2个。大连绿波白城甘草科技开发有限公司主要种植甘草，面积2000亩，年产量700t，此外还种植黄芪、黄芩等药材。林海镇四合村有1个个体户种植万寿菊，面积较小，约20亩。总体来看，洮北区中药材种植业发展缓慢，未形成规模，无法达成一定的效益。

洮北区共有3家中药制药企业使用中药材，2家医院使用中药饮片，但仅调查到1个中药材收购点。总体来看，洮北区中药材市场相对薄弱，该区使用的饮片及药材大部分来自外地。具体情况如下：吉林百琦药业有限公司占地面积3.3hm²，拥有2条生产线和50台（套）先进的生产、检验设备，使用的中药材原料主要有紫花地丁、蒲公英、黄芪、丹参、大黄、黄芩、金银花、川芎、白芍、砂仁、延胡索、野菊花、蒺藜、白芷、穿心莲等，主导产品有消炎胶囊和暖胃舒乐胶囊等；吉林省长恒药业有限公司占地面积3hm²，使用的中药材原料主要有麻黄、苦杏仁、甘草、丹参、三七、穿心莲、黄芪、苦木、溪黄草等，生产的产品有麻杏止咳片、复方丹参片、消炎利胆片等；吉林省道君药业股份有限公司尚未投入生产。

3. 中药资源存在的问题

从本次普查的过程和结果来看，洮北区中药资源的保护、开发和利用存在较多问题，主要是中药资源生境破坏严重，大面积草原、草甸被农田取代，仅存的天然植被面积较小，甚至仍在不断减少，仅存的草原也存在过度放牧、开垦种植牧草等现象，如不尽快加以严格保护，预计不久将消失殆尽，到那时中药材资源赖以生存的生境将全部消失，也无法再开发利用中药材资源。在本次普查过程中，计算机随机选取的样地大多数已不复存在，人为选取符合普查要求的样地已很困难。

（二）中药资源发展建议

1.中药材种植（养殖）业

目前，洮北区在中药制药及中药材种植等相关产业方面缺乏工作基础，处于比较落后的状态，野生中药材资源已被严重破坏，且难以恢复。但该区仍存有适宜中药材生存的土地，可以发展具有区域特色的中药材种植业，有利于推进该区广种薄收型农业产业结构的调整，增加农民收入。该区适宜发展中药材种植的区域为东北部、西北部的草甸草原植被区，建议选择桔梗、甘草、防风、黄芩、远志和罗布麻等品种建设中药材规范化生产基地。项目建设中不宜分散，应先行示范带动，探索运行机制。建议先以青山镇、镇南种羊场为试点，并由政府部门牵头进行市场调研，与省内外需求企业建立供需合作关系，请大专院校或科研单位做技术支撑，争取省政府项目资金支持，建立吉林省西部中药材规范化示范生产基地。

2.中药材加工业

洮北区的中药制药企业相对落后，建议利用白城市的区位优势，制定相关优惠政策，着力引进、扶持和建立中药制药企业，带动周边中药材资源较丰富县市的中药材产业的发展。吉林省西部地区及毗邻的内蒙古自治区的中药材种类丰富且资源蕴藏量较大，建议洮北区充分利用这得天独厚的资源优势，发展成为区域中药材加工生产、中药制药的中心城市。

四十、镇赉县中药资源普查报告

2013年，白城师范学院高晨光教授任队长，带领9名队员，开展了镇赉县第四次中药资源普查，基本摸清了镇赉县现存中药资源的种类、分布、蕴藏量等本底情况。

（一）中药资源现状

镇赉县位于吉林省西北部、白城市北部，处于吉林、黑龙江、内蒙古3个省区的接合部，是松嫩平原和科尔沁草原交融汇聚地带，地理位置为东经122° 47′ ~ 124° 04′，北纬45° 28′ ~ 46° 18′。全县幅员面积4717km²，下辖11个乡镇，总人口26.3万人，其中农业人口16万人。

镇赉县地处中纬度内陆地区，西北部与大兴安岭外围台地相接，地势较高，东部与南部有嫩江、洮儿河环绕，江河沿岸是土壤肥沃的冲积平原，地势由西北向东南倾斜。土壤以草甸土、淡黑钙土为主，局部地区还有黑钙土、风沙土、栗钙土等。该县属于温带大陆性季风气候，年平均气温6.2℃，四季分明；平均年降水量319.1mm，降水量少、蒸发量大是导致镇赉县易干旱，尤其是春季气候干旱的主要原因之一。

1. 中药资源种类、分布与蕴藏量

（1）中药资源种类。镇赉县位于松嫩平原与科尔沁草原的交汇处，是北药产区的道地药材主产区之一。该县原有丰富的药用动植物资源，其中，植物资源有 480 种，以蝶形花科、菊科、禾本科和蔷薇科植物居多。传统、重要的野生药用植物资源包括防风、甘草、黄芩、远志、柴胡、知母、地榆、蒺藜、马齿苋、罗布麻、苍耳、苘麻、旋覆花等。在镇赉县第四次中药资源普查中，普查队共设置了 36 个样地、180 个样方套、1170 个样方，采集药用植物标本 67 种、药材标本 54 种、种子标本 35 种。

（2）中药资源分布与蕴藏量。近年来，由于自然条件的恶化及草原的过度开垦和放牧等，县域内的动植物资源急剧减少，有些物种甚至濒临灭绝。目前，蕴藏量较为丰富的野生中药资源有甘草、苘麻、知母、芦苇、老鹳草、柴胡、远志、蒺藜、马齿苋、旋覆花、地榆、黄芩、瑞香狼毒、东北铁线莲、桔梗、苍耳、车前、萹蓄、匍枝委陵菜、地锦、百蕊草等。

2. 中药资源生产与产品销售

镇赉县没有大型的中药材生产基地，多为散户零星种植，规模小，产量低。县内有 1 家大型药厂——吉林省银诺克药业有限公司，厂区内主要种植的中药材品种为板蓝根，药材自产自销，其中成药年产量为 25 ～ 30t。药厂主要使用的中药材有板蓝根（自产自用）、土茯苓、广金钱草、茯苓、黄芪、莪术等，多为购于外省的栽培品种；应用较多的野生中药材资源有萹蓄、蒺藜、甘草、防风、桔梗、黄芩、远志、苍耳等，购于零星种植的散户或外省。县域内仅有 1 家制药企业和 2 家药店收购中药材，主要收购品种为板蓝根、防风、蒺藜、冬青、苍术、赤芍、甘草、萹蓄、远志和知母等。

3. 中药资源存在的问题

镇赉县为我国重要的粮食生产基地，当地政府部门很重视和鼓励粮食种植。草原湿地被大面积开垦为农田，致使许多珍贵的野生资源遭到破坏，资源流失严重。调查发现，草原中分布的野生药用植物较以前明显减少，尤其是根类药材。镇赉县域内的中药资源多为野生资源，栽培药材较少，且产量低，无统一收购，人们对中药资源的产业化意识程度不高。

（二）中药资源发展建议

1. 中药材种植（养殖）业

发挥县域自然条件、气候环境和交通优势，恢复原有特色甘草产业的发展，扩大现有板蓝根产业，做大做强"草原湿地弱碱性中药"产业，逐步恢复镇赉县在北药产区中的重要地位，建立"弱碱"特色的优势产业品牌。加大经济扶持和科研人员技术服务力度，根据市场行情和药材需求，鼓励当地农民种植中药材，扩大种植面积，逐步实现规模化、产业化。培育大型规模化中药企业，建立"公司＋基地＋农户"模式，带动中药资源的种植发展，实行中药的订单种植，以解决大面积栽培后的销售问题。

2. 中药材加工业

镇赉县域内未有规模化种植的药材基地，致使加工企业收购的药材质量参差不齐。加工企业要做大做强，首先要解决生产原料的标准化问题，加强原料管控，才能保质保量地完成生产加工任务，打造特有的品牌。

3. 中药材商贸业

镇赉县位于吉林、黑龙江和内蒙古 3 个省区的接合部，拥有物资集散中心、商品贸易中心的优势地位，在此建立中药材集散市场具有得天独厚的地理优势，政府应组织协调各单位部门，联合作业，搞好调查研究，促进药材集散市场的建成。

四十一、通榆县中药资源普查报告

2012 年，吉林农业大学杨利民教授任队长，带领 13 名队员，开展了通榆县第四次中药资源普查，基本摸清了通榆县现存中药资源的种类、分布、蕴藏量等本底情况。

（一）中药资源现状

通榆县地处吉林省西部，位于东经 120° 02′ ~ 123° 30′，北纬 44° 12′ ~ 45° 16′。全县东西宽 112.6km，南北长 116.5km，幅员面积 8476km²，居吉林省第 3 位。全县辖 8 个镇、8 个乡、6 个国营农牧林场、172 个行政村、692 个自然屯，总人口 35.3 万人。

通榆县地处松辽平原西部，地势西北高，东南低，平均海拔 160m，土壤可分为 7 个类型，黑钙土、风沙土及盐碱土约占 89%。该县属北温带大陆性季风气候，年平均气温 5.5℃，极端最低气温 −25.9℃，极端最高气温 35.7℃，无霜期 164 天，平均年降水量 350mm，最大冻土深度 125cm，年主导风向为西南风和西北风。县内有霍林河、额木太河和文牛格尺河 3 条河流通过。

通榆县的主要自然植被类型有沙地榆树疏林、草甸草原、盐碱化草甸和湖盆湿地。县域内设有 2 个自然保护区，即以丹顶鹤等珍稀水禽、湿地和榆树疏林为主要保护对象的向海国家级自然保护区及以山杏灌丛为主要保护对象的包拉温都省级自然保护区。向海国家级自然保护区于 1992 年被世界自然基金会（WWF）评为"具有国际意义的 A 级自然保护区"，同年又被列入《国际重要湿地名录》。

1. 中药资源种类、分布与蕴藏量

（1）中药资源种类。据记载，通榆县原有药用植物 348 种，分属于 62 科 206 属，其中，国家重点调查品种 37 种，分属于 25 科 33 属，占通榆县药用植物种类的 10.6%，占全国重点调查种类的 10.57%；吉林省重点调查品种 34 种，分属于 16 科 25 属，占通榆县药用植物种类的 9.77%，占吉林省重点调查种类的 35.78%；吉林省次重点调查品种 21 种，分属于 14 科 21 属，占通榆县药用植物种类的 6.03%，占吉林省次重点调查种类的 25.93%。资源蕴藏量较多的重要药用植物主要有甘草、草麻黄、杠柳、知母、黄芩、防风等。

此次中药资源普查共设置了 16 条调查样带、47 个样地、235 个样方套、1410 个样方。尤其对面积较大、资源保存较好的向海蒙古族乡及其域内的向海国家级自然保护区做了较深入的调查，设置了 20 个调查样地、100 个样方套、600 个样方，占本次调查样地样方总数的 42.6%。本次普查共采集国家重点调查品种植物标本 18 种，分属于 13 科 18 属；药材 16 种，分属于 13 科 16 属；种子 16 种，分属于 13 科 16 属。采集国家普遍调查品种植物标本 65 种，分属于 25 科 55 属；药材 50 种，分属于 21 科 41 属；种子 38 种，分属于 20 科 31 属。采集省重点调查品种植物标本 19 种，分属于 12 科 18 属；药材 18 种，分属于 11 科 17 属；种子 15 种，分属于 10 科 15 属。采集省次重点调查品种植物标本 11 种，分属于 8 科 11 属；药材 10 种，分属于 8 科 10 属；种子 7 种，分属于 7 科 7 属。

（2）中药资源分布与蕴藏量。调查结果显示，通榆县中药资源生境破坏严重，目前中药资源主要集中分布于向海国家级自然保护区的榆树疏林、山杏灌丛、杠柳灌丛和湿地植物群落中，此外，在包拉温都省级自然保护区的山杏灌丛中也有分布，其他乡镇的原始自然植被因被开发成农田而遭到严重破坏，仅在田间地头残存的群落片段及一些人工杨树林中有零星分布。在 17 个国家重点调查品种中，蕴藏量达 1000t 以上的只有草麻黄、萹蓄、甘草和棉团铁线莲 4 种，其中，草麻黄蕴藏量最大，达 3119t；蕴藏量达 100t 以上的有杠柳、宽叶蓝刺头、黄芩、远志和防风 5 种；蕴藏量达 10t 以上的有扁茎黄耆、苘麻、苦参、狭叶柴胡和细叶百合 5 种；徐长卿、独行菜和石竹 3 种的蕴藏量均低于 10t，其中，石竹的蕴藏量最小，仅为 479kg。

2. 中药资源生产与产品销售

据了解，通榆县曾经发展过甘草种植，但由于成本较高，现已不再种植。目前，市场上收购、出售的甘草均为野生资源，且大部分来源于内蒙古自治区。

目前通榆县仅有 1 家中药制药企业，即吉林黄栀花药业有限公司。该企业拥有 4 种剂型、78 个品种，主要剂型为口服液和丸剂。主导产品有黄栀花口服液、参鞭补肾合剂、达肺草、桂灵丹、壮筋续骨丸等，其中，主打品种是黄栀花口服液，年产量达 5000 万支。该企业使用的中药材主要有大黄、黄芩、栀子、金银花、川芎、白芍、杜仲、三七、桂枝、五加皮、熟地黄等。尽管通榆县内有黄芩和白芍药材原植物的分布，但是该企业并没有使用当地资源，所用药材均来源于安徽亳州和河北安国等药材市场。

通榆县中医院使用中药饮片 90 种，年使用量约 250kg，年销售额约 1.6 万元。通榆县第二医院使用中药饮片 84 种，年使用量约 50kg，年销售额约 0.6 万元。通榆县向海蒙古族乡中心卫生院使用中药饮片 37 种，年使用量约 30kg，年销售额约 0.5 万元。通榆县益寿堂大药房销售中药饮片 300 种，年销售量约 5973kg，年销售额约 65.32 万元。上述所有中药饮片均来自外地药材市场。

在中药材市场调查中，仅发现 2 个个体收购商户。其中，苑中山个体商户位于通榆县团结乡，仅收购甘草，来源为野生资源，年收购量 30000kg，收购价格 7 元 /kg，销售价格 8 元 /kg，年销售额 24 万元，利润 3 万元。李海军个体商户位于包拉温都蒙古族乡迷子荒村，李海军毕业于白求恩医科大学（现吉林大学白求恩医学部），行医兼收购药材，主要收购甘草、苍耳子、杏核、蒺藜子、苦参和防风等，年收购量约 50000 kg，年销售额约 24 万元，利润约 3 万元。

3. 中药资源存在的问题

从本次普查的过程和结果来看，通榆县中药资源的保护、开发和利用存在较多问题，资源破坏严重，地产资源除部分有零星收购外，几乎未得到有效利用，更谈不上产业化，唯一的一家中药制药企业的主要原料均来源于省外，未利用地产资源。通榆县过度的农业开发，导致榆树疏林、草甸草原等中药资源较丰富的生态环境遭到严重破坏，仅在向海国家级自然保护区有一定的保存，但面积有限，生境脆弱。除此之外，其他乡镇也大部分被开垦为农田，有的地方虽有树木生长，但树下皆为庄稼，且长势较差，广种薄收。另外，中药资源最丰富的贝加尔针茅草原基本已不存在，仅在向海蒙古族乡有零散分布，资源破坏严重。中药资源并不丰富的轻度盐碱化草甸也已出现过度放牧现象，有的甚至已被开垦为农田。实际上农业的过度开发破坏的不仅仅是中药资源，其本质是生境和生态系统的整体破坏，导致包括中药资源在内的生物多样性的丧失，以及草原的退化、沙化、盐碱化等生境的劣质化。

（二）中药资源发展建议

1. 中药材种植（养殖）业

目前，通榆县在中药制药及中药材种植等相关产业方面缺乏优势，处于比较落后的状态。但通榆县是吉林省西部地区中药资源相对丰富的县域，发展具有区域特色的中药材种植业，有利于推进该县广种薄收型农业产业结构的调整，增加农民收入，保护生态环境。建议目前应重点投入建设 2 个项目，一个是"优质中药材规范化生产基地建设项目"，另一个是"野生中药材自然生产保护区建设项目"。

（1）"优质中药材规范化生产基地建设项目"。首选的中药材品种为草麻黄、甘草、防风和黄芩。项目建设中不宜分散，应先行示范带动，探索运行机制。可首先以向海蒙古族乡为试点，与吉林黄栀花药业有限公司联合，企业及政府部门牵头进行市场调研，与省内外需求企业建立供需合作关系，请大专院校或科研单位做技术支撑，争取省政府项目资金支持，建立中药材规范化示范生产基地。

（2）"野生中药材自然生产保护区建设项目"。应以向海国家级自然保护区和包拉温都省级自然保护区为依托，将中药资源纳入保护区重点保护范围，争取省政府有关部门及国家有关部门的经费支持，加强保护区管理，特别是设立围栏，禁牧禁采。对于向海国家级自然保护区中药资源比较丰富的几处贝加尔针茅群落和山杏——叶萩群落，尤其要加强保护，一旦其遭到破坏，许多中药资源将会丧失。

2. 中药材加工业

通榆县只有 1 家中药制药企业，其使用的 10 余种中药材中仅黄芩和白芍在该县有分布。建议企业尽量使用本地中药资源，同时建立规范化生产基地，在今后的中药产品开发中更重视对本地资源的利用，并起到应有的带动作用。

四十二、洮南市中药资源普查报告

2013 年，吉林农业大学包海鹰教授任队长，带领 53 名队员，开展了洮南市第四次中药资源普查，基本摸清了洮南市现存中药资源的种类、分布、蕴藏量等本底情况。

（一）中药资源现状

洮南市位于吉林省白城市西南部，地处东经 121° 38′ ～ 123° 20′，北纬 45° 02′ ～ 46° 01′，东邻大安市，南接通榆县，西与内蒙古自治区突泉县为邻，北与内蒙古自治区科尔沁右翼前旗相连，东北和白城市洮北区接壤。全市幅员面积 5107km²，辖 16 个乡镇，总人口 40.8 万人。

洮南市的地势呈自东南向西北递增的趋势，全市最低点海拔 134.1m，最高点海拔 662.5m，北部为半山区（大兴安岭余脉），中部为微波平原，南部多沙丘。洮南市属北温带大陆性季风气候，特点是温差大，季节性强，雨热同季。春季干旱，多风少雨；夏季炎热，降水集中；秋季冷暖适中；冬季严寒少雪。全市平均年降水量 399.9mm，降水集中在 7 ～ 8 月，年平均蒸发量 2083.3mm；年平均有效积温 3000.5℃，极端最高气温 39.0℃，极端最低气温 −33.3℃；土壤冻深 180cm；无霜期 144 天。

洮南市自然资源丰富，地下富含铜、银、钼、镍等贵重金属和珍珠岩、石灰石、高岭土、膨润土等非金属矿产，林木资源主要有杨树、松树、榆树、柳树等，森林覆盖率达 9.51%，洮南市盛产防风、甘草、麻黄草、蒺藜草等 220 余种中药材。

1. 中药资源种类、分布与蕴藏量

（1）中药资源种类。在洮南市第四次中药资源普查中，共设置了 36 个样地（其中有 20 个样地已经变更为耕地或建筑用地）、180 个样方套、1140 个样方，共采集药用植物标本 141 种，隶属于 50 科，其中，国家重点调查品种 33 种，隶属于 18 科；国家普遍调查品种 92 种，隶属于 39 科；省重点调查品种 10 种，隶属于 6 科；省次重点调查品种 6 种，隶属于 5 科。

（2）中药资源分布与蕴藏量。洮南市蕴藏量较多的优势野生中药资源主要有西伯利亚杏、狼毒、白菣、百里香等，其中西伯利亚杏是野生蕴藏量最多的中药资源，其面积达 100 余万亩；洮南市的药材种植基地有板蓝根种植基地和防风种植基地。由于开荒、放牧等人类经济活动的介入，中药材的生境发生了很多变化。调查结果显示，洮南市野生中药资源单一且匮乏，资源状况正在衰退，物种多样性日趋减少，有些珍稀资源甚至濒临灭绝。草场植被、林下植被和山地植被遭到较大破坏，盐碱地和沙地频繁出现，有些物种已很难见到。

2. 中药资源生产与产品销售

洮南市有占地 3 亩的板蓝根基地和占地 750 亩的防风基地。目前，洮南市大宗中药材加工业非常薄弱，洮南市内未见中药材加工厂及专门的中药材市场。

3. 中药资源存在的问题

（1）虽然洮南市的资源种类较多，但蕴藏量较少，已出现资源稀少甚至濒临灭绝的局面。农业开发导致中药资源受到很大破坏，许多乡镇的树林和草甸草原等自然植被已不复存在，这是洮南市中药资源减少的主要原因。

（2）洮南市的中药材种植基本为农民的自发行为，产业化程度不高。全市缺少龙头企业，深加工和质量控制技术水平较低，对当地农村经济和农民增收的引导、拉动作用小，没有形成集研究开发、生产加工、物流配送为一体的现代化中药材加工企业。

（二）中药资源发展建议

1. 中药材种植（养殖）业

建议重点发展规范化、特色化中药材种植基地和中药材原料基地。扩大基地规模，推进中药企业原料基地建设和中药材种植 GAP 认证工作。合理开发利用洮南市当地的中药资源，如野生西伯利亚杏等，建设国家级中药材 GAP 无公害生产示范基地。洮南市有较多的盐碱地，可在此种植柽柳，此种药用植物可耐盐碱，其嫩枝条是传统的辛温解表药，经现代研究证明具有较好的保肝护肝功效。在盐碱地建立柽柳种植基地，不仅可以丰富洮南市的中药资源，而且可有效治理盐碱地。

2. 中药材加工业

建议推进中药材的精深加工。洮南市可供药用的植物产量少，但可发展本地特产的西伯利亚杏、西瓜、绿豆等重点种植植物。该市的药材资源多以直销原料为主，存在加工程度低、附加值低、利用率低的情况。因而要重视和鼓励发展各类中药材研发机构，开发洮南市植物资源，推进中药材精深加工，提高其附加值和利用率。

四十三、大安市中药资源普查报告

2013 年，吉林农业大学尹春梅教授任队长，带领 11 名队员，开展了大安市第四次中药资源普查，基本摸清了大安市现存中药资源的种类、分布、蕴藏量等本底情况。

（一）中药资源现状

大安市位于吉林省西北部，隶属于白城市，地理位置为东经 123° 08′ 45″ ~ 124° 21′ 56″，北纬 44° 57′ 00″ ~ 45° 45′ 51″，地处松嫩平原腹地，幅员面积 4879km²，辖 10 个镇、8 个乡、5 个街道，总人口 37.8 万人。

大安市属北温带大陆性季风气候，年平均日照时数 3012.8 小时，年平均气温 4.3℃，年平均积温 2921.3℃，平均年降水量 413.7mm。全市农用地面积 391.8 万亩，林地面积 58 万亩，森林覆盖率 7.7%。草原总面积 354 万亩，年产草量 20 万 t。大安市内有嫩江、洮儿河、霍林河环绕，年均过境水量 207.74 亿 m³，水域面积 109.5 万亩。主要自然植被类型有草甸草原、盐碱化草甸、沙地杨树疏林、杠柳灌丛和少量的湖盆沼泽湿地。

1. 中药资源种类、分布与蕴藏量

（1）中药资源种类。据文献记载，大安市有药用植物 330 种，分属于 60 科约 200 属，资源蕴藏量较多的药用植物主要有甘草、防风、柴胡、麻黄、罗布麻、狼毒、知母、蒲黄、白花地榆、苦参、艾蒿、黄花菜、苋菜、苦荬菜、山里红、百合、百里香、苍耳、大籽蒿、狗尾草、芦苇等。20 世纪 80 年代初，个别农户种植了甘草、枸杞、防风等中药材。大安市第四次中药资源普查共踏查了 16 个乡镇，调查了 46 个样地、230 个样方套、1380 个样方，共采集药用植物 150 种，其中国家重点调查品种 20 种；采集药材 83 种；采集种子 53 种。

（2）中药资源分布与蕴藏量。大安市的中药资源品种较以前明显减少，仅有 70 余种，且大部分为零星分布，野生药材储量少，暂无开发利用价值。中药资源较丰富乡镇的资源分布情况如下。

大岗子镇的中药资源有枸杞、百合、石竹、紫花地丁、地榆、平车前、蛇莓委陵菜、夏至草、还阳参、飞廉、球果芥、苦参、中国旋花、莓叶委陵菜、林大戟、鹅绒藤、假芸香、草木犀、兴安胡枝子、南玉带、桃叶蓼、兴安毛连菜、豚草、东方蓼、薄荷、狼毒、斑种草、黄花葱、高山蓍、山莴苣、藿香、斜茎黄耆、长梗韭、华北糖芥、柳穿鱼、辽藁本、茴香、百金花。

海坨乡的中药资源有蒺藜、苘麻、翠雀、蝙蝠葛、白屈菜、活血丹、大丁草、紫筒草、附地菜、艾蒿、抱茎小苦荬、黑心金光菊、荠菜、蛇床、桔梗、林泽兰、黄花菜、蓬子菜、败酱、牛蒡、角蒿、扁茎黄耆、小黄花菜、肥皂草、小天仙子。

安广镇的中药资源有猪毛蒿、问荆、茴茴蒜、毛茛、并头黄芩、白花车轴草、马蔺、狭叶黄芩、匍枝委陵菜、火绒草、远志、雀瓢、葶苈、砂引草、牛膝菊、铁苋菜、旋覆花、杨铁叶子、苋、紫苏、桂竹糖芥。

舍力镇的中药资源有千屈菜、黄耆、白头翁、细叶委陵菜、广布野豌豆、苍耳、益母草、小蓟、棉团铁线莲、北方拉拉藤。

新平安镇的中药资源有防风、北柴胡、珠果紫堇、独行菜、甘草、大麻、百里香、千里光、缬草、龙葵、绥草、香青兰、绵枣儿、多茎委陵菜、木蓼。

联合乡的中药资源有扁杆镳草、展枝唐松草、全叶马兰、银灰旋花、达乌里芯芭、黄花草木犀、细茎黄耆、大果琉璃草、小叶棉团铁线莲、华水苏、矮韭、二色补血草、委陵菜、拂子茅、曼陀罗。

2.中药资源生产与产品销售

虽然大安市的地域条件适合多种中药材的生长，但该市仍以生产粮食和发展畜牧业为主。经过走访调查可知，大安市大岗子镇西艾里屯有中药材种植，隶属于吉林省吉润中药科技有限公司，该公司在大岗子镇计划建设万亩中药材示范基地，现阶段为初期育苗阶段，仅零星见到甘草、黄耆、菘蓝等育苗田，由于缺少栽培技术，保苗效果较差。该市没有药用动物养殖基地，故未形成产业链，经济效益亦不明显。市域内也没有药材加工企业。

3.中药资源存在的问题

本次调查显示，大安市内中药材的种类、数量锐减，部分已濒临灭绝。受经济利益的驱动，部分地区毁林开荒和过度放牧现象十分严重，因此保护珍稀动植物的任务十分艰巨。建议当地政府对此予以重视，保护当地生物的多样性。

大安市全民资源保护意识淡薄，很多农民对药用植物的价值知之甚少，认为种植中药材的经济价值远不如种植水稻、玉米、花生等农作物，中药资源知识比较匮乏，对野生中药资源也不够重视，致使资源破坏严重。

此外，大安市尚无中药材种植基地，人工种植牧草导致原有草原植被遭到破坏；尚无规范的中药材市场，中药产业缺少龙头企业，中药材生产的产业链条难以延续。

（二）中药资源发展建议

1.中药材种植（养殖）业

在1～2个乡镇建立中药材规范化种植基地，选择大安市道地、大宗中药材品种，如枸杞、甘草、防风、黄芩、桔梗等，基地建设不宜分散，应先行示范带动，探索运行机制。也可建立珍稀濒危药用动植物园，进行引种驯化，迁地保护，由野生变为栽培（养殖），使该地区的自然资源得到永久或较长时期的保护，免遭破坏。在保护区内，可以就地保存药用资源，尤其是珍稀、濒危、子遗的药用植物。

2.中药材加工业

大安市几乎没有中药制药企业，应利用好大安市的区位优势，制定相关优惠政策，着力引进、扶持和建立中药制药企业，带动周边中药资源保存较好县市的中药产业的发展。

3.中药资源综合利用

建议充分利用地产保健中药材资源，建立集养生、美容、疗养、药膳、旅游为一体的多元化中药材生产基地，对栽培的中药材进行深加工及养生、抗衰老药品与保健食品的开发，打开新的市场销路。也可以利用大安市的优势自然资源，发展以森林或草原基地为主的自然景观的生态旅游及以农田基地为主的人文景观的生态旅游。

四十四、延吉市中药资源普查报告

2015 年，延边大学吕惠子教授任队长，带领 13 名队员，开展了延吉市第四次中药资源普查，基本摸清了延吉市现存中药资源的种类、分布、蕴藏量等本底情况。

（一）中药资源现状

延吉市位于吉林省东部，地处东经 129°01′ ~ 129°48′，北纬 42°50′ ~ 43°23′，是延边州政府所在地。全市总面积 1748.3km²，总人口 55.6 万人，辖 6 个街道、4 个镇，分别为进学街道、北山街道、新兴街道、公园街道、河南街道、建工街道、小营镇、依兰镇、三道湾镇、朝阳川镇。

延吉市地处长白山脉北麓小丘陵地带，平均海拔 150m，地势东、南、北三面较高，中间低而平坦，西面开阔。该市处于中温带半湿润气候区，年平均气温 5.5℃，无霜期 160 天，平均年降水量 479mm，年平均日照时数 2447.2 小时。

延吉市地处长白山区，森林、矿产、土特产资源丰富，拥有超过 700km² 的森林和草原，以及 900 余种经济植物和数十种珍贵野生动物，盛产苹果梨、人参、鹿茸、烟叶及各种山野菜。

1. 中药资源种类、分布与蕴藏量

据文献记载，延吉市原有中药资源约 454 种。延吉市第四次中药资源普查完成了对 42 个样地、210 个样方套、1260 个样方的实地调查，共采集药用植物 419 种，其中国家重点调查品种 47 种；采集药材 71 种，其中国家重点调查品种 35 种；采集种子 28 种，其中国家重点调查品种 7 种。

本次调查结果显示，延吉市野生药用植物的种数与原有中药资源相比变化不是很大，但其蕴藏量的变化较大。由于放牧、开荒、无计划采挖药材等，林下植被遭到严重破坏，有些物种已很难见到，如防风、黄芩等。

2. 中药资源生产与产品销售

延吉市的中药材种植（养殖）品种主要有人参、林下参、五味子及林蛙等，但规模较小，且整个市域内中药材种植（养殖）产业偏少。延吉市没有较大规模的大宗药材加工企业。同时，延吉市内没有专门的中药材市场和收购站，桔梗、人参、哈蟆油等极少量的药食两用或具有保健作用的中药材在农贸市场或土特产市场中流通，大量栽培的药材品种一般由栽培户直接销售到外地或投放于专门市场。

3. 中药资源存在的问题

延吉市野生中药材的资源量普遍减少，主要原因为森林生态遭到破坏。野外调查发现，该市 70% ~ 80% 的林地已变为牧场，林下植被毁坏严重（被家畜啃食殆尽），仅存的林地多被开垦成人参和其他作物的种植基地。

近年来，延吉市大宗中药材的栽培面积逐年增长，但其科技含量及产业化程度仍较低。药农各自经营，缺乏统一管理。另外，当地没有相应的中药材加工企业，其销售渠道亦较为混乱。

（二）中药资源发展建议

1. 中药材种植（养殖）业

建议延吉市建立以人参（含林下参）、五味子、林蛙为主的优质中药材规范化生产基地。同时，建议以三道湾镇为中心，建设桔梗、党参、黄芪等药材的规范化生产基地。

本次调查发现延吉市的三大药材——人参（含林下参）、五味子和哈蟆油，均有不同程度的种质质量下降或退化的现象，建议尽快建立三大药材的优良种质繁育基地，以持续为生产第一线提供优良中药材资源。

2. 野生中药材自然生产保护区

本次调查发现延吉市的4个镇各有其特点，建议根据各自的特点建设"野生中药材自然生产保护区"。

（1）小营镇和朝阳川镇森林面积小，耕地多。根据这种特点建议选择耐寒喜阳的中药材品种进行栽培，如防风、黄芩、柴胡等。

（2）依兰镇和三道湾镇森林面积大，林下药材丰富，建议以因地制宜为原则，扩大林下药材的种植，扶持和规范现有的人参栽培和林蛙养殖基地，扩大再生产，利用延吉市良好的交易环境增加药农的收入。

（3）北部林区（屯田林场、小梨树沟）森林茂密，木本药材种源丰富，建议对此加以保护。

3. 中药材加工业

延吉市没有正规的中药材加工厂，这在一定程度上制约了中药材的发展。因缺乏相应的加工企业，大部分中药材资源以原料的方式进行出售，浪费资源的同时其附加值也较低。因而建议重视和鼓励发展各类中药材研发机构和加工企业。

4. 中药材商贸业

延吉市没有专门的中药材市场，仅有水上市场早市和兴安农贸市场，在此进行中药材（包括药食两用的中药材）及野菜的交易。这在一定程度上制约了中药材种植业的发展。因此，建议在市域内建设中药材市场，为药农销售中药材提供便利，同时最大限度地保护药农的经济利益。

四十五、图们市中药资源普查报告

2013年，延边大学吕惠子教授任队长，带领12名队员，开展了图们市第四次中药资源普查，基本摸清了图们市现存中药资源的种类、分布、蕴藏量等本底情况。

（一）中药资源现状

图们市为隶属于延边州的县级市，是一座新型的边境口岸城市。图们市位于吉林省东部、长白山脉东麓、图们江下游，地理位置为东经129° 32′ ~ 130° 12′，北纬42° 47′ ~ 43° 13′，东南与朝鲜的咸境北道稳城郡隔江相望，东与国家级开放城市珲春市相邻，西与州府延吉市相连，南与龙井市相接，北与汪清县相邻，地处大小"金三角"接合部，距朝鲜罗津先锋经济贸易区160km，距珲春市通往俄罗斯的长岭子口岸80km，距图们江入海口150km，素有"地理之要冲，交通之咽喉"之称，是具有沿江、沿交通线和近海特点的吉林省最大的边境口岸城市。

图们市土地总面积 1140.5km²，其中，耕地面积为 110.2km²，约占全市总面积的 9.7%；园地面积为 8.4km²，约占全市总面积的 0.7%；林地面积为 888.3km²，约占全市总面积的 77.9%；草地面积为 48.9km²，约占全市总面积的 4.3%。全市总人口 10.8 万人，辖 3 个街道、4 个镇，具体为向上街道、新华街道、月宫街道和月晴镇、石岘镇、长安镇、凉水镇。

图们市属于中温带半湿润气候区，春季干燥多风，夏季炎热多雨，秋季凉爽少雨，冬季寒冷少雪；年平均日照时数为 2062 小时；平均年降水量为 542mm，多集中在 6 ~ 8 月，占全年降水量的 57.4%。从该市的气候特点来看，比较有利于发展烟叶、药用植物、果树的种植，以及家畜、家禽的饲养。

1. 中药资源种类、分布与蕴藏量

（1）中药资源种类。据文献记载，图们市药用动植物共有 558 种，其中，药用植物 120 科 488 种，药用动物 40 科 70 种。图们市第四次中药资源普查完成了对 8 个乡镇的 36 个样地、180 个样方套、1080 个样方的实地调查，共采集药用植物 258 种，隶属于 74 科 198 属，其中国家重点调查品种 62 种，隶属于 36 科 54 属；采集药材 91 种，隶属于 43 科 84 属，其中国家重点调查品种 50 种，隶属于 30 科 47 属；采集种子 57 种，隶属于 28 科 53 属，其中国家重点调查品种 19 种，隶属于 17 科 19 属。

（2）中药资源分布与蕴藏量。基于图们市特殊的地理环境，苦参、黄芪等耐旱型中药材分布广泛，蕴藏量也相对较多，主要分布品种与蕴藏量见表 1-3-5。暴马丁香、五味子、无梗五加、黄檗等木本植物资源丰富，无须特殊保护，自然发展即可保证其药材用量。天南星、细辛等以林下为生境的药材趋于减少，主要原因为放牧、开垦等人为破坏。

表 1-3-5　图们市药材蕴藏量调查表

药材名	基原名	基原拉丁学名	蕴藏量 /kg
刺玫果	山刺玫	*Rosa davurica* Pall	703817.75
山楂	山楂	*Crataegus pinnatifida* Bunge	587838.04
暴马子皮	暴马丁香	*Syringa reticulata* (Blume) Hara var. *amurensis* (Ruprecht) Pringle	373264.86
刺五加	刺五加	*Acanthopanax senticosus* (Rupr. et Maxim.) Harms	198238.32
五味子	五味子	*Schisandra chinensis* (Turcz.) Baill.	167988.15
仙鹤草	龙芽草	*Agrimonia pilosa* Ledeb	153790.56
五加皮	无梗五加	*Acanthopanax sessiliflorus* (Rupr. et Maxim.) Seem.	130259.23
藏菖蒲	藏菖蒲	*Acorus calamus* L.	110128.05
党参	党参	*Codonopsis pilosula* (Franch.) Nannf.	105422.36
威灵仙	东北铁线莲	*Clematis manshurica* Rupr.	89244.08
蓝布正	路边青	*Geum aleppicum* Jacq.	87684.08

续表

药材名	基原名	基原拉丁学名	蕴藏量 /kg
山楂叶	山楂	*Crataegus pinnatifida* Bunge	84097.40
玉竹	玉竹	*Polygonatum odoratum* (Mill.) Druce	80768.61
苦参	苦参	*Sophora flavescens* Alt.	80053.24
穿山龙	穿龙薯蓣	*Dioscorea nipponica* Makino	66663.67
关黄柏	黄檗	*Phellodendron amurense* Rupr.	65556.01
豨莶草	腺梗豨莶	*Siegesbeckia pubescens* Makino	65455.78
升麻	大三叶升麻	*Cimicifuga heracleifolia* Kom.	62244.00
紫菀	紫菀	*Aster tataricus* L.	62215.26
月见草	月见草	*Oenothera biennis* L.	61752.41
苍耳子	苍耳	*Xanthium sibiricum* Patrin ex Widder	60945.27
赤芍	芍药	*Paeonia lactiflora* Pall.	55678.21
绵马贯众	粗茎鳞毛蕨	*Dryopteris crassirhizoma* Nakai	49496.25
白鲜皮	白鲜	*Dictamnus dasycarpus* Turcz.	39586.73
升麻	兴安升麻	*Cimicifuga dahurica* (Turcz.) Maxim.	37606.06
委陵菜	委陵菜	*Potentilla chinensis* Ser.	32916.99
金沸草	旋覆花	*Inula japonica* Thunb.	31502.11
山野豌豆	山野豌豆	*Vicia amoena* Fisch. ex DC.	30288.64
鸡眼草	长萼鸡眼草	*Kummerowia stipulacea* (Maxim.) Makino	27116.56
黄芪	黄耆	*Astragalus membranaceus* (Fisch.) Bunge	25094.69
益母草	益母草	*Leonurus japonicus* Houtt.	19697.40
败酱	败酱	*Patrinia scabiosaefolia* Fisch. ex Trev.	19554.39
威灵仙	棉团铁线莲	*Clematis hexapetala* Pall.	17040.10
茵陈	茵陈蒿	*Artemisia capillaris* Thunb.	16918.33
鸭跖草	鸭跖草	*Commelina communis* L.	16541.42
芦根	芦苇	*Phragmites communis* Trin.	16330.90
地榆	地榆	*Sanguisorba officinalis* L.	16222.21
蓝萼香茶菜	蓝萼香茶菜	*Rabdosia japonica* (Burm. f.) Hara var. *glaucocalyx* (Maxim.) Hara	15368.30
东北天南星	东北南星	*Arisaema amurense* Maxim.	13771.14
野马追	轮叶泽兰	*Eupatorium lindleyanum* DC.	13177.35
火麻仁	大麻	*Cannabis sativa* L.	12468.00
苘麻子	苘麻	*Abutilon theophrasti* Medic.	11973.65
鬼箭羽	卫矛	*Euonymus alatus* (Thunb.) Sieb.	11498.51
龙葵	龙葵	*Solanum nigrum* L.	10162.83
京大戟	大戟	*Euphorbia pekinensis* Rupr.	9936.00
卷柏	卷柏	*Selaginella tamariscina* (P. Beauv.) Spring	8869.37
茺蔚子	益母草	*Leonurus japonicus* Houtt.	8441.74
断血流	风轮菜	*Clinopodium chinense* (Benth.) O. Kuntze	7538.32
问荆	问荆	*Equisetum arvense* L.	7039.22
青蒿	黄花蒿	*Artemisia annua* L.	6657.31
细辛	汉城细辛	*Asarum sieboldii* Miq. var. *seoulense* Nakai	6435.58
薄荷	薄荷	*Mentha haplocalyx* Briq.	6328.24

续表

药材名	基原名	基原拉丁学名	蕴藏量/kg
旋覆花	旋覆花	*Inula japonica* Thunb.	6176.89
小蓟	刺儿菜	*Cirsium setosum* (Willd.) MB.	4385.41
瞿麦	石竹	*Dianthus chinensis* L.	4128.47
山海螺	羊乳	*Codonopsis lanceolata* (Sieb. et Zucc.) Trautv.	4023.34
一叶萩	一叶萩	*Flueggea suffruticosa* (Pall.) Baill.	3817.00
白屈菜	白屈菜	*Chelidonium majus* L.	3644.36
天仙藤	北马兜铃	*Aristolochia contorta* Bunge	3079.64
白薇	白薇	*Cynanchum atratum* Bunge	2791.40
白头翁	兴安白头翁	*Pulsatilla dahurica* (Fisch.) Spreng.	2787.52
萹蓄	萹蓄	*Polygonum aviculare* L.	2727.69
杠板归	杠板归	*Polygonum perfoliatum* L.	2252.54
龙胆	龙胆	*Gentiana scabra* Bge.	2076.97
苣荬菜	苣荬菜	*Sonchus arvensis* L.	1989.27
铁苋	铁苋菜	*Acalypha australis* L.	1935.78
桔梗	桔梗	*Platycodon grandiflorus* (Jacq.) A. DC.	1375.81
木贼	木贼	*Equisetum hyemale* L.	936.54
桑芽	茶条槭	*Acer ginnala* Maxim.	882.15
防风	防风	*Saposhnikovia divaricata* (Turcz.) Schischk.	786.63
山丹	细叶百合	*Lilium pumilum* DC.	718.00
柴胡	北柴胡	*Bupleurum chinense* DC.	667.72
紫草	紫草	*Lithospermum erythrorhizon* Sieb. et Zucc.	253.41
泽泻	泽泻	*Alisma plantago-aquatica* L.	158.38
蒲公英	蒲公英	*Taraxacum mongolicum* Hand.-Mazz.	156.57
两头尖	多被银莲花	*Anemone raddeana* Regel	152.75

2. 中药资源生产与产品销售

（1）中药种植（养殖）业。图们市药用植物的栽培较少见，仅有几户农户经营人参和朝鲜当归的栽培。人参的栽培主要集中在凉水镇，栽培面积仅 8000 亩左右，平均亩产 1000kg。一般参农同时栽种人参和西洋参，种植比例为 6∶4，不存在单独种植西洋参的农户。朝鲜当归的栽培主要为合同种植，其面积达 840 亩，平均亩产 1000kg。

（2）大宗中药材商贸业。图们市内没有专门的中药材市场和收购站，桔梗、人参、哈蟆油等数量较少的药食两用或具有保健作用的中药材在农贸市场或土特产市场中流通。大量栽培的药材品种一般由栽培户直接销售到外地或投放于专门市场。

3. 中药资源存在的问题

野生中药材的资源量普遍减少，主要原因为森林生态遭到破坏。野外调查发现，该市 70%～80% 的林地已变为牧场，林下植被毁坏严重（被家畜啃食殆尽）。仅存的林地多被开垦成人参和其他作物的种植基地。

近年来，图们市大宗中药材的栽培面积逐年增长，但其科技含量及产业化程度仍较低。药农各自经营，缺乏统一管理，同时当地没有相应的中药材加工企业，其销售渠道亦较为混乱。

（二）中药资源发展建议

1. 中药材种植（养殖）业

图们市的森林覆盖率高达 77.9%，森林植被以天然萌生蒙古栎为主，还有一部分人工针叶林。从图们市的整体地势和现有的中药材种植情况来看，仅凉水镇有几处人参和西洋参栽培地，尚未形成中药材产业带，需要进一步统筹规划发展。建议图们市建设以人参（含林下参）、五味子、黄芪为主的优质中药材规范化生产基地。

2. 野生中药材自然生产保护区

本次调查发现图们市的 4 个镇各有特点，建议根据各自的特点建设"野生中药材自然生产保护区"。北部林区的凉水镇、石岘镇森林茂密，野生药材种源较丰富，可以发展中药材种植业，同时注重保护野生资源。南部林区的月晴镇、长安镇多为山地，低海拔的旱生药材分布较多。但由于中药材的市场需求不断扩大，野生中药材遭到大量采挖，故在该区域发展此类药材应发展与保护兼顾。

四十六、敦化市中药资源普查报告

2012年，长春中医药大学张辉教授任队长，带领12名队员，开展了敦化市第四次中药资源普查，基本摸清了敦化市现存中药资源的种类、分布、蕴藏量等本底情况。

（一）中药资源现状

敦化市位于吉林省东部山区、长白山腹地，隶属于延边州。该市属中温带大陆性湿润气候中的温凉和冷凉气候，夏季多雨，冬季寒冷。全市下辖 11 个镇、5 个乡、350 个行政村、4 个街道和 1 个省级经济开发区，总面积 11957km^2，总人口 45.3 万人。

1. 中药资源种类、分布与蕴藏量

（1）中药资源种类。据文献记载，敦化市有野生药用植物 900 种，包括人参、黄者、五味子、刺五加、细辛、天麻等；野生药用动物 70 余种，包括中国林蛙、刺猬、黑熊等。敦化市第四次中药资源普查完成了对 49 个样地、186 个样方套、1116 个样方的实地调查，共采集药用植物 171 种，其中国家重点调查品种 57 种；采集药材 129 种；采集种子 46 种。

（2）中药资源分布与蕴藏量。本次普查结果显示，敦化市中药资源较丰富，大蒲柴河镇主要有细辛、平贝母、延胡索、黄檗、穿龙薯蓣、接骨木、北苍术、绣线菊、党参、杠板归、月见草、长白乌头、紫苏、兴安杜鹃、短毛独活、长药八宝、莓叶委陵菜、桂皮紫萁、地瓜儿苗、疣枝桦、

藏菖蒲。

大石头镇主要有东北南星、升麻、木贼、辣蓼铁线莲、香蒲、犬问荆、白芷、尼泊尔酸模、广布野豌豆、轮叶婆婆纳、红松、萱草、卷柏、朝鲜槐、茶条械。

红石乡主要有芍药、大戟、白鲜、车前、野艾蒿、唐松草、菟丝子、石竹、多花胡枝子、小白花地榆、鸡树条、北重楼、大叶小檗、辣蓼铁线莲、类叶牡丹、北玄参、独活、蒙古栎。

黑石乡主要有鲜黄连、问荆、长瓣金莲花、泽泻、飞廉、水苏、紫花铁线莲、旋覆花、荞麦、锦灯笼、沙棘、豨莶、金银忍冬、活血丹、曼陀罗、细叶百合、赤瓟、马蔺、马齿苋、红蓼、天仙藤。

江源镇主要有刺五加、益母草、萹蓄、祁州漏芦、全叶马兰、苍耳、千屈菜、冬葵、芦苇、刺五加、射干、人参、大黄、大麻。

贤儒镇主要有玉竹、马兜铃、牛蒡、藿香、并头黄芩、聚花风铃草、东风菜、地榆、北乌头、苦枥白蜡树、黄耆、透骨草、黄金菊、潮风草、湿生鼠麴草、野火球、桑、灵芝、乌苏里黄芩、白鼓、远志、细梗石头花、箭叶蓼。

雁鸣湖镇主要有葶苈、轮叶泽兰、费菜、薤白、苦参、蹄叶橐吾、苣荬菜、藁本、刺儿菜、石韦、东北土当归、苦荬菜、麻叶千里光、红豆杉、黄精、槲寄生、藜芦、青蒿。

翰章乡主要有多被银莲花、细辛、路边青、龙胆、荠苨。

黄泥河镇主要有兴安白头翁、一年蓬、长柱金丝桃、龙芽草、五味子、胡桃楸、萝藦。

青沟子乡主要有泽漆、薪蓂、猪殃殃、铃兰、短柱金丝桃、有斑百合、紫菀、菭草、羊耳蒜、线叶柴胡、阴行草、木通马兜铃、水飞蓟、苘麻。

秋梨沟镇主要有东北堇菜、败酱、卫矛、全叶千里光、瓦松、头石竹、水湿柳叶菜、坚硬女娄菜、万年蒿、禹州漏芦。

额穆镇主要有白屈菜、粗茎鳞毛蕨、暴马丁香、蝙蝠葛、草地乌头、鸭跖草、尾叶香茶菜。

沙河沿镇主要有石菖蒲、茜草、石防风、大秃马勃、山刺玫、小玉竹、戟叶蓼。

官地镇主要有展枝沙参、东北铁线莲、垂果南芥、吉林乌头、香茶菜。

2. 中药资源生产与产品销售

本次调查结果显示，敦化市种植人参 25560 亩、林下参 25275 亩、西洋参 7260 亩、平贝母 17730 亩、五味子 4890 亩；养殖梅花鹿 8320 头，放养林蛙 34350 万只，熊存栏 88 头。中药材种植（养殖）企业实现收入 258.9 万元，同比增长 4.8%，实现利润 39.4 万元。敦化市大宗药材加工业非常薄弱，除吉林敖东药业集团股份有限公司对鹿茸、人参进行加工外，余仅有 2 家民营企业对人参进行粗加工。

3. 中药资源存在的问题

（1）产业发展政策没有得到切实落实。

（2）企业产品层次低，缺乏竞争力。

（3）医药产业专门人才匮乏。

（4）资金有限，创新能力不足。

（二）中药资源发展建议

1. 中药材种植（养殖）业

建议建设符合国家级 GAP 标准的淫羊藿、返魂草、平贝母、梅花鹿中药材无公害生产示范基地；建设北芪、北五味子、穿山龙、刺五加、柴胡、龙胆草、北细辛、园参、西洋参、林下参、白芍、玉竹、灵芝、哈蟆油等名贵中药材保护区，实现对野生名贵中药材的保护性开发利用。

加强对生态和珍稀濒危物种的保护，建立东北红豆杉、刺五加、人参、胡桃楸、黄耆、黄檗、平贝母、梅花鹿、马鹿、黑熊的种质种苗资源及品种繁育基地和自然生产保护区的双轨道生产模式，以保障中药资源的可持续利用，维护生态平衡。同时，加紧对珍贵药用植物品种的引种和栽培，以替代野生资源。建议建立中药资源保护物种名录。

2. 中药材加工业

推进中药材的精深加工。敦化市可供药用的植物、动物、矿物达 1410 种，且产量丰富，尤其是人参、鹿茸等中药材，具有较大的优势。但这些药材资源多为原料直销，存在加工程度低、附加值低、利用率低的"三低"问题，药企实际使用地产药材仅占总使用量的 10% 左右，使该市中药材加工业呈现"大资源、小产业"的现状。因而要重视和鼓励发展各类中药材研发机构，深度开发长白山药用动植物资源，推进中药材的精深加工，提高其附加值和利用率，使绿色中药材基地真正成为敦化市医药产业发展的"源头活水"。

3. 中药材商贸业

要实现中药材种植、养殖基地化，建成人参、梅花鹿等多个符合 GAP 标准的中药材无公害生产示范基地，必须建立中药材技术推广服务体系。

推进吉林敖东医药科技产业园和吉林敖东工业园、吉林华康工业园的园区生物技术研究中心建设，增强自主创新能力。充分发挥产、学、研优势，加大创新投入，扶持创新主导型医药企业，提高产品技术含量，形成一系列拳头产品。

建议建设延边"敖东医药城中药材集散市场"，打响长白山医药品牌。

依托吉林敖东医药科技产业园和吉林敖东工业园、吉林华康工业园，建立中药材市场信息网络。一方面，建立医药产业信息平台，形成医药信息网络系统，做到共同开发，资源共享。另一方面，加快发展电子商务。在企业信息化的基础上，将经营过程中的各环节纳入紧密的供应链中，有效地调节企业的产、供、销活动，满足企业利用社会资源快速、高效地进行生产经营的需求，以利于企业把握商机，提高效率，争取主动，获得市场竞争优势。

四十七、珲春市中药资源普查报告

2012年，延边大学吕惠子教授任队长，带领14名队员，开展了珲春市第四次中药资源普查，基本摸清了珲春市现存中药资源的种类、分布、蕴藏量等本底情况。

（一）中药资源现状

珲春市为隶属于延边州的县级市，地处吉林省东部、图们江下游，位于东经130°03′21″～131°18′33″，北纬42°25′20″～43°30′18″。全市幅员面积5145km²，下辖4个街道、4个镇、5个乡。

珲春市属中纬度、中温带、近海洋性季风气候，又因西部、北部有高山作天然屏障，故形成了冬暖夏凉的气候特点，年平均日照时数2322小时，年平均气温5.65℃，无霜期140～160天，秋霜多在9月下旬出现，平均年降水量617.9mm，年平均风速3.6m/s。

1. 中药资源种类、分布与蕴藏量

（1）中药资源种类。珲春市第四次中药资源普查完成了对9个乡镇的36个样地、182个样方套、1092个样方的实地调查，共采集药用植物220种，采集药材90种，采集种子20种。据不完全统计，珲春市野生药用植物的种数较原有药用植物并没有很大的变化，但其蕴藏量的变化较大。

（2）中药资源分布与蕴藏量。珲春市分布较多的野生木本药材有暴马子皮、关黄柏、秦皮、五味子、山楂等，草本药材有穿山龙、蝙蝠葛、东北天南星、仙鹤草、旋覆花等。柴胡、石竹、当药等以干旱山坡为生境的药材偏少，太子参、连钱草等虽整体蕴藏量少，但在部分地区仍具有一定规模，是该区域的特产药材。珲春市栽培及养殖的药用动植物品种主要有人参、西洋参、林下参、五味子、梅花鹿、林蛙及朝鲜当归。

2. 中药资源生产与产品销售

珲春市栽培规模最大的中药材品种为人参和西洋参，除密江乡、三家子满族乡外均有栽种，栽培面积达9600亩，平均亩产1000kg。五味子也是该市具有一定规模的栽培品种，马川子乡、近海街道及杨泡乡为主要栽培地，栽培面积达1000亩，平均亩产200kg。朝鲜当归的栽培主要为合同种植，种植面积达840亩，平均亩产1000kg，栽培产品主要出口至韩国，年出口量达1500t。该市还有种植黄耆、细辛、羊乳及桔梗的农户，但种植规模均不大。该区域内还有林蛙和梅花鹿的养殖基地。

珲春市内大宗药材加工厂有2家，即珲春华瑞参业生物工程股份有限公司和珲春闻晓堂参业有限公司，主要进行地产人参的加工，年产量100～200t。市域内没有专门的中药材市场和收购站，极少量的药食两用或具有保健作用的中药材在农贸市场或土特产市场中流通，如桔梗、人参、哈蟆油等。大量栽培的药材品种一般由栽培户直接销售到外地或投放于专门市场。

3. 中药资源存在的问题

野生中药材资源普遍减少，主要原因为森林生态遭到破坏。野外调查发现，该市70%～80%

的林地已变为牧场，林下植被毁坏严重（被家畜啃食殆尽）。仅存的林地多被开垦成人参和其他作物的种植基地。

近年来，珲春市大宗中药材的栽培面积逐年增长，但其科技含量及产业化程度仍较低。药农各自经营，缺乏统一的管理，同时当地没有相应的中药材加工企业，其销售渠道亦较为混乱。

（二）中药资源发展建议

1. 中药材种植（养殖）业

建议珲春市建立以人参（含林下参）、五味子、朝鲜当归等品种为主的优质中药材规范化生产基地及以敬信镇为中心的太子参、荷花规范化生产基地。同时，应尽快建立三大药材的优良种质繁育基地，以持续为生产第一线提供优良中药材资源。

2. 野生中药材自然生产保护区

本次调查发现珲春市的 7 个乡镇各有特色，据此建议建设两个"野生中药材自然生产保护区"。

（1）敬信中药材保护区。敬信镇大三角山野生分布的太子参较多，说明其环境适合太子参的生长。依据中药材因地制宜的原则，建议在此建设太子参的栽培基地，同时加强资源保护。此外，敬信镇有丰富的水域和湿地，自然生长着莲、菖蒲、芡、黑三棱等水生中药资源，旅游区、经济区的开发导致其资源量越来越少，急需加以保护。建议由政府牵头建设中药材栽培和保护基地。

（2）北部林区中药材保护区。珲春市北部林区（珲春东北虎国家级自然保护区）森林茂密，暴马子皮、关黄柏、秦皮等野生木本药材种源丰富，建议加以保护。

四十八、龙井市中药资源普查报告

2013 年，延边朝医医院李福子教授任队长，带领 10 名队员，开展了龙井市第四次中药资源普查，基本摸清了龙井市现存中药资源的种类、分布、蕴藏量等本底情况。

（一）中药资源现状

龙井市位于吉林省东部、长白山东麓，隶属于延边州，地理位置为东经 128° 54′ ～ 129° 48′，北纬 42° 21′ ～ 43° 24′，东南隔图们江与朝鲜相望，边境线长 142.5km，东北与延吉市、图们市接壤，西南与和龙市毗邻，西北与安图县相接。

龙井市幅员面积 2581km²，总人口 15.1 万人，其中朝鲜族人口占 66%，是中国朝鲜族居住最集中的城市。全县辖 5 个镇、2 个乡、2 个街道，具体包括开山屯镇、老头沟镇、东盛涌镇、智新镇、三合镇、德新乡、白金乡、安民街道、龙门街道。

龙井市自然资源丰富，林地面积为 1600km²，以天然次生林为主，森林覆盖率为 68%，主要树种有赤松、沙松、红松、黄檗、水曲柳、椴树、杨树、桦树、蒙古栎等。龙井市地处长白山中段，特产资源种类繁多，生长着 124 科 1072 种野生经济植物。

龙井市属于中温带大陆性季风气候，四季分明，冬冷夏热。年平均气温 5.6℃，7 月最热，平均气温 21.2℃，1 月最冷，平均气温 −13.4℃，年极端最高气温 37.1℃，极端最低气温 −34.8℃。平均年降水量 549.3mm，属于湿润区。年平均日照时数 2429 小时，平均初霜期在 9 月 27 日，平均终霜期在 5 月 6 日，平均无霜期 143 天。

龙井市是中国苹果梨、红晒烟、黄牛、半细毛羊生产基地，也是吉林省商品粮生产基地和农业综合开发实验基地，域内有亚洲最大的连片苹果梨种植园、吉林省最大的人工熊养殖基地，以及天佛指山国家级松茸自然保护区，保护区总面积 77317hm²，主要针叶树种为赤松，地带性森林植被是以赤松为主的针阔叶混交林，自然保护区内的野生动物资源也十分丰富。

1. 中药资源种类、分布与蕴藏量

龙井市中药资源丰富，生长着 124 科 1072 种野生经济植物，其中，名贵的药用植物有 186 种，如人参、党参、黄耆、五味子等，食用植物有松茸、木耳、蕨菜、松蘑等。野生经济动物有梅花鹿、黑熊、花豹、獾等，生产的鹿茸、熊胆、獾油、哈蟆油等都是名贵的药材。

龙井市第四次中药资源普查完成了对 37 个样地、185 个样方套、1110 个样方的实地调查，共采集药用植物 218 种，其中国家重点调查品种 63 种；采集药材 110 种，其中国家重点调查品种 56 种；采集种子 57 种，其中国家重点调查品种 30 种。

龙井市的中药资源主要分布在三合镇、智新镇、白金乡、老头沟镇的天宝山区域。龙井市野生药用植物资源种类丰富，但由于林下放牧、开荒等人类经济活动的介入，中药材的生境发生了很大的变化，导致其蕴藏量减少，甚至有些药材已濒临灭绝。

2. 中药资源生产与产品销售

（1）中药材种植（养殖）业。龙井市的中药材种植面积达 3000 余亩，主要有五味子、川芎、当归、防风、黄芪等 20 余种，其中种植规模较大的为五味子。

2005 年 3 月，金万洙累计投资 130 余万元，在龙井市东盛涌镇海兰村和三合镇北兴村成立了龙井市五味子中药材种植示范基地。依靠技术支持和努力创新、刻苦钻研的精神，2012 年，该基地实现总产值 500 余万元。金万洙栽培五味子取得成功后，带动了延边州 200 余户农民共同致富，使全州栽培面积达 7500 余亩，为延边州五味子产业的发展做出了贡献。

（2）大宗中药材商贸业。龙井市没有大型的大宗药材加工企业，但有 1 家中药生产企业——延边大学草仙药业有限公司，生产肝胆双清颗粒、草仙乙肝胶囊等中成药。建设大型的大宗药材加工厂，对龙井市中药种植产品的同质化、品牌化具有关键性的作用。此外，龙井市无大宗药材市场，仅有几个土特产商店及个人药商参与少量中药材的交易。

3. 中药资源存在的问题

此次调查发现，过度采集导致野生资源急剧消失。随着全民保健意识的增强，越来越多的人了解并认可野生中药材的功效，从而导致许多中药材被盲目地采挖，这对野生资源的破坏性很大。如国外某电台报导黄花蒿具有保肝作用，引起大批人乱采乱用万年蒿、大籽蒿、黄花蒿，不仅造成药材资源的浪费，且由于服用不当，甚至还引起了药源性肝炎。

因种植经济作物（如大豆、玉米等）需大量开垦荒地、喷洒农药，导致野生中药材受到严重破坏。普查队就此与当地政府了解沟通后，建议退耕还林，林下种植草本药材。但种植中药材缺乏相关技术和政府支持，种植方面存在很多困难，如种植中药材大部分为人工除草，成本太高而无盈利，且种树仅有 10 年、20 年的远期利益，禁止乱伐木更使树农无短期经济利益可言，导致人们种树的积极性不高。种植经济作物是当地农民的主要经济来源，若没有政府的相关政策与经济支持，中药材种植业则无以发展。

（二）中药资源发展建议

龙井市三合镇、智新镇、白金乡中药资源丰富，且具备相应的生长条件，建议在此建立中药材优势产业带。龙井市虽已有五味子种植基地、龙井市苗圃中草药生产农民专业合作社等基地，但很多基地受资金和市场等因素的影响，面临生存危机，建议龙井市政府给予一定的支持和鼓励。同时，应对长白山北区的国家级自然保护区——天佛指山国家级自然保护区采取有效保护措施，保障松茸及其他中药材免遭盲目采收。

四十九、和龙市中药资源普查报告

2012 年，延边朝医医院郑春哲研究员任队长，带领 11 名队员，开展了和龙市第四次中药资源普查，基本摸清了和龙市现存中药资源的种类、分布、蕴藏量等本底情况。

（一）中药资源现状

和龙市位于吉林省东南部、长白山东麓，隶属于延边州，地理位置为东经 128° 22′ ～ 129° 24′，北纬 41° 59′ ～ 42° 57′。全市幅员面积 5068.62km²，辖 3 个街道、8 个镇，具体包括民惠街道、光明街道、文化街道、八家子镇、福洞镇、头道镇、西城镇、南坪镇、东城镇、崇善镇、龙城镇。全市现有朝鲜族、汉族、满族、蒙古族、回族、壮族等 11 个民族，其中，朝鲜族人口占比 51.5%，汉族人口占比 47.1%，其他民族人口占比 1.4%。

和龙市属于中温带半湿润季风性气候，大陆性季风明显，四季分明，春季干燥多风，冷暖无常；夏季短暂，温热多雨；秋季昼暖夜凉，多晴天；冬季寒冷漫长，寡照少雪。全市分为 4 个气候区，年平均日照时数 2387.2 小时，年平均气温 5.6℃，平均年降水量 573.6mm，降水集中在 6 ～ 9 月。

1. 中药资源种类、分布与蕴藏量

（1）中药资源种类。和龙市属于野生植物区系，森林资源丰富，土壤、植被条件优越，野生动植物种类繁多，已查明的野生植物超过 200 科 2000 种，其中药用植物 115 科 980 种、食用植物 300 余种（食用果实植物 20 余种、食用种子植物 10 余种、食用菌类植物 120 余种）、蜜源植物 280 余种、饮料植物 40 余种、香料植物 120 余种、观赏植物 300 余种。

和龙市第四次中药资源普查完成了对 8 个乡镇、201 个村的 38 个样地、185 个样方套、1140 个样方的实地调查，共采集药用植物 174 种，其中国家重点调查品种 63 种；采集药材 246 种；采集种子 93 种。和龙市野生中药资源非常丰富，药用植物种类繁多，经济价值较高的有人参、灵芝、东北红豆杉、五味子、松茸、木耳、蕨菜、桔梗、辽东楤木等；药用动物有马鹿、梅花鹿、熊、林蛙等 30 余种。

（2）中药资源分布与蕴藏量。和龙市常见的药用植物品种有银莲花、东北延胡索、辣蓼铁线莲、穿龙薯蓣、白屈菜、问荆、蒲公英、车前、广布野豌豆等，分布稍广的品种有并头黄芩、白头翁、朝鲜白头翁、欧洲唐松草等，也可见一定量的芍药、白鲜、红蓼、刺五加、黄檗、粗茎鳞毛蕨、接骨木等，其他品种如细辛、徐长卿、平贝母、玉竹、桔梗、防风、柴胡、远志也有分布，但资源量较少。当地农民常采集黄芪、党参、玉竹、桔梗、四叶参、南沙参等在市场上出售。

2. 中药资源生产与产品销售

和龙市现有栽培基地的栽培品种及规模为园参 7500 亩、林下参 1.5 万亩、北五味子 4020 亩；同时，全市养殖木耳 5000 万袋，养殖林蛙的沟塘达 185 个。

3. 中药资源存在的问题

（1）森林生态遭到破坏，野生资源逐年减少。

（2）政府重视不够，中药产业发展缓慢。

（3）技术人员短缺，种植技术落后。

（二）中药资源发展建议

1. 中药材种植（养殖）业

通过本次资源普查，建议在和龙市中药材品种的最佳生态区域建立中药材规范生产基地。①以各林场区域为中心建立人参、葛枣猕猴桃、狗枣猕猴桃、软枣猕猴桃栽培基地。现有的人参栽培基地不变。②在头道镇（青龙至十里坪）、西城镇、龙城镇建立重点木耳栽培基地。③在南坪镇（稻田坪、柳洞、庆兴、东树沟、新东村等）、崇善镇等区域建立五味子等栽培基地。④在南坪镇高产村、西城镇和安村等区域建立重点瓜子栽培基地。⑤以龙城镇青山林场为主重点、长森岭山脉为次重点，建立吉林省最大的天然木贼生产基地。

2. 野生中药材自然生产保护区

以龙城镇和西城镇的青山林场、先锋林场、古洞河林场、大满沟林场、马鹿沟林场、长森岭林场为中心，建立中药材资源保护区。根据资源的分布情况，分为重点保护区和一般保护区，重点保护区为禁采区，禁止放牧、采挖各种野生中药材；一般保护区可根据资源丰缺情况酌情处理，资源丰富时允许限量采集，资源缺乏时禁止采集，以保证野生中药材资源的可持续发展和利用。

3. 中药材加工业

建立饮片加工厂是药材生产基地增值的关键，可连通生产基地和制药企业的中药产业链，而将地道的传统加工技术与现代化的炮制加工技术相结合，加工出一流的中药饮片是这个产业链的生命线。建议在和龙市区和头道镇各建立 1 个中药饮片加工厂；建议建立药食同源的食品加工厂，实现松茸、木耳、桔梗、辽东楤木、蕨菜、水芹菜、柳蒿芽等 100 余种的现代化生产流水线加工；也可建立现代化的保健饮料食品加工厂，可以软枣猕猴桃、狗枣猕猴桃、葛枣猕猴桃、刺五加、短梗五加、五味子、山葡萄、蓝莓、越桔、牛叠肚等作为基本原料。

4. 中药材商贸业

和龙市头道镇历史悠久、底蕴深厚，是和龙县县城的旧址。建议在和龙市头道镇建立集中药产品批发、交易、信息网络为一体的中药产品交易集散市场，在头道镇、石人村、崇善镇建立中药材收购网点。建立、健全小型的中药材集散市场和收购、批发的网点，促进市场流通，以流通促生产。发展中药材收购企业将对带动当地的中药材产业化发展及促进经济繁荣发挥重要作用。

五十、汪清县中药资源普查报告

2012 年，延边朝医医院朴明杰研究员任队长，带领 14 名队员，开展了汪清县第四次中药资源普查，基本摸清了汪清县现存中药资源的种类、分布、蕴藏量等本底情况。

（一）中药资源现状

汪清县地处长白山东麓，位于吉林省东部、延边州东北部，地理位置为东经 129° 05′ ~ 130° 53′，北纬 43° 06′ ~ 44° 02′。全县幅员面积 9016km²，是吉林省区域面积第二大县，下辖 8 个镇、1 个乡，具体包括汪清镇、大兴沟镇、天桥岭镇、罗子沟镇、百草沟镇、春阳镇、复兴镇、东光镇、鸡冠乡。全县人口 21.6 万人，有汉族、朝鲜族、满族、蒙古族、回族等多个民族聚居于此。

汪清县冬长夏短，四季分明，垂直变化较大，全年光照充足，降水充沛。全域群山起伏，峰峦叠嶂，长白山系的老爷岭山脉由东南向西北横贯域内，文献记载汪清县有"一撮毛"等 16 座山峰；县域内沟壑纵横，河流密布，丘陵、盆地缀于山水之间，构成了综合性山川地貌；山高水长，水利资源十分丰富，大小河流汇成嘎呀河、绥芬河、珲春河三大水系。全县年平均气温 4.9℃，年平均积温 1866 ~ 2600℃，极端最高气温 37.5℃，极端最低气温 –37.5℃，平均年降水量 580mm，无霜期 110 ~ 141 天，年平均日照时数 2234 小时。

1. 中药资源种类、分布与蕴藏量

（1）中药资源种类。在 20 世纪 50 年代以前，汪清县的自然资源基本未被破坏，林木遍布，腐殖土土质特点明显，中药材资源具有显著特色。随着三大林业局的兴起，森林植被遭到破坏，

至 20 世纪末林业资源基本枯竭。21 世纪初开始休林，林木及林下草本植物得以生长。汪清县第四次中药资源普查完成了对 9 个乡镇、58 个村的 38 个样地、195 个样方套、1170 个样方的实地调查，共采集药用植物 426 种，其中国家重点调查品种 29 科 71 种；采集药材 154 种，其中国家重点调查品种 54 种；采集种子 108 种，其中国家重点调查品种 36 种。

（2）中药资源分布与蕴藏量。过去汪清县随处可见的柴胡、牵牛子、萹蓄等中药材现已难寻。有些品种市场价格较高，在利益的驱使下，人们对其进行地毯式采挖，造成中药资源的毁灭性破坏，如猪苓等。该县的早春植物具有地方特色，农垦区有蒲公英、紫花地丁、蕨菜、白头翁类、延胡索类等非重点调查品种，林区的林下有多被银莲花、东北南星、粗茎鳞毛蕨、木贼等重点调查品种，以及樱草、薤白、车前等。夏季时上述植物的生长状态也较好。汪清县的生态环境适宜建立五味子、人参等中药材生产基地，产出的中药材品质好，中外驰名。2003 年，汪清县的野生五味子通过了欧盟的有机认证。

本次普查发现，汪清县内多被银莲花、天南星、短柄五加、柴胡、白头翁类、白屈菜、缬草、藏菖蒲、暴马丁香、木贼、朝鲜槐、阴行草、香蒲类、独行菜等中药资源分布广泛。苍术、辽东楤木、灵芝、猪苓、刺五加、党参、羊乳、沙参类、桔梗、橐吾类等中药资源遭到较为严重的破坏，尤其是辽东楤木、橐吾类，很多人将其连根挖掘移栽至家中，致其野生资源濒临灭绝。猪苓、白鲜、苍术、吉林延龄草也遭到过度采挖，已濒临灭绝。东北红豆杉、黄檗等植物在地方政府的保护下还可找到，西洋参、人参则面临无地可种的情况，而由于价格下跌，很多种植户已不再种植五味子。汪清县只有 3 家梅花鹿养殖户，林蛙的养殖量较大，多供食用。

2. 中药资源生产与产品销售

汪清县种植的中药材很少，除人参、西洋参、水飞蓟、五味子外，大部分种植的是黑木耳。既往有种植黄耆、平贝母、细辛等药用植物，后因产销脱节、当地利用度太低等经济原因而不再种植。

3. 中药资源存在的问题

本次普查发现，汪清县的中药资源存在如下问题。

（1）高经济价值的中药资源品种少，采集药材的人员少。汪清县的现有野生中药材品种很多，但经济效益超过黑木耳的野生中药材品种少，普查队几乎走遍了汪清全县，黑木耳养殖场随处可见。此外，近几年药材市场价格不稳定，尽管汪清县的中药资源分布较为丰富，但依然无人问津，无人采集。

（2）药材种植少、使用少。目前汪清县内除种植人参、西洋参、水飞蓟、五味子等中药材品种外，大部分种植的均为黑木耳。另外，汪清县除了汪清县中医院、汪清县人民医院、汪清镇中心卫生院比较有规模外，其他乡镇卫生院几乎没有中医医生，更不用提使用中药了，个体中医诊所不多，中药的使用相对有限。汪清县中医院对于中药饮片的使用情况也不乐观，该院大量使用中药免煎制剂，中药饮片越来越边缘化。

（3）产销脱节。虽然汪清县适合很多中药材的种植，但其种植业发展缓慢，其中最突出的是产销问题，汪清县没有中草药收购点，种植的中药材没有销路，无法获取经济利益极大地打击了人们对中药资源保护、种植的积极性。

（二）中药资源发展建议

1. 中药材种植（养殖）业

汪清县的土地以林地黑土为主，应充分发挥这一自然优势，大力发展适合汪清县生长环境的中药。在此建议几种较适合汪清县地质地理环境、临床需求量较大、本地分布较多的中药，如黄芪、枸杞子、赤芍、苦参、桔梗、轮叶党参等。

2. 野生中药材自然生产保护区

为尽快解决汪清县野生中药资源遭到破坏的问题，建议以秃老婆顶子山为中心，建立野生植物自然保护区。目前，汪清县林区正处于休林期，地产中药材基本处于野生状态，尽快有针对性地对破坏比较严重的品种加以保护意义重大，影响深远。

3. 中药材商贸业

建议建立以延吉市为中心的中药材集散基地市场体系，在各市县设立集散办事处，在乡镇设立集散点，统一收购，统一调配，应充分做好前期调查工作，循序渐进。此外，建立、健全中药材市场信息网络，充分利用网络优势收集国内外有关中药材的信息，尤其要充分了解和分析自然气候对汪清县乃至全国中药材生长的影响，做到提前预判、提前储备。

五十一、安图县中药资源普查报告

2012年，延边朝医医院李福子教授任队长，带领15名队员，开展了安图县第四次中药资源普查，基本摸清了安图县现存中药资源的种类、分布、蕴藏量等本底情况。

（一）中药资源现状

安图县位于吉林省延边州西南部，地理位置为东经127° 48′ ~ 129° 11′，北纬42° 01′ ~ 43° 24′。全县幅员面积7444km²，辖明月镇、松江镇、二道白河镇、两江镇、石门镇、万宝镇、亮兵镇、新合乡、永庆乡9个乡镇，总人口19.5万人。

安图县地处长白山北麓，域内群山起伏，沟壑纵横，长白山脉由南向北延伸，使全县地势呈现南高北低、东高西低、南北长东西窄的特点。该县属大陆性季风气候，由南向北气温渐高，降水渐少。横亘中北部的荒沟岭为县内自然地理分界线，它将全县明显地分成2个气候区，南部年平均气温为2.2℃，北部为3.6℃；南部无霜期为95 ~ 110天，北部为120 ~ 130天；南部平均年降水量为669.7mm，北部为594.7mm。

安图县不仅具有丰富的林业资源，而且在茂密的森林中还生长着丰富的林下资源，有各类野生植物资源 2340 余种，其中，山参、灵芝、贝母、黄耆、木通、五味子、天麻、瑞香、杜香、细辛、草苁蓉、龙胆等名贵药用植物达 670 余种；松茸、蕨菜、薇菜、辽东楤木、木耳、越桔、元蘑、桔梗等食用植物有 160 余种。同时还栖息着东北虎、花豹、黑熊、水獭、紫貂、梅花鹿、野猪等野生动物 550 余种，其中还包括野鸡、花尾榛鸡（飞龙）等 200 余种鸟类。

1. 中药资源种类、分布与蕴藏量

（1）中药资源种类。安图县森林资源丰富，长白山的原始森林大部分集中分布于安图县内。1987 年安图县农业普查办编写的《安图县资源调查资料汇编》记载，安图县原有药用植物 862 种，药用动物 70 余种。本次中药资源普查踏查了全县 9 个乡镇，完成了对 36 个样地、182 个样方套、1092 个样方的调查，共采集药用植物 154 种，其中国家重点调查品种 62 种；采集药材 77 种；采集种子 29 种。据不完全统计，安图县野生药用植物的种数较原有药用植物并没有很大的变化，但其蕴藏量的变化较大。由于放牧等原因，林下植被破坏严重，有些物种已很难见到，如草苁蓉。

（2）中药资源分布与蕴藏量。安图县地处长白山北麓，森林资源丰富，生长着的各类野生植物资源达 2300 余种，其中含有贝母、黄耆、木通、五味子、天麻、细辛等名贵药用植物。据中药资源普查结果可知，安图县蕴藏量较多的野生中药材中排名前 10 位的药材是刺五加、木贼、绵马贯众、威灵仙、天南星、蓝布正、关黄柏、卷柏、细辛、草乌。蕴藏量较少的野生中药材中排名前 10 位的药材是水红花子、苘麻、百合、升麻、天麻、柴胡、五味子、两头尖、灵芝、款冬花，其中天麻、灵芝等名贵药材虽有分布，但因遭到大量采挖，已濒临灭绝，亟待保护；水红花子、五味子等药材虽野生资源极少，但有大量种植。

2. 中药资源生产与产品销售

在药用植物栽培方面，安图县已规划开发生态经济沟 200 条，福满生态经济沟被国际有机食品联合会认证为"国际有机食品基地"，并被国家旅游局确定为国家级农业旅游示范点。同时，中国农业科学院左家特产研究所在安图县实施的"中特北药科技有限责任公司中药材 GAP 基地"项目是 8 个国家级中药材基地项目之一，安图县已被国家确定为"绿色中药材出口基地县"。安图县的中药材种植面积超过 10.5 万亩，主要有人参、西洋参、羊乳、穿龙薯蓣等 20 余种。其中规模较大的有人参 2.85 万亩、西洋参 7500 亩、林下参 4.8 万亩，羊乳、细辛、黄耆、刺五加、龙胆、天麻、贝母等共 2.1 万余亩。

目前，安图县仅在两江镇有 1 家长白山药材加工厂，但生产规模较小。安图县永庆乡小沙河村曾有过人参交易市场，现因药商直接在参地收购，已无交易量。全县有几家本地土特产商店，每到采收季节，很多外地药商到各乡镇大量收购野生药材，交易量较大，但因无人管理，对本地野生药材资源破坏较大。

3. 中药资源存在的问题

（1）从本次实地调查来看，过度采集及大批量的市场交易导致野生中药资源急剧消失。

（2）种植经济作物（大豆、玉米等）需大量开垦荒地、喷洒农药，导致野生中药资源受到严重破坏。

（二）中药资源发展建议

1. 中药材种植（养殖）业

安图县人参、西洋参的种植历史悠久，每到采收期，很多省内外药商慕名前来参地收购。已有的中特北药科技有限责任公司中药材 GAP 基地和松江镇重茬基地等，受资金和市场等诸多因素的影响，已是有名无实。因此，在万宝镇、两江镇、永庆乡等乡镇，建设人参、西洋参生产基地，就显得尤为重要。

安图县地处长白山北麓，县内群山起伏，原始森林中分布着较多的红豆杉，说明安图县的气候和土壤环境非常适合红豆杉的生长，理应加以保护和发展。在松江镇，每到采收季节就会有外地药商大量收购红豆杉种子，建议在松江镇的苗圃园种植红豆杉种苗，以满足市场需求。

2. 中药材商贸业

安图县的中药材种植产业已具规模，建设中药材市场势在必行。中药材市场的建立，有助于保护该县药农的经济利益，也可促进该县的经济发展。

第四章

吉林省中药资源概况

一、吉林省中药资源分布情况

吉林省位于我国温带的北部，靠近亚寒带，东部距海较近，气温较高且降水丰富，西部远离海洋而接近干燥的内蒙古草原，因此，在气温和降水上具有多种特点。在地质构造上，全省大部分处于长白—兴安褶皱地带，以山地为主要地貌特征；而西部地区则处于东北凹陷的中部，以平原为主。气温和地貌特征的巨大差异造就了吉林省特殊的自然环境，影响了吉林省中药资源的分布。吉林省中药资源具有中药材种类及数量多、特产部分名贵珍稀药材、野生药材产量大的特点。

吉林省道地药材以"关药"为主，关药指山海关以北的东北三省及内蒙古自治区部分地区所产的道地药材，而吉林省是"关药"的核心产区。吉林省独有的道地药材有人参、鹿茸、关防风、辽细辛、北五味子、关木通、刺五加、关黄柏、关龙胆等。吉林省人参产量占全国人参总产量的85%以上，辽细辛气味浓烈、辛香，北五味子肉厚、色鲜、质柔润，关龙胆根条粗长、色淡黄，关防风主根发达、色棕黄，常被誉为"红条防风"。

除此以外，吉林省主要产出的药材还有穿山龙、返魂草、淫羊藿、贯众、茵陈蒿、党参、两头尖、麻黄、甘草、知母、蒺藜、威灵仙、木贼、益母草、透骨草、赤芍、秦皮、苦参、牛蒡子、远志、北豆根等。

依据 1995 年出版的《中国中药区划》，吉林省大部分属于小兴安岭—长白山地区域。吉林省中药资源以道地药材、大宗常用药材、珍稀特有药材品种为主。吉林省是中国北方野生药材和家种药材的重要产区之一。湿润的温带气候为这一地区动物、植物的生长繁育提供了良好的环境。吉林省东西地形、气候差异很大，植被类型复杂，在地理位置上，介于欧亚针叶林区域与暖温带落叶阔叶林区域之间，南北植物互相渗透，种类繁多。综合比较吉林省的地形、土壤、植被、气候等多种生态因素，可将吉林省中药资源总体分布区划分为东部山区、中部半山区和西部草原区。现根据各区特点，对吉林省中药资源的特点进行介绍。

（一）东部山区

东部山区是指威虎岭、龙岗山脉一线以东的广大山地，包括吉林省延边州、白山市全部和通化市大部，总面积 7.9 万 km²。该区域地形比较复杂，大部分山地海拔为 600 ~ 1000m。在山岭中间有沿河谷发育的山间盆地，或呈狭窄条带状的河谷冲积平原及阶地。在东部山区南部，是以长白山为主体的广大区域，是吉林省的地势最高区域。东部山区植被覆盖率高，物产丰富，是吉林省中药资源种类及数量最多的区域。该地区中药资源的优势在于品种丰富，其中资源量较大的品种有 20 种，包括穿龙薯蓣、玉竹、刺五加、黄檗、木贼等，吉林省东部山区优势药材名录见表

1-4-1。此外，吉林省东部山区也是关黄柏、北五味子、绵马贯众、淫羊藿、辽细辛等道地药材品种的核心产区。

表 1-4-1　吉林省东部山区优势药材名录

序号	药用植物名	入药部位	药材名
1	穿龙薯蓣	根茎	穿山龙
2	玉竹	根茎	玉竹
3	刺五加	根	刺五加
4	黄檗	树皮	关黄柏
5	木贼	地上部分	木贼
6	茜草	根及根茎	茜草
7	龙芽草	地上部分	仙鹤草
8	五味子	果实	北五味子
9	路边青	全草	蓝布正
10	粗茎鳞毛蕨	根茎	绵马贯众
11	白屈菜	全草	白屈菜
12	东北南星	块茎	天南星
13	蝙蝠葛	藤茎	北豆根
14	多被银莲花	根茎	两头尖
15	暴马丁香	树皮	暴马子皮
16	紫菀	根及根茎	紫菀
17	东北铁线莲	根	威灵仙
18	山里红	果实	山楂
19	朝鲜淫羊藿	叶	淫羊藿
20	汉城细辛	根	辽细辛

（二）中部半山区

中部半山区是指威虎岭至龙岗山脉以西、哈大铁路线东侧大黑山脉以东的低山丘陵地带，其主要地形为低山、丘陵和河谷平原，包括辽源市全部、吉林市大部、长春市与四平市东部、通化市西北部。中部半山区是吉林省东部山区向西部草原的过渡地带，总面积 3.7 万 km²。该地区的药材品种大体与东部山区相同，但药用植物品种数量较少，其中资源量较大的品种有 22 种，一些常见大宗药材品种在该地区具有非常高的蕴藏量，如穿山龙、玉竹、仙鹤草、北豆根等，吉林省中部半山区优势药材名录见表 1-4-2。

表 1-4-2　吉林省中部半山区优势药材名录

序号	药用植物名	入药部位	药材名
1	穿龙薯蓣	根茎	穿山龙
2	东北铁线莲	根	威灵仙
3	龙芽草	地上部分	仙鹤草
4	玉竹	根茎	玉竹

续表

序号	药用植物名	入药部位	药材名
5	蝙蝠葛	藤茎	北豆根
6	白屈菜	全草	白屈菜
7	路边青	全草	蓝布正
8	刺五加	根	刺五加
9	东北南星	块茎	天南星
10	活血丹	全草	连钱草
11	地榆	根	地榆
12	铃兰	根	铃兰
13	卫矛	茎	鬼箭羽
14	茜草	根及根茎	茜草
15	山里红	果实	山楂
16	五味子	果实	北五味子
17	黄檗	树皮	关黄柏
18	木贼	地上部分	木贼
19	粗茎鳞毛蕨	根茎	绵马贯众
20	鹿药	根茎	鹿药
21	益母草	地上部分	益母草
22	关苍术	根茎	关苍术

（三）西部草原区

西部草原区是指吉林省大黑山脉以西的广大地区，海拔多在 200m 以下，包括松原市、白城市全部及四平市、长春市大部，总面积 7.4 万 km²。该地区的药用植物资源与其他两区相比有较大差异，其中多数植物具有典型的中生、旱生特性。其中资源量较丰富的中药材品种有苍耳子、火麻仁、甘草、蒲公英、萹蓄、旋覆花等，吉林省西部草原区优势药材名录见表 1-4-3。部分药用植物如甘草、远志、防风等，不仅具有药用价值，还具有防风固沙、减少水土流失的生态价值。

表 1-4-3　吉林省西部草原区优势药材名录

序号	药用植物名	入药部位	药材名
1	苍耳	果实	苍耳子
2	大麻	果实	火麻仁
3	甘草	根	甘草
4	蒲公英	全草	蒲公英
5	萹蓄	地上部分	萹蓄
6	旋覆花	花序	旋覆花
7	蒺藜	果实	蒺藜
8	地锦	全草	地锦草
9	车前	种子	车前子
10	远志	根	远志
11	平车前	种子	车前子

序号	药用植物名	入药部位	药材名
12	防风	根	防风
13	益母草	地上部分	益母草
14	苘麻	种子	苘麻子

二、吉林省中药资源发展的问题分析与战略发展方向

（一）存在的问题

吉林省是我国的北药基地之一，也是我国三大中药特产区之一。由于我国的北药主要集中在位于吉林省的长白山地区，因此，吉林省中药产业的兴衰对我国北药基地的发展有着极大的影响。从目前的发展状况来看，吉林省中药材产业在国内外具有较大的优势，发展潜力大，吉林省政府已做出了把中药产业培育成该省经济支柱产业的战略决策。近年来，吉林省中药资源的可持续发展取得了一定的成就，但尚存在资源破坏严重、种子市场混乱、规范化生产面积小、运行机制亟待创新等一系列问题。具体问题如下。

1. 部分中药资源受到破坏而出现短缺

长期以来，由于人们对合理开发利用中药资源的认识不足，加之利益驱使致使部分中药资源遭到过度采捕，药用植物分布范围日益缩小，生态环境不断恶化，药用动物的栖息地范围也随之缩小，甚至破碎、消失，出现了中药资源短缺。一些道地药材的优良种质正在消失，部分种类资源状况衰退甚至濒临灭绝，如甘草、红景天等药用植物因滥砍乱挖已濒危，人参等药材的野生个体已很难被发现，部分野生中药资源日益减少，中药资源面临可持续发展的危机和生物多样性受到破坏的挑战。

吉林省常用中药材品种大多来源于野生，在植物类资源中，对藻类、菌类等低等植物的综合利用率很低。许多药用植物的根、茎、叶、花、果实、种子等具有同样的化学成分和疗效，但由于人们缺乏科学的认识，造成了许多药用部位的浪费。另外，在药材采购、生产、加工、销售各个环节均存在资源浪费，管理的科学化程度低，中药供求信息不畅或存在失真等问题，造成部分药材的积压和浪费，影响了药用资源的有效利用。

随着社会经济的发展，人们对健康的需求不断提高，中药广泛应用于食品、保健品、日用品、化妆品领域中，人们对中药资源的需求量剧增。在此背景下，吉林省的中药制药工业迅速发展。与此同时，较大的中药资源需求量给自然环境造成了巨大的压力，同时也使吉林省中药产业的可持续发展受到威胁。

2. 家栽品种混杂退化，野生资源保护滞后

由于中药材的育种工作长期以来未能纳入农作物品种选育推广计划，因此，药材的新品种选

育工作严重滞后。主要表现为：一是很少有专人从事品种选育工作；二是一些专家经多年研究选育出的中药材新品种，由于项目经费紧缺，未能迅速推广，因此栽培面积较小，未能在生产中有效发挥增产增收的作用。

野生药材资源保护和开发滞后，珍贵稀有品种濒临灭绝，导致供求矛盾加剧。由于项目少，资金短缺，科技力量薄弱，一些珍贵稀有野生药材资源的人工栽培驯化和开发利用工作滞后。野生药材资源的采收与植被保护本身就是一对矛盾，且这些产区大多人烟稀少，位置偏远，在难以实施有效保护的情况下，过度采挖野生药材的现象仍然比较突出，导致一些野生药材资源濒临枯竭，很难再见到大面积的分布，市场供求矛盾加剧，严重限制了吉林省中药产业的可持续发展。例如，通化县野生东北红豆杉资源被破坏的情况相当严重，在野外已经找不到一株完整的东北红豆杉；盗伐黄檗剥取树皮的现象也时有发生。

3. 优良种质资源保护严重滞后

建立自然保护区和种质资源库，是切实保护生物多样性的重要手段。据初步统计，吉林省共有各类自然保护区 29 个，其中国家级 6 个、省级 12 个、市县级 11 个，包括 15 个生态系统保护区、4 个野生动物保护区、6 个野生植物保护区、3 个地质遗迹保护区和 1 个专门物种（松茸）保护区。虽然长白山自然保护区保护的药用植物已达 900 余种，但到目前为止，吉林省还没有专门的药用动植物优良种质资源保存库。中药种质资源具有可再生与易被破坏丢失的双重特性。中药种质资源负载高度的遗传多样性，是重大的基础战略资源，关系到吉林省中药资源的安全和可持续发展及今后基因工程的开展。

4. 监督管理失控，造成中药资源濒危严重

中药资源的科学管理是中药资源研究的一项重要任务。由于中药从生长到成熟继而提供药用的周期往往滞后于市场经济的调控，且存在中药资源管理的科学化程度低、中药供求信息不畅或失真等情况，因此部分中药供过于求，导致价格下降，产区药农毁药种粮或转向其他种植业的现象屡见不鲜，这不仅造成一些中药材的积压和浪费，也给中药经营者带来巨大的经济损失，挫伤了生产者的积极性，进而严重地破坏了中药资源。目前，吉林省中药资源的管理缺少统一领导和协调，中药资源的开发与保护工作处于无序和重负低能状态，由于政府主管部门缺乏基础数据，无法引导中药材生产在市场经济环境下的发展，中药材生产正处于盲目混乱之中，同时亦产生了许多社会问题。

5. 生态环境破坏，使中药资源减少

随着工农业生产和城市建设的不断发展，人们对自然环境的不合理开发利用，使药用动植物的适宜性生态环境遭到了破坏。另外，由于农药及化肥的使用等造成了环境污染，导致有的药用植物寄主消失，这也加剧了动植物生境的破坏。人类的这些活动都严重地危及了中药资源的生存和繁育。

本次资源普查发现，吉林省部分县（市、区）的生态环境破坏十分严重，比较典型的地区如下。

（1）通榆县。由于过度的农业开发，榆树疏林、草甸草原等中药资源较丰富的生境遭到了严重的破坏，仅在向海国家级自然保护区有一定的保存，但面积有限，生境脆弱。例如，中药资源最丰富的贝加尔针茅草原已基本不复存在，仅在向海国家级自然保护区有零星分布，生态破坏严重，中药资源尽失。许多中药资源并不丰富的轻度盐碱化草甸也已出现过度放牧现象，甚至有的已被开垦为农田。

（2）珲春市。野生中药资源普遍减少，其主要原因为森林生态遭到破坏。据野外调查发现，70% ~ 80%的林地已变成牧场，林下植被遭到严重毁坏（被家畜啃食殆尽）。仅存的林地也被开垦成人参和其他作物的种植基地。

（3）双阳区。首先，土地遭到过度开垦，农田无限制扩大，植被丰富的丘陵地带被开垦成耕地。有些中药资源喜欢生长在田间、路边，如独行菜、苘麻，常常被当作杂草除掉。其次，采石场的过度涌现，使采石场附近常常不见绿色，甚至周边的树叶都成了灰色，有的半边山都被采挖一空。最后，人们中药资源保护意识淡薄，过度放牧对中药资源同样造成了威胁。例如，在调查中发现，黄檗作为国家Ⅱ级保护植物，被随意砍伐，倒在林边。

（4）双辽市。该市在资源破坏方面的问题极为严重。一是土地沙化，由于长年乱砍滥伐，一些原始的树木几乎不见踪迹，加之受内蒙古自治区土壤沙化的影响，植物的生长环境遭到了严重的破坏。二是土地碱化，沙化的同时又伴有碱化，原本的草甸子变成了光秃秃的盐碱地，仅偶见几簇马蓝。三是农田化，草地、道路两侧被开垦成农田，例如，那木斯蒙古族乡到处都是农田，几乎见不到草原，仅剩的土地也被建成的电厂灰场占领。四是过度放牧化，双辽市大力发展畜牧业，导致大量牛羊啃食植物，牛羊所到之处几乎变为光秃。五是过度私有化，现今双辽市的坨子、岗子、草原几乎都承包给了个人，如普查队在卧虎镇见到的中药资源相对丰富的一处草原，其中一部分已转包给他人开垦成农田种植玉米，而草原中间带绝大部分经常被家养的200余只羊"光顾"，几乎见不到植物；玻璃山镇的坨子上原本有较多的麻黄，普查队亲眼目睹现在的所属者用推土机铲平土地拟盖厂房，而使近1m深的麻黄根"尸横遍野"。

6. 中药资源保护与开发利用不协调，只注重名贵中药的开发利用

各自然保护区、动物园、植物园、树木园等与资源利用部门的协作关系并没有完全建立起来，尽管国家一再强调合理利用资源，但是，资源开发与资源保护仍然长期脱节，使得保护与利用的矛盾不断加剧，遭到破坏的资源种类仍在不断增多，影响了资源的合理利用。另外，大多数研发人员只注重开发名贵中药的新药产品，致使名贵中药的需求量日益增加，价格大幅攀升，为牟取暴利，盗挖者屡禁不绝。

7. 药材品质欠稳，质量监控不力

中药材生产基地化建设滞后。目前，吉林省中药材生产的组织形式以药农个体生产为主，虽

然有地方政府和药农自发建立的协会组织引导，并进行信息服务和技术推广，但由于药农主要根据市场行情安排生产，药材的集约化生产受到限制。国家发布施行中药材 GAP 认证后，虽然有少数骨干企业建立了原料基地，但其仍处于尝试阶段，尚未大面积推广。药材生产过程缺乏有效的质量监控，所生产的中药材质量参差不齐。中药材规范化生产基地建设工作滞后，中药材无公害生产技术缺乏立项和有效的推广应用，在药材生产过程中化肥、农药的施用较多，致使部分药材产品化学成分残留超标。同时在生产加工环节中也缺乏切实有效的质量监控，例如，在中药材采收后的人工清洗、熏蒸防蛀过程中，由于环境条件限制和技术措施不当等原因，存在有效成分损失或中药材遭到二次污染的情况，药材质量未达到卫生安全标准要求，这直接影响了产品外销和商业信誉。

由于缺乏规范的质量标准及相关质量监控部门的监控，野生药材的质量检验一直是一个难题；由于采挖分散，采集时间无法控制，药材质量差异很大。另外，政府对野生药材的生产、采收和加工等投入的资金较少，野生中药材一直无法进行产业化生产。

8. 科技含量不高，服务体系不全

第一，科研力量比较薄弱。吉林省缺乏专门从事中药材栽培、育种、资源保护和利用及新产品开发等方面研究的科研机构。省内各大专院校、科研院所的此类专门人才比较少，或力量分散，且技术装备不够先进。

第二，技术推广服务体系不健全，相关专业人员不足。目前，从事药用作物栽培技术推广的人员比例太低。基层农技推广人员大多长期从事粮食和经济作物的技术推广工作，药用作物栽培专业知识欠缺，指导生产实践经验不足，能力有限，在项目少、经费紧的情况下，技术推广服务无法满足中药材生产发展的需要。

第三，良种生产繁育体系建设、先进实用栽培技术研究与推广应用、新品种选育和引种推广、野生资源人工栽培驯化、新产品研究开发、科技成果交流等工作还相当落后。不规范的中药材栽培技术，影响着药材产品的产量和质量。除对人参、返魂草等中药材品种有过一般性研究外，对大多数药材的栽培仍处于经验性栽培阶段，没有比较深入的研究成果在生产中推广应用。

第四，药农科技意识不强，行业组织欠缺。吉林省药农的专业素质较低，学习并采用先进适用栽培技术的意识不够强，学习科学知识的自觉性、积极性还有待进一步提高，凭经验种植、粗放管理的现象还比较普遍。同时，在多数产区缺乏药农自发形成的行业组织，药材生产的组织化程度比较低。

9. 尚无规范的中药材市场，药材收购行业管理不明确

中药材市场不规范，药材收购混乱，行业管理不明确，无法了解具体中药材的品种和数量，相关部门无法着手进行引导。

10.中药产业规模有限，缺少龙头企业

目前，吉林省某些县（市、区）内缺少中药生产企业，仅有的企业主要以生产中成药为主，中药产业规模有限，极需要扶持以形成龙头企业。

11.民族医药产业及文化发展挖掘不够

吉林省是多民族省份，少数民族的医药文化较为丰富，但民族医药文化产业发展不够深入。例如，伊通县满族文化历史悠久，但在满族医药方面重视和发展不够，全县未找到真正的满族医生，相关的满药资源和加工炮制方法也已经被现代医药所湮没，非常有必要对其进行保护和挖掘，为全人类的健康服务。

（二）可持续发展的建议与对策

"十二五"期间，吉林省针对中医药事业的发展提出了"进一步扩大中医药的产业规模与效益，使现代中医药产业成为全省支柱产业，初步形成中医药健康产业链，将吉林省的资源优势进一步转化为经济优势"的目标。同时，吉林省委提出新兴支柱性产业，并将中医药健康产业排在首位。中医药事业是一个系统工程，要实现中医药事业发展的目标，就必须坚持中药资源可持续发展战略，健全中药现代产业技术体系，促进中药产业链的形成与健康发展，以保护珍稀濒危中药资源为重点，发展一批集聚效应突出的中药科技产业基地，保障中药资源的可持续利用。

各级政府应加强宏观调控与引导，作为中药产业主体的企业应加强中药种植业、中药饮片加工业的投入，应以科研单位作为技术依托，以中药的电子商务为平台，围绕吉林省产道地药材的研究开发与资源保护，以人参、北五味子、辽细辛、关防风、关黄柏、刺五加、玉竹、桔梗、淫羊藿等50余种道地药材的种植加工一体为核心，提高吉林省产道地药材的品质，打造吉林省产道地药材的品牌，加强中医药人才培养，加大中医、中药宣传力度，增强人们的中药资源保护意识，加强吉林省中药资源的保护与利用。

1.加强政府的宏观调控与引导

政府应加强组织协调与引导，充分发挥宏观调控作用，整合吉林省药材资源，打造吉林省优势特色产业，加快吉林省大健康产业的形成与发展。同时，搭建一个全省共享的中药材与中成药电子商务平台，使其成为种植企业、药品生产加工企业、药商、药农之间的桥梁和纽带，发挥其快捷、简便的网络作用。加强通化县中药材交易市场的建设与规范化管理，促进吉林省的道地药材形成品牌化经营，使之成为国内一流的中药材交易市场。

2.加强野生中药材的保护与野生抚育

（1）加强野生中药材自然生产保护区建设。建立野生中药材自然生产保护区是保持中药材长期稳定发展的重要举措。应根据吉林省的自然条件，进行全面系统的规划，制定切实可行的措施，保障中药材生产的稳定健康发展。初步建议在通化县、蛟河市、珲春市设立7个野生中药材自然生产保护区。

在通化县兴林镇朝阳林场建立返魂草自然生产保护区；在蛟河市老爷岭风景区建立东北天南星、吉林延龄草等野生中药材自然生产保护区；在蛟河市白石山镇建立吉林延龄草和刺五加等野生中药材自然生产保护区；在珲春市敬信镇和北部山区建立3个中药材自然生产保护区，包括山地太子参保护区、水生中药材保护区及北部林区（珲春东北虎国家级自然保护区）。

每个保护区内再划分为核心保护（永久禁采）、基础保护（可限量采）和一般保护3个层次区域。

对淫羊藿、黄芪、北五味子、穿山龙、刺五加、柴胡、关龙胆、辽细辛、平贝母、园参、西洋参、林下参、白芍、玉竹、灵芝十五大野生名贵中药材实行保护性开发利用，严格控制对其进行采挖，加强生态和珍稀濒危物种保护，保障中药资源的可持续利用，维护生态平衡。同时加快对珍贵的药用植物品种的引种和栽培，从而替代野生资源。

（2）加强大宗野生药材基原的野生抚育与野生变家种研究。对于吉林省常用的大宗野生中药材基原，如黄耆、朝鲜淫羊藿、刺五加、北细辛、龙胆、黄花乌头、麻叶千里光（返魂草）、关防风、北柴胡等，尽快开展系统的生物学特性研究，开展其野生抚育与野生变家种的研究，以增加总的资源量，满足日益增长的中药加工业的需求。根据吉林省目前最严重的资源短缺矛盾，建议首先开展黄耆、朝鲜淫羊藿、刺五加、五味子的野生抚育，应加大科研力量及资金的投入；同时积极开展龙胆、黄花乌头、麻叶千里光（返魂草）、关防风、北柴胡的野生变家种研究，以实现资源的可持续发展。

（3）建立中药材种质资源库与中药材种子种苗繁育基地。针对中药资源不断匮乏、品种退化甚至枯竭的状况，建立人参、北五味子、关防风、甘草、黄芪、关黄柏等50余种常用、大宗道地和特色中药材的种质资源库与种质资源圃。建立中药材种子低温长期保存与活体保存相结合的种质资源保存体系，对每个中药品种按照种质资源采集、保存技术要求建立完善的技术资料，并建立相关的信息数据库。积极开展吉林省中药材种子种苗繁育基地建设，开展对两头尖、关龙胆等难繁育北药品种的研究，建立玉竹、北五味子、人参、刺五加、关黄柏、桔梗等道地中药材的种子种苗繁育生产基地，为吉林省及其周边区域提供优良的种子种苗繁育原料。

（4）加强野生中药资源生态环境的保护。生态环境是影响中药材（动植物）资源分布和质量优劣的重要因素。生态环境一旦遭到破坏，药用动植物的生存就会受到直接威胁。因此，建议加强吉林省北五味子、关防风、桔梗等50余种道地药材与环境的相关性研究，并以植物生态、植物区系、气候等因素为依据制定中药材的生产发展区划，确保中药材质量的稳定可控。

（5）加大野生中药资源保护的力度。依据吉林省第四次全国中药资源普查结果，采用遥感等现代"3S"技术加强中药资源的动态监测，加快中药资源的立法保护，加速中药资源的保护区建设。建立以鹿、熊、林蛙为重点的经济药用动物养殖产业，并对饲养户给予饲养技术指导和绿色中医药管理规定的培训，科学采集鹿茸、鹿胎、熊胆粉、哈蟆油等珍贵中药材，提高养殖效益，并加大对这些药用动物研究开发的力度，提高科技含量，实现增产增值。

（6）发展林区特色经济。应有效利用荒山、荒地、林缘、林间空地等，尽量减少对耕地的占用和林地的破坏。吉林省在符合林区特点的中药材种植和仿生态栽培（野外抚育）方面具有一定的基础，相关中药材品种包括刺五加、北五味子、淫羊藿、黄芪、关龙胆、轮叶党参等，但后续的管理经营薄弱，基地萎缩严重，没有形成优势产业。应重视山野菜、中药材、食用菌、浆果及坚果、经济动物的仿生态栽培或饲养（野外抚育），实现经济效益和生态效益的双赢。

3. 加强大宗栽培药材的规范化种植、养殖研究

（1）科学规划、合理布局，客观制定栽培药材的发展规划。道地药材是药材优良的遗传性状与产地特殊的气候环境等生态因子相结合的产物。离开道地产区发展药材生产，必定在一定程度上带来药材质量的下降。因此，应该在道地产区发展道地药材，如在白城地区发展麻黄，在桦甸市等地发展哈蟆油，在通化县、集安市发展人参等。由于药材的道地性也存在一定的变迁过程，因此在其他非道地产区发展药材时应经过试种、预试验并通过药材的质量比较之后再进行大规模生产。

政府应该通过中药材的现代研究成果、市场信息、电子商务等渠道了解药材的供求状况，指导种植企业与药农合理扩大药材的种植面积，避免由于药材（如山药）的盲目发展而造成"药残伤农"的后果。

（2）加强大宗道地药材的规范化栽培，生产出优质的绿色中药材，减少药源引起的副作用。优质的药材是发挥临床疗效、确保安全性的前提。首先，应该选择环境（大气、土壤、水质）良好的道地产区建立生产基地，避免环境中的不良因子（如重金属、二氧化硫、农药残留等）对药材质量的影响；其次，在栽培过程中，应严格按照中药材 GAP 认证的标准操作规程（SOP）进行栽培，减少不安全农药与化肥的使用，避免人为因素对药材质量的负面影响；最后，在药材的初加工与包装、运输的过程中，也应严格按照 SOP 进行操作，避免外源污染物的引入以及防止药材因霉烂、泛油等造成药材质量的下降。

（3）加强道地药材的优良品种选育。发展人参、北五味子、哈蟆油、鹿茸等 50 余种药材的新品种选育是吉林省道地药材发展的必经历程。选育一批适合种植的优质、高产、抗逆性强的突破性新品种（或组合），逐步改善传统栽培中药材品种混杂的现象。加强多种源地药材如北五味子、桔梗、关龙胆等的种源质量比较研究，推广优质种源，从源头确保药材的质量。

（4）加强重点中药材优良品质快繁技术研究。采用组织培养和细胞悬浮培养等技术，确保优良品质快速形成。采用现代农学、生态学、分子生物学、药学技术，加强中药材（人参、玉竹、北五味子、刺五加、桔梗、关黄柏等）良种繁育基地建设，为吉林省及其周边区域的药材种植基地提供优质的种子、种苗保障。同时，加强中药新品种的示范推广。

（5）调整农业产业结构。吉林省为农业大省，广大农民多以农作物种植为主。但在全省第四

次全国中药资源普查过程中发现,吉林省有较大面积的土壤不适合发展农作物,可以充分利用山地、荒地,退耕还林,大力发展林下经济。如东部山区的林地边缘等,建议通过生态环境分析等技术研究,在这些地方改种中药材,扩大中药材种植面积,积极发展中药材种植业,从而提高农民收入。

（6）加强中医药人才培养,普及中医药文化知识。从吉林省第四次全国中药资源普查成果来看,吉林省尚有多种野生中药材未得到合理的采收与利用。其主要原因是吉林省的大部分农民对周边的许多植物只知是草而不知是药,对中药的认知度不高,没能充分保护和利用中药资源,造成野生中药资源的浪费。因此,建议吉林省加大中医药文化知识普及力度,组建精干科技团队下乡宣传中医药,开展现地中药认知培训,提高广大农民对中医药的认知度,以充分利用吉林省的野生中药资源。

第五章

吉林省中药材种子种苗繁育基地

吉林省特有的地理位置和气候条件，孕育着数以千计的中草药。吉林省道地药材主要有人参（包括山参）、平贝母、鹿茸、辽细辛、桔梗、哈蟆油、甘草、黄芩、北五味子、关防风等数十种。这些品种的应用历史悠久，质地纯正，行销面广。其中人参、辽细辛、桔梗、平贝母、鹿茸、哈蟆油等品种的野生资源已无法满足需要，主要靠种植家养来提供商品。近年来，吉林省中药材种植业取得了一定的成就。

中药产业已成为吉林省农业结构中的朝阳产业，吉林省委、省政府已做出了把中药产业培育成该省经济的支柱产业的战略决策。药用植物种子种苗繁育是中药材种植（养殖）的源头，种苗繁育业的发展直接影响到中药材种植业的发展，因此，药用植物种子种苗繁育基地建设与吉林省中药经济支柱产业的关系是极其紧密的。

药用植物种质资源是中药生产的源头，种质资源是进行中药材品种改良、新品种培育及遗传工程的物质基础。通过中药原料资源调查，建立种质资源库、种质资源信息共享平台，提供种质的保护及保存、栽培育种、生物技术研究、中药基础理论研究、中医临床研究等方面的信息，为吉林省药用植物种质资源的全社会共享构建服务平台。该平台能够为全社会提供更好的服务，广泛地进行科普宣传，为良种繁育工作者提供更多的辅助信息，有效地促进我国种质资源的保护、管理与利用。以现有的种质资源为基础素材，在种质资源研究的基础上进行优良品种选育，应用传统和现代的育种手段，进行药用植物优良品种选育，对于改善中药材的质量，实现药用植物栽培良种化，具有巨大的潜力。

一、基地的概况

根据吉林省中药资源优势与分布特点，以产、学、研合作的方式，采用主基地加分生产基地的模式，最大限度地覆盖全省范围，提高社会效益。2013年，吉林省以长春中医药大学为中心，联合吉林省昌农实业集团有限公司、吉林紫鑫药业股份有限公司、康美新开河（吉林）药业有限公司、吉林省北佳中药材科技开发有限公司、吉林省中北老关东玉竹产业科技开发有限公司、吉林省盘古中药材开发有限公司6家企业共同合作，在通化县、集安市、靖宇县、抚松县、柳河县、长岭县建设6个国家基本药物所需重要中药材种子种苗繁育生产基地。繁育基地以长春中医药大学、吉林农业大学为主要技术依托单位，建立了吉林省中药材种子种苗繁育研究与技术服务中心（简称"省级繁育中心"），并以6家中药材种植企业为核心生产基地，加强对吉林省珍贵、大宗常用、道地药材的种子种苗繁育和中药种质资源的保护，促进中药资源的可持续利用。

根据"国家基本药物所需重要中药材种子种苗（吉林）繁育基地建设"项目开展的需要，6

家生产基地分别与吉林省中医药管理局签订了项目任务书，各生产基地按照任务书内容，积极推进此项工作，并于 2017 年 12 月顺利通过了国家验收。

为保障项目工作的顺利开展，繁育基地成立了中药材种子种苗繁育基地项目领导组、建设组、技术组。领导组主要负责研究决策项目开展过程中的重大事项，并检查、督导、协调各相关部门，积极推进项目开展的各项工作。建设组主要负责项目的施工管理、监督检查及各种资料的档案管理等。同时，以长春中医药大学为技术依托单位，成立了技术组，由技术组组长曲晓波，副组长邱智东，组员林喆、姜大成、翁丽丽、肖井雷、张天柱、张强、蔡广知、齐伟辰、王哲、肖春萍等组成。技术组主要负责为项目的实施提供管理和技术的支撑服务，保证基地的正常运行及持续提供种子种苗服务。

目前，繁育基地建设已全面完成，同时取得了一定的成效，并逐渐开展了技术推广与社会化服务。

二、基地的基础条件

2017 年，国家基本药物所需重要中药材种子种苗（吉林）繁育基地总规模为 14126 亩，土地所有权清晰且稳定。总体布局科学合理，硬件条件齐全，符合中药材种子种苗繁育与生长的要求，并配备了必要的基础设施和生产设备，其中主基地建有机耕道、大棚、排灌设施、喷灌系统等，分基地建有机耕道和排灌设施等，见图 1-5-1。同时，基地定期开展了环境因子质量监测，包括水、土壤和大气。其中，吉林省中药材种子种苗繁育研究与技术服务中心 38 亩、主基地柳河基地（吉林省昌农实业集团有限公司）2180 亩、通化基地（吉林紫鑫药业股份有限公司）2400 亩、集安基地 [康美新开河（吉林）药业有限公司]2939 亩、靖宇基地（吉林省北佳中药材科技开发有限公司）3200 亩、抚松基地（吉林省中北老关东玉竹产业科技开发有限公司）2500 亩、长岭基地（吉林省盘古中药材开发有限公司）869 亩。2018 年，繁育基地总规模为 14423 亩。其中，柳河基地新增面积 800 亩、

图 1-5-1　繁育基地

长岭基地新增面积 820 亩、集安基地减少面积 1323 亩（退耕还林）。

繁育基地的 6 个生产基地分别位于吉林省柳河县、通化县、集安市、靖宇县、抚松县及长岭县，吉林省中药材种子种苗繁育研究与技术服务中心位于长春中医药大学七星百草园内。

三、基地的种质保存能力

（一）种质保存基地

长春中医药大学在校园内的七星百草园建设了 38 亩东北药用植物种质保存圃，保存了 458 种药用植物。同时，主基地建设了振兴东北道地药材种质保存基地，见图 1-5-2，位于吉林省柳河县安口镇后林子村香炉碗沟，面积达 300 亩，其中轮叶党参 60 亩、赤芍 105 亩（种子繁育地 35 亩、种苗地 10 亩、赤芍芽头 60 亩）、藿香种子繁育地 15 亩、天麻种子繁育地 15 亩、茖葱种子繁育地 10 亩、败酱种子繁育地 20 亩、缬草种子繁育地 20 亩、白薇种子繁育地 20 亩、苍术 6 亩、威灵仙 5 亩、刺五加 1 亩、淫羊藿 1 亩、辽东楤木 1 亩、红豆杉 1 亩等。

图 1-5-2　种质保存基地

（二）种质库

繁育基地种质库于 2017 年 8 月建设完成，总面积为 300m²，由试验区、种子入库前处理操作区、保存区 3 部分组成，见图 1-5-3。

图 1-5-3　种质库

四、基地的种子种苗标准规程制定

吉林省是中药资源大省，人参、北五味子等药材的道地性突出，质量优良，产量居全国之首，该省所产药材除供应省内制药企业外，还供应全国市场，并且远销 50 余个国家和地区，市场需求量极大。优良的种源是发展中药材种植业的基础，因此开展中药材种子种苗繁育研究意义重大，而相关的种子种苗生产技术标准、技术规程的研究与制定就显得尤为重要。目前吉林省在这方面已经取得了一定的成果。

目前，集安基地 [康美新开河（吉林）药业有限公司] 培育完成的人参新品种"新开河 1 号"已经进行了大规模、规范化种植的示范推广，实现了"新开河 1 号"人参种子种苗的产业化推广，从源头上保证了产品质量，为吉林省人参产业的发展做出了贡献。2015 年，抚松基地（吉林省中北老关东玉竹产业科技开发有限公司）与长春中医药大学联合选育优良玉竹品种"玉立一号"，通过吉林省农业农村厅的品种审定，获得了品种审定证书，2016 年，该品种得到了扩大推广。同时，省级中心联合各生产基地已初步制定了人参、北五味子、玉竹、刺五加、辽东楤木、威灵仙、淫羊藿、穿山龙等 24 个品种的种子种苗质量标准、种苗繁育和生产技术规程，规程制定情况见表 1-5-1。

表 1-5-1　种子种苗质量标准、种苗繁育和生产技术规程制定情况

药材名称	基地名称	种子质量标准	种苗质量标准	种苗繁育技术规程	药材生产技术规程
人参（新开河 1 号）	集安生产基地	●	●	●	●
人参（缸参）	通化生产基地	●	●	●	●
北五味子	靖宇生产基地	●	●	●	●
玉竹	抚松生产基地、靖宇生产基地	●	●	●	●
刺五加	靖宇生产基地	●	●	●	●
黑枸杞	靖宇生产基地	●	●	●	●
黑涩石楠	靖宇生产基地	●	●	●	●
辽东楤木	靖宇生产基地	●	●	●	●
牛蒡子	靖宇生产基地	●	●	●	●
辽细辛	靖宇生产基地	●	●	●	●
穿山龙	靖宇生产基地	●	●	●	●
北苍术	柳河生产基地	●	●	●	●
关苍术	柳河生产基地	●	●	●	●
柴胡	柳河生产基地	●	●	●	●
辽藁本	柳河生产基地	●	●	●	●
赤芍	柳河生产基地	●	●	●	●
黄精	柳河生产基地	●	●	●	●
关龙胆	柳河生产基地	●	●	●	●
轮叶党参	柳河生产基地	●	●	●	●
平贝母	柳河生产基地	●	●	●	●

续表

药材名称	基地名称	种子质量标准	种苗质量标准	种苗繁育技术规程	药材生产技术规程
威灵仙（辣蓼铁线莲）	柳河生产基地	●	●	●	●
白薇	柳河生产基地	●	●	●	●
升麻（大三叶升麻）	柳河生产基地	●	●	●	●
黄花败酱	柳河生产基地	●	●	●	●
缬草	柳河生产基地	●	●	●	●

注：●表示该项内容已制定完成。

五、基地的实验室建设

省级繁育中心的实验室建设在长春中医药大学内。各生产基地中，通化基地、集安基地的承担单位均为上市公司，检验检测技术力量强、设备齐全，能够达到种子种苗检验检测的相关要求；靖宇基地、抚松基地、柳河基地的检测项目，均与省级繁育中心检测实验室全面合作。

（一）省级繁育中心

省级繁育中心的实验室建设在长春中医药大学七星百草园内，配备有种子种苗相关检测实验室，建设面积约525m²，下设生理生化、栽培加工、病虫害防治、组织培养、生物技术、种质资源、质量特征评价、资源动态监测8个研究室，具有各类实验设备30余台（套），价值达400余万元，见图1-5-4。

图1-5-4　省级繁育中心

目前，省级繁育中心实验室有负责人 1 名、技术人员 7 名。实验室各项管理规定、操作技术规范及检测规程均已齐备。此外，省级繁育中心还有 2000m² 的现代化温室、30000m² 的百草园自有土地可供开展相关研究使用。

（二）通化生产基地

吉林紫鑫药业股份有限公司与中国科学院北京基因组研究所合作，成立了吉林省长白山人参保护与利用专项组。2012 年 7 月至 10 月，该专项组完成了吉林省人参种质资源的全部调查工作。通过人参资源普查，收集人参样本、适宜土壤、生长环境等信息，为人参基因组测序提供了基础数据，支持功能基因筛选，为人参优质种子种苗繁育工作奠定了基础。目前，通化生产基地依附吉林紫鑫药业股份有限公司的化验室进行质量项目检测，该化验室面积达 900m²，配备了检测设备及检测人员，能保证种子种苗的农药残留、重金属、成分含量分析等项目质量检测工作的顺利开展。通化生产基地调研见图 1-5-5。

图 1-5-5　通化生产基地调研

（三）集安生产基地

集安地区的康美新开河人参产业园区检测中心为省级企业技术中心，拥有高效液相色谱仪、气相色谱仪、原子吸收分光光度仪、超声波清洗器等先进仪器设备 200 余台（套），能及时、准确地检测基地的土壤、水分、鲜参和成品新开河参的各项指标；并已建立先进的种子种苗检测实验室，可以对人参种植的土壤、灌溉用水等环境和种苗、有机肥、农药等农业投入品进行全程跟踪检测，从源头上保证了产品质量。此外，制定并实行"六统一"的标准化模式，即统一标准、统一技术、统一管理、统一种源、统一物料、统一加工，从而使产品质量达到"安全、稳定、有效、可控"。集安生产基地调研见图 1-5-6。

图 1-5-6　集安生产基地调研

（四）其他生产基地

在省级繁育中心的指导和帮助下，靖宇生产基地、抚松生产基地和柳河生产基地在中药材种子种苗检验检测实验室建设方面也取得了一定的进展，基本达到相关检测要求，可以完成各基地的种子种苗相关检验检测工作。其中柳河生产基地拥有实验设备 10 余台（套），有能力开展相关种子种苗的研究工作。

六、基地的社会化服务

（一）品种繁育与推广

2016 年，国家基本药物所需重要中药材种子种苗（吉林）繁育基地全面完成了基础建设工作，现已将工作重心全面转移到提高生产能力和社会化服务质量方面，具体数据见表 1-5-2 至表1-5-6。

表 1-5-2　2015 年度生产基地产值情况

基地名称	品种名称	药材		种子		种苗		产值总计/万元
		数量/t	产值/万元	数量/t	产值/万元	数量	产值/万元	
抚松生产基地	玉竹	52.0	156.0	23.0	82.8	380.0t	304.0	542.8
集安生产基地	人参	22.2	888.0	0.5	30.0	27.6t	331.2	1249.2
柳河生产基地	黄精	—	—	0.1	1.4	6.5t	9.8	11.2
	苍术	—	—	0.1	5.7	110000株	2.8	8.5
	白鲜皮	—	—	0.2	13.9	80000株	2.8	16.7
	赤芍	—	—	0.1	3.2	50000株	1.8	5.0
	玉竹	—	—	0.4	0.2	—	—	0.2
	轮叶党参	—	—	0.1	1.7	—	—	1.7

基地名称	品种名称	药材		种子		种苗		产值总计/万元
		数量/t	产值/万元	数量/t	产值/万元	数量	产值/万元	
	升麻	—	—	0.1	1.9	30000株	1.1	3.0
	柴胡	—	—	0.1	0.5	200000株	2.0	2.5
	威灵仙	—	—	0.1	2.9	120000株	3.0	5.9
	辽藁本	—	—	—	—	50000株	0.6	0.6
靖宇生产基地	五味子	1000.0	900.0	0.2	4.8	360000株	14.4	919.2
	刺五加	120.0	48.0	0.1	4.0	—	—	52.0
	细辛	1.5	5.4	0.1	3.6	—	—	9.0
	平贝母	0.5	2.0	—	—	—	—	2.0

表 1-5-3　2016 年度生产基地产值情况

基地名称	品种名称	药材		种子		种苗		产值总计/万元
		数量/t	产值/万元	数量/t	产值/万元	数量	产值/万元	
抚松生产基地	玉竹	85.0	297.5	32.00	115.2	620.0t	372.0	784.7
集安生产基地	人参	15.0	450.0	0.40	16.0	4.6t	46.0	512.0
通化生产基地	长白山紫鑫山参原种1号	—	—	0.30	9000.0	—	—	9000.0
柳河生产基地	黄精	—	—	0.01	0.1	2995株	4.5	4.6
	苍术	—	—	0.03	1.7	79580株	8.0	9.7
	威灵仙	—	—	0.02	0.4	100000株	2.5	2.9
	玉竹	—	—	2.50	1.3	—	—	1.3
	赤芍	—	—	0.02	0.9	—	—	0.9
	白鲜皮	—	—	—	—	100000株	3.5	3.5
	升麻	—	—	—	—	50000株	1.8	1.8
	柴胡	—	—	—	—	50000株	0.5	0.5
	辽藁本	—	—	—	—	20000株	0.3	0.3
靖宇生产基地	五味子	700.0	1800.0	0.60	21.6	750000株	45.0	1866.6
	刺五加	210.0	84.0	0.10	4.0	—	—	88.0
	细辛	1.0	3.6	0.10	3.6	—	—	7.2
	平贝母	2.0	8.0	—	—	—	—	8.0

表 1-5-4　2017 年度生产基地产值情况

基地名称	品种名称	药材		种子		种苗		产值总计/万元
		数量/t	产值/万元	数量/t	产值/万元	数量	产值/万元	
抚松生产基地	玉竹	110.0	330.0	41.00	147.6	685.0t	479.5	957.1
集安生产基地	人参	18.0	537.0	0.56	22.4	25.4t	203.2	762.6
通化生产基地	长白山紫鑫山参原种1号	—	—	0.18				

续表

基地名称	品种名称	药材		种子		种苗		产值总计 / 万元
		数量 /t	产值 / 万元	数量 /t	产值 / 万元	数量	产值 / 万元	
柳河生产基地	黄精	—	—	0.02	0.3	1.3t	1.9	2.2
	苍术	—	—	—	—	3837262 株	172.7	172.7
	柴胡	—	—	—	—	40000 株	0.4	0.4
	威灵仙	—	—	0.01	0.2	—	—	0.2
	赤芍	—	—	0.03	1.8	—	—	1.8
	辽藁本	—	—	—	—	40000 株	0.6	0.6
	白鲜皮	—	—	—	—	40000 株	1.4	1.4
	升麻	—	—	—	—	50000 株	1.8	1.8
	玉竹	—	—	0.40	0.2	—	—	0.2
	防风	—	—	—	—	3322226 株	19.9	19.9
靖宇生产基地	五味子	700.0	168.0	0.25	12.0	1200000 株	96.0	276.0
	刺五加	470.0	188.0	0.15	6.0	—	—	194.0
	细辛	4.0	16.0	0.10	3.0	—	—	19.0
	平贝母	3.0	18.0	—	—	—	—	18.0

表 1-5-5　2018 年度生产基地产值情况

基地名称	品种名称	药材		种子		种苗		产值总计 / 万元
		数量	产值 / 万元	数量 /t	产值 / 万元	数量	产值 / 万元	
通化生产基地	人参籽	—	—	0.15	—	—	—	—
	林下参	12175261 株	30467	—	—	—	—	30467
柳河生产基地	北苍术	—	—	1.50	150.0	2000 万株	900	1050
	黄精	—	—	1.00	80.0	100t	200	280
	辽藁本	—	—	0.50	32.0	1000 万株	100	132
	板蓝根	600.0t	480	—	—	—	—	480
	防风	—	—	0.50	30.0	1000 万株	100	130
	黄芪	—	—	0.40	20.0	800 万株	80	100
	甘草	—	—	0.30	15.0	700 万株	70	85
集安生产基地	新开河 1 号	6.6t	136	0.20	7.2	—	—	143.2

表 1-5-6　吉林省中药材种子种苗繁育基地产值情况

基地名称	2015 年	2016 年	2017 年	2018 年	产值总计 / 万元
抚松生产基地	542.8	784.7	957.1	—	2284.6
集安生产基地	1249.2	512.0	762.6	143.2	2667.0
通化生产基地	—	9000.0	—	30467.0	39467.0
柳河生产基地	55.0	25.4	201.1	2257.0	2538.5
靖宇生产基地	982.2	1969.8	507.0	—	3459.0
总计 / 万元	2829.2	12291.9	2427.8	32867.2	50416.1

1. 柳河生产基地

该基地种子种苗繁育面积达 520 余亩。基地生产的核心品种有黄精、北苍术、关苍术、辽藁本、升麻、威灵仙、柴胡、赤芍、轮叶党参、白鲜皮等。制定了各品种的种子种苗标准和技术规程，并且已经实现了部分种苗的销售收入。同时，还开展了天麻、平贝母、关龙胆、白薇、知母、败酱、缬草、射干、藿香、板蓝根等 10 余个中药材品种的栽培试验，摸索了种子种苗繁育技术。此外，该基地黄精、北苍术、关苍术等的栽培生产面积有 1660 余亩，已与太极集团签订了 10 年的北苍术种植订单回购协议。柳河生产基地见图 1-5-7。

图 1-5-7　柳河生产基地

2. 通化生产基地

根据市场上中药材的需求量、种子种苗繁育特性，结合吉林省实际情况，通化生产基地将人参作为第一批建设品种。2013 年 9 月，已在通化市东昌区金厂镇上龙头村建成了 48 座日光棚，人参播种面积约 34.5 亩。该基地的繁育品种有长白山野山参、复叶野山参、俄罗斯籽海参、平地林下参。通化生产基地见图 1-5-8。

图 1-5-8　通化生产基地

2017年，通化生产基地以长白山野山参、俄罗斯籽海参、平地林下参为主要繁育品种。种子种苗繁育基地大棚为砖混结构建设，年积温可达2900℃，缩短了人参的休眠时间，人工模仿野山参的生长环境，采用喷灌技术使露水雾化。采取野生抚育种植模式，将种子种苗繁育基地繁育出的野山参种子点播在林下，种子自然发芽，在野生环境中自然生长至少15年。为加速人参产业的发展，通化生产基地在2017年与荷兰Fytagoras B. V.公司合作开展人参根系区域环境优化研究项目，通过使用GrowWatch远程生长监控设备对人参生长及周围气候实施远程24小时在线监测，实时网络传输到荷兰终端服务器，荷兰专家根据采集数据对人参及人参生长周围环境参数进行分析。

2018年，通化生产基地与荷兰Fytagoras B. V.公司合作，开展双单倍体育种研究。在人参育种项目中使用此技术，培育出具有改良基因的植株，用于生产优质的人参产品。2018年，该基地生产人参种子0.15t，全部种植到林下参基地；销售林下参12175261株，产值达30467万元。

3. 集安生产基地

该基地主要繁育的是人参新品种"新开河1号"，该品种是由中国医学科学院药用植物研究所、集安人参研究所和康美新开河（吉林）药业有限公司3家单位合作，前后历经32年（1981—2012年），采用系统选育方法培育而成的我国第一个边条参新品种。2013年1月22日，"新开河1号"通过吉林省农作物品种审定委员会的审定（证书编号：吉登药2013002）；2013年10月16日，"新开河1号"被吉林省科学技术厅确认登记为"吉林省科技成果"（证书编号：2013536）。目前，"新开河1号"人参的种植面积为258亩。2018年，该基地共产出人参种子185kg，推广面积达40亩。集安生产基地见图1-5-9。

图1-5-9　集安生产基地

4. 靖宇生产基地

该基地由吉林省北佳中药材科技开发有限公司承建，在五味子、细辛等的种苗繁育和生产方面已经开展了10余年的种植，其中五味子的种植基地为亚洲最大的种植基地。目前，该基地在栽培技术方面已经非常成熟，完成了"五味子、红松和红豆杉一体化协同栽培"等项目，并制定了相关的技术规程。2015年，该基地新建五味子种苗繁育大棚12座，2016年销售五味子种苗50万株。此外，先后种植了刺五加、黑涩石楠、黑枸杞、关黄柏、细辛、平贝母、穿山龙、辽东楤木等品种，并开展了种子种苗繁育的相关研究。靖宇生产基地见图1-5-10。

图1-5-10　靖宇生产基地

5. 抚松生产基地

该基地由吉林省中北老关东玉竹产业科技开发有限公司承建，其玉竹种子种苗繁育经验十分丰富，同时制定了相关的技术规程，可年产玉竹种子20t、种苗65t、鲜品原料380t、干品原料20t，并发展玉竹种源基地1000亩。抚松生产基地见图1-5-11。

图1-5-11　抚松生产基地

（二）难繁育品种研究

省级繁育中心依托长春中医药大学、吉林农业大学开展了朝鲜淫羊藿、辽东楤木、穿龙薯蓣等6个品种的繁育技术难题研究，取得了一定的成果。

1. 朝鲜淫羊藿

主要解决了下列关键问题。

（1）提高朝鲜淫羊藿种子发芽率的技术研究。朝鲜淫羊藿种子属于形态后熟型，刚脱落的种子胚未分化，暖温沙藏（15～20℃）3个月后低温沙藏（1～4℃）2个月可使留胚率达到75%，胚活力超过 90%。这表明影响朝鲜淫羊藿种子萌发的主要因素是胚形态后熟，变温层积处理可加速胚的发育。

（2）朝鲜淫羊藿无性繁殖技术研究。2 龄、3 龄和 4 龄根茎上产生的潜伏芽数量和形成的 1 龄根茎数量排序均为蒙古栎林 > 胡桃楸林 > 次生杂木林。4 龄以后根茎上的潜伏芽不能生长发育成 1 龄根茎。2 龄根茎产生的潜伏芽和 1 龄根茎是朝鲜淫羊藿无性系种群更新的主要途径；郁闭度 50% 左右的林缘有利于获得较好的无性繁殖材料；在人工繁育条件下，适宜的透光率有利于产量和质量的提高。

（3）朝鲜淫羊藿种子、种苗标准的制定。依据《中华人民共和国标准化法》《中华人民共和国种子法》等法律法规，在实验数据的基础上，制定了朝鲜淫羊藿种子、种苗的质量标准。

（4）朝鲜淫羊藿种苗繁育圃的建立。朝鲜淫羊藿种苗繁育圃基地位于吉林省长春市吉林农业大学试验田，面积 800m²，基地所配套的水、电、道路等设施已完成。

2. 辽东楤木

主要解决了下列关键问题。

（1）辽东楤木种子休眠的问题。考察了种皮和种胚效应、种内抑制物对辽东楤木种子休眠的影响，结果表明，辽东楤木种子休眠为综合性休眠，存在种胚形态后熟现象及种内萌发抑制物，这为进一步进行研究辽东楤木种子打破休眠技术提供了支持。

（2）辽东楤木种子休眠解除方法的研究。考察了经细胞分裂素（6-BA）及赤霉素（GA₃）处理后进行变温层积处理对打破辽东楤木休眠的作用。将上述经化学试剂处理的种子 15℃ /5℃（12 小时 /12 小时）变温层积处理 30 天，记录发芽势与发芽率，结果表明，经 GA₃ 丙酮溶液浸泡对种子休眠解除的效果最好，发芽率达到了 80%，这为开发辽东楤木种子打破休眠技术提供了依据。

（3）辽东楤木根段育苗技术的提出。考察了不同根段长度和直径对辽东楤木发芽率、出苗率及当年苗木生长状况的影响，在生产中可根据根的具体直径将根段长度剪至 8 ~ 12cm，效果最佳。

（4）辽东楤木种子、种苗标准的制定。依据《中华人民共和国标准化法》《中华人民共和国种子法》等法律法规，在实验数据的基础上，制定了辽东楤木种子、种苗的质量标准。

（5）辽东楤木种苗繁育圃的建立。辽东楤木种苗繁育圃基地位于吉林省长春市吉林农业大学试验田，面积 2000m²，基地所配套的水、电、道路等设施已完成。

3. 穿龙薯蓣

主要解决了下列关键问题。

（1）穿龙薯蓣种子催芽、保苗技术问题。穿龙薯蓣种子具有明显的休眠现象，在自然条件下，散落的种子成苗率极低，且生长极为缓慢。本研究对比了 6 种技术对穿龙薯蓣种子催芽的效果，结果发现，层积和萘乙酸（NAA）处理效果最好，具有催芽速度快、效果稳定、萌发率高的特点。

苗期遮阴保湿是影响实生苗成活率的重要因素，生产中采用稻草密实覆盖法即可达到较好的效果。

（2）穿龙薯蓣无性繁殖根茎龄级的判定及繁育研究。研究发现根茎龄级是影响穿龙薯蓣无性繁殖出苗率的关键，通过其根茎粗细不一的差异进一步发现，穿龙薯蓣的根茎在年际之间具有明显的芽痕，可以根据这些特征从根茎的先端逐步推断出每一段的年龄及整株植株的寿命。研究显示，穿龙薯蓣每年生长 3 ~ 5 节，节长 3 ~ 5cm，节鲜重 3.2g，节干重 1.14g，节直径 0.714 ~ 1.368cm。1 ~ 2 龄级根茎是无性繁殖的理想材料，以其为种栽，可分别比 3 ~ 4 龄级、5 龄级及以上龄级的种栽生根率提高 3%、11%。当以 1 ~ 4 龄级根茎为种栽时，采用生根粉（ABT，500μg/g）加 NAA（50 ~ 200μg/g）速蘸，即可达到较好的促生根效果。

（3）穿龙薯蓣种子、种苗质量标准的制定。依据《中华人民共和国标准化法》《中华人民共和国种子法》等法律法规，在实验数据的基础上，制定了穿龙薯蓣种子、种苗的质量标准。

（4）穿龙薯蓣种苗繁育圃的建立。穿龙薯蓣种苗繁育圃基地位于吉林省长春市吉林农业大学试验田，面积 1000m²，基地所配套的水、电、道路等设施已完成，基地一部分用于种子种苗基地建设，另一部分用于无性繁殖基地建设。目前已收获了一年的种子，基地内现有二年生实生苗（约 400m²）及多年生根茎（约 400m²）。

4. 紫杉

主要解决了下列关键问题。

（1）紫杉种子催芽技术问题。分别利用物理、化学和生物手段对种皮进行处理。将处理后的种子在黑暗条件下进行变温层积处理，直至裂口率不再变化时结束层积。将裂口种子进行低温层积处理，层积结束后，使用裂口种子进行常规发芽试验，测定层积种子发芽率。过程如下：使用酸处理后，蒸馏水洗净后自然风干；将风干种子与湿沙按照 1∶4 ~ 1∶3 的体积比均匀混合后，置于沙床上均匀铺开，然后覆盖 3 ~ 4cm 厚的湿沙；将混合好的种子在黑暗条件下，20℃/10℃（12 小时 /12 小时）变温层积 120 天后转入 4℃低温层积 90 天；完成为期 210 天的层积后，将种子置于沙中，在 25℃条件下进行萌发，26 天后萌发完成，可得到 60% ~ 70% 的发芽率。结果表明，以酸蚀结合层积处理的技术效果最为明显，具有裂口速度快、发芽率高、处理效果稳定的优点，可以用于紫杉的有性繁殖。

（2）紫杉种苗的快繁技术。通过对比不同扦插基质、插穗年龄、扦插时期、母树年龄对紫杉扦插生根的影响，得出从 4 ~ 8 年生的树木上采取当年生的嫩枝夏季扦插、基质采用腐殖土生根率最高。

（3）紫杉种子、种苗标准的制定。依据《中华人民共和国标准化法》《中华人民共和国种子法》等法律法规，在实验数据的基础上，制定了紫杉种子、种苗的质量标准。

（4）紫杉种苗繁育圃的建立。紫杉种苗繁育圃基地位于吉林省长春市吉林农业大学试验田，种子种苗繁育圃面积 300m²，扦插苗繁育圃面积 600m²。入冬前覆 20 ~ 30cm 厚的杂草、树叶于苗床，再盖上草帘,少量压土,固定覆盖物,第二年春季撤除,可有效防止低温冷害。针对其主要病虫害(苗期的主要病害是根腐病和猝倒病,主要虫害是蛴螬、蜗牛和蛞蝓)采取相应措施来抵御其对种苗的伤害。

5. 威灵仙

主要解决了下列关键问题。

(1)东北铁线莲和棉团铁线莲种子催芽技术问题。分别利用物理、化学和生物手段对种皮进行处理。将处理后的种子在黑暗条件进行变温层积处理,测定不同层积时间的种子发芽率。结果表明,棉团铁线莲室外干藏 140 天,再用 50mg/L 的 NAA 浸泡 24 小时催芽,发芽率提高 33%;东北铁线莲在 2 ~ 8℃条件下沙藏 100 天,发芽率提高 96.19%,或室外沙藏 120 天,发芽率提高113.33%。上述技术具有发芽率高、发芽时间缩短和稳定的优点,可用于威灵仙的有性繁殖。

(2)威灵仙种子、种苗标准的制定。依据《中华人民共和国标准化法》《中华人民共和国种子法》等法律法规,在实验数据的基础上,制定了威灵仙种子、种苗的质量标准。

(3)威灵仙种苗繁育圃的建立。威灵仙种苗繁育圃基地位于吉林省长春市吉林农业大学试验田,面积 900m²,基地所配套的水、电、道路等设施已完成,基地一部分用于种子种苗基地建设,另一部分用于无性繁殖基地建设。目前,基地内有东北铁线莲一年生实生苗种苗(约 600m²)及棉团铁线莲一年生实生苗种苗(约 300m²)。

6. 刺五加

主要解决了下列关键问题。

(1)刺五加种子催芽技术问题。种子变温处理(18℃下处理 180 天后转入 5℃下继续处理 60天)后经 200mg/L 的赤霉素浸泡 24 小时,催芽效果最为明显,表现出明显的优势,具有较高的发芽率,胚发育的速度和比例均显著增高。经变温处理后的刺五加种子在 25℃下发芽率最高,达83.3%,发芽势为 56.32,发芽指数为 30.12。

(2)刺五加种苗的快繁技术。基质为插穗提供的水分、氧气等,是影响插穗成活的重要因素之一。基质必须疏松、通气、清洁、消毒、温度适中、酸碱度适宜,才能够创造通气保水性能好、排水通畅、含病虫少和兼有一定肥力的环境条件。而幼龄母树的枝条比老龄母树的枝条较易生根成活,一至二年生枝条再生能力强,作为插条生根成活率高。多年生枝条的生根成活率低。

(3)刺五加种子、种苗标准的制定。依据《中华人民共和国标准化法》《中华人民共和国种子法》等法律法规,在实验数据的基础上,制定了刺五加种子、种苗的质量标准。

(4)刺五加种苗繁育圃的建立。刺五加种苗繁育圃基地位于吉林省长春市吉林农业大学试验田,面积 800m²。基地内现存一年生实生苗种苗(约 500m²)及扦插繁殖苗(约 300m²)。采取有效措施防止低温冷害,针对其主要病虫害(苗期的主要病害是根腐病和猝倒病,主要虫害是蛴螬、蜗牛和蛞蝓)采取相应措施来抵御其对种苗的伤害。

（三）技术咨询服务

1. 省级繁育中心

依托长春中医药大学和吉林农业大学，根据不同的培训需求及受训人群，采取了灵活多样的培训方式，具体培训服务记录见表 1-5-7。

（1）科技讲座。就整个繁育技术流程，包括选地、播种、防病、田间管理、隔离、采收等内容进行技术普及，让学员对种子种苗繁育的全过程有所了解，要向学员讲述怎么做和为什么这样做。

（2）现场培训。主要针对专项技术进行培训，如整地技术培训、播种技术培训、施肥技术培训、种子种苗采收技术培训。

（3）现场指导。深入田间地头，对田间管理人员的实际操作过程进行观察，发现问题及时纠正。

（4）技术咨询。接待来人来电，进行技术咨询服务，解答用户提出的问题，如种某类药材遇到的技术难题等。见图 1-5-12。

表 1-5-7　培训服务记录

序号	培训课程	培训时间	培训专家	培训内容
1	桔梗栽培技术指导培训	2014 年 3 月 5 日	姜大成	选种，选地，施肥，田间管理，病虫害防治，采收与储存
2	黄精栽培技术指导培训	2014 年 3 月 11 日	姜大成	道地药材与非道地药材的区别，道地药材前景分析
3	东北道地药材种植项目前景分析讲座	2014 年 7 月 20 日	张　强	选种，选地，施肥，田间管理，病虫害防治，采收与储存
4	中药与农作物经济效益讲座	2015 年 3 月 20 日	杨世海	中药与农作物经济效益介绍分析
5	黄精根茎繁殖栽培技术培训	2015 年 3 月 26 日	李春武	选地，施肥，田间管理，病虫害防治，采收与储存
6	土壤与绿色施肥技术培训	2015 年 4 月 18 日	朱宝成	土壤检测，绿色有机化肥与普通化肥的区别
7	苍术苗繁殖栽培技术培训	2015 年 5 月 22 日	李春武	选地，施肥，田间管理，病虫害防治，采收与储存
8	种子种苗繁育研究与技术服务会	2016 年 4 月 7 日	于　澎	种子种苗繁育研究与技术改良
9	种子种苗繁育验收技术	2016 年 5 月 8 日	于　澎	种子种苗繁育验收技术标准
10	北苍术种子质量等级分辨标准培训	2016 年 7 月 18 日	张　强	采收时间，晾晒，加工，保存
11	中药材种植实用技术培训	2017 年 3 月 6 日	姜大成	中药材栽培与中药材质量
12	苍术、黄精种植技术	2017 年 6 月 8 日	李春武	苍术、黄精种植技术与注意事项
13	中药材种植技术	2018 年 1 月	姜大成	黄芪、防风、板蓝根等中药材种植操作规程
14	人参基地建设的产生环境与选地要求	2018 年 1 月 8 日	曲绍毅	人参生产基地建设选址、环境、选地等方面要求
15	中药材种植技术	2018 年 3 月	姜大成	中药材种植土壤处理与施肥
16	人参施肥管理规程	2018 年 3 月 15 日	冷维顺	施肥的注意事项和方法
17	人参搭设荫棚及维修标准	2018 年 4 月 15 日	冷维顺	搭设荫棚的标准及维修
18	人参灌溉和排涝标准	2018 年 5 月 15 日	冷维顺	灌溉的类别和排涝事项
19	中药材种植技术	2018 年 6 月	姜大成	黄芪、防风、板蓝根等中药材种植技术指导

续表

序号	培训课程	培训时间	培训专家	培训内容
20	人参栽培田间管理操作规程	2018 年 6 月 12 日	许 伟	人参田间栽培要点
21	人参除草标准操作规程	2018 年 6 月 15 日	冷维顺	除草的目的和方法
22	人参摘蕾标准操作规程	2018 年 7 月 20 日	冷维顺	人参摘蕾时间和采摘方法
23	人参病害综合防治标准操作规程	2018 年 8 月 20 日	冷维顺	病害的预防及施药方法
24	人参防寒标准操作规程	2018 年 9 月 20 日	冷维顺	防寒时间及相关操作
25	人参质量安全技术	2018 年 10 月 8 日	曲绍毅	人参种植、生产方面技术

2. 柳河县生产基地

该基地建设了种子种苗繁育及中药材栽培相关的信息平台 [吉林省昌农实业集团有限公司网站：http://www.jlcnsy.com/、国家基本药物所需中药材种子种苗（柳河）繁育基地：http://www.lhcnchmpc.com/、柳河高品质农副产品全程追溯系统管理平台：http://lhqczs.jlcnsy.net/]，并与东北三省多家合作社建立了合作关系，向其提供相关技术指导与咨询，如清原满族自治县辽东康源中药材专业种植合作社、柳河县众鑫中药材种植农民专业合作社、内蒙古莫力达瓦达斡尔族自治旗时珍北药中草药种植专业合作社、抚松县抽水乡、抚松县泉阳镇等。同时，公司采用"公司＋基地""公司＋农户"的产业化运作模式，对合作农户在中药材种植的质量监督和技术指导上，形成了较完善的服务体系，并邀请相关专家实地考察及进行讲座，与周边农户共同探讨中药材种植过程中的疑难问题。预计未来基地将在全省拓展到 500 个中药材种植专业合作社，带动全省上万农民进入中药材种植体系。2018 年，基地通过定制药园模式分别在柳河县亨通镇、长岭县三益村开展中药材种植产业扶贫工作，取得了良好的效果。

3. 通化市生产基地

该基地建立了"吉林紫鑫红石种养殖有限公司微信平台"及员工 QQ 群，以方便交流。2018 年，基地定期组织工作人员进行培训和学习，并建立了员工微信群。同时，针对公司内部及延边、通化地区的种植户进行了专业的技术培训。

4. 集安市生产基地

该基地建立了康美药业协同管理平台，以更好地掌握国家政策、行业相关信息、公司近况等信息，为员工培训提供了网络平台；建立了康美新开河员工 QQ 群、微信群，方便员工在工作中更好地沟通、衔接工作任务；建立了康美新开河（吉林）药业有限公司网站（http://www.kmxkh.com/），通过宣传公司企业文化、经营品种等，大大提高了公司知名度。同时，基地针对公司内部及周边人参种植农户开展了人参栽培相关技术指导、咨询及培训服务。

5. 抚松县与靖宇县生产基地

两基地均建立了 QQ 群及微信群，并针对基地内部及周边药用植物种植农户，开展了中草药栽培相关技术指导、咨询及培训服务。

图 1-5-12　技术咨询服务

（四）中药检测等技术服务

省级繁育中心可提供药用物种学名鉴定、中药材真伪鉴别、种子种苗及中药材质量评价、种植基地适宜性评价、药材种植田间指导等相关技术服务。近年来开展的相关技术服务工作的具体数据见表 1-5-8。

表 1-5-8　技术服务数据

序号	时间	对象	检测内容
1	2016 年 3 月	抚松县凝善红茶有限公司	中药红茶产品质量检测
2	2016 年 3 月	吉林省展诚生态农业有限公司	黑枸杞规划种植基地土壤因子监测
3	2016 年 3 月	吉林省药品检验所	中药材基原药用植物标本采集
4	2016 年 4 月	吉林省均林中草药种植有限公司	药材基原鉴定、标本采集
5	2016 年 4 月	吉林省昌农实业集团有限公司	苍术药材基原鉴定（原植物、药材的显微鉴别和理化鉴别）
6	2016 年 4 月	吉林省御珍小镇中医药文化发展有限公司	黄芪种植基地方案设计
7	2016 年 4 月、5 月	通化市同犇农业发展有限公司	环境因子监测、成品质量检测方案设计
8	2016 年 5 月	辽源市杨木水库	万亩水源地有机中药材种植规划方案
9	2017 年 5 月	蛟河市中药材种植示范园	技术指导
10	2017 年 5 月	大安市月亮泡镇	种植防风种子及技术指导
11	2017 年 6 月	伊通县景台镇	桔梗种植推广指导
12	2017 年 8 月	全国中药人才传承班	实习考查
13	2018 年 1 月	长岭县三益村	黄芪、防风、板蓝根等中药材种植操作规程
14	2018 年 3 月	长岭县三益村	中药材种植土壤处理与施肥
15	2018 年 4 月、9 月	吉林参工长白山人参专业合作社	技术指导
16	2018 年 5 月	抚松县晟安生态人参有限公司	技术指导
17	2018 年 6 月	长岭县三益村	黄芪、防风、板蓝根等中药材种植技术指导
18	2018 年 8 月	集安市俊鹏参业有限责任公司	技术指导
19	2018 年 9 月	集安市诚实参业有限公司	技术指导

（五）生产技术推广

吉林省中药材种子种苗基地建设完成后，各生产基地已先后开展了生产技术推广服务，并取得了一定的成效，具体推广农户等信息见表1-5-9。

表1-5-9 吉林省中药材种子种苗繁育基地生产技术推广数据

| 序号 | 基地名称 | 2015年 | | 2016年 | | 2017年 | | 2018年 | | 产值总计/万元 |
		辐射农户/户	平均产值/万元	辐射农户/户	平均产值/万元	辐射农户/户	平均产值/万元	辐射农户/户	平均产值/万元	
1	集安生产基地	25	10.0	28	10.0	32	10.0	30	10.0	40.0
2	柳河生产基地	120	4.0	200	4.0	400	4.0	500	2.0	14.0
3	通化生产基地	0	0	5	600.0	34	109.0	0	0	709.0
4	靖宇生产基地	450	13.0	550	16.0	620	185.0	—	—	214.0
5	抚松生产基地	242	7.7	520	10.3	615	11.1	—	—	29.1
总计/万元		837	34.7	1303	640.3	1701	319.1	530	12.0	1006.1

1. 通化生产基地

该基地主要采取野生抚育的种植模式，将繁育出的优良种子种植到林下，待种子自然发芽后，使其在野生环境中自然生长15年以上。目前，通化生产基地已经投入使用，并已培育出优质、抗病的人参种苗，可为相关生产单位提供优质人参种子种苗；试验、推广种苗繁育新技术和新材料，为生产单位提供技术指导、培训、咨询等服务；采用多种合作形式促进人参种子种苗繁育技术的推广。2016年，基地首次销售人参种子，成交金额3000万元。

2018年，基地通过现场培训、现场技术指导、电话答疑等多种方式对周边农户进行服务推广；基地大力发展林下参，将繁育出的种子全部点播在林下；销售林下参12175261株，实现产值30467万元。

2. 集安生产基地

该基地通过"新开河1号"人参大规模、规范化种植的示范推广，努力实现"育、繁、推、产、加、销"一条龙，促进科研成果应用的快速转化，实现"新开河1号"人参种子种苗的产业化推广，打造公司品牌，使之成为我国最好的人参良种繁育基地，并利用公司取得的"双畦脊型遮光棚的搭建方法"专利技术对种苗进行栽培技术推广，推广面积达1200余亩，为吉林省人参产业的发展作出了贡献。

3. 靖宇生产基地

该基地（生态园）面积3200亩，一公司550亩，二公司750亩，三公司1500亩，东兴1100亩，具备五味子、刺五加、细辛、玉竹、人参、西洋参等中药材的繁育和生产条件，标准化示范效果较好。

2011年至今，公司带动周边农户发展中药材种植面积达1.4万亩，仅2016年就销售五味子种苗50万株、黑涩石楠和黑果枸杞120万株，显著增加了当地农民收入，带动周边农户走上致富道路。

4. 抚松生产基地

该基地面积1200亩，开展了长白山玉竹人工种植基地项目，标准化示范效果较好，成功带动抚松、长白、敦化等地开发建设玉竹基地，增加了当地农民收入，带动周边农户致富，效益显著。

5. 柳河生产基地

该基地带动农户种植了近2000亩的黄精、苍术、赤芍等品种，还采取了专家授课、技工指导、现场体验三位一体的培训模式，调动了农户的种植积极性，并把种子种苗销往内蒙古自治区、辽宁省及周边的市县，同时也给企业带来了收入。此外，建设期间仅用工支出就达到50余万元，带动周边农户致富，效益显著。

2018年，柳河生产基地在柳河县亨通镇建设北苍术定制药园13个，种植面积达2000亩。该镇现有贫困户214户、573人，其中新识别4户、12人。通过贫困户土地托管发展产业扶贫示范园（定制药园），共增收105.7万元，户均增收5000元。该镇已脱贫146户、410人。

（1）建立"种植药园"。基地所建设"种植药园"的药材种植面积已达3000亩。近百户（建档立卡）贫困户从中受益，累计200余人次参与中药材的种植及采收工作。

对参与中药材种植的贫困户给予种子、种苗补贴共计151380元（黄耆、防风种苗：34户三星贫困户，每户18000株补助1800元，共计61200元；50户二星贫困户，每户13820株补助1382元，共计69100元；11户一星贫困户，每户10000株补助1000元，共计11000元。菘蓝种子：补助84户，每个贫困户补助120元，共计10080元）。

有劳动能力的贫困户的额外收入如下：在种植药园打工获得收入（男女工同酬，每小时10元，每天工作10小时，年有效工作时间80天，平均每人每年可获得8000元，累计200余人次，总计160万余元）。

（2）建设良繁基地。2018年，基地共计培育良种种苗1000亩，以甘草、防风、黄耆、柴胡为主要品种，满足了周边农户中药材种植扩繁的需求。

（3）对贫困户的扶持。共计举办中药材种植技术培训会3次，专家实地指导20次，参加培训的贫困户共计200余人次。

（4）探索中药材产业扶贫机制。中药材种植溯源、物权、三农合作互助3个平台的开发与应用将最大化地改变农业农村的现状，中药材产业扶贫项目将得以更有效地推广与执行。

第六章

吉林省中药资源区划

一、生态环境对药用植物的影响

我国国土幅员辽阔，地跨热带、亚热带、温带，气候多样，有平原、山地、丘陵、盆地、高原等多种地形。多重的生态系统造就了物种多样性的特点，其中中药资源也极其丰富。目前，我国有文献记载的药用植物有11000余种，其中常见、常用的也有近千种，著名的药用植物有人参、三七、刺五加、贝母、冬虫夏草等；药用动物资源也非常丰富，有近1600种；药用矿物有200余种。这些丰富的中药资源有规律地分布在我国不同的地域地貌中。

中药资源的存在和分布有赖于生态环境，不同的药用植物和药用动物对环境条件的要求各不相同，在高山、平原等地形或干旱地、水中、潮湿地带均有较为固定的生物类群。每一种生物都有适合自己生存的环境，不同的环境由不同的生态因子构成，这些生态因子以不同的方式影响着生存在这一环境中的物种。不同的生态环境条件影响着不同物种的生长、发育和繁殖过程，也影响着物种的外部形态、内部结构，影响着物种的次生代谢产物的形成、化学成分的合成与含量。

影响植物生长的生态因子主要有土壤、光照、水质、温度、空气，以及生存地的海拔、纬度、同一环境中生存的其他生物等。这些生态因子彼此间并不是孤立的，而是构成了一个相互作用、相互联系、相互制约的复杂生态环境系统，其中任何一个因子发生变化，都会影响到其他因子的势态，随之而来的是一系列的变化。每一个特定的环境总有一个起主要作用的因子，这个因子称为主导因子。下面仅对影响中药资源分布的地理环境、气候特征、温度、土壤等因子与植物生长发育的关系进行论述。

（一）光照对药用植物的影响

1. 光的基本特征及对生态环境的影响

太阳光为植物的生命活动提供了能源，是地球上热的主要来源，是地球上所有有机物质生成过程中最重要的能量因素，是一切绿色植物生长发育过程中最重要的生态因子。光对药用植物的生态作用可以从光谱成分、光照强度、光照时间等方面进行介绍。

（1）光谱成分。光谱是指太阳辐射能按照波长不同顺序的排列。太阳辐射波长从零到无穷大，其中99%为150～4000nm。太阳光根据波长的不同分为可见光和不可见光，可见光的波长在380～760nm，根据波长分为红光、橙光、黄光、绿光、青光、蓝光、紫光；红光波长为626～720nm，紫光波长为380～435nm。波长大于760nm的光谱称为红外光，波长小于380nm的光谱称为紫外光，都是不可见光。地球表面的热量基本上是由红外光产生的，波长越大，产热越强。在全部太阳辐射中，红外线区占50%～60%，紫外线区约占1%，其余为可见光部分。

高纬度和低海拔地区的长波光多，而低纬度和高海拔地区则短波光多；夏季短波光多，冬季长波光多；一天之中早、晚长波光较多，中午短波光较多。

（2）光照强度。影响光照强度的因素有很多，如纬度、经度、海拔、地形、坡度、坡向、季节、昼夜长短等。光照强度从两极到赤道，随着纬度减小而逐渐增强，因此在赤道全年太阳直射光的射程最短，光照最强。海拔越高则光照强度越大，这与海拔升高大气层厚度相对减小和空气密度减小有关；坡向在北半球则南坡接受的光照强度大，南半球则相反；夏季光照最强，冬季光照最弱；一天之中早、晚光照最弱，中午最强。

（3）光照时间。光照时间的长短主要受不同地区和不同季节的影响。在一定范围内，光照时间会随纬度的增高而延长，对于一些药用植物中的生物成分含量有积极影响。因此选择种植药用植物培育地时，光照时间也是考虑的重要因素之一。

2.以光为主导因子的植物类群

（1）植物形态适应型。不同植物对光的反应是不同的，植物经过长期对不同光照强度的适应，形成了对光强度适应的生态类型，常可分为阳生植物、阴生植物、耐阴生植物。

1）阳生植物。阳生植物是在全日强光照射环境中才能生长发育至健壮，而不能忍受荫蔽的植物，主要生于高山、旷野、向阳坡地。阳生植物对光需求量的下限是10%～20%，光补偿点为全光照的5%，如果达不到光需求量的最低值，将影响其正常的生长发育。阳生植物在全光照条件下，光合作用和代谢速率都很高，如蒲公英、白茅、小蓟、甘草等植物。阳生植物的茎一般较粗壮、节间短、多分枝，特别是生长在海拔较高的山顶上的植物，节间表现出强烈的短缩，常呈莲座状。叶片通常较小，叶排列较为稀疏，叶表面毛绒较多，表皮厚角组织明显，细胞体积较小，细胞壁较厚，木部和机械组织发达，叶肉栅栏组织发达，有的物种可有2～3层栅栏组织，气孔数目较多，植物含水量较少，细胞液较浓，叶绿素a与叶绿素b含量较大。叶绿素a有利于植物对红光部分的吸收，使阳生植物可在直射光线下充分利用红色光段。

2）阴生植物。阴生植物是只有在较弱的光照条件下才能发育至健壮的植物，多生于林下、阴坡。阴生植物可以在低于全光照2%的条件下生长，光补偿点不超过全光照的1%，此类植物的光补偿点、光饱和点、光合作用、呼吸速率都很低。常见阴生药用植物有人参、细辛、铃兰等，其植物形态往往表现为枝繁叶茂，茎细长，节间长，分枝少，叶色为鲜绿色，植物表面少有绒毛或角质层，气孔较少，细胞体积大，细胞壁薄，木质化程度较低，机械组织不发达，维管束数目少，表皮角质层不明显，海绵组织发达。此类植物含叶绿素b较多，有利于利用林下散射光中的蓝紫光段，气孔数目较少，植物含水量较高，细胞液浓度低。严格地讲，木本植物没有典型的阴生植物，只有耐阴生植物。

3）耐阴生植物。耐阴生植物是介于阳生植物和阴生植物之间的类型，能在向阳地生长良好，也能在较阴的地方生长，对光的适应能力较强。沙参、玉竹、党参、侧柏、胡桃楸等植物，在开花授粉期间要进行适当的遮阴。耐阴生植物可在充足的光照下较好地生长，但耐阴能力较强，高温干旱时在全光照下生长会受抑制。耐阴生植物的耐阴程度因种类不同而有很大差别，有偏阳性和偏阴性 2 种。

阳生植物与阴生植物在外部形态上有明显的区别，阳生植物的茎较粗，节间较短，分枝多，叶表面角质层较厚，常有柔毛，开花结实多；阴生植物的茎较细长，节间长，分枝少，叶片角质层薄或无，表面光滑，柔软多汁。

植物耐阴能力和很多因素有关，同一株药用植物的耐阴程度在不同的生长时期表现不同，幼小植物的耐阴能力要相对强一些，长大成熟后耐阴能力减弱；在适宜气候条件下生长的植物耐阴性较强；土壤水分充足，营养丰富，耐阴性就较强。

（2）植物生理适应型。在温度、纬度、降水量、昼夜变化、季节变化等影响植物生长发育的因子中，昼夜长短的变化是最有规律的，在固定的经纬度下这些变化也是固定不变的。不同地区生长的植物经过长期适应和进化表现出固定的周期性生长发育变化。植物对昼夜长度发生反应的现象称为光周期现象。植物的一切生长发育、次生代谢产物的形成都与昼夜长短的变化有着密切的联系。植物对光的生理适应形成了对光周期的适应类型。根据植物对日照时数的适应性，常分为长日照植物、短日照植物、中间型植物 3 种类型。

1）长日照植物。长日照植物是指昼夜周期的日照时数超过一定的长度才能开花的植物。大多数长日照植物的日照时间要超过 8 小时，如紫菀、牛蒡、杜鹃、天仙子、凤仙花等。延长光照时间可以促进开花或提前开花，缩短日照时间将推迟开花或不能开花。

2）短日照植物。短日照植物是指昼夜周期的日照时数小于一定的长度才能开花的植物。大多数短日照植物的日照时间要少于 8 小时，如紫苏、大麻、苍耳、菊花、牵牛等。延长光照时间可能推迟开花或不能开花，缩短日照时间将会促使提前开花。

3）中间型植物。这类植物受光照时间的影响不大，对光照时间的长短要求不是很严格，只要其他条件适合，这种植物能在四季都开花，如曼陀罗、丝瓜、荞麦等。

光周期决定了植物的地理分布和生长季节，低纬度地区日照时间较短，故分布的植物种类为短日照植物；高纬度地区日照时间较长，分布的为长日照植物；中纬度地区混合分布着长日照植物和短日照植物。因此，了解某种植物原产地的日照情况，才能更好地进行引种栽培。

（二）温度对药用植物的影响

1.温度对药用植物的生理作用

植物生长发育受温度影响最大的是：①促进生化反应酶的作用，特别是促进光合作用和蒸腾作用的酶；②二氧化碳和氧在植物细胞内的溶解度；③蒸腾作用；④根在土壤中吸收水分和矿物质的能力。

同一种植物在不同发育阶段对温度的要求各不相同，如果超过植物所能适应的温度范围，就会使植物受害甚至死亡。植物对温度的适应主要表现在生理特性的适应和改变。

（1）植物对温度适应性的三基点。植物对温度的最适点、最低点和最高点，称为生长温度三基点，在最适点范围内植物生长发育得最好，当超过植物所能忍受的最高温度或低于植物所能承受的最低温度，植物生长发育就会停止。例如，人参的适宜生长温度是 10 ~ 34℃，超过适宜温度时，人参茎、叶会被灼伤至死。

（2）原生质特性的改变。植物对于结冰低温的主动生理适应过程应归于原生质保水能力的大小，保水能力越大，其抵抗结冰和干燥的能力越强。细胞的水分减少，细胞质浓度增大，加之气温降低，植物生长速度减慢，细胞内的有机物质消耗减少，细胞内的糖类、脂肪等不断累积，浓度不断增加，使植物冰点降低。例如，鹿蹄草叶细胞含有大量保水能力很强的五碳糖、黏液质、胶质等，使冰点明显降低，当温度下降到 −31℃时才发生冻害。

（3）对不同光波的适应。一些极地和高山植物可以吸收更多的红外线，对可见光的吸收带也较宽，这是在低温环境生长的植物长期适应预防低温的一种有效生理现象。此外，还有些植物在冬季由于叶绿体破坏，花青素、胡萝卜素增加，导致叶片由绿色变成红色，用这种方法增加对热量的吸收。

（4）利用休眠抵御低温。植物在低温的冬季来临时及时转入冬眠期，是北方植物适应低温环境的一种有效生理防冻现象。植物在休眠状态下，细胞将发生质壁分离现象，原生质将通过细胞壁的胞间连丝吸入到内部，表面被一层脂类化合物覆盖，使水分不易透过，使植物体内在低温下不易结冰，用这种生理过程保证细胞不脱水，避免蛋白质变性。

（5）对呼吸作用的影响。植物呼吸作用是植物生长代谢的基本条件，呼吸作用可释放能量，用以满足各种生理过程的需要。植物呼吸强度在可承受温度范围内随着温度的升高而加强。在一般情况下，呼吸作用最适温度要高于其光合作用的最适温度，所以在温度升高到光合作用开始减弱时，呼吸作用却可继续加强。植物有机体体积的增加取决于光合作用积累有机物质与呼吸作用消耗有机物质的差值，在一定范围内差值越大，植物有机体体积增加得越快。如果白天高温弱光或夜间温度较高，植物呼吸作用相对较强，而光合作用又弱，有机物质的积累将会减少。若这种情况发生在苗期，就会使植物形成弱苗；若发生在植物生长的中后期，就会使植物生长发育不良，储藏物质减少，次生代谢产物也大量减少。

（6）对光合作用的影响。温度直接影响着植物内酶的活性，也影响着光合作用。温度升高，植物生理生化作用加快，光合作用强度增大，生长发育也会加快，温度降低则减慢。如果温度过高，光合作用也会减慢，大多数植物在 10 ~ 35℃进行光合作用，以 25 ~ 30℃为最适宜，30 ~ 35℃光合作用开始下降，40 ~ 50℃时则完全停止。而一些松科植物在 0℃以下也可以进行光合作用，还有一些沙漠植物可在 55℃时进行光合作用，温泉中的一些藻类植物甚至可在 75℃高温下进行光合作用。

在低温下植物光合作用速度减慢，主要是因为温度影响了酶促反应，限制了光合作用的进行。在高温下光合作用减弱的原因是高温破坏了叶绿体和原生质，使叶绿体的酶钝化不灵敏。此外，由于高温加快了呼吸作用的速度，呼吸作用大于光合作用，最终还是表现为光合作用减弱，使植物体内的合成物质减少。因此，这种光合作用和呼吸作用之间的温度关系，限制了许多植物正常生长的纬度和海拔的下限。

（7）对植物生长的影响。在不同季节、气温条件下，植物表现出的发芽、生长、现蕾、开花、结实、果实成熟、落叶和休眠等各种生长发育阶段称为物候阶段或物候期。植物的物候期直接受生长地气温的影响，间接受经度、纬度、海拔、地形等影响。例如，某些北方或高海拔的植物要进行秋播，是因为种子必须经过一定时间的低温刺激方能发芽；在高海拔生长的贝母属植物，必须经过一段时期的适量的水分和氧气相配合的低温刺激才能发芽；西洋参种子需要经过高温、低温处理后才能萌发；牛蒡、菘蓝都需要经过低温春化才能开花、结实。

植物生长期间的温度虽然有很大的变化，但只有在一定的变化范围内才能使植物正常生长、发育，而不伤害植物，一般植物能延续生长活动的最低温度是 0℃，这与植物的种类、品种的原产地有着直接的关系。北方的许多物种在没有积雪覆盖的情况下，能在 −20 ～ −15℃的低温下正常生存。很多极地和高山植物可以在积雪中开花，如生长在阿尔卑斯山的樱草和生长在阿尔泰山的银莲花、雪莲花等。而许多热带植物在20℃时生长就已经受到影响，在 5 ～ 10℃时就有可能死亡。

（8）对植物次生代谢产物和储藏营养物质的影响。温度对植物的生长发育、产品质量具有很大的影响，且物候期也能反映植物产品的质量。例如，槐树在花蕾时芦丁的含量最高，开花后降低；浙贝母鳞茎中的生物碱含量在 4 月下旬最高。

根和根茎类药材的有效物质一般在冬季植物地上部分枯萎时和翌年春季发芽前含量最高，这时采收质量最佳。此外，一些根茎类药材的基原植物，在秋后因昼夜温差大，有利于营养物质的积累，生长速度加快，如党参、牛膝、川芎等。

（9）对营养物质吸收的影响。在一定范围内，根吸收土壤中的营养物质是随着土壤温度的升高而加快的，这是由于温度影响了根的呼吸强度，呼吸加强时离子吸收就加快。但温度超过 40℃时，多数植物吸收营养物质的速度会减慢。

（10）土壤温度对植物的影响。土壤不同层次的温度影响着土壤中水分的流动，土壤温度有效地制约着土壤有机物的分解速度，也制约着各种盐类的溶解。植物种子发芽速度、植物根的吸收能力等也因土壤温度不同而不同。

2. 依温度划分的药用植物类型

每种药用植物的正常生长发育都需要一定的温度条件，主要有积温、昼夜温差、最低温度、最高温度等。植物的长时间适应性使其具有较为固定的温度条件，这与分布区是相互关联的。根据植物对温度的要求不同，常将其分为如下 4 种类型。

（1）耐寒药用植物。耐寒药用植物通常可以忍受 –2 ～ –1℃的低温，短时间也可以忍受 –10 ～ –5℃的低温，同化作用的最适温度是 15 ～ 20℃。一些多年生药用植物在冬季地上部分枯萎死亡时，其地下部分仍可在 –10 ～ 0℃的低温或更低的温度条件下越冬。东北地区的细辛、龙胆、人参、平贝母、五味子、薤白、黄精、玉竹等，均为耐寒药用植物。

（2）半耐寒药用植物。此类药用植物的耐寒能力较差，在短时间内可以耐受 –2 ～ –1℃的低温，同化作用的最适温度是 17 ～ 23℃。菘蓝、知母、益母草等，均为半耐寒药用植物。

（3）喜温药用植物。喜温药用植物在生长发育过程中对温度的要求都很高，种子的萌发、生长、开花、结果均要求有较高的温度，同化作用的适宜温度为 20 ～ 30℃，若花期温度低于 10℃，将影响其开花、受粉，如忍冬。

（4）耐热药用植物。耐热药用植物的生长发育过程对温度要求较高，最适宜的同化温度是 30℃，有些热带植物在 40℃高温环境下仍可正常生长，如阳春砂、罗汉果、槟榔等。

在自然界中，植物与环境进行着同步化的现象是很普遍的。例如，热带森林下的堇菜适于在弱光及昼夜高温下生长，西欧的气候适于郁金香的生长，红杉树种原产于沿海地区，其生长的最佳条件是昼夜恒温。

（三）水分对药用植物的影响

水是植物体内原生质的主要组成部分，植物只有在有水的条件下才能进行生理活动。植物体内的含水量通常为 60% ～ 80%，有些种类可高达 90% 以上，如满江红、金鱼藻，而在干旱环境中生长的地衣类、卷柏类植物等，体内的含水量只有 6% 左右。植物不同部位的含水量也不相同，如根通常含水 70% ～ 95%，种子通常仅含水 10% ～ 15%。水通过不同的形态、不同的量、不同的持续时间而影响着植物的生长发育。这些变化对植物的生长、生理生化活动具有极为重要的生态作用。

1. 水对药用植物的生理作用

水是植物生长进行生化过程的必要因子，原生质只有在水饱和时才表现出生命的各种状态。在植物体内，水分含量多的部位都是生命旺盛的部位，当植物体干燥时，植物生长便进入停滞状态，甚至死亡。

土壤中的水是供植物体生长发育的主要来源，植物吸收的水大多来源于土壤。土壤中的养分只有在离子状态下才能被植物吸收，这需要土壤中有水分的存在，故决定植物分布和生长的限定性因子就是水分的含量。只有植物体内的水分达到平衡，药用植物才能正常生长。水分平衡是指植物体水分的"收入"和"支出"平衡。根的吸收就是"收入"，叶的蒸腾就是"支出"，水分平衡等于根的吸收量减去叶的蒸腾量，只有吸收量大于蒸腾量，植物才能保持不萎蔫。如果蒸腾量总是大于吸收量，植物体就会因为水分平衡遭到破坏而缺水死亡。

2. 以水为主导因子的药用植物生态类型

通常依据植物生活环境中水分的多少，将药用植物生态类型划分为水生药用植物和陆生药用植物两大类。生于水中的植物统称为水生药用植物，依据水层的深浅又可分为沉水药用植物、浮水药用植物和挺水药用植物。陆地生长的植物统称为陆生植物，可分为湿生药用植物、中生药用植物、旱生药用植物三大类型，这是对陆生植物最基本的划分。

（1）湿生药用植物。湿生药用植物是指生长在含水比较丰富的环境中的植物，其抗干旱能力很弱，如一些在沼泽泥泞的环境中或地下水位较高的地区生长的植物。根据对光照的要求，可分为阴性湿生药用植物和阳性湿生药用植物。阴性湿生药用植物主要生长在阴湿的林下，如细辛属、重楼属、人参属、贯众属和绝大多数的兰科植物等。这些植物的蒸腾作用强度几乎和蒸发作用相等，气孔是一直张开的，叶子通常薄而柔软，海绵组织发达，细胞间隙明显，根系浅，侧根少。阳性湿生药用植物主要生长在阳光、水分充足的地方，有时也生长在浅水和较为干燥的环境中，但是干燥时间不能过长，否则会造成植物死亡。这类植物主要是莎草科和禾本科植物，其湿生形态特征不是很明显。

（2）旱生药用植物。旱生药用植物是指生于少水干旱环境中的植物，它能在土壤和大气长期干旱的环境中保持正常生长发育和维持水分平衡。旱生植物具有多种多样的生长发育方式以适应干旱的环境，有的体现在形态结构的适应特点上，有的体现在生理上长期适应体现出的特性上。根据植物的形态和生理的抗旱方式，可分为多浆旱生植物、少浆旱生植物和薄叶旱生植物 3 类。

1）多浆旱生植物。一类是叶肉质肥厚、含水分较多的植物，如景天科、马齿苋科植物等。另一类是叶退化为茎，茎发达并内含大量水分的棘刺类植物，如仙人掌科植物等。在墨西哥沙漠中，一些大型仙人掌体内可以储水几吨，西非猴面包树可储水 40t 以上，故可耐受 50 ~ 60℃的高温，这也和原生质黏性较大有关。这类植物具有特殊的形态特征，常深陷在表皮之下的气孔的张开时间短，气孔数量少，蒸腾作用很小，体内储藏的水分可利用的时间通常较久。加之渗透压低，吸水能力较小，只有当土壤中水分充足的时候才有吸水作用。因气孔少并且小，张开的时间短，光合面积又小，故有机合成的速度慢，代谢强度低，生长速度非常迟缓。

2）少浆旱生植物。少浆旱生植物是一类含水量极少、生长在炎热且干燥的环境中的植物，主要包含禾本科植物以及麻黄科、天门冬科天门冬属植物等。

少浆旱生植物的禾本科类植物，因长期在干旱环境中生长，形成了另一种适应干旱条件的形态特征，因其叶片干枯坚硬，又被称为硬叶旱生植物。这类植物抗旱能力很强，叶片上的气孔深陷在粗糙的表皮下，在干旱时叶缘反卷以减少蒸腾作用，并有发达的维管组织和机械组织，叶片不易出现萎蔫现象，甚至植物体内失水 50% 也不会枯死。

3）薄叶旱生植物。既不抗热也不耐受脱水，原生质的黏性和弹性都很低，有很强的蒸腾作用和发达的根系，气孔在强光和高温下张开很大，蒸腾作用旺盛，故不仅体温降低，光合作用也加强。薄叶旱生植物为避免本身过分灼热，其表面还常密生不同类型的毛绒。薄叶旱生植物的生理特点是细胞液很浓，渗透压很高，故表现为吸水速度很快，具有很强的抗萎蔫作用。

（3）中生药用植物。中生药用植物是最常见的类型，主要生长在水湿条件适中的土壤中，具有中等的抗旱性和抗涝性。该类植物主要分布在温带，种类多，分布广，现今大多数栽培植物都属于此种类型。中生药用植物是介于旱生药用植物和湿生药用植物之间的类型，兼有旱生药用植物和湿生药用植物的形态特点。中生药用植物的"中生"不单纯指与水分的关系，也表示中生温度、中生营养条件、中生空气条件等。这类植物具有旱生和湿生的中间形态特征，根系深浅适中，叶面积大小、厚薄、角质层、机械组织、细胞、输导组织、气孔等均具有两者之间的特点。但根据生态环境、水分条件的变化，这类植物的形态结构可向旱生结构变化，也可向湿生结构变化。

中生药用植物的生理特征也介于旱生药用植物和湿生药用植物之间。其原生质的黏性、弹性、抗热性和抗脱水性都不如旱生药用植物，其细胞的渗透压低于旱生药用植物而高于湿生药用植物。体内含水量比湿生药用植物少，比旱生药用植物大。中生药用植物的生态适宜性具有很大的可塑性。

3. 水对植物分布的影响

水对植物的生长、分布有重要的影响，不同的生态环境中水含量的多少是由多方面因素决定的，其中最主要的因素是降水量的多少，此外还有季节、与海洋的距离、植被状态等。根据降水量由南向北逐渐减少的特点，我国可分为干旱和湿润两部分区域，东南部为湿润地区，西北部为干旱地区。由于降水量的不同，植被群落也按森林、森林草原、草原、荒漠草原、荒漠有规律地分布着。我国各地年降水量的不同也明显影响着植物类型分布区。我国绝大多数的野生和栽培药用植物都分布在湿润的东南地区，在西北干旱地区分布着多种野生旱生药用植物种类，过渡地带有一些中间植物类型的分布。

（四）土壤对药用植物的影响

1. 对药用植物生长的影响

土壤是指覆盖于地球陆地表面，具有肥力特征，能够提供绿色植物生长所需的空间、水分和无机盐等的疏松物质层，也是影响植物生态系统的重要因子。土壤对植物生长的影响因素主要有土壤质地、土壤水分、土壤肥力、土壤空气、土壤有机质、土壤温度、土壤的酸碱度等。

（1）土壤质地。土壤质地指土壤中不同直径的矿物颗粒的组合状况，按构成土粒的大小分为壤土、砂土、黏土 3 类。壤土质地均匀，透气、保水、保肥能力强，它是植物生长最好的土壤；砂土通透性强，透水和透气能力强，但是养分含量低，保水保肥的能力很弱；黏土透水、透气性差，养料易流失，容易干旱，但保水保肥能力很强。

（2）土壤水分。土壤水分直接来源于降水和灌溉水。土壤中的水分和能溶解于水中的无机盐可供植物的根吸收利用，但过多的水分则因透气性差而引起根的腐烂，而水分过少又会引起植物枯萎、死亡。

（3）土壤空气。土壤空气基本上是由大气而来，但也有少部分产生于土壤中的生物化学过程，其组成与大气不同，氧气较大气少，二氧化碳含量较高。

（4）土壤温度。土壤温度主要来源于太阳辐射，生物热量与地热只是在某些特定的条件下才能发挥作用。土壤温度随土层深度的增加而逐渐下降，且对植物种子的萌发、无机盐的溶解及根的吸收都有直接的影响。

2. 对药用植物分布的影响

我国土壤表现出较为规律的地带性分布特点，而植物也对应地分布在不同的地区。例如，在黄河以北较为寒冷的地区，多以耐寒、耐旱、适应贫瘠土壤的以根及根茎入药的药用植物为主；在水分较丰富、气候较温暖的长江流域，以及我国南部的广大地区，多分布着温带喜暖、适宜在湿润环境中生长的种类，其中，全草类、叶类、花类入药的植物资源较多，所占比重较大。

根据不同的标准可以把土壤分成不同类型，不同类型的土壤上分布着不同的药用植物种类。

（1）土壤的酸碱度。土壤的酸碱度是土壤溶液中氢离子的浓度，以 pH 表示，可以分为 5 级：强酸性，pH 小于 5.0；酸性，pH 大于等于 5.0 且小于 6.5；中性，pH 大于等于 6.5 且小于 7.5；碱性，pH 大于等于 7.5 且小于 8.5；强碱性，pH 大于 8.5。根据植物对土壤酸碱度的反应和要求不同，可将药用植物分为酸性土植物（pH 大于等于 5.0 且小于 6.5），如杜鹃等；中性土植物（pH 大于等于 6.5 且小于 7.5），如甘草、枸杞等；碱性土植物（pH 大于等于 7.5 且小于 8.5），如地肤、罗布麻等。植物适宜生长的酸碱度的范围很广，有花植物能够生长的 pH 范围在 3.0 ~ 9.0，但大多数药用植物适宜在中性偏酸性土壤中生长。在植物的生长发育过程中需要从土壤中吸收碳、氢、氧、氮、磷、硫、钾、钙、镁等大量元素，当然土壤中存在的如锌、锰、铜、钡、镍等微量元素也是植物生长过程中不可或缺的。

（2）土壤生物。不同地区和不同环境的土壤有其特定的微生物群体和土壤动物区系，主要包括细菌、放线菌、真菌、藻类和原生动物 5 大类群。这些生物的活动对植物有着一定的影响，生物的活动也使土壤的性质发生了一定的改变，直接或间接地影响着植物的生长分布。

（3）土壤水分。土壤水分的多少与土壤的质地密切相关，较肥沃的土壤含水量适中，而贫瘠的土壤含水量相对较少，特别是沙化较为严重的土壤。沙漠地区气候干燥，风大雨少，光照强烈，温差大，只有少数植物能在这恶劣的气候条件下生存，这类植物被称为沙生植物，如肉苁蓉、锁阳等。

（4）土壤质地。不同的地区和环境具有不同的土壤质地。在一些肥沃、有机质含量高、团粒结构好、水分适中、通透性能好的土壤中，一般适宜玉竹、黄精等以根茎入药的药用植物的生长；在质地疏松、沙质含量较多、保水性能较差、有机质含量较少的土壤中，一般适宜甘草、草麻黄等耐贫瘠、耐干旱的药用植物的生长；在水分较多、通透性较差的土壤中，甚至在一些淤泥环境中，一般适宜芡实、泽泻、黑三棱等喜水植物的生长。绝大部分植物还是适于在壤土环境中生长。

除上述因素外，土壤水分和空气、微生物、有机质之间，以及矿物质和有机质之间，也都存在着许多简单或复杂的关系，这些因素彼此联系、相互制约，构成了统一的整体。不同的药用植物在不同土壤环境的长期适应下形成了不同的生态类型。所以，充分掌握土壤因子与药用植物的关系，对植物的引种栽培具有重要的意义。

二、吉林省中药资源区划的目的与原则

中药资源区划是指通过研究中药及其地域系统的空间分异规律，并按照这种空间差异性和规律性对其进行的区域划分。中药资源区划的核心是明确中药及其地域系统的空间分异规律，以及地域分异的区域范围和边界。中药资源区划是区域之间中药资源禀赋特征，是中药资源开发利用地域分异规律及中药产业发展地域分工在地图上的反映，也是中药生产历史演进过程在空间上的表现形式。

（一）吉林省中药资源区划的目的

根据中药资源区划的定义可知，在宏观层面，中药资源区划的目的可以概括为"研究中药所在地域系统的空间分异规律""依据中药的空间差异性和规律性对其进行区域划分""依据中药所在地域系统的空间差异性和规律性，对其进行区域划分"，即中药资源区划的目的是明确空间差异性，并进行区域划分，为中药相关生产实践活动提供依据和服务。

（二）吉林省中药资源区划的原则

中药资源区划原则既是指导中药资源区划的思想，又是选取中药资源区划指标、建立中药资源区划等级体系、进行区域划分的依据。中药除了自然属性和社会属性外，还有药用属性。因此，中药资源区划既需要充分利用各领域区划研究成果，更要遵从药用原则。

1. 优质性原则

在中药材人工生产活动中，药材的产量和质量常互相矛盾，产量高的地域所产药材未必质量好，质量好的地域所产药材未必产量高，这是因为药用植物次生代谢产物在逆境条件下更容易积累，而生物量在逆境条件下则不容易积累。中药材生产的主要目的是为临床用药提供充足的原材料，而中药材生产者的主要目的是在高产的基础上实现最大的经济效益。中药材品质的优劣主要取决于有效成分的含量高低，与药材生态环境、栽培加工技术、炮制等相关。而中药材生产、药用动植物引种驯化等工作成功的关键在于保证优质药材生产所需要的时间和环境等，进而满足临床需要，故按照药用价值进行地理分区是中药资源区划的特点。突出药用价值是中药资源区划需要遵循的基本原则，也是中药资源区划与自然生态区划、农业区划等的本质区别。因此，在进行中药资源区划时必须遵循"药用优先"的原则，即首先遵循中药材的优质性原则，然后再遵循中药材的高产性原则。

2. 差异性原则

中药资源的种类、数量和品质等方面在地域间存在明显的差异性，与自然生态环境密切相关，主要表现在受水热条件影响的经度地带性、纬度地带性，受地形影响的垂直地带性，受局部生境影响的地方性和局部地域分异等方面。而中药产品价格、市场范围、开发利用能力、技术水平，以及生产活动中存在的问题等，又与区域内社会经济活动的发展水平密切相关。

区域之间的自然生态环境、社会经济环境和中药资源存在着较大的差异性，地域分异规律普遍存在于自然生态和社会经济环境中。因此，在进行中药资源区划时，必须区分地域间中药的特性、主导生态系统类型和社会经济环境特征等的差异性，这样区划结果才能明显地展示出中药（或某方面的特征）在区域之间的差异性。区划单元空间位置的不可重复性决定了区划结果存在区域的共轭性特征，一般要求区划结果不重复、不包含、不遗漏。

3. 相似性原则

在划分区域单元时，必须注意区域单元内部特征的一致性。这种一致性是相对的一致性，也称为相似性。中药资源区划相似性是指在一定的区域范围内，中药在某个或某些方面具有相似性。只有保持相似性，才能尽可能客观地反映区域内中药的基本特征，明确与中药相关生产实践活动具体的空间范围。

区划单元内部的中药特性、自然生态、社会条件、行政区划等要基本保持一致。与中药相关特性的相似性，有利于明确相关生产实践活动中存在的共性问题及发展方向、途径等；与自然生态环境条件的相似性，有利于明确区域间中药材质量的差异性，引种地与原产地生态环境相似是保证药材质量相似的有效途径；与社会经济条件的相似性，有利于明确区域间中药生产、发展方向的差异性；与行政区划的相似性，有利于明确管理工作的主体范围，提出相关问题的解决办法，促进相关政策规划的组织实施。

4. 实用性原则

中药资源区划的目的是科学地指导中药材农业、工业和商业活动的生产实践，从而实现中药产业的合理布局，以及中药资源的可持续利用。随着社会经济的发展和技术水平的提高，人类对自然条件的依赖程度越来越小，利用资源、改造自然的能力越来越强。一般来说，自然条件对野生资源的分布、数量、质量等影响较大，对中药材的人工种植（养殖）也有一定影响。另外，人文、社会经济条件对中药材的工业化生产和贸易等方面的影响也较大。中药材生产实践活动只能利用自然、适应自然，而不能违反自然规律、破坏生态平衡。中药资源区划必须尊重客观实际与客观规律，这样得出的区划结果才能实事求是地反映客观规律，才更有实际意义。因此，中药资源区划必须从客观实际出发，遵循实用性原则，从而为优质中药材商品生产基地的正确选建、基地的合理布局、资源的可持续利用等提供科学依据。

5. 整体性原则

中药具有"药用""自然"和"社会"3方面的属性。中药资源区划是一项综合性较强的研究工作，需要有整体观念，从多个角度对问题进行全面观察和综合研究，这样得出的区划结果才能比较符合实际。随着区域内发展基础、资源环境承载能力、区域中的地位等因素发生变化，区划结果也要随之调整和变化。因此，中药资源区划工作需要在空间上进行整体考虑。

中药资源区划结果是为生产实践服务的，需要在延续过去工作的基础上，分析现阶段的优劣形势和特征，科学地规划和预测将来的发展前景。正确指出一定时期内中药材产业发展的方向和途径，需要站得高、望得远，抓住战略性、根本性问题，考虑长远问题，解决当前问题。因此，中药资源区划工作也需要在时间上进行整体考虑。

中药资源区划涉及中药农业、工业、商业等生产全产业链，是一项大的协作性工作，需要多学科交叉、联合开展，才能显示出其在科学研究中应有的作用。因此，中药资源区划工作需要在中药产业上进行整体考虑。

三、吉林省中药资源区划体系

吉林省中药资源区划等级分为2级，包括一级区和二级区（集安市老岭以南划为二级亚区）。

一级区主要反映了各中药区的不同自然条件、经济条件和中药资源开发与中药生产的主要地域差异。在一级区内根据中药资源优势种类及其组合特征和生产发展方向与途径的不同，划分二级区。

中药资源区划是对现有中药资源的区域划分，主要是揭示人与自然植被的关系——资源开发利用的可能性、现状与发展前景。因此，在各级分区中，考虑了各地经济、生产情况、科研情况及对未来的影响。其命名采用"方位＋地貌＋代表药材名"的形式，二级区前面2个表示方位的字符，分别表示一级区及二级区的位置。

（一）Ⅰ东部长白山珍稀道地药材生产区

该区位于吉林省东部，东起我国边境线，西抵老爷岭、吉林哈达岭，包括25个县（市、区），面积95700km²，约占全省总面积的51%，长白山及其余脉遍布全区。该区属于长白植物区系，药用植物种类繁多，是全国著名中药材产区之一。

1. I_{1A} 东东中低山珍稀药材生产区

（1）概况。该区行政区域主要包括延吉市、龙井市、和龙市、安图县、汪清县、珲春市、图们市、敦化市、浑江区、江源区、临江市、长白县、抚松县、靖宇县、东昌区、二道江区、通化县、集安市，共计18个县（市、区），面积68655km²，占全省总面积的36.63%。

该区群山起伏，火山群林立，地貌类型复杂，山脉、丘陵、盆地交错分布。有长白山、哈尔巴岭、大丽岭、盘岭、南岗山，有珲春盆地、延吉盆地等。长白山白云峰海拔2691m，珲春市防川海拔5m，分别为吉林省的最高海拔和最低海拔。区内河流纵横，水资源丰富，吉林省五大水系其中的松花江、鸭绿江、图们江均发源于长白山。

该区东部虽距海洋较近，但因山地阻隔，除珲春市局部地区外，绝大部分仍属温带大陆性气候。年平均气温 2.0 ~ 5.6℃，≥ 10℃年活动积温 1900 ~ 2753℃，无霜期 100 ~ 134 天，平均年降水量 473 ~ 880mm。长白山山顶年平均气温 -7.3℃，无霜期 71 天，平均年降水量 1330mm。全区属冷凉湿润气候。植被属冷湿性针阔叶混交林。山地土壤以暗棕壤、白浆土为主，谷地土壤以草甸土、草炭土、冲积土居多。

该区包括了吉林省大部分林、能、水等自然资源，可谓山多、林多、资源多。全区森林覆盖率为 62.4%，长白山区是全国最大的林业基地之一。森林，硅灰石、浮石等非金属矿及中药材，是长白山区三大天然资源，全省 80% 以上的煤矿和发电站均在该区。但该区的工业发展和交通条件不及吉林省中部。

（2）中药资源特点。该区药用动植物种类繁多，珍贵、稀有、特有种类多，分布面积大，有广阔的开发前景。该区山林多、耕地少，具有发展中药材生产的天然优势。该区药用资源开发历史悠久，各县（市、区）的中药材种植品种主要有人参、林下参、五味子、西洋参、平贝母等，养殖品种主要为林蛙和梅花鹿。其中，靖宇县具有丰富的中药材资源，不仅是吉林人参的主产区，而且其西洋参的产量与质量均居全国之冠。

2. I_{1B} 东中沿江丘谷山楂、金银花发展区（亚区）

（1）概况。该区位于老岭南麓，主要包括集安市鸭绿江沿岸的 10 个乡镇，面积 1215km²。该区为低山区，沿江一带河谷平原发育，海拔 108 ~ 600m。该区大部分土壤土质瘠薄，主要为灰棕壤、暗棕壤、冲积土、白浆土等，沿江谷地、阶地为亚砂土、冲积砂砾等。该区气候温暖湿润，是吉林省气候条件最佳的地区。年平均气温 6.5℃，≥ 10℃年活动积温 3150℃，无霜期 160 天左右，平均年降水量 1000mm。

（2）中药资源特点。该区森林覆盖率为 65%，植物以长白区系为主，尚有少数华北区系及亚热带植物，如山楂、板栗、漆树、盐肤木、枣、忍冬、杜仲、银杏等。集安市是全国闻名的"边条人参"产地，也是吉林省拟发展的水果基地。全市人参等药材，以及山楂、葡萄、苹果等种植面积大，人均收入较高。

3. I_2 东西低山丘陵道地药材生产区

（1）概况。该区包括蛟河市、桦甸市、磐石市、东丰县、辉南县、梅河口市、柳河县 7 个县（市、区），面积 27076km²，占全省面积的 14.45%。蛟河市、桦甸市交界部为老爷岭和南楼山中、低山，辉南县东部为熔岩台地、火山群地貌，其余大部分地区为低山丘陵、台地、盆地、宽谷。海拔 250 ~ 1400m。年平均气温 3.4 ~ 5.0℃，≥ 10℃年活动积温 2567 ~ 2740℃，无霜期

105 ～ 136 天，平均年降水量 730mm 左右。棕壤、暗棕壤、白浆土广泛分布于山区丘陵、熔岩台地，沟谷、河漫滩多草炭土、冲积土、草甸土。植被为天然次生林、栎林、杂木林，灌丛遍布山丘，林地面积占总土地面积的 64.2%。

（2）中药资源特点。该区动植物资源丰富，道地药材分布广，种植、养殖药材普遍。细辛、平贝母、桔梗、五味子、关黄柏、哈蟆油等中药材东半部较多；龙胆、升麻、北柴胡、苍术、延胡索、穿山龙、萱草等全区均产。柳河县规模化种植的中药材品种只有 2 个，分别是五味子（6000 亩，年产量 1000t）和人参（3000 亩，年产量 500t），均以农户小规模种植为主。东丰县存在散在的梅花鹿养殖和林蛙养殖。桦甸市的野山参、天麻、鹿茸、田鸡、五味子、关黄柏等，品质驰名国内外，桦甸市是上述药材在我国的主要产区之一。

（二）Ⅱ中部丘陵台地（平原）大宗药材生产区

该区位于吉林省中部大黑山两侧，东至老爷岭、吉林哈达岭，西至长春市的榆树市、德惠市、农安县、公主岭市及四平市的梨树县，全区共 24 个县（市、区），属山地向平原的过渡地带。面积 41900km²，占全省总面积的 22.36%。

1. Ⅱ₁ 中东丘陵延胡索、穿山龙生产区

（1）概况。该区包括昌邑区、龙潭区、船营区、丰满区、永吉县、舒兰市、双阳区、伊通县、龙山区、西安区及东辽县 11 个县（市、区），面积 14782km²，占全省总面积的 7.9%。该区东部为老爷岭、南楼山低山丘陵，双阳区、伊通县为大黑山丘陵、辽源丘陵、口前—天岗低山丘陵，西部为大黑山山前冲积洪积台地及台地宽谷地貌。海拔 160 ～ 1400m，年平均气温 3.6 ～ 5.2℃，≥10℃年活动积温 2600 ～ 2800℃，无霜期 110 ～ 155 天，吉林市辖区的湿润度为 1.0 ～ 1.3，其他市县为 0.7 ～ 1.0，平均年降水量 600 ～ 700mm。气候温和、湿润，植被为天然次生林、落叶阔叶林。土壤以灰棕壤、白浆土、草甸土为主。耕地面积占 35.4%，林地面积占 45%。

（2）中药资源特点。该区为长白山区向松辽平原的过渡地带，地貌偏于山地，植物种类较多，既有山地的黄皮树、胡桃楸、水曲柳、卫矛、刺五加、五味子、猕猴桃及林下植物，又有一些平原植物。该区盛产一般大宗的草本药材、野果山菜，缺乏特殊种类。该区有种、养药材的习惯，种、养药材以及采收中草药是该区农民的主要副业收入之一，特别是养鹿业。

该区野生药材品种主要有延胡索、五味子、龙胆、玉竹、大活、茵陈、蒲公英、透骨草、升麻、穿山龙、天南星、老鹳草、山豆根、马兜铃、牛蒡子、葶苈子、苍术、白鲜皮、紫花地丁、两头尖、连钱草等。栽培药材主要有人参、黄芪、牛蒡子、薏苡仁、平贝母、党参、薄荷、红花、山楂、桔梗等 10 余种。动物主要有东北林蛙、紫貂、白眉蝮蛇等。

2. Ⅱ₂ 中西冲积洪积台地（平原）车前、蒲公英生产区

（1）概况。该区位于吉林省中部偏西，包括朝阳区、南关区、宽城区、二道区、绿园区、德惠市、榆树市、九台区、农安县、铁西区、铁东区、公主岭市、梨树县，共 13 个县（市、区），

面积27.11km²。该区的榆树市、九台区、梨树县东部有部分丘陵，其余大部分地区为冲积、洪积、湖积平原。海拔一般大于250m。年平均气温4～6℃，≥10℃年活动积温2800～3050℃。气候属中温带半湿润气候。耕地面积占64%，林地面积占10%。土壤以黑土、黑钙土为主，台地多为白浆土。全区为吉林省粮食主产区。

（2）中药资源特点。该区交通发达、人口稠密、开发早、土地垦殖指数高，原始植被已不复存在，野生动植物资源不如山区多，特有种及资源蕴藏量也不及西部平原。

该区的中药资源以草本植物为主，野生品种有车前子、茵陈、蒲公英、穿山龙、益母草、威灵仙、苍耳子、地榆、老鹳草、白薇、小蓟、葶苈子、刘寄奴、荆芥、紫花地丁、防风、知母、桔梗、赤芍、柴胡、龙胆等，历年收购品种100种左右。其中以车前子、葶苈子、苍术、金钱草、益母草产量较大。栽培药材有黄芪、桔梗、薄荷、大青叶、板蓝根、牛蒡子、薏苡仁、小茴香等10余种。养殖动物主要有梅花鹿、家兔等。

（三）Ⅲ 西部平原蒲黄、甘草、防风生产区

该区位于吉林省西部、蒙古高原东麓，包括白城市和松原市的10个县（市、区）和四平市的1个县，为松辽平原的一部分。面积49384km²，占全省总面积的26.4%。全区草原面积占36%，草原、草场类型多种多样。全区为吉林省主要的牧业基地。

1. Ⅲ₁ 西东冲积平原蒲黄、地榆生产区

（1）概况。该区位于西流松花江两侧及嫩江下游，属松嫩平原，包括宁江区、扶余市、前郭县、镇赉县、大安市、洮北区6个县（市、区），面积22300km²，占全省总面积的12%。耕地面积占39.5%，草地面积占30.7%，林地面积占7.3%。

该区除镇赉县西北为沙丘外，大部为冲积平原、谷地及大片河漫滩。地势较为低平，一般海拔140～180m。土壤有黑钙土、淡黑钙土、风沙土、盐碱土、草甸土、冲积土等。年平均气温3～6℃，≥10℃年活动积温2900～2950℃，无霜期130～157天，平均年降水量380～550mm。大部分属于中温带半干旱地区。植被为羊草、狼针草、碱茅等草甸草原。由于地势低洼，泡塘星罗棋布，面积在5km²以上的泡塘有23处，总面积529km²，占全省泡塘面积的71%。因此，该区水生、沼生、湿地植被发育良好。

（2）中药资源特点。该区泡塘多、水面大，有西流松花江、嫩江二江，故水生、湿生植物资源十分丰富，药用植物有香蒲（数种）、黑三棱、芦苇、菖蒲、睡莲、芡实、莲叶、萍蓬草、浮萍、浮叶眼子菜、毛茛、长叶碱毛茛、华水苏、地笋、水麦冬、兴安薄荷、地榆、泽兰、雨久花、千屈菜，草原沙地有柴胡、桔梗、旋覆花、苦参、百合、远志、防风、狼毒、漏芦、断肠草、黄芩、百里香等。

药用动物有普通刺猬、东北兔、东北鼢鼠、褶纹冠蚌、圆顶珠蚌、花背蟾蜍、黄边大龙虱、梅花鹿、狗獾、螳螂、眼斑芫菁（斑蝥）等。

吉林省第四次全国中药资源普查结果显示，目前白城市洮北区中药资源分布较集中的区域位

于东北部的镇南种羊场内，共有国家和省重点调查品种 56 种，其中，国家重点调查品种 27 种，蕴藏量较大的种类有远志、苘麻、防风、桔梗、罗布麻等。大安市的中药资源有 70 余种，野生药材储量不具备规模，暂无开发利用价值。前郭县共调查品种 66 种，但是这些中药材在前郭县各乡镇分布不均匀，野生药材年产量少，没有达到一定的规模。镇赉县较为丰富的野生中药资源有甘草、苘麻、知母、芦苇、老鹳草、柴胡、远志、蒺藜、马齿苋、旋覆花、地榆、黄芩、瑞香狼毒、东北铁线莲、桔梗、苍耳、车前、萹蓄、匍枝委陵菜、地锦、百蕊草等。扶余市的中药资源分布比较集中，均处于保护区内，共调查到国家重点品种 56 种，蕴藏量较大的有远志、苘麻、防风、柴胡、萹蓄、车前、旋覆花、大麻、蒺藜、芦苇、米口袋、香青兰、火绒草等 10 余种。

2. III₂ 西西沙丘平原甘草、麻黄、防风生产区

（1）概况。该区位于吉林省西北部、大兴安岭东麓，为科尔沁草原的东缘，包括双辽市、乾安县、长岭县、通榆县和洮南市 5 个县（市、区），面积 27084km²，占全省总面积的 14.45%。耕地面积占 35.2%，草地面积占 40.3%，林地面积占 10.4%。

该区西北边缘属大兴安岭低山、山前台地，地势较高，海拔 480 ~ 510m，南部为松辽分水岭波状冲积平原，多岗状固定沙丘、沙垄，中部为冲积扇平原。土壤为黑钙土、淡黑钙土、风沙土、碱土、草甸土、冲积土、栗钙土等。风力大、蒸发强、降水少、常干旱是该区的气候特点。

（2）中药资源特点。甘草、麻黄是该区中药材的特有种、优势种。以通榆县为例，由于生境破坏严重，目前中药资源主要集中分布于向海国家级自然保护区的榆树疏林、山杏灌丛、杠柳灌丛、狼针草草原和湿地植物群落中，另外，在包拉温都省级自然保护区的山杏灌丛中也有一些分布，其他乡镇的原始自然植被已被严重破坏而开发成农田，只在田间地头残存的群落片段，以及一些人工杨树林中有零星分布。其中，蕴藏量达到 1000t 以上的只有草麻黄、萹蓄、甘草和棉团铁线莲 4 种，其中，草麻黄蕴藏量最大，达到 3119t。该区产的中药资源主要有龙胆、桔梗、黄芩、北柴胡、草麻黄、甘草、萹蓄、棉团铁线莲、杠柳、宽叶蓝刺头、远志、防风、扁茎黄耆、苘麻、苦参、狭叶柴胡、细叶百合、西伯利亚杏等。

第七章

吉林省中药种植业情况

吉林省是中药资源大省，自中华人民共和国成立以来，吉林省的中药材生产从以采挖、捕猎为主到大规模基地种植，从"筐挎肩背"到用集装箱发往全国乃至世界各地。吉林省中药材产业经过了半个多世纪的发展壮大，已成为全省农业经济的一个支柱性产业，在全国中药材市场中占有重要地位。

在中华人民共和国成立初期，吉林省的中药材生产仅限于人参、平贝母、桔梗等少数几种，90%以上的品种和收购量均来自野生资源。随着对野生资源的大量破坏，1957 年以后，吉林省开始了以集体所有制为主体的引种试栽工作，至改革开放初期，已有 40 余种中药材引种成功，但中药材生产被看作是副业而受到限制。在栽培技术上，基本沿袭传统的生产技术，新引种的药材往往以模拟野生环境为主，许多规律并未掌握。药材单产低、经济效益差，多数国有企业和集体所有制企业种植的中药材处于亏损状态。这一时期中药材产业在全省农业经济中所占的比重甚微。

党的十一届三中全会以后，吉林省的中药材生产保持了持续、稳定、大幅度增长，形成了适合吉林省不同气候、不同土质的品种群体。在生产技术方面，从种子处理、播种育苗、浇水施肥、病虫害防治到采收加工均形成了一套科学的技术体系；在销售上，已形成了个人、中介、公司销售，企业直接进货和外贸出口，相互补充、相互协调的营销网络。吉林省所产中药材，除供应省内制药企业外，还供应全国市场，并且远销 50 多个国家和地区。目前，吉林省的中药材生产正由改革开放初期以自发种植、分散经营、技术落后为特征的小商品生产向以规模化种植、规模化经营、技术先进、信息灵通为特征的现代化生产转变。自 1997 年以来，吉林省的中药材产量和产值均保持 2 位数的增长速度，产品已出口 50 余个国家和地区。中药材产业已成为吉林省农业中的朝阳产业。

一、种植业现状

1. 在生产布局方面

吉林省在全国中药材区划上属于东北中（寒）温带药材产区。根据自然地理条件和药材资源分布及种植情况，可将全省的中药材生产分成 3 个区域。

东部山区药材产区的重点生产品种有人参、西洋参、细辛、刺五加、五味子、龙胆、玉竹、平贝母、穿龙薯蓣、党参、黄檗、天南星、黄耆、鹿、林蛙等。中部低山丘陵药材产区的重点生产品种有北柴胡、桔梗、车前、蒲公英、延胡索、地榆、牛蒡、月见草、苦参、白屈菜、刺五加、五味子、黄精、防风、乌头、鹿等。西部平原药材产区的重点生产品种有甘草、防风、麻黄、龙胆、黄芩、远志、知母、苦参、枸杞、柴胡、蒲公英、益母草、洋金花、黄精、蒺藜、茵陈、苍耳、郁李等。

2. 在种植业的发展规模方面

在吉林省第四次全国中药资源普查中，普查队对全省各县域内的中药材种植基地和中药材公司进行了走访。调查结果表明，2019 年吉林全省中药材种植面积 193.27 万亩，产量 11.57 万 t，产值 75.27 亿元。中药材主要品种种植区域分布在 6 个市（州）、30 余个县（市、区）。从种植面积来看，园参 16.8 万亩，林下参 139.8 万亩，西洋参 4.3 万亩，五味子 11.1 万亩，平贝母 7.49 万亩，表明吉林省以人参为主的重点中药材品种，在全国均有较强的区位优势；其他中药材品种如红景天、蒲公英、柴胡等，种植面积近 3 万亩。

3. 在品种选育方面

中药材一般来源于多年生植物，育种周期长、难度大，往往要经过几十年的不懈努力才能培育出一个品种。经过中药材科技工作者的多年奋斗，吉林省在中药材育种工作中取得了较大的成绩，现已培育出人参品种 3 个，品系 8 个；龙胆优良品系 2 个；细辛优良品系 3 个；西洋参品系 3 个；五味子品种 1 个，品系 2 个；玉竹品种"玉立一号"1 个。从整体上看，吉林省在中药材育种方面居全国领先地位，部分工作达到国际先进或领先水平。

4. 在栽培技术方面

北方中药材种子一般均具有形态休眠和生理休眠的特性，吉林省在人参、西洋参等中药材种子形态及生理休眠解除方面做了较多工作，成果居国际领先水平；在人参等中药材光合生理、营养生理、水分生理以及加工中有效成分转化等方面居国内领先水平；研究出的"提高人参皂苷含量、降低有机氯农残技术""吉林省出口中药材低农残栽培技术与加工技术"等一批先进技术为吉林省中药材无公害栽培提供了理论依据和技术保障；目前，吉林省已开展了人参等 11 种中药材的无公害规范化生产技术示范基地建设。

5. 在采收与加工方面

通过大量工作，吉林省已经掌握了人参等中药材的有效成分积累动态，基本确定了适宜采收期；研究出了人参、西洋参等中药材的收获机械、洗刷机械、加工机械，大大提高了采收速度和产地加工质量；将微波技术、冷冻干燥技术、限气贮藏技术、超微粉碎技术等先进技术应用于人参等的加工中，改革了传统工艺，开发了新产品；将大孔树脂技术、膜分离技术、超临界萃取技术、超微粉碎技术等高新技术用于中药材有效成分的提取，所生产出的产品纯度高、质量好。

6. 在产品质量标准方面

为了保证中药材质量，吉林省先后制定了人参、西洋参等中药材的产品质量标准 8 项，目前正在制定主要中药材的化学指纹图谱，为确保中药材的内在品质提供依据；在质量分析方面，将高效液相色谱仪、气质联机、近红外光谱仪等先进设备用于中药材品质评价，可保证中药材质量评价的准确度。

综上所述，吉林省在中药材品种选育、栽培区域环境评价、无公害栽培、科学采收与加工、产品质量保证体系建设等方面已取得一系列先进技术成果，许多成果在国内外居于领先地位。全省的中药材生产正与国际接轨，吉林省中药材规范化、国际化的目标正在逐步实现。

二、经济社会效益

2016 年，吉林全省规模以上医药健康工业（不包括中药农业、医药流通业和医药健康服务业）实现总产值 2253.6 亿元、销售收入 2009.5 亿元、增加值 572.2 亿元、利润 181.2 亿元，分别同比增长 10.1%、11.9%、11.8%、11.9%。其中，规模以上中成药工业实现总产值 1502.1 亿元、销售收入 1352.5 亿元、增加值 278.6 亿元，分别同比增长 10.6%、11.6%、12.6%。2017 年 1 月至 6 月，全省规模以上医药健康工业实现总产值 1100.2 亿元、销售收入 941.9 亿元、增加值 278.1 亿元，分别同比增长 8.3%、5.9%、11.6%。

中药材种植业是劳动力密集型产业，其用工量一般是种植玉米的 10 ～ 25 倍。种植中药材可以缓解农村劳动力过剩的压力，增加农民收入。

长期以来，吉林省上市的中药材一直以采挖野生资源为主，目前仍有 60% 的品种和 40% 的产量来自野生资源。开展中药材种植和生态护育工作，可保护野生物种，保护生物多样性，保证中药材产业的可持续发展。

三、吉林省中药材种植产业发展的重要机遇

中药产业是朝阳产业，吉林省委、省政府已做出了把中药产业培育成全省经济支柱产业的战略决策。中药材生产是中药生产的源头，中药材产业的发展直接影响到中药产业的发展，因此，中药材产业基地建设与吉林省中药经济支柱产业的关系是极其紧密的。

1. 国际市场潜力大

随着人类医疗保健观的改变、西药毒副作用的日益暴露及新药开发成本的上升，国际上掀起了天然药物热，2005 年，国际植物药市场销售额已达到 260 亿美元，且以每年 10% 左右的速度递增，从而为中药材产业的发展带来了广阔的空间。美国允许以食品补充剂的名义进口中药材，2015 年，美国食品药品监督管理局（FDA）发布了《植物药研发行业指南（草案）》，接受将传统药物中的天然药物复方作为治疗药物。法国约有 2800 个中医诊所，每年消耗中药约 4.3 万 t，年销售额 16 亿美元；85% 的日本汉方药原料要靠进口。

中国是中药材主产国，但由于质量相关问题，中药材在世界植物药市场中所占的份额很小。随着中药材生产的规范化、规模化，中药材一定能在世界植物药市场上取得应有的地位，从而实

现国际化的目标。

2. 国内市场发展空间广阔

随着人们医疗保健观的改变，具有民族文化底蕴、注重调节整体功能的中药成为相当多国人治病的首选。目前，我国的人均医疗保健费用还很低，随着人们生活质量的提高，中药的消费量必将有较大的增长。同时，由于老年人是我国中药消费的主体，随着老龄化社会的到来，中药的消费量必将增长得更多。综上所述，中药在国内市场前景广阔。

3. 吉林省中药材道地性突出

道地药材是在一定的自然地理和历史条件下形成的，具有原产、正宗、高质量的特点。吉林省许多药材的道地性十分突出，如人参形佳、味浓，名扬四海；辽细辛辛香、气味厚重，质量明显优于华细辛；关龙胆根粗条长，龙胆苦苷含量高于坚龙胆；北五味子肉厚、质柔润、香气浓郁，质量明显优于南五味子；鹿茸粗壮，柔软，形美色正；哈蟆油块大而整齐，透明而有光泽，产量占全国的80%以上。这些特有的中药材在创立知名品牌、参与国内外市场竞争方面将发挥巨大优势。

4. 吉林省委、省政府及有关部门重视中药产业的发展

吉林省委、省政府十分重视中药产业的发展，已经明确提出把中药现代化产业列为本省今后发展的高新技术产业之一，把中药现代化基地建设作为重点建设项目，全省各地区、各有关部门正按省政府的部署，分工协作，积极开展工作。各市（州）、县（市、区）政府在中药现代化科技产业基地建设中起到了巨大的推动作用。

5. 中药材产业附加值较高

种植人参的经济效益是种植玉米的15～25倍，种植龙胆的经济效益是种植玉米的10～15倍，种植细辛的经济效益是种植玉米的15～20倍，种植西洋参的经济效益是种植玉米的25～30倍，因此，种植中药材有利于农民增收。在抚松县、靖宇县、长白县、集安市、临江市等县（市、区），中药材产业已成为当地农民的主要经济来源，成为地方农业经济的支柱产业。

第八章

吉林省中药资源动态监测体系

中药资源是中药产业和中医药事业发展的重要物质基础，是国家的战略性资源，也是国家基本药物所需中药材的重要原料。中华人民共和国成立以来，我国先后组织开展了 4 次全国性的中药资源普查，历次普查均为促进我国中医药事业的发展做出了巨大贡献。在第四次全国中药资源普查中，目前，吉林省已完成了 60 个县（市、区）域内的普查工作，基本实现了全覆盖。

吉林省是我国北药基地之一，也是我国三大中药特产区之一。吉林省作为国家生态建设试点省和国家重点建设的国家中药现代化科技产业基地，有着丰富的中药资源，其中人参、鹿茸、刺五加、关龙胆、辽细辛、哈蟆油等药材道地性突出，质量优良，产量居全国之冠，远销世界50 余个国家和地区。据预测，全省每年中药材的开发潜力可达 100 余亿元，故建立吉林省中药原料质量监测与技术服务中心，可以从基础研究、应用研究和技术服务 3 个方面，满足吉林省中药材产销的需要，促进中药资源科技成果转化，保证优质中药材可持续供给，保障人民群众用药安全，推动中医药事业稳步发展。中药资源基础研究夯实了中药资源发展的科技基础，解决制约中药资源发展的重大科技问题；应用研究促进了中药资源科研成果转化，服务于中药资源生产与实践；技术服务解决中药材流通、栽培遇到的技术问题。大力发展吉林省中药材产业，是将资源优势转化为经济优势的重要途径，对推进吉林省生态建设和调整农业产业结构具有十分重要的现实意义。

一、监测体系建设的必要性

（一）吉林省中药材栽培生产现状

近几年来，结合全省中药现代化科技产业基地建设，吉林省中药材规范化生产和开发已有一定的工作基础。

1. 建立了规范化的中药材生产示范基地

吉林省分 3 批建立了人参、五味子、林蛙、防风等 22 个品种的 36 个道地中药材 GAP 基地。通过示范引导作用，现已构建形成了全省中药材规范化生产示范体系，明确了吉林省中药材规范化生产开发的基本思路，即走"规范化生产、企业化经营、产业化开发"道路。目前，吉林省的修正药业集团、吉林敖东药业集团股份有限公司、通化吉通药业有限公司、吉林省东丰药业股份有限公司和东北虎药业股份有限公司等一批大中型中成药生产企业，都已根据企业自身的需求，直接进行中药材规范化生产基地建设，并已成为主导力量。

几年来，吉林省围绕已建立 GAP 基地的 22 个中药材品种，先后在育种、规范化栽培技术、产地加工和饮片标准等关键环节启动了一批重点科技攻关项目，如种植基地生态环境的选择、生物农药的筛选和应用、药材最佳采收时间的确定、产地加工方法的选择等，形成了吉林省主要道地中药材规范化生产技术支撑体系，制定了这些中药材生产技术的操作规范，确保生产出的中药材绿色、无公害。

2. 控制了野生中药材的过度开发

为了进行中药资源的保护性开发，针对野生中药材的生长环境和生长规律，开展了淫羊藿、刺五加等中药材最大采收量平衡模式研究，发展野生中药材的人工抚育生产（野生 GAP），进一步扩大了人参、五味子等名贵药材的仿生栽培面积，建立了野生中药材人工驯化、抚育生产示范基地，在保护生态环境和资源、降低生产成本等方面取得了进展。

3. 加强了栽培技术培训

为了更好地让基层栽培人员了解 GAP、落实 GAP 工作的各项要求，让从事中药材生产的相关人员掌握规范化生产技术，近年来，吉林省先后组织有关专家和管理人员，举办各种形式的 GAP 培训班、报告会和工作交流座谈会等 10 余次，累计培训各类人员 3 万人（次），发放资料 12000 余册。

4. 中药材 GAP 认证工作取得了突破性进展

目前，吉林省已有人参、西洋参、梅花鹿、平贝母 4 个品种的 7 个 GAP 基地通过了国家认证，认证数量居全国首位。这对于吉林省中药材质量的提升和品牌创新起到了重要的推动作用。"吉林人参""长白山林蛙""通化平贝母""敦化穿龙薯蓣"等中药材品牌已在全国享有盛誉。如通化林海药业有限公司 GAP 基地生产的平贝母，质量优良，受到了国内中成药生产企业的高度关注，广州白云山潘高寿药业股份有限公司和通化林海药业有限公司签订合同，每年收购 100t 平贝母干品，连续收购 10 年等。

（二）吉林省中药材市场流通现状

2012 年，针对中药材流通领域制假售假现象屡禁不止的现状，商务部开始建设中药材流通追溯体系。吉林省为第 2 批 7 个建设省份之一，省委、省政府对此予以高度重视，组织领导并提供有力的资金保障，从"群众用药安全是重大民生问题"的角度，认识中药材流通追溯体系建设工作的使命和责任，以创新的工作思路、务实的工作作风，将复杂的工程简单化、便捷化，突出系统建设的实效性、可操作性，以点带面，科学谋划，整体推进。

1. 立足区域优势，设计总体方案

吉林省以长白山道地药材人参主产地的区域优势，将中药材流通领域追溯平台建设与振兴人参产业拉动区域经济发展，以及提升人参在国际市场的竞争力相结合，以建立现代中药产业链、保障中医药疗效为目标，不断提高对中药产业和产品的创新能力，从而为市场提供疗效确切、品质优良、安全方便、质量可控的中药产品，为培育中医药健康产业服务。

在吉林省中药材流通追溯体系建设方案的设计上，积极贯彻 2014 年省委、省政府全面深入改革领导小组的工作要点：实施食品药品安全放心工程、构建食品药品安全全程监管机制、加强覆盖全过程的食品药品监管整治、完善社会共治监管体系并为其提供保障。同时，建设方案立足于吉林省中药材批发市场的现状和工作基础，一要突出"吉林特色"，即万良长白山人参市场不同于国内其他中药材市场的专业化程度高、封闭式大厅交易，而具有季节性强、经营品种相对单一、以高端名贵药材为主的特点；二要强化"两个结合"，即将市场监管与追溯监管相结合、电子商务平台与追溯平台相结合。

建立"政府为主导、市场化运营、公司化运作"的模式，依托抚松万良长白山人参市场，以人参等贵细药材为主要品种，从业务流程上贯通种植和养殖、流通、生产和使用等各环节，建立"倒逼"机制。加强政策引导和制度建设，推动以中药材或中药饮片为原料的单位使用可追溯中药材，调动各类市场主体建设追溯体系的积极性；强化中药材经营者和市场开办者的质量安全第一责任人意识，促使其自觉落实追溯管理制度；通过建立中药材流通追溯体系，按规范标准促进、引导生产中药材。建设中应遵循易用性、经济实用性、功能完善性、稳定性、安全性和可扩展升级原则。

2. 突出市场优势，定位追溯载体

吉林省的长白山四季分明，素有"世界生物资源宝库"之称，被联合国命名为"人类与自然保护圈"，是我国三大中药材基因库之一，也是我国北药基地之一。吉林省白山地区是我国人参的主产区，抚松县又是我国的"人参之乡"，是道地长白山人参的主产地，人参面积及产量均居全国之首，且有"中国人参看吉林，吉林人参看抚松"之美誉。万良长白山人参市场位于抚松县万良镇，万良镇栽培人参至今已有 450 余年的历史了，是目前世界上最大的人参交易集散地。全国 80% 以上的人参都在万良长白山人参市场交易，交易额在全国 17 个中药材交易中占第 5 位，人参单品交易量位居首位。该市场始建于 1989 年，2002 年 9 月被吉林省人民政府命名为"省级农业产业化重点龙头企业"。2006 年被商务部列入"双百市场工程"。2009 年，长春国家生物产业基地大明辐照灭菌（集团）有限公司整体收购抚松长白山人参市场投资发展有限公司。目前市场占地面积 12hm^2，总建筑面积达 5.5hm^2，拥有 1.37hm^2 的精品人参市场和 8700m^2 的水参、干参交易市场。

二、监测体系建设的意义

我国在中药材的生产、流通上取得了一定的成效，同时，自 1985 年之后，中医药相关产业快速发展，中药材的需求量、产量及主要产区分布等也发生了巨大变化。随着人民群众对中医药服务需求的快速增长和中医药在世界范围内的发展，中药材质量、价格等问题屡屡成为社会关注的焦点。例如，因行业内无专门的中药资源信息收集、分析和服务机构，缺少信息的管理主体和传送渠道，相关信息失真、严重滞后，致使药农盲目种植中药材，产量不稳定，药材的市场价格也大起大落，不少大宗常用中药材原料不足，部分中药材价格飞涨，使用假冒伪劣原料进行中药材生产的现象时有发生。成药价格和药材原料价格倒挂问题，已导致部分基本药物减产或停产，严重影响了基本药物目录制度的全面推行。

根据国务院《国务院关于扶持和促进中医药事业发展的若干意见》中关于"开展全国中药资源普查，加强中药资源监测和信息网络建设"的要求，《中共中央国务院关于深化医药卫生体制改革的意见》提出"逐步完善国家基本药物制度，保障基本药物中药的原料、生产和供应，更好地满足人民群众健康对中医药服务"的需求。自 2010 年开始，国家中医药管理局组织专家对相关领域的资源监测信息和技术服务体系进行调研，拟建设包括 1 个国家中心、31 个省级中心、200个监测站、900 个监测点的中药资源动态监测信息和技术服务体系，使中药资源监测点和技术服务网络覆盖 80% 以上的县级中药材产区。全国中药资源动态监测体系的建成意义重大。

一是保障国家用药安全。可实现对《中国药典》收录的中药材价格、产量、种植规模、成交量、质量及种子种苗等实施动态监测，保障国家用药安全。

二是可以提高药品质量。通过溯源身份绑定责任，增强药企、药商的行业自律行为，通过开展溯源和政府加强监管抽测相结合，确保"放心药"工程的顺利进行。

三是有利于决策和监管。通过溯源，能为当地政府提供中药材种植和养殖数量、产量、销量、价格指数等有利于中药材规划发展的相关信息和决策数据；能提供全链条追溯，显示和公布诚信企业、不诚信企业名单；建立召回机制，发现问题药后能迅速召回，规范医药市场经营秩序。

四是可实现中药材溯源可持续发展。政府一次性投入引导扶持资金，并出台相关激励性政策，选取合格、优质的企业承建及运营中药材流通追溯平台，使中药材溯源具备可持续发展能力。

五是促进大中药产业发展。通过追溯体系建设，逐步建立现场进、退市机制，使敢于溯源的诚信企业能够占领更大的市场，促进诚信企业和大中药产业的发展。

六是可提供有利延伸服务。为企业提供延伸服务，有利于提高企业管理水平，降低成本。

三、监测体系组织机构

中药资源动态监测信息和技术服务体系着力通过对区域内中药资源相关信息的收集和监测，巩固第四次全国中药资源普查成果，建立中药资源普查长效机制；实时掌握全国各地中药材产量、流通量、质量和价格的变化情况；通过分析中药资源动态变化趋势，为促进区域经济发展和指导农民进行中药材种植、销售等提供服务，提升中药产业信息化水平和政府服务能力，逐步解决中药产业发展信息不对称的问题，以服务于中药产业和地方经济发展。

为切实组织实施中医药部门公共卫生专项"国家基本药物所需中药原料资源调查和监测项

目"，吉林省在充分考虑地理位置和中药资源的情况下，在长春中医药大学建设了吉林省中药资源质量监测技术服务中心（简称"省级中心"），下设抚松站和通化站2个监测站。通化监测站位于通化县聚鑫经济开发区人参产业园，抚松监测站位于抚松县万良长白山人参市场。

省级中心和监测站承建单位在吉林省中医药管理局的统一领导和指导下，以签约合作形式共同推动监测站的建设与运营。监测站直接由省级中心进行管理，并在省级中心的指导下开展中药资源动态监测系列工作。省级中心以吉林省现有国家平台的专家委员会成员为班底，吸纳本省相关技术人员，成立省级中心技术专家委员会，采取"三级"审核模式（即工作人员—技术人员—专家委员），对各监测站上报的中药资源监测信息，以及拟开展技术服务的质量进行审核，以确保省级中心开展的各项工作的质量，提供社会化、专业化的服务，促进中药材产业的发展。

2015年，省级中心及2个监测站的基础设施建设、各项规章制度已经完成，并已投入运行。按照中国中医科学院中药资源中心的相关要求，开展了区域内中药材生产种植的动态监测、市场销售信息数据的收集上报，以及为中药材种植企业、种植户提供技术服务等工作，积极参与地方政府部门的精准扶贫工作，对中药产业发展、中药资源可持续利用等的行业技术进步起到促进作用。

（一）省级中心

1. 基础条件

省级中心建设在长春中医药大学七星百草园内，建设面积525m²。省级中心办公室设立在七星百草园内，配备了网络、电话、视频会议系统、监控系统、电脑、相机、打印机、扫描仪等设备，见图1-8-1。省级中心实验室建设面积超过500m²，设有生理生化、栽培加工、病虫害防治、组织培养、生物技术、种质资源、质量特征评价、资源动态监测等研究室。省级中心配备了30余台（套）仪器设备，价值400余万元，并和中国中医科学院中药资源中心完成了网络对接。

图1-8-1 省级中心办公室

2. 人员队伍

省级中心以专职技术人员为主，辅以兼职技术专家、管理人员，共同组建省级中心技术服务队伍，协同开展吉林省中药资源动态监测技术服务工作。成员名单见表1-8-1。

省级中心设有主任1名、副主任1名、秘书1名，监测部6人，信息部7人，行政部4人，技术部7人。

表1-8-1　省级中心成员名单

序号	姓名	性别	职称	职务或部门
1	曲晓波	女	教授	主任
2	邱智东	男	教授	副主任
3	肖井雷	男	副教授	秘书
4	王兆武	男	—	
5	安海成	男	—	
6	张国光	男	—	监测部
7	王秀娟	女	—	
8	杨昀钏	男	—	
9	王欢	女	—	
10	王文龙	男	副教授	
11	韩曦英	女	副教授	
12	王焱	女	讲师	
13	王雯	女	讲师	信息部
14	郑艳彬	男	讲师	
15	路静	女	助教	
16	张彦飞	女	助教	
17	李波	女	讲师	
18	朱键勋	男	讲师	行政部
19	李剑	男	助教	
20	汪永为	女	—	
21	姜大成	男	教授	
22	翁丽丽	女	教授	
23	张强	男	副教授	
24	蔡广知	男	副教授	技术部
25	齐伟辰	女	副教授	
26	王哲	男	副教授	
27	肖春萍	女	讲师	

3. 岗位职责

利用省级中心已建设好的基础设施，构建面向市场需求、政府引导、整合优质资源、层次清晰、分工明确、组织架构稳定和合作成果共享的中药原料质量监测体系，开展中药材种子种苗质量鉴别、中药材质量评价、商贸信息和技术服务质量监督与保障、工作报告与报表的报送、中药资源动态监测与预警等技术服务，提高国家和地方在中医药发展方面的基础服务能力。

4. 组织管理

省级中心和监测站承建单位在吉林省中医药管理局的统一领导和指导下，以签约合作形式共同推动监测站的建设与运营。省级中心制订了一套完整的运行机制，为国家制定政策和产业发展规划提供信息数据。

为了更好地对吉林省重点品种的资源量、市场变动情况进行监测，为中药资源普查留下一个宝贵的中药资源专业队伍和平台，省级中心依托省内外科研院所和相关企业，组建了专家指导委员会，协助国家中心平台领导小组办公室，制订省级中心工作方案，对省级中心及监测站的工作进行技术指导；对省级中心的工作完成情况进行评估，提出调整建议，负责对省级中心进行工作验收；提出吉林省中药资源保护、利用、管理的规划建议。

（二）监测站

1. 通化监测站

（1）基础条件。通化监测站位于吉林省通化县聚鑫经济开发区人参产业园3街7-2。该站始建于2015年3月，现已投入运行。监测站房屋面积200m²，房屋产权为通化县中医院所有。经国家中心、省级中心认定后，通化监测站开始投入建设。门头、户外显示屏、室内展台、接待台、背景墙、墙体装饰部分等按国家中心要求统一执行。其中墙体装饰部分有中心平台简介、监测站简介、全国监测站分布图、省监测站点分布图、监测站与中心平台信息技术工作流程图、全国大宗中药材资源分布图、监测站工作守则等9项内容。视频会议及监控系统、办公桌椅、空调、饮水机、保洁用品、电脑、电话、网络、打印机、传真机、文件柜等用品，按照国家中心要求配置齐全。实验仪器设备调试完成，玻璃器皿、试剂配齐，均已进入使用状态。

（2）人员队伍。通化监测站配有3名工作人员（专职或兼职），于2015年8月开始上岗。站长为姜大成教授，信息员为张国光、王秀娟。

2. 抚松监测站

（1）基础条件。抚松监测站位于吉林省抚松县万良长白山人参市场院内，始建于2015年，现已投入运行。该站用房为2层建筑，面积140m²，一楼有接待区、展品区、办公区，二楼为独立检测实验室。房屋产权为抚松县中医院所有，一次性签订租期10年。经国家中心、省级中心认定后，抚松监测站开始投入建设。其余配置与装饰同通化监测站。抚松监测站见图1-8-2。

图1-8-2 抚松监测站

（2）人员队伍。通化监测站配有 3 名工作人员（专职或兼职），于 2015 年 8 月开始上岗。站长为张强副教授，信息员为杨昀钊、王欢。

四、监测内容、方法与结果

在国家财政支持下，全国已经初步建成了中药资源动态监测体系。根据相关企业对中药材种植、加工、生产等的需求，有关部门已就中药资源动态监测信息和技术服务体系建设进行了若干次专题研究，提出了中药资源动态监测信息和技术服务体系建设的目标任务和要求。针对《中国药典》收载的中药材，监测其主要产区的产量、流通量、质量和价格等 6 项信息，开展中药材真伪鉴定、种植、外源污染物检测、种子种苗质量检测等 10 项技术服务。研发运行了"中药资源动态监测系统"，每月收集各种中药资源信息数千条，并保持较快的增长速度。开通了微信公众平台，每天向行业相关机构和个人免费发布信息，内容涉及中药材价格信息、中药材种植技术、药材鉴定技术和区域中药资源综述等。

目前正在使用中药资源动态监测系统 2.0。随着数据的不断增长，未来将对监测到的大数据进行进一步整理、分析，并共享大数据成果，为国家相关部门及行业提供精准的数据产品与服务，适时推出"中药资源预警指数"等资源保护指标。

（一）监测内容

根据吉林省中药材分布的区域特征与生产特点，省级中心选择了人参、天南星、龙胆、桔梗、威灵仙、淫羊藿、五味子、平贝母、细辛、刺五加、黄芪、穿山龙、玉竹、鹿茸、哈蟆油 15 种中药材，开展各监测点区域内中药资源的动态监测，监测内容主要有单户（公司）种植面积、种植品种、年产量，以及每日采购价、销售方式、销售价、销售量、销售额等，依据监测数据分析区域内资源的动态变化趋势，并提供所辖监测点区域内中药材规格等级检测、污染物的限量检测和中药材种子种苗检验检测等技术服务。同时，按要求将监测和调查结果报送国家中心平台，并在省级中心的指导下开展技术服务工作，对药农、药商开展信息、贸易、生产技术等培训，积极推动产区中药材生产贸易的信息化和电子商务，接受国家和省级中心交办的其他任务。

（1）中药材种子种苗质量鉴别。主要开展中药材种子种苗质量检测与评价。

（2）中药材质量评价。主要开展对中药材内在品质的分析测定工作。

（3）夯实中药资源技术服务基础。制定中药资源技术服务目录，编写相关标准和教程。

（4）中药材技术服务体系的能力提升。对已建立的技术服务标准进行推广，并开展技术人员培训工作。

（5）提升中药材种植的科技水平。开展服务药农的公益技术培训与宣传，提升中药材种植户的认识和种植水平。

（6）填报中药材基础数据，完成相关调查。监测站、省级中心收集中药材的播种面积、价格、产量、质量、流通量等信息，组织开展基本药物保障供应情况调查。

（7）信息和技术服务质量监督与保障。建立信息和技术服务的监督体系，包括质量监督机制和经费监督机制。

（8）工作报告与报表的报送。向国家中医药管理局等相关部门、省级政府及中医药主管部门报送相关报告和报表。

（9）中药资源动态监测与预警。解决突发问题，发布中药资源预警与预报。

（二）监测方法

省级中心成立了技术专家指导委员会，采取专家包点负责制，点对点地进行动态监测技术服务指导，专家与技术人员定期到监测站指导工作，监测站定期向省级中心报告所负责监测点的中药资源相关动态变化。监测站信息员主要采取以下 3 种方式进行中药资源信息数据的收集。

1. 产地调查

该方式多适用于药材生长的关键期，而在药材的产新期可观察出当年药材的产量大小，对市场供应及价格具有非常重要的影响。用该种方式采集的信息准确、翔实、价值高，但具有成本较高的缺点。

2. 市场走访

该方式需与药商面对面地交流，需掌握一定的交流技巧，通过对话、观察、聆听等来获取经销商的真实意图，捕捉其内心深处的想法，透过表面现象挖掘其潜在思想。市场走访中需了解药材经销商的思想状况（如惜售情绪、隐瞒表现等）、营销状况、所经营品种的流向、对所经营药材品种的看法，药材品种市场库存盈余或紧缺程度，药材质量等级，市场整体行情等，并带回有典型代表性的药材样品，信息员市场调查与部分调查数据表见图 1-8-3。其中经营商的思想状况决定了后续信息的可靠性，可通过问卷调查的方式进行信息搜集，并筛选出真实信息。

图 1-8-3　信息员市场调查与部分调查数据表

3. 电话询问

一般是在具有客户资源管理条件的情况下对药材产地或市场进行的信息采集活动。电话询问的信息采集内容与产地考察的信息采集内容类似，但不具有完整性，即可能在一段时间内针对某一特定方面采集其中一部分内容，一般包含价格情况、走势情况、扩种或减种情况、在地长势等方面内容。

（三）监测结果

1. 中药材资源监测信息

监测站对吉林省的人参、五味子、桔梗、天南星、龙胆、威灵仙、平贝母、淫羊藿、刺五加、黄芪、穿山龙、鹿茸、哈蟆油等 15 种中药材，开展了中药资源的动态监测。监测了有关药材价格、流通量等 5 万条数据信息，为该区域内的中药资源保护利用提供了动态数据支撑。

2. 种植基地调查

在春季播种期，监测站信息员亲赴区域内中药材种植企业及个体种植户进行实地走访，获取关于种植品种的规模、产量等信息。目前，共计走访了 4 个县（市、区）、7 个乡镇、26 个中药材种植基地，汇集了 24 种药材的种植情况。

3. 技术需求调查

通化监测站接待咨询客户 300 余人次，与省级中心配合完成了 4 份样品的检测。2016 年 3 月，抚松监测站开启接待窗口，半年内接待窗口咨询达 186 人次。2016 年 9 月，水参交易市场发生变故搬迁，来访人数急剧减少。目前，水参交易市场旧址处于荒废状态，抚松监测站几乎无人问津，工作人员只得走出去调查走访。技术需求调查见图 1-8-4。

图 1-8-4　技术需求调查

4. 适宜技术推广

利用户外显示屏播放监测站简介、《中药材 GAP 与新品种选育》、《黄精行情分析》等中药材行业信息。编写完成《中药材适宜种植技术》一书。编写、印刷宣传手册 2 套，共计 3000 册。

5. 技术培训

通化监测站与吉林省中药协会联合召开中药材种植养殖分会成立筹备会第一次会议，会议在通化县举行。监测站协同长春中医药大学共同举办"中药显微鉴定技术培训班"，共计 49 人参加培训。站内工作人员参加实验室仪器设备使用培训会、监测系统 2.0 使用培训会。建立公众号，利用微信平台传递中药材行业信息。

6. 技术服务

（1）参加长春中医药大学对点扶贫工作。在通榆县兴隆山镇长发村进行中药材种植信息与种植技术指导，协助该村进行中药材种植。

（2）进行吉林省御珍小镇中医药文化发展有限公司黄芪种植基地方案设计。

（3）进行通化同犇农业有机参基地建设环境因子监测、成品质量检测方案设计。

（4）进行辽源市杨木水库万亩水源地有机中药材种植规划方案设计。

（5）参与吉林省中医药管理局扶贫项目——大安市烧锅镇中药材种植信息咨询技术指导。

（6）进行抚松县弘愿茶业有限公司中药红茶产品质量检测。

（7）进行吉林省展诚生态农业有限公司黑枸杞规划种植基地土壤因子监测。

（8）进行吉林省药品检验研究院中药材基原标本采集。

（9）进行吉林省均林中草药种植有限公司药材基原鉴定、标本的采集与制作。

（10）进行吉林省昌农实业集团有限公司苍术药材基原鉴定（原植物和药材的显微鉴别、理化鉴别）。

（11）作为技术咨询服务方，配合临江市机关事务管理局到对口扶贫点——临江市四道沟镇双顶山村现场考察调研。

（12）受邀带领长春市食品药品监督管理局扶贫工作组到靖宇县北佳中药材种植基地参观学习，研讨扶贫项目。

（13）开办伊通县农业农村局特种经营培训班中药材种植技术讲座。

（14）开办蛟河市农业农村局药材种植实验园区建设指导及技术讲座。

7. 专项资源调查

（1）鹿茸资源情况专项调查。以吉林省行政地理区划为基础，将吉林省划分为 9 个普查单元。采用填写调查表、实地调查和资源信息数据库检索法相结合的方式对吉林省鹿茸资源进行调查。调查了养殖场及养殖散户的养殖历史、鹿养殖业的分布格局、种群数量以及性比和成幼结构、养殖模式和规模、产茸量等相关信息，目前已完成了对四平市、辽源市、白山市、松原市、白城市及长春市双阳区、吉林市永吉县、延边州汪清县 1300 余家鹿场及养殖户的调查。

在已调查区域中，吉林省现有养殖鹿有梅花鹿、东北马鹿、敖鲁古雅驯鹿、驼鹿、新西兰马鹿、麋鹿等；养殖梅花鹿占吉林省养殖鹿资源总量的70%左右，马鹿占10%，杂交鹿及其他种占20%，总数为10.23万只左右。梅花鹿的培育品种有双阳梅花鹿、四平梅花鹿、东丰梅花鹿、敖东梅花鹿等，其中双阳梅花鹿是世界首例鹿科动物定型品种，具有高产、耐粗饲、适应性强、早熟等优良性状，1990年，双阳梅花鹿育种项目获国家科学技术进步奖一等奖。双阳梅花鹿具有鹿茸枝头肥大、质地松嫩、茸型完美、色泽鲜艳、质量优良、个体大、额宽、斑点清晰、优质高产、早熟、耐粗饲、遗传性稳定、适应性强等优点。2016年8月，在辽宁省西丰县召开的中国鹿业发展大会的鹿王评选中，双阳梅花鹿获得多项一等奖。

吉林省的鹿养殖企业和个体户较多，饲养规模少则几头、几十头，多则上千头，几乎在每个县（市、区）都有分布。其中长春市双阳区、辽源市东丰县的养殖数量最多、规模最大，且以梅花鹿为主。吉林省的养鹿业目前主要以圈养为主，采用半散养、人工放牧、围栏放牧等方式的较少，其对鹿实施的饲养方式因地区、饲料条件、饲养目的、饲养鹿的种类、自身条件等的不同而有所不同，少数有条件的养殖户（场）采用半散养的饲养方式，如长春市九台区、四平市等地区的少数鹿场。

饲养成本的改变是鹿养殖规模变化的主要因素之一。鹿的粗饲料根据当地资源、饲喂水平等不同，种类多样。鹿的精饲料则以玉米、豆饼、小麦麸为主。

吉林省梅花鹿和马鹿的鹿茸生产力很高，双阳梅花鹿公鹿的成品茸平均单产0.8～1.2kg，母鹿的繁殖成活率为70%～80%，平均生产利用年限7～8年。小型鹿场及养殖户的加工方法还是以传统水煮、风干、烘烤为主，大型鹿场现在以远红外微波烘烤为主、水煮为辅的加工方式。加工的鹿茸中带血茸约占80%，不带血茸约占20%。吉林省加工生产的梅花鹿鹿茸为初级产品，产品类型单一，综合利用程度低。尽管市场上的鹿产品多种多样，如鹿鞭、鹿尾、鹿筋和以鹿血、鹿胎等为原料的保健产品，亦偶有鹿肉出售，但大多数还是初级型产品，深加工环节薄弱，市场竞争能力弱。

通过对鹿资源的分布状况及存栏量、出栏量、产茸量等鹿资源基本信息的普查，以及对历史文献数据的整理、分析，对吉林省鹿资源产业发展趋势给予了指导，从而为该产业的良好发展奠定了坚实的基础。

（2）哈蟆油资源情况专项调查。为了更好地了解吉林省林蛙资源，即时地掌握林蛙资源的数量变化及动态变化规律，对通化市、白山市等地区的野生林蛙数量及林蛙现生存环境的生态结构进行调查。

吉林省哈蟆油资源情况专项调查以吉林省行政地理区划为基础，因林蛙栖息地为林区且有水系分布，故通过前期踏查，将林蛙资源普查重点集中在通化市、白山市、延边州、吉林市及长白山保护区5个普查单元。应用GIS技术，以1∶50万的电子地形图为基础进行区划。由于目前林蛙的生存状态为半野生状态，因此将普查方法设定为野外调查和林蛙养殖沟调查相结合，同时结合3S技术，对所获取的数据进行分析，建立相应的数学模型，对吉林省的林蛙资源进行分析、测算。

野生林蛙的生存需要满足地形地势、植被、降水量、温度、湿度、昆虫密度和光照强度等方面的条件。林蛙栖息在海拔460m低气压地势中的沟岔中，沟岔南北走向的偏多一些，因为这样的沟岔湿度较大，昆虫密度较高，有利于林蛙的生存。沟内以乔木、灌木、草本相结合的自然植被为最佳植被环境，林蛙的体温一般在30℃以下，是低温动物。当气温稳定在10℃以上时，基本上开始在陆地生活。沟内水源以常年流水的小溪为主，沟内基部有泉眼为最佳水源环境，以平均年降水量735～835mm和年相对湿度65%～70%为最佳，以保持林蛙的湿度和产卵环境。

野外调查采用样线法进行数据采集，根据不同海拔和不同生境类型来确定样线的位置和数量，将各调查单元依据规定的面积划分为若干正方形样区，系统抽样，抽取10%的样区作为普查样区，在普查样区内布设样地。在样地布设前进行预调查。每一普查样区内每一类型样地的面积之和不小于林蛙栖息地面积的3%～5%。采用访问调查法及资料查询法，近5年内有人见到林蛙或者存在林蛙出现的确切证据，认为林蛙在该普查样区内有分布；野外普查发现林蛙实体或活动痕迹，认为林蛙在该普查样区内有分布。日间调查时一般2组3人，行进时相对速度保持0.5km/h。在调查区域内，采取目视遇测法搜索林蛙信息，包括动物实体（活体和尸体）、痕迹。夜间调查时采用强光电筒进行寻找，调查路线包括小路、公路及溪流，特别留意路线两旁的枯叶堆、石块下、倒木下、树皮下、树洞、石洞和临时雨水潭等小生境；通过鸣声辨别物种或寻找活体。发现林蛙后，在野外鉴定并拍下活体照片。对林蛙进行少量个体标本采集，用80%酒精保存。对不需要制作标本的个体，在辨认物种后进行放生处理。因大多数林蛙栖息地的沟塘已被林业部门承包给个人，因此在野外样线调查的同时需对林蛙养殖沟承包人和林场工作人员进行访问调查。

通过数据模型的建立，对通化市和白山市等地区的野生林蛙数量进行测算，通过实地调查，研究养殖林蛙的数量及组成结构。统计通化市、白山市地区林蛙种群密度、林蛙数量。结果表明，通化市的林蛙密度为17只/hm²，白山市的林蛙密度为22只/hm²，白山市的野生林蛙数量多于通化市的野生林蛙数量，通过对比两市的野生林蛙数据与历史数据，发现野生林蛙的数量和种群密度均有所下降，虽然只有2个地区野生林蛙的数量和密度的数据，还是能够说明野生林蛙的数量在减少。在通化市、白山市进行实地普查，对林蛙种群数量进行调查研究，数据显示，林蛙幼体占总体数量的比例最高，林蛙成体占总体数量的比例最低。同时对养殖户进行调查，调查内容包括养殖户内幼体、变态体、成体的数量。

（3）人参资源情况专项调查。人参为我国的重要中药，药用历史悠久，临床疗效显著。现代药理学、化学、分子生物学的研究使人参的治病机制更加明确。临床的大量使用使人参资源日渐枯竭，野生人参已被列为我国濒危物种，现药用人参主要为栽培品种。

据统计，栽培人参主要分布于吉林、辽宁和黑龙江三省。河北、河南、四川、青海和云南等地也有栽培。随着人参栽培面积的扩大，参地与林地的矛盾、人参病虫害的增加、农药过量使用和残留等问题也越来越严重。另外，在我国的人参栽培生产中，品系不清、种子来源混杂、品系培育推广不良等因素一直是导致人参抗病抗虫能力差、产量不稳定、药材品质不高的主要原因。野生人参和栽培人参均主要分布于吉林省，其中吉林省的栽培人参占全国总量的 80% 左右。

为摸清人参资源现状，2012 年 7 月，吉林紫鑫药业股份有限公司承接人参资源情况专项普查项目，结合第四次全国中药资源普查工作要求，专项组针对吉林省人参产区的栽培品种进行了全面的走访和现地调查，对人参栽培品种的种类、分布区域、分布面积、蕴产量、农药使用、病虫害与防治、品种选育、栽培方法和产地加工等信息进行记录，深度研究人参的基因组差别、所处土壤的宏基因组差别、土壤成分分析等。

通过调查，完成了对人参栽培品系样品的全面收集。此次人参专项普查共动用 13 辆普查车、2 辆实验车，涉及 85 名普查人员，耗时近 2 年，途经 77 个县（市、区）、227 个乡镇（覆盖东北三省），深入 2751 块参地。地理分布经度范围为东经 125° 17′ 37.50″ ～ 133° 57′ 5.17″，纬度范围为北纬 39° 52′ 40.53″ ～ 56° 05′ 27.72″，海拔范围为 22 ～ 1500m。共取得基因组 DNA 人参叶样本 1362 份、基因组 RNA 人参叶样本 2182 份、代谢组人参叶样本 1155 份、代谢组土壤样本 1940 份、代谢组种子样本 7 份、腊叶标本样本 2783 份、保鲜土样本 684 份、农残重金属样本 1153 份、全株生晒样本 3251 份。

目前正在进行基因组 DNA、RNA 样本的研究及土壤宏基因组的研究。通过基因组研究，促进了人参功能基因的筛选和优良品种的培育。在吉林省建立种子种苗繁育基地，示范和推广现代化育苗新技术开发与新品种培育；通过对不同人参栽培年限的土壤宏基因组的比较，结合土壤理化性质、有机养分、矿质元素、农药残留和重金属污染等因素和普查中获得的环境因子、生态因子、人工干预因子等的信息，对影响人参产量和品质的因素进行生物统计学分析（相关分析、主成分分析等），筛选影响人参生长、基因表达和有效成分积累的重要因子，剖析土地多年栽培人参对人参产量和品质影响的内在机制，为科学栽培人参技术的形成提供科学依据。

8. 中药材产业（扶贫）种植信息调查

吉林省以省内 8 个国家级贫困县为重点，结合部分省级贫困县及中药材产业发展情况良好的特色县，开展了中药材产业（扶贫）种植信息调查工作，具体信息见表 1-8-2。

表 1-8-2　部分中药材产业（扶贫）种植信息

序号	内容
1	单位：农安县信恒家庭农场 地址：吉林省长春市农安县前岗乡鲍家村 负责人：王显俊 服务项目：种植方案设计、种植技术指导、信息咨询 服务时间：2017 年 3 月—2020 年 11 月 成效：苍术、黄精、白薇、芍药育苗种植面积达 450 亩，产出苍术种苗 800 万株
2	单位：蛟河市农业局中药办 地址：吉林省蛟河市乌林镇 负责人：李刚 服务项目：中药材种植示范园区建设、技术讲座、人员培训 服务时间：2017 年 5 月—2018 年 5 月 成效：苍术、返魂草、柴胡、防风、北沙参、黄芪等 20 个品种的园区面积达 1hm²

序号	内容
3	单位：伊通县中药材种植协会 地址：吉林省四平市伊通县井台镇 负责人：马云浦 服务项目：技术讲座（每年 2 次）、种植方案设计、种植技术指导、信息咨询 服务时间：始于 2017 年 成效：伊通县中药材种植规模迅速扩大，总面积达 10 万亩，农民增产增收
4	单位：白城市裕丰中药材种植发展公司 地址：吉林省白城市 负责人：曲亚峰 服务项目：种植方案设计、种植技术指导、信息咨询 服务时间：始于 2018 年 成效：中药材种植推广 5000 亩
5	单位：四平市食品药品检验所 地址：吉林省四平市 负责人：赵艳 服务项目：新建园区植物园建设种植方案设计 服务时间：始于 2020 年 3 月 成效：进行中
6	单位：四平市山城镇 地址：吉林省四平市 负责人：齐学利 服务项目：退耕还林药材种植方案设计 服务时间：始于 2020 年 3 月 成效：进行中
7	单位：靖宇县龙泉镇 地址：吉林省靖宇县龙泉镇南阳村 负责人：石凤硕、李兆春 服务项目：技术指导、质量检测 服务时间：始于 2017 年 成效：天麻、平贝母、百合种植进行中
8	单位：梅河口崖山中草药合作社 地址：吉林省梅河口市兴华水库 负责人：高宏宇 服务项目：中药材种植方案设计 服务时间：始于 2018 年 成效：细辛、羊乳、射干、白头翁种植进行中
9	单位：吉林省盘古中药材开发有限公司 地址：吉林省长岭县前七号乡 负责人：张敏 服务项目：种植技术指导 服务时间：始于 2017 年 3 月 成效：防风、菘蓝、射干、黄耆种植进行中
10	单位：磐石市农委 地址：磐石市康大营镇 负责人：赵喜春 服务项目：6000 亩蒙古黄耆种植（磐石市贫困乡镇精准扶贫项目） 服务时间：2018 年 3 月—2018 年 12 月 成效：完成扶贫任务，达到脱贫效果

吉林省西部的白城市、松原市地区分布着大量的野生黄耆、防风、北柴胡、甘草、蒺藜等中药资源。白城市由刘刚、王宝东、曲亚峰引领，开展的中药材种植品种有黄耆、桔梗、板蓝根、防风，

总面积约 3 万亩。

安图县以蒲公英种植和蒲公英茶加工为主开展的中药材产业扶贫效果显著。和龙县以林下参、灵芝、桑黄种植为主，形成了一定的产业规模。汪清县的灵芝、人参、五味子、林蛙及食用菌产业基础雄厚。靖宇县的人参、西洋参、五味子、黑涩石楠、天麻、平贝母产业发展良好。

抚松县、长白县、集安市的人参、西洋参产业处于省内领先地位。桦甸市、磐石市、舒兰市、辉南县、柳河县、敦化市、蛟河市、吉林市充分发挥其地域与生态优势，开展了多品种的中药材种植。伊通县、柳河县的中药材产业得到了地方政府的大力帮扶，发展势头强劲。

第九章

吉林省传统医药知识与民族医药资源

我国传统医药包括中医药和民族医药，其历史悠久、疗效肯定，是我国传统文化的重要组成部分。中医药具有成熟的理论体系，浩如烟海的医学典籍和数千年的临床实践在祖国医疗体系中扮演着重要的角色。而民族医药是我国少数民族的传统医药，主要有藏医药、蒙医药、傣医药、壮医药、维吾尔医药、苗医药、瑶医药、彝医药、侗医药、土家族医药、回医药、朝鲜族医药等。我国少数民族医药植根于各民族的文化土壤，在长期的防病治病实践中，形成了独特的理论体系、诊疗方法等。例如，藏医药治疗高原疾病，维吾尔医药治疗白癜风，蒙医药治疗骨伤，都具有鲜明的特点和疗效。

一、吉林省中医药传统知识

中医药传统知识是由历代医药学家创造并经传承沿用的知识，世代相传，通常被视为属于一个特定人群及所在地域，且随着环境的变化不断发展。它隶属于我国医药卫生知识的范畴，对中华民族世代相传的传统医药知识进行了不断的继承和发扬，具有重要的防治疾病作用和较高的商业价值。中医药传统知识的类型比较多，主要有药物知识、方剂知识、针灸知识、疗法知识、疾病知识、养生知识、诊法知识、生命知识等。中医药传统知识博大精深，其传统药物、方剂及疗法等知识不仅源远流长，世代传承，具有直接和潜在的商业价值，而且还有着丰富的表达形式（其表达形式主要有表演、发明、科学发现、设计、标志、名字、符号和保密信息等），如可作为商品标识的"小青龙汤""白虎汤"，以地理标记表达的"藏红花"，以表演形式表达养生知识的"太极拳"等。因此，中医药传统知识不仅是我国传统知识中的重要组成部分，而且也是包括大量新的发明创造在内的中医药知识的重要组成部分。

吉林省位于我国东北地区，分别与内蒙古自治区、辽宁省和黑龙江省相毗邻，位于东北亚的中心地段，东部与俄罗斯、朝鲜接壤。吉林省内的长白山脉绵延起伏，是中国六大林区之一。吉林省属于东北道地药材"关药"的主产区之一，其中著名的"关药"有人参、鹿茸、哈蟆油等。吉林省出产的五味子、淫羊藿、北细辛、猴头菇、松茸、黄芪、草苁蓉、天麻、灵芝等中药材，深受国内外广大消费者的欢迎。长白山区的很多天然资源也是我国传统民族医药的宝库。

（一）吉林省民间民族用药特色

1.民间用药特色

2019年，吉林省民间中医特色疗法展示大会在省会长春市举办，30余位特色疗法传承人向与会者展示了诸多特色疗法，如杜氏传承古治技术、韩一灸手法悬灸等。为了给民间中医药知识提供展示平台，让传统技术服务于普通百姓，吉林省相关单位一直在挖掘民间中医药的特色资源和传统疗法。例如，通化师范学院周繇教授从 2000 年开始便一直在民间广泛收集各种验方、偏方。经整理共有药方 24 个，具体内容如下。

（1）治疗糖尿病类。

1）五味子的茎与软枣猕猴桃的茎混合在一起，剪断、晒干，用水煎服，用量 15 ~ 25g/ 次，3 ~ 4 次 / 日，10 天为 1 个疗程。

2）秋季采挖托盘的根，干燥后，切成薄片，用水煎服，用量 15 ~ 35g/ 次， 3 ~ 4 次 / 日，10 天为 1 个疗程。

3）夏、秋季采收委陵菜 *Potentilla chinensis* Ser. 的全草，晒干，剪断，用水煎服，用量 15 ~ 25g/ 次，3 ~ 4 次 / 日，10 天为 1 个疗程。

（2）治疗高血压类。

1）采收长松萝的枝状体，晒干，剪断，用水煎服，用量 3 ~ 10g/ 次，3 ~ 4 次 / 日，10 天为 1 个疗程。

2）夏、秋季采摘杜鹃的叶，晒干，用水煎服，用量 10 ~ 25g/ 次，3 ~ 4 次 / 日，7 天为 1 个疗程。

（3）治疗跌打损伤类。取鸡眼草 *Kummerowia striata* (Thunb.) Schindl. 的鲜品适量，捣敷患处，可治疗跌打损伤，2 ~ 3 次 / 日。

（4）治疗咽喉肿痛类。

1）春、秋季采挖大叶小檗 *Berberis amurensis* Rupr. 的根，剪断，用水煎服，15 ~ 25g/ 次，3 ~ 4 次 / 日，7 天为 1 个疗程。长期饮用可治疗喉部肿块。

2）春、秋季采挖白头翁 *Pulsatilla chinensis* (Bunge) Regel 的根，熬成水后加入白糖，当茶饮用，10 ~ 15g/ 次，3 ~ 4 次 / 日，7 天为 1 个疗程。

（5）治疗偏头痛类。

1）春、秋季采挖皱叶酸模 *Rumex crispus* L. 的根，捣烂和在面粉中，糊在患处，15 ~ 30g/ 次，1 ~ 2 次 / 日，7 天为 1 个疗程。

2）春、秋季采挖狼毒大戟 *Euphorbia pallasii* Turcz. 的根，捣烂和在面粉中，糊在患处，1 ~ 3g/ 次，1 ~ 2 次 / 日，7 天为 1 个疗程。

（6）治疗慢性肝炎类。

1）夏、秋季采摘垂柳 *Salix babylonica* L. 晒干的枝、叶，用水煎服，10 ~ 15g/ 次，3 ~ 4 次 / 日，7 天为 1 个疗程。

2）夏、秋季采割木贼 *Equisetum hyemale* L. 的全草，用水煎服，10 ~ 15g/ 次，3 ~ 4 次 / 日，7 天为 1 个疗程。

（7）其他类。

1）采收寄生在山楂、山梨树上的槲寄生 *Viscum coloratum* (Kom.) Nakai 枝、叶，用水煎服，

15 ~ 30g/ 次，3 ~ 4次 / 日，7天为 1 个疗程，可治疗气管炎和支气管哮喘。

2）将大马勃 *Calvatia gigantea* (Batsch ex Pers.) Lloyd 的成熟孢子喷洒或敷在机械性的伤口处，能迅速止血。

3）用葫芦藓 *Funaria hygrometrica* Hedw. 的新鲜植物体反复涂擦患处，可治疗毒蜂螫伤。

4）长期食用胡桃楸 *Juglans mandshurica* Maxim. 的种仁，可治疗发白、肺结核、面色无华等。

5）用水杨梅 *Geum aleppicum* Jacq. 的鲜品煎汤洗患处，可治疗荨麻疹。

6）将朝鲜槐 *Maackia amurensis* Rupr. et Maxim. 的枝条烧成白灰后，与香油调拌在一起敷患处，可治疗肌肉溃烂。

7）夏、秋季采收徐长卿 *Cynanchum paniculatum* (Bunge) Kitagawa 的全草，晒干，煎汤漱口，可治疗牙痛。

8）用水煎服山刺玫 *Rosa davurica* Pall. 的成熟果实，可以治疗妇女坐月子时落下的腰腿疼痛。5 ~ 15g/ 次，3 ~ 4次 / 日，7天为 1 个疗程。

9）春、秋季采挖茜草 *Rubia cordifolia* L. 的根 15 ~ 50g，浸泡在 500g 的白酒中 7 ~ 10 天，每天服 3 ~ 4 盅，可治疗机体疲劳引起的腰腿疼痛。

10）将牛蒡 *Arctium lappa* L. 新鲜的茎叶捣敷患处，可治疗毒蛇咬伤。

11）采收山苦荬 *Ixeris chinensis* (Thunb.) Nakai 的鲜草，用水煎服，5 ~ 10g/ 次，3 ~ 4次 / 日，可治疗脑栓塞。

12）采挖蛇葡萄 *Ampelopsis brevipedunculata* var. *ciliata* (Nakai) F. Y. Lu 的干燥根 15 ~ 30g，切成薄片，浸泡在 500g 的白酒中 7 ~ 10 天，每天服 3 ~ 4 盅，可治疗风湿性关节炎。

2. 民族用药特色

吉林省为我国的中医药资源大省，也是少数民族分布较广泛的省份，吉林省共有 43 个少数民族，包括锡伯族、回族、蒙古族、满族及朝鲜族等。在这些少数民族中，白山地区、通化地区、吉林地区和延边地区是朝鲜族的主要聚集地；松原地区和白城地区是锡伯族和蒙古族的主要聚集地；四平地区、通化地区、吉林地区和长春地区是回族和满族的主要聚集地。因此，吉林省除了汉族各地区的民间用药外，还包括少数民族特色用药，如满族的满药、延边朝鲜族的朝鲜药、少量地区蒙古族的蒙药等。

（1）满族医药。满族发祥于辽阔的东北地区，满族药材也都产自东北的山林草原、江河湖泊，其采集、炮制、调配、用药都是满族人民在千百年的生活实践中总结出来的，有别于我国传统中药，极具特色。满族医药经过近 300 年宫廷御医的实践与完善，现已发展成为中华医界的一枝奇葩。常见的药物剂型有丸、散、膏、丹、药膳、药酒等，常见疗法有热疗、药浴、冰敷、正骨，以及"萨满七十二穴"针灸疗法等。清代皇族后裔爱新觉罗·恒绍所掌握的家传满药，作为吉林省省级满族非物质文化遗产，其家传秘方对北方气候引起的北方民族疾病具有很强的针对性，具有地域文化特色、历史价值和科学价值。

在满族历史上，萨满与医药相混杂的时间较长，在民间一直延续到近代，以至于一提起满族医药，人们就会联想到萨满跳神治病的巫术疗法，认为不科学。事实上，早期萨满的职责同于巫，在文化知识结构方面，兼通天文、地理、历史、医药等诸多学科知识，在氏族的发展中占有举足轻重的地位。萨满的主要职责之一就是为人们祛邪除病，也正是因为萨满能够为满族民众治病解痛，才得以在民间长期存在，并形成以下用药特色。

1）早期医药与萨满文化密切相关。医药掌握在萨满的手中是历史事实，尽管他们在巫术的神秘氛围下，采用简单的方药和疗术为民祛病，但却有一定的实际疗效，深得民众的信任。萨满治病是通过跳神等手段进行的，但拨开那些故弄玄虚的仪式迷雾可知，萨满治病能够取效主要有两方面，一是心理方面的调理和医治，二是对药物的掌握与合理应用，而这两方面中，后者得到了良好的发展。

2）重视心理疗法的积极作用。萨满跳神治病的巫术疗法能够治愈某些病患，很大程度上得益于心理方面的调理和医治，从一些研究萨满教的著作和相关的民间调查纪实中可以了解到此类大量的治疗实例。其积极影响是使满族民众重视心理调节和情志变化，进而形成了开朗豁达的民风。中医学认为，情志变化能够直接影响机体的变化，既能够致病，也能够治病，这一思想对满族也有一定的影响。

3）在益肾壮阳方面有较为成熟的经验与方法。满药中治疗男子阳痿、遗精的多种单方或复方延用至今。此外，满族人还非常重视妇女与儿童疾病的治疗，如对妇女月经病、妊娠病、产后病，以及小儿惊风等病证，都积累了一定的治疗经验。

4）药物疗法与非药物疗法相结合。萨满治病除了祭祀与跳神，也常给病人内服或外用药物，为了提高疗效，有时还会采用针刺等辅助疗法。现今满族聚居地区的民间医生在用药的同时，也常采用非药物疗法，如蜂螫、按摩、推拿、针刺、温灸、火针等。满族人认为，药物疗法与非药物疗法相结合，往往会收到较好的治疗效果，这也反映了满族医药发展的早期特点。

5）重视药材质量，喜用鲜活药材。早期萨满治病用药时，对于药物的采制和应用有着严格的规范，并靠口传心授积累了许多经验。故世代居住在山区或农村的满族民间医生一般认为，野生、鲜活药物取材方便，治病效果好，因为鲜活药材中治病的有效成分几乎没有流失，所以治疗效果比较明显，而不鲜活的动物药或非野生的药材，治疗效果就差。此外，满族人也很重视以动物器官补养身体，例如，食用动物的肝、心、肾、胆、血、脑、鞭等，熟食或半生食，或晾晒后泡酒等，甚至使之成为饮食文化中的一部分。

6）处方用药种类少、单方多。受萨满传统用药方式的影响，近现代满族医生经常用草药治病，有时只用单味药。即便用复方，也不过几味药，且全凭经验组合药物，并不讲究配伍规范。多年来，民间的满族医生已经积累了一些成型方剂，且常是家族相传、秘不示人的。这些家传或祖传的方剂对于北方人，特别是有着通古斯—满语族血统的人具有较好的疗效。此论断还有待于专家学者深入研究。

7）用药量与中医药差异较大。我国北方人长期生活于寒冷地带，饮食习惯与中原以南地区差异很大，而且体型高大者也偏多，生理生命周期也与南方人有所不同，故满族民间医生用药的剂量比较大。以细辛为例，中医药古籍记载细辛用量不过钱（一钱即现代 3.75g），而满族医生治病有时用细辛 5 ~ 8g，特别是在治疗腰腿疼痛时甚至用至 10 ~ 15g，个别的还会有所增加。在其他药物的应用中也存在着用量偏大的特点。例如，吉林省伊通县的乡间满族医生那丰田开方的特点就是喜用鲜活生药，特别是草药，用药不过几味，但剂量较大，治疗效果很好。

（2）朝鲜族医药。延边州早在旧石器时代就有属于智人阶段的古人类活动，先后有肃慎、挹娄、勿吉、靺鞨、女真等民族的兴起。17 世纪初叶，清王朝把延边划入封禁地区，使之变成了荒芜的旷野。延边州的开发始于 19 世纪中叶。1869 年以来，朝鲜北部连年遭灾，大批灾民为谋生而冒禁越江进入延边，后因清政府实行移民实边政策，朝鲜族在延边定居得到认可，并使之逐渐繁衍发展起来。至 1983 年年末，朝鲜族人口已达 75 万余人。随着朝鲜民族的发展，民族传统医药学也兴旺发展起来，不仅对朝鲜族的生息繁衍发挥了不可估量的作用，而且丰富了祖国医药学的伟大宝库。延边朝鲜族民族医药（简称"朝医药"）是在传入的东医学的基础之上，不断吸收中医学的理论而产生和发展起来的，逐步形成了具有独特风格的民族传统医药学。

朝医药具有完善的理论体系、独特的诊疗技法，以及确切的临床疗效，是我国少数民族传统医药体系中的重要组成部分。朝医对自然界、社会与机体之间的关系，以及人体生理病理的认识，与中医学理论很相似。但朝医也有本民族独特的"三统分类法"，它是将方剂按补、和、攻作用分为上统、中统、下统 3 类，使医者便于掌握和应用，故延边大部分朝医都是以此法定基的。"四象方"医学派的四象用药法，是以"天、人、性、命整体观"为理论指导、以"四维之四象"结构为主要形式、以辨象论治为主要内容的独特的医药学体系，具有民族特色。它认为一种疾病因"人象"不同，出现的症状不同，用药也不同。同时，根据阴阳失调，提出治疗"四象"人所患伤寒、杂病的寒热表里型用药基本方剂，划分了"四象"人的用药品种。

我国朝医学的特色疗法主要有太极针法、导引疗法、朝药洗浴疗法、朝药泡脚疗法、熏鼻疗法、朝药药枕法、熏脐疗法、热敷法等。朝医在针灸治病方面，除与中医相似的针灸法外，还有太极针灸法、阴阳五行针灸法等。朝医同样注重饮食疗法，指出"若脾肾两虚则并补之，更加摄养有方，斯为善道，古谚有之，曰'药补不如食补'"。此外，还有按摩法、热石敷法、药物熏法、药物坐浴法、湿敷法、吐鼻法、插入法各种疗法。"药乃局限于人"是朝医药所独有的药性观。朝医药注重人体对药物的选择性，一些药物对一些人的疾病有治疗和预防作用，而对另一些人不仅不起正面作用，反而有严重的副作用。朝医认为这是因人的天禀脏局强弱、阴阳分布、气质特点、体质不同而产生的特殊现象。因此，提出了药物归象、按象用药、辨象施治、随证加减的用药规律，阐明了药物的异象反应原理，把药物分成太阳人药、太阴人药、少阳人药、少阴人药，严格按象用药，不可混用。

（3）蒙古族医药。前郭县隶属于吉林省松原市，是吉林省唯一的蒙古族自治县。前郭县位于吉林省西北部、松嫩平原南部，是松原市政治、经济、文化中心。其中蒙古族有 5.04 万人，占前郭县人口总数的 8.9%。蒙古族在历史发展中形成了独具一格的蒙古族医学，它有着极其丰富的医疗经验，也有着自己独特、系统的理论，这些经验和理论是蒙古族先民在历史长河中同疾病斗争的经验总结，亦是中华民族文化和祖国医学宝库的重要组成部分。

蒙古族民间传说中最早的常见病是"麻枢"，即消化不良，最早的药物是开水，谚语说"病之始，始于食不消，药之源，源于百煎水"，这是蒙古族原始时代对医药起源的概括。蒙古族历史文献及其他民族医学文献中有关蒙医的史料记载了与当时的生产和生活条件密切相关的原始医疗活动，如灸疗、放血、用全羊骨补身、用酸奶子治毒蛇和狂犬咬伤等医疗卫生保健经验。蒙古族人民用植物治疗疾病，逐渐发现了蒙药，《神农本草经》中记载了蒙古地区特产药物肉苁蓉。蒙古族先民很早就发明了饮食治疗疾病的简单方法，马奶酒自古就是北方游牧民族饮用的奶制品，可为滋补品，亦为治杂病之药。

蒙药是民族药的重要组成部分，其资源分布于全国各地，主要以自产自用当地品种为主。在吉林省，野生蒙药资源种类最丰富的地区主要为东半部地区，如敖日浩代（人参）、乌拉乐吉甘（五味子）、渥那根－希依日（细辛），而大宗药材的主产区则主要集中于内蒙古自治区的广大草原和荒漠地区，如希和日－乌布斯（甘草）、哲日根（麻黄）、查干－高要（肉苁蓉）、乌兰－高要（锁阳）等。

在基础理论方面，蒙医在吸收了藏医人体的三大要素、七种物质理论的基础上，形成了"三元""七恒"学说。在吸收中医阴阳五行学说的基础上，提出寒热对立统一及五行学说。"三元"的本质是赫易（气）、希日（火）、巴达干（土水），赫易为中性，希日属阳，巴达干属阴。三元是生命赖以生存的基础物质，共具 20 种性能，各具 5 种作用，三元相依、相制，居相平也。若出现任何一方的偏盛偏衰，就会导致三者之间失去平衡，人体因此而产生疾病。三元是维持人体生命的主要因素，在病理情况下，又是人体发病的内在条件。"七恒"指饮食精微、血、肉、脂、骨、髓、精，是构成人体的基本物质。饮食精微为后天之本；血可奉养全身，滋润肌肤；肉似围墙，有保护作用；脂能长气色；骨可支持形体，是人体的"支架"；髓可供给营养；精为生命之源，有生殖和发育之能力。"七恒"与"三元"互相依存，共同维持人体正常活动。六因辨证学说是按病因进行辨证的理论，脏腑脉络学说是按病位辨证的一种理论方法，寒热对立统一学说则是辨证总纲。蒙医的诊断方法主要有问诊、望诊、触诊，简称"三诊"。在治疗上，根本原则是根据诊断的结果，从调节已失去平衡的体内各因素着手，以治本对症的辨证关系来确定治疗原则。在治法上，有汗、吐、下、和、清、解、温、补、静、养 10 种方法。除此之外，还有针刺、火针、灸疗、皮疗、正脑疗术、药浴、瑟必素疗法、罨疗、放血等方法。蒙药虽然大部分与藏药、中药相同，但制作、炮制方法不同，其主要特点是细制作、多用生药原料、剂量小、剂型多样、服用方便。

（二）吉林省传统中医药文化知识

2016 年，吉林省中医药科学院组织相关人员，对吉林省长春市、吉林市、四平市、白城市等 10 个市（州）进行了中医药传统知识现地调查，共获得调查表 468 份，调查人员认真核对调查数据的真实性，对传承年代的考究性、文献资料的真实性和可靠性进行了重点关注，确定了有效传统知识 186 项，其中包括单验方、传统诊疗技术、传统制剂方法、中药炮制技艺和其他。在进行调查和探究的过程中，主要针对保护中医药传统知识的形式和策略、划分好中医药传统知识权益范围、创建中医药传统知识的储备库，以及做好中医药传统知识的分类等几方面内容开展。此次调查结果显示，吉林省民间传统知识应用到了川朴、麦冬、神曲、当归、川芎、生地、红花、山药、土鳖虫、三七、补骨脂、没药、儿茶、乳香、龙骨、马钱子粉、黄瓜子、自然铜、琥珀、冰片等上千种中药。其中持有人准确掌握了药物的禁忌及用量、毒副作用等特性。

此外，现地调查中发现一些民间秘方在治疗一些疑难杂症上有显著疗效，有部分病人经医院救治无效果，但是使用了传统秘方后症状明显好转甚至痊愈。调查时了解到治愈的疑难杂症有大三阳、肺结核、不孕不育、烫火伤等，证明了这些民间秘方有一定的疗效，具有挖掘保护价值。此次调查发现共有近 200 种药方能治疗各种疑难杂症，其来源有以下几种：①通过师承传于后代；②民间老人口头传于后人；③祖先无意中获得；④祖传；⑤由祖辈整理研究所得。

2017 年，吉林省文化厅联合省中医药管理局，组织专家对吉林省各相关单位申报的传统医药类项目进行评审。最终确认满族祖传"甲针"疗法、"耿一针"中医针灸、藤草药酒制作技艺、长白山王氏中草药炮制技艺、蒙医放血疗法、应氏奇穴埋线疗法、岳氏万全堂胃病诊疗法、单氏中医诊疗方法、孟氏接骨疗法 9 项，被列入第四批省级非物质文化遗产代表性项目传统医药类名录。

宋哲明等以晚清至民国时期为研究时段，以吉林省中医药传统知识为研究对象，以查阅历史文献为方法，归纳总结了吉林省中医外科、骨科、针灸科医家之美誉，将尘封的散碎而又模糊的医家形象清晰地描绘出来，再现百余年来吉林省中医药文化的存在轨迹。

1. 中医外科诊断治疗得以迅速发展，从事外科临床的中医应时而生，受人爱戴，杏林美誉极多

（1）刘神仙。1883 年出生的永吉县人刘方惠，随父学医又行医，专治黑红外伤，还治疮疤、疖子等病，"凡经他医治者很快就能痊愈，深受患者的欢迎，当地群众称他为'刘神仙'"（《永吉县志》），他还为后人留下了宝贵的医学遗产，即祖传秘方"一粒金丹"。

（2）董氏药膏。1903 年出生于吉林省怀德镇大岭乡董家屯的董世田，拜名医袁洪飞为师学外科，又随其父习儿科，"1924 年，中医董世田在西三道街开'医士铺'，自行研制出'珍珠万能膏'，主治痈肿、疔疮、癣等外科疾病，颇有声望。1944 年在长春发现'珍珠万能膏'处方，

改名为'董氏药膏'"（《长春市志·卫生志》），董世田即"董氏药膏"的研制人。

2. 骨科中医成就辉煌，他们在临证实践中摸索出成套的经验，用以治病救人

（1）孟氏整骨。祖籍河北省永平府临榆县、1853 年出生的孟昭惠，自幼随父孟广俊习武整骨。1873 年家乡遭受旱灾，孟昭惠携家眷逃荒来到吉林宽城子，先后在新民胡同、四道街开设"孟氏整骨专科诊所"，后将整骨家传教给长子孟宪卿和次子孟宪明。到 1945 年，"孟氏整骨"已闻名东北三省。老字号"孟氏整骨"包含"孟氏手法"（孟氏接骨法和孟氏理筋法）和"孟氏祖方"（特点贵在配伍），其经过 150 余年的发展变化，将中医骨科的娴熟医术代代相传。

（2）胡氏正骨术。1919 年出生于山东省黄县的胡黎生，祖辈五代均从事中医骨伤诊治，他幼承家学，攻读医典，汇通诸家。1947 年徙居长春，开设"胡氏正骨诊所"，创立了独具一格的"胡氏正骨术"，对骨折内治注重 3 期分治用药（前期用"三七活血丸"化瘀消肿止痛，中期用"接骨丹"合营续损，后期用"壮筋续骨丹"强筋壮骨）；对骨折外治施行手法复位、夹缚固定、合理锻炼。胡黎生还创制了能吻合肢体、符合生物力学要求、临床效果极好的"胡氏夹板"，成为胡氏正骨第六代传人。

3. 中医特有的治病手段也得到极大的发挥，中医针灸广为时人信赖

（1）佟二先生。1884 年出生于中医世家的吉林省永吉县人佟睿昌，字奇明，幼随其父佟镇半耕半读，稍长习医，擅长针灸，学成之后，即"行医于乡间，医术小有声誉"（《吉林市志·卫生志》），他曾试行"锋针刺血法"救治多人，人称"佟二先生"，时报宣称其与梅汝霖为"吉林二针"而名噪一时。

（2）神针。1916 年出生于辽宁营口的遇广生，字竹溪，受父遇芝荣的影响，幼读经史和医书。身为药商之子，遇广生很早就在自家药铺里接触到中医药常识；从医后有幸到吉林市，并拜梅汝霖为师，得恩师真传；从医几十年，他以独特的针灸疗法在治疗面瘫、不寐证、痹证、顽固性呃逆、肩周炎、坐骨神经痛、小儿遗尿等方面声望极高，负有"神针"之美名。

综上所述，尽管受社会重大转型及人们思想的影响，中医业不被重视，但中医从业人员始终以高尚的医德和精湛的医术坚守在中医学这块阵地。那些载入史册的医中圣手，既为吉林大地的黎民施医舍药，也为吉林现代中医药事业的发展奠基铺路，他们那些可圈可点的妙手回春的医事，以及对中草药的痴迷向往，将中医药文化的神奇魅力连同他们的美誉一道传扬后世，值得借鉴学习。

二、吉林省民族医药资源

（一）起源与发展

吉林省位于我国东北地区，辖地面积 18.74 万 km^2，从地貌上明显分为东南部山地和西北部平原。全省属于温带大陆性季风气候，四季分明。吉林省是我国重要的北药生产基地之一。吉林省

的长白山地区素有"世界生物资源宝库"之称，足见该地区的药材资源之丰富，如吉林的人参、鹿茸、哈蟆油等中药一直以来享誉全国，该地区的道地药材产量居全国首位，且远销海外。据统计，吉林省的道地药材有 50 余种，一直以来不仅为该地区创造了经济效益，也为我国中医药的发展奠定了坚实的基础。吉林省民族医药资源主要有两大类，即朝鲜族药（朝药）和满族药（满药）。

1. 朝药

（1）起源与形成。朝药是在东医学的基础之上，不断吸收中医学理论而产生和发展起来的。朝药的发展受人口集中化、疾病的蔓延、地理环境、文化因素等影响。医疗卫生作为民族文化的一部分及生息繁衍的一种手段，随着朝鲜族人口的急剧增长，必然会向着具有本民族特色的方向发展。据古籍《满洲地志》记载，1902 年符拉迪沃斯托克（海参崴）一带流行霍乱，蔓延到珲春一带，致病者达 400 余人；又据延吉道尹公署 1911 年、1912 年文件记载，1910 年满洲里流行鼠疫，延吉县死者达 323 人；1912 年，汪清县蛤蟆塘流行克山病，死者甚多，且各种急性传染病和地方病亦颇流行。由于朝鲜民族地区的疾病丛生，蔓延不绝，人民迫切需要有防病治病的医疗卫生手段，这成为民族医药发展的重要条件。另外，在地理方面，延边州地处边境，西北部环绕着地势险要的长白山脉，成为与内地隔离的天然屏障，致使中医药学理论的传播受到一定的限制。而朝鲜与延边州仅一江之隔，为东医学的传入创造了极为便利的条件。据文献记载，东医学传入延边州始于 1884 年，中医学则是 1894 年，期间相差 10 年之久。此外，长白山脉物产丰富，药源充足，也为朝鲜民族医生创立本民族的医药理论提供了极为有力的天然条件。朝鲜族的民族文化水平较高，且具有相当程度的汉文水平，加之东医学的理论体系与中医学基本相通，故很容易将二者融为一体。从 1920 年开始，地方政府实施了中医考试甄录制度等，这成为朝鲜民族医药接受并吸收中医药学理论的一个客观因素。由于延边州正规的中医教育实施较晚，至 1956 年才刚刚步入正轨，因此也为其长期保持本民族的特色创造了一定的条件。

（2）医学体系与发展。朝药发展至今已经独具地方特色，其民族药学有着自己独特的风采，它以东医学理论为基础，结合中医药学理论，建立了本民族的医药学理论体系，其对疾病分类、诊断方法的认识是多种多样的，具有一定的民族特点。如"四象方"医学派根据"四象人"的脏腑性理，对疾病分类采用了独特的方法，即少阴人肾受热表热病，少阴人胃受寒里寒病；少阳人胃受寒表寒病，少阳人胃受热里热病；太阴人胃受寒表寒病，肝受热里热病；太阳人外感腰脊病，内触小肠病等。在诊断方法上，朝医根据本民族的特点，对中医的"四诊""八纲"进行了进一步发展，"四象方"医学派按照人的体质、性格和精神心理状态进行辨象、辨证。朝医有本民族独特的"三统分类法"，即将方剂按补、和、攻作用分为上统、中统、下统 3 类。在针灸治疗上，有与中医相似的针灸法、太极针灸法、阴阳五行针灸法等。此外，朝医尚有饮食疗法、按摩法、热石敷法、药物熏法、药物坐浴法、吐鼻法、湿敷法、插入法等疗法。

2. 满药

（1）起源与形成。满族医药文化是指满族民众创造的与医药相关的物质文化、精神文化、组织制度文化的总称。满族传统医药是满族文化的精髓，即满族民众创造并世代相传的医治手段和药物专方，也是我国中医药的重要组成部分，同时又是湮没在我国中医药活动中而未被独立开发应用、未形成独立医药体系的医药方略。满族医药既包括宫廷秘方，又涵盖民间偏方，是藏于民间、具有重要开发应用价值的可供人类共享的宝贵财富，其形成和发展具有悠久的历史和独特的地域特色。满族是我国东北地区古老的民族之一，他们主要生活在长白山一带和松花江、黑龙江流域，这里是药材生产的重要基地。清太祖努尔哈赤曾歌颂长白山"其山风劲，气寒奇木，灵药应候挺生，每夏日环山之兽毕栖息其中"。满族人民在长期食用山野菜的过程中，探索出了一系列医药经验。例如，贯众菜加食盐或醋、糖制成酸水食用，可防止感冒、咳嗽；生吃杏叶茶，可用于口腔糜烂；用"空清石"或吃苋菜，可用于眼疾；吃炒山葱或山梗菜，可用于祛痰、平喘、杀虫。此外，满族先民常食用的动物食品也具有食疗作用。例如，"猪胎"具有滋补五脏六腑、补气活血的功效；犴达罕（学名驼鹿）制品具有延年益寿、益气养血的功效；林蛙具有大补、强身的功效，用其煮鸡蛋还可用于妇女早产所致的失血过多，以及劳伤虚损等证。

清代是满族医药发展的鼎盛时期，建立了太医院、御药院、尚药局，并在各路、州、府设置部分地方医疗机构。满族入关以后，为补充本民族医药方面的欠缺，迅速对汉族医药、蒙医药、西方医药加以借鉴和吸收。从清代大批的医药学著作，如具有代表性的《古今图书集成·医部全录》《医宗金鉴》等中可以看出中医药学的发展在当时占有重要地位。由于清代朝廷的重视，满族医药得到了长足发展，无论是民间药方和传统医治方法，还是宫廷秘方的传承和应用，都在医治人类疾病方面发挥了积极而不可替代的作用。

（2）继承与发展。在满族常用药物中具有较高临床应用价值的多达180余种，可分为植物药、动物药和矿物药三大类。民间传承的医疗方法涉及内科、外科、妇科、儿科、耳鼻喉科等数十科。这些都极大地丰富了我国的中医药学，成为具有民族特色的医药文化遗产。满族医药用于一般常见疾病的治疗，最早见于《满文老档》等文献记载。如《满文老档·太祖》卷五十中记载额尔德尼患牙病，希望能用东珠（即珍珠）治疗，东珠具有镇静安神、清热息风、明目去翳、解毒生肌的作用，外用研粉撒敷，可治疗咽喉、口腔糜烂；在《宁古塔纪略》中也有用淇河空青石治眼病的记载，空青石为矿物药，具有凉肝清热、明目去翳、活血利窍的作用，可研细水飞，外用点眼；奥利草可治疗内伤腰腿痛；艾蒿、百部可去邪疾；鹿角、麝香、蜂蜜、哈蟆油等百余种药物的记载也广为流传。在国家的高度重视和政策扶持下，我国的民族医药近年来取得了令人瞩目的成就。民族药企业现已达到国家GMP标准，并逐步改善了民族药制剂的现代化科技生产方法和手段，研制出的民族药新药已投放市场，其中不乏满药，如复方木鸡颗粒、加味八珍益母膏等。近年来，多次召开满族医药研究学术会议，满族医药的相关论著也相继出版，满族医药文化得到了高度重视，满族医药的研究取得了一定的成果。例如，2006年出版了《满族医药文化概述》，2011年出版了《满族传统医药新编》，2015 年出版了《中国满族医药》等著作，更加丰富了满药的历史知识和学术内容。

（二）民族医药的资源种类与应用

1. 民族医药的资源种类

朝药是指在朝医学理论和临床经验指导下用于医疗保健的药物。在延边州特殊的地理环境下，朝鲜族医学家在掌握古朝鲜东医学理论和技术的基础上，发展了"四象医学"理论，并进一步吸收中医学理论和技术，逐步形成了区别于朝鲜东医学、韩国韩医学且不同于中医学的医学体系，即具有民族特色的中国朝鲜族传统医药学。

朝鲜族用药大体由两大部分组成，一是引用中药（草药），即基于中朝医药 2000 余年的交流历史，逐步引用中药，使之成为朝鲜族民族防病治病的武器。如四象药物 271 种，全部引用了中药；《东医四象金匮秘方》收载的 1297 个方剂、《汉方医学指南》收载的 1500 余个方剂、《东医宝鉴》收载的 15 类 1400 余种药材、《增补方药合编》收载的 41 类 515 种药材，基本都引用了中药。二是发掘乡药，即在长期的防病治病实践中总结出来的民族特色药物。乡药已有较长的使用历史，尤其是 1949 年以后，在各级人民政府和卫生行政部门的正确领导下，民族医药的发掘、整理、研究、完善工作广泛开展，并取得了较好的成绩。根据延边州民族医药研究所 1986 年对延边朝鲜族聚居的图们江流域 7 个县（市）、38 个乡镇、133 个村屯的朝药资源的普查统计可知，植物药有 918 种，动物药有 178 种，矿物药有 24 种。其中具有代表性的中药是蒲公英和桔梗。

满族在进关前民间采集和使用的常用药物有二三百种。2014 年罗朝淑在题为《辽宁丹东着力打造中国"满药之都"》的报道中指出，丹东药业集团有限公司提出"满药"这一概念，有利于更好地传承和发展满药，满药在民族医药中的空白被填补。2014 年张旭在《丹东：打造中国"满药"之都》中说明，2010 年末，丹东地区的药材（包括满药在内）种植面积为 21.77 万亩，产量为 1.36 万 t，药材（包括满药在内）产值为 3.91 亿元。辽宁省丹东地区生长着各类道地药材，比较具有代表性的是石柱参、刺五加、胡桃楸皮、五味子等，此外还有玉竹、淫羊藿、桔梗、细辛、龙胆草、哈蟆油、蜂蜜等道地药材百余种。

2. 满族医药的应用

（1）植物药。棒槌，即人参、山参、奥汞达（满语）。满族民间最早在长白山区发现其有大补元气的作用，能起死回生。

土三七，即旱三七、兰拿旦（满语）。满族民间常用它卧鸡蛋煎汤，食鸡蛋喝汤，可治疗跌打损伤；或用鲜茎叶捣敷，能活血化瘀，消肿止痛。

北芪，即黄芪、苏杜兰（满语）。满族民间常用它煎水代茶饮或将它放入白条鸡膛内煮食，吃鸡肉喝汤，能补中益气，增强体力。

黄菠萝树皮，即关黄柏、勺浑炭古（满语）。满族民间常用它煎汤服，治疗尿多、食多的消渴证。

细参，即细辛、那勒赛浑（满语）。满族民间常将鲜全草捣敷，治疗寒腿痛；将全草晒干研末漱口，治疗牙痛；以干药面少许吹入鼻中，治疗感冒鼻塞。

紫芝，即灵芝、沙炳阿参（满语）。满族民间常用它泡酒饮或研末服，治疗冠心病、气管炎、支气管哮喘。

山花椒，即五味子、孙扎木炭（满语）。满族民间常用其鲜枝条炖萝卜以代替花椒调味；将五味子、白矾等分研细末后，以煮熟的猪肺蘸药末嚼食或用开水冲服，治疗痰咳哮喘证。

八角灰菜，即血见愁、申给沙奏（满语）。满族民间常用其鲜茎叶卧鸡蛋煎汤，食鸡蛋喝汤或晒干熬水喝，治疗妇女月经不调、崩漏。

酸枣根，即朱浑瘦勒（满语）。满族民间常用它煎水喝，治疗神经官能症、失眠。

蚂蚁菜，即马齿苋、叶洛少给（满语）。满族民间常用其鲜茎叶煮食，可止痢；生茎叶捣汁拌少许白糖，冷水冲服，治疗阑尾炎，可止痛；加蜂蜜少许煮服，治疗肺结核。

大力子茎叶，即牛蒡茎叶、阿巴呼查达（满语）。满族民间常用其鲜茎叶捣敷，治疗头痛、红眼病；茎叶晒干后煎汤服，治疗胃部肿瘤。

（2）动物药。蛤蟆，即蟾蜍、蛙克山（满语）。满族民间常将捕捉的蛤蟆摘掉腹中五脏，然后装入黑胡椒 7 粒、鲜姜 1 片，置于瓦罐内，以慢火烧炙，研成细末，外敷治疗疔毒疮和臁疮腿。

涉涉瑞，即蜈蚣。满族民间常取蜈蚣 1 条，焙干后研末，以猪胆汁调敷患处，治疗中风口眼歪斜；取蜈蚣 1 条、雄黄 10g，用鸡蛋清调敷，每日 2 ～ 3 次，治疗结核病，如结核性胸膜炎；取蜈蚣、甘草等份，焙干研末口服，每日 3 次，每次 5g（小儿 1 ～ 2 岁 1.5g，3 ～ 4 岁 2g），7 日为 1 个疗程，治疗百日咳；取蜈蚣、全蝎等份，研细末服，每日 2 次，每次 3 ～ 5 分，治疗惊痫。

黑夜涉，即蝎子。满族民间常用鲜薄荷叶包裹蝎子，以文火将薄荷炙焦，研细末服，治疗小儿惊风；取蝎子 5 只、蜈蚣 1 条，炙研细末，以白酒为引口服，可止痛。

蛇，即四角蛇、猫瑞梅赫（满语）。满族民间常捉捕活蛇，把生鸡蛋磕破一小孔将其放入，将孔用纸封固后爆熟食，治疗小儿疳证。

蚯蚓，即地龙、波屯（满语）。满族民间常用活蚯蚓 1 条配伍少许胡黄连，水煎服，治疗腿抽筋；取活蚯蚓 3 ～ 5 条，放入盆内排除污泥后切碎，加入鸡蛋 2 ～ 3 个炒熟，隔日吃 1 次，可降血压；活蚯蚓捣汁，以冷水过滤，浓服半碗，治疗小便不畅；蚯蚓研细末，以温开水服，每日 3 次，每次 5g，治疗支气管哮喘。

蚂蟥，即水蛭、蜜达赫（满语）。满族民间常用蚂蟥配川芎，等分，研细末，温开水冲服，能活血化瘀，治疗脑栓塞后遗症。

林蛙，即朱蛙里（满语）。满族民间常在林中捕捉活林蛙，卧鸡蛋煎汤，食鸡蛋喝汤或连林蛙一起食用，治疗肾盂肾炎浮肿。

斑蝥，即都给达（满语）。满族民间常用斑蝥 7 只配少许雄黄、麻黄、朱砂，研细末调匀，置于膏药上，贴于头颈第 2 骨节，治疗疟疾。

3. 朝鲜族医药的应用

朝医药主要是在乡间直接运用。例如，用白花桔梗的根炖鸡，可补虚，治疗妇女崩漏；用万年蒿的全草熬膏，可保肝，治疗妇女冷病；狗肉可用于补身，治痨；用海带叶状体熬汤，用于妇女催乳，治疗产后瘀血；用独活根制米酒，治疗风湿病；用棒子（玉米）的雄花制米酒，治疗肝腹水；用草苁蓉全草泡酒，治疗阳痿；用黑（棕）熊胆泡酒，治疗跌打损伤、瘀血、肝炎等；紫花前胡根可用于乌发，治疗腰痛；东方铃蟾全体或其口中分泌物可治疗痔疮；方解石粉末可治疗一切外伤出血；苦参虫幼虫全体可治疗风湿性关节炎和心脏病；胡桃楸皮可治疗牛皮癣等皮肤病；以荞麦秆为主药的保肝丸可治疗肝炎；以麻花为主料的麻花散可治疗疼痛诸症；以关苍术为主料的苍术散可治疗急慢性胃炎及胃溃疡等。

第十章

吉林省新分布或新记录种情况

在吉林省第四次全国中药资源普查中，各普查队仔细工作、深入调查，共发现 8 个新分布或新记录种，具体内容如下。

一、水飞蓟 *Silybum marianum* (L.) Gaertn.

水飞蓟为菊科水飞蓟属植物。1987 年编写的《中国植物志》第七十八卷第一分册的 161 页叙述为菊科水飞蓟属植物水飞蓟 *Silybum marianum* (L.) Gaertn.，异名为水飞雉、奶蓟、老鼠筋。

一年生或二年生草本，高 1.2m。茎直立，分枝，有条棱，极少不分枝，全部茎枝有白色粉质覆被物，被稀疏的蛛丝毛或脱毛。莲座状基生叶与下部茎生叶有叶柄，椭圆形或倒披针形，长达 50cm，宽达 30cm，羽状浅裂至全裂；中部与上部茎生叶渐小，长卵形或披针形，羽状浅裂或边缘浅波状圆齿裂，基部尾状渐尖，心形半抱茎，最上部茎生叶更小，不分裂，披针形，基部心形抱茎。全部叶两面同色，绿色，具大型白色花斑，无毛，质地薄，边缘或裂片边缘及先端有坚硬的黄色针刺，针刺长达 5mm。头状花序较大，生于枝端，植株含多数头状花序，但不形成明显的花序式排列。总苞球形或卵球形，直径 3～5cm。总苞片 6 层，中、外层苞片宽匙形、椭圆形、长菱形至披针形，包括先端针刺长 1～3cm，包括边缘针刺宽达 1.2cm，基部或下部或大部紧贴，边缘无针刺，上部扩大成圆形、三角形、近菱形或三角形的坚硬叶质附属物，附属物边缘或基部有坚硬的针刺，每侧有针刺 4～12，长 1～2mm，附属物先端有长达 5mm 的针刺；内层苞片线状披针形，长约 2.7cm，宽 4cm，边缘无针刺，上部无叶质附属物，先端渐尖。全部苞片无毛，中、外层苞片质地坚硬，革质。小花红紫色，少有白色，长 3cm，细管部长 2.1cm，檐部 5 裂，裂片长 6mm。花丝短而宽，上部分离，下部由于被黏质柔毛而黏合。瘦果压扁，长椭圆形或长倒卵形，长 7mm，宽约 3mm，褐色，有线状长椭圆形的深褐色斑纹，先端有果缘，果缘全缘，无锯齿。冠毛多层，刚毛状，白色，向中层或内层渐长，长达 1.5cm；冠毛刚毛锯齿状，基部连合成环，整体脱落；最内层冠毛极短，柔毛状，全缘，排列在冠毛环上。花果期 5～10 月。分布于欧洲、地中海地区、北非及亚洲中部。我国各地公园、植物园或庭园均有栽培。以瘦果入药，性味苦、凉，有清热、解毒、保肝利胆的作用。

2012 年，普查队在汪清县内普查时，发现复兴镇大面积种植水飞蓟，通过查阅吉林省第三次中药资源普查资料，咨询编写该资料的相关人员，确认水飞蓟未记录于其中。在调查中，据汪清县长白山中药保健食品开发研究所王永明教授介绍，20 世纪 90 年代初，汪清县从德国引进水飞蓟种子，开始种植。据复兴镇农业技术推广站潘元亮站长介绍，自 2000 年开始，复兴镇大面积种植水飞蓟，2012 年复兴镇的水飞蓟种植面积达 600 余亩。由于近几年水飞蓟的需求量降低，价格下降，2016 年的种植面积为 450 余亩。水飞蓟是复兴镇的支柱产业之一，希望吉林省农业技术有关部门能够加强对水飞蓟综合利用技术的开发，提高其利用度。水飞蓟的病虫害很少，而当成熟期遇上阴雨天时，水飞蓟的花朵发红、种子变白（种子原为黑色光亮），影响产品质量，此问题亟待解决。

经汪清县普查队队长朴明杰、汪清县长白山中药保健食品开发研究所王永明教授及吉林农业大学刘翠晶鉴定，汪清县普查队在 2012 年度的普查记录中确认水飞蓟为新记录、新分布品种。普查中所拍摄的水飞蓟见图 1-10-1。

图 1-10-1 普查中所拍摄的水飞蓟

二、红柴胡 *Bupleurum scorzonerifolium* Willd.

红柴胡为伞形科柴胡属植物。1979 年编写的《中国植物志》第五十五卷第一分册的 267 页叙述为伞形科柴胡属植物红柴胡 *Bupleurum scorzonerifolium* Willd.，异名为香柴胡（东北地区）、软柴胡（我国北部）、狭叶柴胡、软苗柴胡、南柴胡。

多年生草本，高 30～60cm。主根发达，圆锥形，支根稀少，深红棕色，表面略皱缩，上部有横环纹，下部有纵纹，质疏松而脆。茎单一或 2～3，基部密覆叶柄残余纤维，细圆，有细纵槽纹，茎上部有多回分枝，略呈"之"字形弯曲，并呈圆锥状。叶细线形，基生叶下部略收缩成叶柄，其他均无柄，叶长 6～16cm，宽 2～7mm，先端长渐尖，基部稍变窄抱茎，质厚，稍硬挺，常对折或内卷，具 3～5 脉，向叶背凸出，两脉间有隐约平行的细脉，叶缘白色，骨质，上部叶小，同形。伞形花序自叶腋间抽出，花序多，直径 1.2～4cm，形成较疏松的圆锥花序；伞幅（3～）4～6（～8），长 1～2cm，很细，弧形弯曲；总苞片 1～3，极细小，针形，长 1～5mm，宽 0.5～1mm，具 1～3 脉，有时紧贴伞幅，常早落；小伞形花序直径 4～6mm，小总苞片 5，紧贴小伞，线状披针形，长 2.5 ~ 4mm，宽 0.5 ~ 1mm，细而尖锐，等于或略超过花时小伞形花序；小伞形花序有花（6 ~ ）9 ~ 11（~ 15），花柄长 1 ~ 1.5mm；花瓣黄色，舌片几与花瓣的对半等长，先端 2 浅裂；花柱基厚垫状，宽于子房，深黄色，柱头向两侧弯曲；子房主棱明显，表面常有白霜。果实广椭圆形，长 2.5mm，宽 2mm，深褐色，棱浅褐色，粗钝凸出，每棱槽中具油管 5 ~ 6，合生面具油管 4 ~ 6。花期 7 ~ 8 月，果期 8 ~ 9 月。

红柴胡广泛分布于我国黑龙江、吉林、辽宁、河北、山东、山西、陕西、江苏、安徽、广西、内蒙古、甘肃等。生于海拔 160 ~ 2250m 的干燥草原及向阳山坡或灌木林边缘。

2012 年普查队在汪清县内普查时，在东光镇、天桥岭镇、罗子沟镇、大兴沟镇、百草沟镇、复兴镇均发现红柴胡分布，鉴定人为汪清县普查队队长朴明杰和汪清县长白山中药保健食品开发研究所王永明教授。通过查阅吉林省第三次中药资源普查资料及咨询编写该资料的相关人员，确认红柴胡未记录于其中。因此，汪清县普查队 2012 年度普查记录中确认红柴胡为新记录品种。普查中所拍摄的红柴胡见图 1-10-2。

图 1-10-2　普查中所拍摄的红柴胡

三、两色鹿药 *Smilacina bicolor* Nakai.

两色鹿药 *Smilacina bicolor* Nakai. 为多年生草本，植株高 20 ~ 40cm；根茎横走，有时曲折，圆柱状，白色，直径 5 ~ 80mm，节无膨大。茎直立，具 4 ~ 7 叶，茎及叶两面光滑无毛，仅叶背沿叶脉微有毛。叶纸质，卵状椭圆形，长 6 ~ 13（~ 15）cm，宽 3 ~ 7cm，先端近短渐尖，具短柄或无柄，弧形叶脉，叶背面叶脉明显隆起。总状花序长 3 ~ 6cm，无毛，具 5 ~ 70 花；花单生，淡绿色；花梗长 2 ~ 6mm；花被片分离并反卷，披针形，长约 3mm；雄蕊长 2 ~ 3mm，短于花被片，花丝粗壮，下部黄绿色，上部白色，后期全变白色，花药黄色；花柱短，稍突出于子房，柱头紫红色，3 裂。浆果扁球形，三棱状，直径 5 ~ 6mm，未成熟时黄绿色，成熟时淡红色，具 1 ~ 2 种子。

花期 5 ~ 6 月，果期 7 ~ 8 月。生于海拔 800 ~ 1200m 的天然阔叶林或针阔叶混交林下。

据新闻报道，两色鹿药是 2009 年辽宁白石砬子国家级自然保护区工作人员王雷在进行外业调查过程中偶然发现的。王雷找到了中国科学院沈阳应用生态研究所曹伟研究员，曹伟查阅和检索了大量的资料，包括国内的《中国植物志》《东北草本植物志》《辽宁植物志》《黑龙江植物志》等。曹伟对国内的资料进行全面检索后，未发现相关记录，又对国外的植物志进行查询，发现这种植物在韩国有记载和分布，经反复研究后，将这种植物命名为两色鹿药 *Smilacina bicolor* Nakai.，是《中国植物志》及其地方植物志未收录的物种。迄今未在专业期刊上发现有关两色鹿药的研究论文。在 CNKI 查询到山东大学赵宏教授指导的硕士生陈卓发表的硕士论文"中国新纪录种两色鹿药及二近缘种的形态及分类学研究"1 篇。

2008 年普查队在吉林省通化县果松镇老虎山野外考察时，发现过这种植物，当时未引起注意。2012 年在第四次全国中药资源普查吉林省通化县普查工作中，普查队在通化县东来乡大被子山普查作业时，又发现了两色鹿药这种植物，经过认真查阅资料、核对文献，确认属于吉林省的新记录种。普查中所拍摄的两色鹿药见图 1-10-3。

图 1-10-3　普查中所拍摄的两色鹿药

四、款冬 *Tussilago farfara* L.

（一）安图县普查队

款冬花为菊科植物款冬 *Tussilago farfara* L. 的干燥花蕾。此前款冬在安图县无分布记录。1995年，科学出版社出版的《东北植物检索表》没有记载款冬。第三次全国中药资源普查，1985 年版《安图县普查合订本》也没有记载款冬。但在本次普查过程中发现安图县有分布，但分布较少，主要分布于松江镇荒沟林场，已通过鉴定。普查中所拍摄的款冬见图 1-10-4。

2012 年 5 月，在安图县松江镇荒沟林场，样方 222426-000-D002-D01（东经 128° 38′ 12.2″，北纬 42° 23′ 28.6″，海拔 788.1m）、样方 222426-000-D002-D02（东经 128° 38′ 7″，北纬 42° 23′ 31.4″，海拔 786.7m），均有款冬的分布。采集的腊叶标本已上交，其鉴定人为长春中医药大学张天柱、齐伟辰。因为该种是新分布种，安图县普查队在不同季节对该种进行多次观察，经过对叶、花、种子进行观察后确认该种为款冬。

（二）临江市普查队

通过查阅第三次全国中药资源普查的普查目录，同时结合比对目前现行的《东北植物检索表》，发现二者均未收录款冬 *Tussilago farfara* L.，即此前未有东北地区款冬分布的相关记录及报道。

临江市普查队的胡全德教授，早在 1990 年被吉林农业大学派到临江市负责吉林省的"长白山资源立体开发科技示范区"工作。20 年来，胡全德教授走了约 2 万 km 山路，期间发现过东北植物新物种款冬 *Tussilago farfara* L.，但由于《东北植物检索表》未见收录，加之之前也未有相关款冬的记载报道，所以初期未轻易下结论。采集标本后，经吉林省著名中药专家邓明鲁教授鉴定，确认为款冬 *Tussilago farfara* L.。

临江市普查队在胡全德教授的前期工作基础上再一次证实款冬在吉林省临江市有大量分布，这一发现对今后《东北植物检索表》的修订、再版具有重要的借鉴意义。

图 1-10-4　普查中所拍摄的款冬

五、豚草 *Ambrosia artemisiifolia* L.

豚草为一年生草本，高 20 ～ 150cm；茎直立，上部有圆锥状分枝，有棱，被糙毛。下部叶对生，具短叶柄，2 回羽状分裂，裂片狭小，长圆形至倒披针形，全缘，有明显的中脉，上面深绿色，被细短伏毛或近无毛，背面灰绿色，被密短糙毛；上部叶互生，无柄，羽状分裂。雄头状花序半球形或卵形，直径 4 ～ 5mm，具短梗，下垂，在枝端密集成总状花序。总苞宽半球形或碟形；总苞片全部结合，无肋，边缘具波状圆齿，稍被糙伏毛。每个头状花序有10～15不育的小花；花冠淡黄色；花柱不分裂，先端膨大成画笔状。雌头状花序无花序梗，在雄头状花序下面或在下部叶叶腋单生，或2～3密集成团伞状，有1无被能育的雌花，总苞闭合，具结合的总苞片，倒卵形或卵状长圆形，长4～5mm，宽约2mm，先端有围裹花柱的圆锥状嘴部，在顶部以下有4～6尖刺，稍被糙毛；花柱2深裂，丝状，伸出总苞的嘴部。瘦果倒卵形，无毛，藏于坚硬的总苞中。花期8～9月，果期9～10月。

《中国植物志》记载该种原产于北美地区，在我国长江流域已驯化野生成为路旁杂草，而《东北植物检索表》记载该种产于辽宁省。2006年在珲春圈河口岸景区第一次发现这种小草本——豚草，2012年的第四次全国中药资源普查发现豚草在珲春市域内英安镇、春化镇、敬信镇均有分布。据调查，豚草 *Ambrosia artemisiifolia* L. 分布于珲春市域内的田野路旁或河边杂草地。普查中所拍摄的豚草见图1–10–5。

图1–10–5　普查中所拍摄的豚草

六、伞花蔷薇 *Rosa maximowicziana* Regel

伞花蔷薇为小灌木，具长匍枝，呈弓形弯曲，散生短小而弯曲的皮刺，有时被刺毛。小叶7～9，稀5，连叶柄长4～11cm，小叶片卵形、椭圆形或长圆形，稀倒卵形，长1.5～3（～6）cm，宽1～2cm，先端急尖或渐尖，基部宽楔形或近圆形，边缘有锐锯齿，上面深绿色，无毛，下面色淡，无毛或在中脉上被稀疏柔毛，或有小皮刺和腺毛；托叶大部贴生于叶柄，离生部分披针形，边缘有不规则锯齿和腺毛。花数朵呈伞房状排列；苞片长卵形，边缘有腺毛；萼片三角状卵形，先端长渐尖，全缘，有时有1～2裂片，内外两面均有柔毛，内面较密，萼筒和萼片外面有腺毛；花直径3～3.5cm；花梗长1～2.5cm，有腺毛；花瓣白色或带粉红色，倒卵形，基部楔形，花柱结合成束，伸出，无毛，约与雄蕊等长。果实卵球形，直径8～10mm，黑褐色，有光泽，萼片在果实成熟时脱落。花期6～7月，果期9月。

《中国植物志》记载该种产于辽宁、山东等省，多生于路旁、沟边、山坡向阳处或灌丛中。在第四次全国中药资源普查中，普查队于2012年在珲春市板石镇发现蔷薇科灌木伞花蔷薇 *Rosa maximowicziana* Regel，其后在敬信镇也发现该物种。据笔者的调查，伞花蔷薇分布于珲春市域内的灌丛、路旁或沙地。普查中所拍摄的伞花蔷薇见图1-10-6。

图1-10-6　普查中所拍摄的伞花蔷薇

七、延边白头翁 *Pulsatilla×yanbianensis* H. Z. LV.

延边白头翁为多年生草本，植株高25～40cm。叶在花期开展，叶片卵形，基部近截形，3全裂或近羽状分裂，叶两面多少被柔毛；总苞钟形，裂片似基生叶的裂片，背面有密柔毛；花梗长约7.5cm，有密柔毛；萼片蓝紫色，柱头紫红色。5月至6月开花。

2007年在野外调查中发现，有一种白头翁的花色不同于朝鲜白头翁，也区别于兴安白头翁，并且花后不育。据 *Flora of China* 记载，我国产11种白头翁属植物；该属植物间断分布于欧洲和亚洲。我国东北地区有8种，吉林省分布有白头翁 *Pulsatilla chinensis* (Bunge) Regel、朝鲜白头翁 *Pulsatilla cernua* (Thunb.) Bercht 和兴安白头翁 *Pulsatilla dahurica* (Fisch.) Spreng. 3种。而该种白头翁的特征均不同于上述物种。经过多方调查、实验（形态学、遗传学、化学成分等方面）和考证，最终确认该种是朝鲜白头翁和兴安白头翁的自然杂交种，以延边白头翁 *Pulsatilla × yanbianensis* H. Z. LV. 命名并于2011年发表于韩国分类杂志 [Hui-Zi Lv，Soonku So and Muyeol Kim，A New Hybrid Species of Pulsatilla (Ranunculaceae): *P. × yanbianensis* H. Z. Lv，Korean J. Pl. Taxon，2011，41（4）365-369] 上。2012年普查队在珲春市域内发现有该物种分布。普查中所拍摄的延边白头翁见图1-10-7。

图 1-10-7　普查中所拍摄的延边白头翁

八、仙女越橘 *Andromeda polifolia* L.

仙女越橘为常绿灌木，株高 5 ～ 30（～ 80）cm。根茎匍匐或横走，无毛。剑形叶白灰绿色，背面绿色，长 2 ～ 5cm，宽 1 ～ 8mm，边缘反卷。花梗下弯，有时直立，通常淡红色，长 6 ～ 20mm。萼片镊合状排列，呈白色至红色，长 1 ～ 1.8mm，先端急钝；花冠坛状，花冠裂片反卷，正面被毛，边缘有微小乳突，花冠长 5 ～ 8mm，宽 3.5 ～ 7mm；在子房基部有蜜腺组织。雌蕊扁球形，子房基部有腺体，中轴胎座，花柱与花冠近等长。心皮 5 合生，幼时被白粉，无毛或基部有毛。种子褐色，种皮光滑，有光泽。花期 5 ～ 7 月，果期 7 ～ 8 月。

2011 年 7 月在吉林省和龙市和安图县交界的高山湿地——老里克湿地植物的调查过程中普查队发现一种杜鹃花科植物，由于当时已入果期，故没能见到花。经多方文献检索，未见中国有分布的记录。2012 年 6 月 20 日普查队再次去调查，观察到了该物种的花，该物种在湿地范围内分布的群落很大，其局部覆盖率达 40%。

2012 年谢磊等在《植物分类与资源学报》初次报道了该种植物——仙女越橘。普查中所拍摄的仙女越橘见图 1-10-8。

图 1-10-8　普查中所拍摄的仙女越橘

第十一章

吉林省中药资源保护和利用

随着世界经济的发展、人口的增加和医疗卫生事业的发展，人们对于中药资源的需求量急剧增加。近年来，世界上又出现了"回归自然"的热潮，人们也越来越崇尚使用中药。但是在经济利益的驱动下，人们大量开垦荒地、过度放牧和资源管理不当，造成了地球上生态环境日益恶化，使一些野生中药资源失去了赖以生存的环境和正常的繁殖能力，很多野生药用物种的蕴藏量也急剧减少，甚至有些物种已处于濒危或灭绝状态。

虽然我国的中药资源十分丰富，但由于自然生态系统的大面积破坏和退化，以及人们的保护观念淡薄、管理工作不到位，我国濒危高等植物已有近5000种，其中很多为药用资源。在中药资源的保护与利用问题上，人们有2种观点：一种是主张大力开发中药资源，以解除病痛，保卫健康；另一种是主张尽力保护中药资源，以保护人类赖以生存的大环境。二者既对立又统一，保护是利用的基础，保护中药资源的再生能力和生态环境，以谋求稳定和长期的社会效益、生态效益和经济效益。过分强调保护，而不合理地开发利用，中药资源就无法造福于人类；而过分开发利用，必将破坏中药资源的再生，加速中药资源物种的灭绝，造成无资源可用的局面。因此，在进行中药资源保护时，应首先保护濒危和稀有的药用动植物，运用现代科学技术，加强物种的优良种质研究、保存，变野生为家种、家养，寻找和扩大药用资源，提高中药资源的生产能力和内在质量，以保证药用需要，从而实现中药资源的可持续发展和利用。

一、吉林省中药资源保护

吉林省具有特有的地理位置和气候条件，繁育着数以千计的奇花异草、珍稀禽兽，埋藏着丰富的矿产，其间不乏许多著名的中药材，而如何保护好吉林省得天独厚的中药资源并做到可持续利用，成为摆在我们面前的艰巨任务之一。

吉林省道地药材主要有人参（包括山参）、鹿茸、细辛、桔梗、哈蟆油、甘草、黄芩、北五味子、防风等数十种。这些品种使用历史久远，品质优良，行销面广。其中细辛、桔梗、平贝母、鹿茸、哈蟆油的野生资源已无法满足市场需求，主要靠家种、家养提供商品。

在国务院发布的《野生药材资源保护管理条例》所列76种重点保护野生药材物种中，吉林省有25种，其中，Ⅰ级物种有虎、梅花鹿，Ⅱ级物种有马鹿、原麝、黑熊、棕熊、中华大蟾蜍、中国林蛙、甘草、人参、黄檗，Ⅲ级物种有刺五加、黄芩、猪苓、条叶龙胆（东北龙胆）、龙胆、三花龙胆、防风、远志、卵叶远志（西伯利亚远志）、大叶龙胆（秦艽）、北细辛、汉城细辛、紫草、五味子。

此外，还有红景天、草苁蓉、东北红豆杉、笃斯越桔、猴菇菌（猴头菇）、短裙竹荪等，其中多数已成为濒危种类。

（一）中药资源保护管理的现状

中华人民共和国成立以来，为了保护自然资源和生态环境，我国相继制定了《中华人民共和国森林法》《中华人民共和国环境保护法》和《中华人民共和国陆生野生动物保护实施条例》等重要法规，并付诸实施。设立了一批自然资源的保护和研究机构，建立了许多国家级或地方性的自然保护区，有效地保护了包括很多药用物种在内的自然资源。1987 年，国务院颁发了《野生药材资源保护管理条例》，在中药资源的保护和管理方面取得了一定的成效。

1. 保护和管理中药资源的政策措施

几十年来，吉林省药材经营和管理部门针对部分野生药材资源紧张的状况，采取了加强资源管理和商品管理的措施。主要措施包括：对于国家管理的种类如甘草、麝香等实行以产定销，限量收购；打击投机倒把、走私贩私的犯罪活动，制止哄抬物价，以及到产地套购、抢购和盗采的不正之风；建立药材资源情况的上报制度，及时调查和解决有关问题；对资源较为紧张的多用途品种，在同有关部门协商后，限制非药用的使用量，保证药用供应，减轻资源负荷；实行"先国内、后国外"的出口政策，对资源紧张的药材，限量或禁止出口，采取轮采轮育、边采边育、封山育林、封山育药等措施，加强资源管理，以恢复和提高资源的再生能力。以上管理措施在各地的应用中都产生了较好的效果。

引种驯化和野生家种（家养）的药用动植物，不仅在保障中药材生产和市场供应上发挥了重大作用，而且在保护中药资源方面也发挥了一定的作用。目前，全国已经进行人工种植（养殖）的药材约有 200 种，其中大部分为资源减少品种。如黄檗、桔梗等都是在 20 世纪 60 年代至 70 年代野生资源严重减少的情况下进行人工栽培的，并逐渐成为商品的主要来源。近年来，在省级有关部门的扶持下，吉林省在中药材 GAP 种植方面取得了重大进展，有人参、平贝母等 22 个品种和 36 个基地通过了国家和省级鉴定，并拥有了一定的生产面积。这些药材的野生转家种、家养，有效地缓解了市场紧缺状况，相对减轻了野生药材资源的负担，在一定程度上发挥了资源保护的作用。

2. 建立自然保护区

自然保护区对保护中药资源、防止药用物种灭绝起到了重要作用。就全国建立的 333 个不同类型的自然保护区来说，90% 以上都有中药资源分布，许多珍贵的药用动植物在自然保护区内得到了很好的保护。如吉林长白山国家级自然保护区受保护的植物多达 1500 余种，其中包括 300 余种名贵药用植物，如人参、党参、黄耆、贝母、天麻、木通、细辛、刺五加、草苁蓉等。由于对资源的积极保护，自然保护区内一些药用动植物资源的濒危状况已有所缓解。

（二）吉林省国家重点保护野生药用动植物种类

1. 国家重点保护野生药用植物种类

吉林省国家重点保护野生药用植物种类共计 22 个，其中，一类 3 个，二类 10 个，三类 9 个，分别出自《国家重点保护野生药材物种名录》（12 个）和《国家重点保护野生植物名录》（11 个），其中，东北红豆杉为 2 个名录均出现的品种。见表 1-11-1。

表 1-11-1　吉林省国家重点保护野生药用植物种类

序号	中文名	拉丁学名	药用部位	国家保护级别	出处
1	松口蘑（松茸）	*Tricholoma matsutake* (S. Ito et Imai) Sing	子实体	二类	1
2	银杏	*Ginkgo biloba* L.	果实	一类	1
3	红松	*Pinus koraiensis* Sieb. et Zucc.	种子、枝干的结节、松叶、花粉、树皮	二类	1
4	长白松	*Pinus sylvestris* L. var. *sylvestriformis* (Takenouchi) Cheng et C. D. Chu	花粉	一类	1
5	金钱松	*Pseudolarix amabilis* (Nelson) Rehd.	皮	二类	1
6	东北红豆杉	*Taxus cuspidata* Sieb. et Zucc.	叶、皮	一类	1, 2
7	钻天柳	*Chosenia arbutifolia* (Pallas) A. K. Skv.	皮、叶	二类	1
8	莲	*Nelumbo nucifera* Gaertn.	根茎节、花、叶、叶基、叶柄、花托、果实、种子、种胚、雄蕊、种皮	二类	2
9	黄檗	*Phellodendron amurense* Rupr.	韧皮部、果实	二类	2
10	珊瑚菜	*Glehnia littoralis* Fr. Schmidt ex Miq.	根	二类	1
11	水曲柳	*Fraxinus mandshurica* Rupr.	树皮	二类	1
12	甘草	*Glycyrrhiza uralensis* Fisch.	根及根茎	二类	1
13	人参	*Panax ginseng* C. A. Meyer	根及根茎、叶、花、果实	二类	1
14	无梗五加	*Eleutherococcus sessiliflorus* (Ruprecht & Maximowicz) S. Y. Hu	根皮	三类	2
15	猪苓	*Polyporus albicans* Fr.	子实体	三类	2
16	龙胆	*Gentiana scabra* Bunge	根	三类	2
17	三花龙胆	*Gentiana triflora* Pall.	根	三类	2
18	紫草	*Lithospermum erythrorhizon* Sieb. et Zucc.	根	三类	2
19	细辛	*Asarum heterotropoides* Fr. Schmidt	全草	三类	2
20	远志	*Polygala tenuifolia* Willd.	根皮	三类	2
21	卵叶远志	*Polygala sibirica* L.	全草	三类	2
22	黄芩	*Scutellaria baicalensis* Georgi	根及根茎	三类	2

注：出处"1"为《国家重点保护野生植物名录》，出处"2"为《国家重点保护野生药材物种名录》。

2. 国家重点保护野生药用动物种类

吉林省国家重点保护野生药用动物种类共计 47 个，其中，一类 13 个，二类 34 个，分别出自《国家重点保护野生动物名录》（35 个）、《濒危野生动植物种国际贸易公约》中的中国物种（26 个）和《国家重点保护野生药材物种名录》（9 个），3 个名录均出现的有游隼、红脚隼、长耳鸮、短耳鸮。见表 1-11-2。

表 1-11-2　吉林省国家重点保护动物种类

序号	中文名	拉丁学名	药用部位	国家保护级别	出处
1	白鹳	*Ciconia ciconia* (Lonné)	骨	一类	1, 2
2	黑鹳	*Ciconia nigra* Lonné	骨	一类	1, 2
3	丹顶鹤	*Grus japanensis* Müller	骨	一类	1, 2
4	白尾海雕	*Haliaeetus albicilla* Linné	肉	一类	1
5	玉带海雕	*Haliaeetus leucorghus* Palls	肉	一类	1
6	大鸨	*Otis tarda* Linné	脂肪、肉	一类	1
7	梅花鹿	*Cervus nippon hortuloru* Swinchone	茸	一类	1, 2
8	虎	*Panthera tigris altaica* Temminck	骨	一类	1, 2
9	豹	*Panthera pardus erientalis* Schlegel	骨	一类	1
10	蓑羽鹤	*Anthropodides virgo* Linné	脂肪	二类	1, 3
11	红隼	*Falco tinnuncukus interstinctus* Linné	骨、爪	二类	1
12	游隼	*Falco peregrinus calidus* Tunstall	骨、爪	二类	1, 2, 3
13	红脚隼	*Falco vespertinus amurensis* Linné	骨、爪	二类	1, 2, 3
14	猪隼	*Falco cherrug* Gray	骨、肉	二类	3
15	花尾榛鸡	*Tetras bonasia* Linné	肉	二类	1, 2
16	白额雁	*Anser albifrons* Scopoli	肉、脂肪	二类	1
17	豺	*Cuon alpinus* Palls	肉	二类	1
18	水獭	*Lutra lutra* L.	肝	二类	3
19	猞猁	*Lynx lynx* Blyth	肠	二类	1
20	原麝	*Moschus moschiferus paroipes* Hollister	香囊	二类	1
21	黑熊	*Selenaretos thibetanus ussuricus* Heude	胆，骨，脂肪，脚掌，脑，筋	二类	1
22	棕熊	*Ursus arctos* Gray	胆，骨，脂肪，脚掌，脑，筋	二类	1
23	白琵鹭	*Platalea leucorodia* Linne	肉	二类	1
24	黑脸琵鹭	*Platalea minor* Temmincket	肉	二类	1
25	红嘴松鸡	*Tetrao urogalloides* Middendorff	肉	一类	1
26	黑琴鸡	*Lyrurus tetrix* Linné	肉	二类	2
27	白冠长尾雉	*Syrmaticus reevesii* Gray	全体	二类	2
28	孔雀	*Pavo muticus* Linné	全体	一类	2
29	大杜鹃	*Cuculus canorus* Linné	肉	二类	2
30	小杜鹃	*Cuculus pliocephalus* Latham	肉	二类	2
31	四声杜鹃	*Cuculus micropterus* Gould	肉	二类	2
32	中杜鹃	*Cuculus saturatus* Blyth	肉	二类	2
33	棕腹杜鹃	*Cuculus fugax* Horsfield	肉，血，脂肪	二类	2
34	黄羊	*Procapra gutturasa gutturosa* Pallas	角，血，肉，脂肪，喉	一类	1, 2
35	紫貂	*Martes zibellina* Linnaeus	尾	一类	1, 2
36	黄喉貂	*Martes flavigula* Bodduert	尾	二类	1, 2
37	狼	*Canis lupu* Linnaeus	肉、脂肪、甲状腺	二类	1, 2
38	雕鸮	*Bubo bubo* Linné	肉	二类	1

序号	中文名	拉丁学名	药用部位	国家保护级别	出处
39	红角鸮	*Otus scops* Linné	肉	二类	1
40	领角鸮	*Otus bakkamoena* Pennant	肉	二类	1, 2
41	灰林鸮	*Strix aluco* Linné	肉	二类	1, 2
42	长尾林鸮	*Strix uralensisi* Palls	肉	二类	1
43	乌林鸮	*Strix nebulosa* Forster	肉	二类	1, 3
44	长耳鸮	*Asio otus* Linné	肉	二类	1, 2, 3
45	短耳鸮	*Asio flammmeus* Pontoppidan	肉	二类	1, 2, 3
46	马鹿	*Cervus elaphus* Milne-Edwards	茸	二类	2
47	中华大蟾蜍	*Bufo gargarizans* Cantor	全体	二类	2, 3

注：出处"1"为《国家重点保护野生动物名录》，出处"2"为《濒危野生动植物种国际贸易公约》中的中国物种，出处"3"为《国家重点保护野生药材物种名录》。

（三）保护措施

1. 加强宣传和管理，增强全民法制观念，增强资源保护意识

近年来随着中药（特别是动物药）需求量的不断增加，中药价格飞涨，造成对很多珍稀药用动植物的滥捕滥挖，加之这些动植物的栖息地自然生态环境遭到破坏，从而使很多著名中药材的资源量锐减，如虎骨、豹骨、麝香、野山参等，有的种类甚至已经绝灭，如羚羊角。

我国于 1981 年加入《濒危野生动植物种国际贸易公约》（简称 CITES），成为其成员国之一。现在，保护濒危野生动植物资源的问题愈来愈引起人们的重视，人们愈来愈认识到野生动植物的存在与人类的生存息息相关，保护野生动植物就是保护人类自己。国家也制定和颁布了一系列的法规和条例，以加强保护野生动植物资源的力度。除此还要大力宣传，加强管理，增强人们保护野生动物资源的意识，增强全民的法制观念，严惩偷猎和破坏自然生态者。

2. 积极开展生物多样性的研究，注意保护濒危药用动植物栖息地的生态环境

吉林长白山国家级自然保护区成立于 1960 年，现为联合国教育、科学及文化组织"国际人与生物圈"的标准观察地。近 30 年来，该保护区不仅在保护长白山自然生态环境方面做了许多工作，同时还积极开展生物多样性方面的研究，如广泛收集科研文献资料，积极开展生态环境监测和生物资源调查，在保护濒危野生动植物方面，也十分注意保护濒危野生动植物栖息地的生态环境。

3. 进一步完善自然保护区，建立野生动植物的饲养或种植基地

针对长白山区域内的濒危野生动植物，自然保护区或有关部门应进一步完善措施，加大保护力度，特别是对一些珍稀名贵的濒危野生药用动物，这方面较好的范例有黑龙江省建立的东北虎饲养与繁殖基地等。可见，建立野生动物的饲养基地，进行野生动物的驯养，对保护濒危野生动物十分有力。

（四）几点建议

1. 建立中药材专门保护区是保护资源的重要措施之一

资源开发越广泛、深入，资源保护便越重要。对每一种药材，包括目前蕴藏量较多的品种，都要加强保护。收购单位确定采收量时必须考虑资源量，不能满负荷采收，更不能超负荷采收。应坚持轮采轮育、采（猎、捕）育结合的原则。严格执行收购规格、质量标准，杜绝低劣药材流入市场。

对某些价值高、资源量极少的品种，应划定保护区加以管理，保护区内禁采、禁猎。对国务院颁发的《野生药材资源保护管理条例》中的品种（甘草、山参、林蛙），吉林省应考虑建立专门的保护区加以保护，具体保护措施如下。在通榆县、长岭县、洮南市、乾安县部分沙丘、草原一带设立甘草保护区。山参在吉林省的蕴藏量仅有数吨，应在其主要分布地区桦甸市、抚松县、蛟河市、敦化市、安图县一带设立山参保护区。在柳河县（安口镇）、通化县（光华乡）、抚松县、靖宇县、龙井县、安图县、汪清县、桦甸市、舒兰市等主要产地设立林蛙保护区。

在制定吉林省野生药材资源保护管理条例实施细则时，应具体研究划定保护区范围，拟定管理办法，通过地方立法，从而贯彻执行。

2. 建议成立全省中药资源保护、开发机构

长白山是全国三大天然药库之一，中药资源种类虽不如四川、云南、贵州多，但颇具特点，有近百种长期行销全国市场的药材。长白山和西部草原均分布很多储量多且有价值的中药资源种类。

吉林省科研力量雄厚，与中药资源有关的研究部门、机构、人员较多，但吉林省的中药资源研究还有许多空白领域。同时，进入市场流通和工业生产的品种占全部资源品种的10%，而大量种植、养殖的品种仅占全部资源品种的2%。为此建议成立全省中药资源保护开发机构，其主要任务是：①规划、组织、协调科研力量，全面分析、分类筛选，有步骤、有重点地研究中药动植物资源的药用价值及有关问题，如药理、药化、应用及制剂、野生变家植或家养技术等；②收集、整理和交流、传递有关吉林省中药资源利用、生产、销售、市场需求方面的情报和信息，以指导生产和流通；③监督执行国务院《野生药材资源保护管理条例》，监测全省中药资源的变化。

3. 加大科普宣传和执法力度，增强全体公民的保护意识

由于吉林省地域广阔，人口比较稠密，矿山企业众多，如何保护好除自然保护区以外的广大林区自然生态环境可谓一大难题。这就要求区域内的各级行政领导必须十分重视自然生态的保护，采取得力措施，加大惩治力度，对环境造成污染的矿山企业一律关停，决不姑息。此外，政府还应加大资金的投入力度，改善科研条件，加强生物种质资源的研究，从而加强对濒危野生药用动植物的保护，以造福子孙后代。

二、吉林省各类自然保护区

（一）吉林省自然保护区基本概况

据统计，吉林省共有各类自然保护区 51 个，其中国家级 21 个、省级 22 个、市县级 8 个，包括 19 个森林生态保护区、17 个内陆湿地保护区、5 个地质遗迹保护区、5 个野生动物保护区、3 个野生植物保护区和 1 个草原草甸保护区。见表 1-11-3。

表 1-11-3 吉林省自然保护区名录

保护区名称	行政区域	面积 /hm²	主要保护对象	级别	始建时间
长白山	安图县、抚松县、长白县	196465	火山地貌景观和森林生态系统	国家级	1960-04-18
莫莫格	镇赉县	144000	鹤、鹳类等珍稀水禽及湿地生态系统	国家级	1981-03-20
向海	通榆县	105467	丹顶鹤等珍稀水禽、蒙古黄榆等稀有动植物及湿地水域生态系统	国家级	1981-03-20
松花江三湖	蛟河市、桦甸市、抚松县、靖宇县	115253	松花江上游森林生态系统	国家级	1982-01-01
左家	吉林市昌邑区	5544	红松针阔叶混交林、长白山针阔叶混交林和次生落叶阔叶混交林，马鹿、梅花鹿、貉、人参、天麻等珍稀动植物	省级	1982-05-28
伊通火山群	伊通县	764.8	基性玄武岩"侵出式"火山地质遗迹和火山景观	国家级	1983-01-01
参场大西岔	柳河县	470	森林及野生植物	县级	1984-09-10
鹿场	柳河县	394	森林及野生动物	县级	1984-09-10
长白松	安图县	112	长白松	省级	1985-01-30
大阳岔	白山市江源区	150	寒武纪奥陶系地层剖面	省级	1985-09-01
查干湖	前郭县、乾安县、大安市	50684	湿地生态系统及珍稀鸟类	国家级	1986-08-02
腰井子羊草草原	长岭县	23800	草原草甸生态系统、野生动植物	省级	1986-11-18
松花江三湖省级	吉林市、白山市	1029457	松花江上游森林生态系统	省级	1990-02-13
龙湾	辉南县	15061	湿地、森林生态系统及火山湖泊	国家级	1991-08-20
凤梧沟野生动植物	图们市	5493	湿地生态系统及野生动植物	市级	1991-11-13
六顶山	敦化市	300	森林及野生动植物	县级	1991-11-20
雁鸣湖	敦化市	55016	湿地生态系统	国家级	1991-11-20
湾湾川	通化县	1922	湿地生态系统、地质遗迹及长白山神孙良坟	市级	1991-12-04
哈泥	柳河县	22230	以哈泥沼泽为主的湿地生态系统和哈泥河上游水源涵养区	国家级	1991-12-06
北大顶子	通化市东昌区	147	森林生态系统及油松、落叶松、樟子松	市级	1991-12-26
三道沟刺楸林	白山市浑江区	1220	刺楸林	市级	1992-01-13
集安	集安市	13821.6	典型的针阔叶混交林生态系统及珍稀濒危动植物	国家级	1992-06-17

续表

保护区名称	行政区域	面积 /hm²	主要保护对象	级别	始建时间
通化石湖	通化县	15200	温带山地森林生态系统及东北红豆杉、朝鲜崖柏、对开蕨、紫貂、原麝等珍稀濒危野生动植物	国家级	1993-03-12
大布苏	乾安县	11000	地质遗迹、古生物遗迹、湿地生态系统及珍稀鸟类	国家级	1993-03-12
关门砬子	桦甸市	10800	湿地生态系统	县级	1993-05-01
天佛指山	龙井市	77317	松茸、赤松及森林生态系统	国家级	1996-03-22
鸭绿江上游	长白县	20306	珍稀冷水性鱼类及其生境	国家级	1996-10-01
黄泥河	敦化市	41583	北温带森林生态系统及多种珍稀濒危野生动植物	国家级	2000-04-12
四平山门中生代火山	四平市铁东区	1062	中生代白垩纪流纹岩火山地貌	国家级	2000-09-18
珲春东北虎	珲春市	108700	东北虎、豹及其栖息地	国家级	2001-10-22
靖宇	靖宇县	15038	火山群地质遗迹及火山型天然矿泉群	国家级	2002-11-29
包拉温都	通榆县	62190	芦苇沼泽为主的湿地生态系统及珍稀野生动物栖息地和蒙古山杏林	省级	2002-12-20
汪清	汪清县	67434	东北红豆杉及针阔叶混交林生态系统	国家级	2002-12-20
波罗湖	农安县	24915	湿地生态系统及鹤、鹳类珍稀濒危鸟类	国家级	2004-10-25
白山原麝	白山市浑江区、临江市	21995	原麝及其栖息地	国家级	2006-12-29
抚松野山参	抚松县	8315.63	森林及野山参等濒危物种	省级	2008-10-31
头道松花江上游	抚松县	13350	头道松花江上游森林生态系统、中华秋沙鸭等珍稀濒危野生动植物、野生笃斯越橘与藓类沼泽湿地	省级	2009-01-01
扶余洪泛	扶余县	44225	湿地生态系统及珍稀鸟类	省级	2009-07-22
柳河罗通山	柳河县	1033	濒危植物物种及生境	省级	2010-05-14
伊通河源	伊通县	24257	森林生态系统	省级	2012-12-21
甑峰岭	和龙市	17386	森林生态系统、东北红豆杉以及紫貂、原麝、金雕等濒危珍稀野生动植物	省级	2013-01-01
威虎岭	蛟河市	16660	森林生态系统	省级	2013-10-18
九台湿地	九台市	16224	湿地生态系统	省级	2013-11-06
园池湿地	安图县	17377	湿地生态系统及中华秋沙鸭	省级	2013-11-06
长岭龙凤湖	长岭县	7166	湿地生态系统	省级	2013-11-19
双辽白鹤	双辽市	6603	白鹤、东方白鹳、丹顶鹤、黑鹳等珍稀濒危水禽和湿地生态系统	省级	2014-01-24
大椅山湿地	辉南县	4835	沼泽湿地生态系统及原麝、东北红豆杉等珍稀野生动植物	省级	2014-08-07
海兰江源	和龙市	13550	森林生态系统、湿地生态系统及珍稀濒危野生动植物	省级	2014-08-07
上屯湿地	汪清县	6594	沼泽湿地生态系统、濒危野生动植物以及东北虎、豹的栖息地	省级	2014-08-07

保护区名称	行政区域	面积 /hm²	主要保护对象	级别	始建时间
鸭绿江源	长白县	13081	湿地生态系统	省级	2015-12-31
天桥岭	汪清县	50055	珍稀野生动物	省级	2015-12-31

（二）几个自然保护区的简介

1. 长白山国家级自然保护区

长白山位于吉林省东部，与朝鲜接壤，山体呈东北—西南走向，逶迤约 1000km，形成以长白山天池为主的火山群，是松花江、图们江、鸭绿江三江的发源地。1960 年我国在这里建立了面积达 196465hm² 的自然保护区，保护区位于吉林省东南部安图、抚松和长白县域内，地理坐标为东经 127° 33′ ~ 128° 16′，北纬 41° 42′ ~ 42° 45′，年平均气温为 4.7 ~ 7.3℃，平均年降水量为 600 ~ 900mm。1980 年长白山自然保护区加入了人与生物圈自然保护区网，1986 年该自然保护区经国务院批准为国家级自然保护区。

长白山平均海拔 500 ~ 1000m，主峰白云峰海拔 2691m。海拔 1100m 以下，是红松阔叶混交林带，长白山的红松林仍保持着自然原始风貌。这里还有长白赤松、冷杉、紫杉和云杉。长白赤松树干高大挺拔，托着顶部绿色树冠，宛如亭亭玉立的少女，人们称它"美人松"。低处的藤本植物，如北五味子、红藤子、山葡萄等弯曲盘绕在乔木与灌木之间。海拔 1100 ~ 1800m 处，是耐寒耐阴的针叶林带，有云杉、冷杉，红松、长白落叶松是这里的特有树种，这里气候阴暗潮湿，给灌木、苔藓层提供了优越的生存条件。海拔 1800 ~ 2100m 处，土质贫瘠，只有抗寒耐贫、生命力强的小乔木岳桦林才能顽强挺立，形成一片高山矮曲林带。海拔越高，气温越低，风力越大。海拔 2100m 以上，便是长白林海的高山冻原带，这里几乎到处寒风凛凛，积雪期长达半年以上，而地衣、苔藓和各种杜鹃、岩高兰、高山越桔、松毛翠等却各以其独特的生存本领在这里生长繁殖。

长白山是一座绿色的物种宝库。据统计，这里生存着 1800 余种高等植物，栖息着 50 余种兽类、280 余种鸟类、50 余种鱼类以及 1000 余种昆虫。长白山的密林深处盛产人参、北五味子等中药资源，野生动物有濒临灭绝的东北虎、马鹿、紫貂、水獭、黑熊等。鸟类中鸳鸯、黑鹳、绿头鸭等候鸟占 70%。长白山这座具有百万年以上历史的山脉，汇集了从温带到寒带的多种动植物，是生态系统保存最完整的区域。

2. 向海国家级自然保护区

向海位于科尔沁草原中部、吉林省通榆县域内，地理坐标为东经 122° 04′ ~ 122° 42′，北纬 44° 51′ ~ 45° 17′，西部与内蒙古科尔沁右翼中旗接壤，北部与吉林省白城市洮南市相邻。1981 年吉林省人民政府批准在此建立自然保护区，保护范围包括向海蒙古族乡的全部及四井子镇、乌兰花镇、兴隆山镇及同发牧场的部分，计为 5 个乡（镇、场）、12 个村、32 个自然屯。全区南北最长 45km，东西最宽 42km，总面积 105467hm²，属内陆湿地和水域生态系统类型的自然保护区。该自然保护区 1986 年经国务院批准为国家级自然保护区。1992 年，我国加入了《关于特别是作为水禽栖息地的国际重要湿地公约》，向海即被列入《国际重要湿地名录》。

向海自然保护区系湖河相容冲地貌类型，地势平坦，河道极不明显，湖泊、草甸、沼泽、水库相间分布。沼泽地上生长着茂密的大片芦苇，大大小小的水泡星罗棋布，水深一般为 3m。这里年平均气温为 4.9℃，平均年降水量为 400 ~ 450mm，年蒸发量为 1890mm，无霜期为 170 天左右。区内有霍林河、额穆泰河和洮儿河 3 个水系；洼地中的草甸上生长着大量草本植物，是当地居民的主要放牧区。湖泊与草甸之间，沙丘交错起伏，生长着天然的榆树林。水库四周环境幽静，水生生物资源丰富，是各种水禽的良好饵料。大面积的芦苇，为水禽的栖息繁殖提供了隐蔽的场所。现已调查记录到的鸟类有 200 余种。每年的春天，丹顶鹤、白枕鹤、白鹤、蓑羽鹤、灰鹤、白鹳及许多雁、鸭、鹭、鸥陆续结队而来，在这片广阔的沼泽湿地中营巢产卵。

3. 查干湖国家级自然保护区

查干湖自然保护区是吉林省人民政府 1986 年批准成立的省级自然保护区。2007 年 8 月 1日，查干湖经国务院批准列为国家级自然保护区。保护区地跨吉林省西部前郭、乾安和大安 2 县1 市，区域面积 50684hm²，包括查干湖水面 34700hm²，湖滨沼泽约 7000hm²。湖内有芦苇沼泽约10000hm²。其地理坐标为东经 124° 04′ ~ 124° 27′，北纬 45° 10′ ~ 45° 21′。查干湖处于大安、乾安波状冲积平原区，主要特征是地势平，自南向北倾斜，区内有连片分布的草原。该自然保护区气候属大陆性半干旱季风气候区，多年平均气温为 4 ~ 5℃，平均年降水量为 400 ~ 500mm，蒸发量为 1140 ~ 1270mm。

该自然保护区内野生动植物种类丰富，呈现物种多样性、珍稀性及生境的典型性等重要特征。鱼类 15 科 38 种，主要有鲤鱼、草鱼、鲢鱼、鳙鱼、鲫鱼、红鳍鲌鱼、青鱼、鲶鱼、黄颡鱼、鳌花鱼、武昌鱼等。鸟类有 15 目 34 科 116 种，占吉林省鸟类总数的 35.6%，其中水鸟有 13 科 58 种，占该自然保护区鸟类总种数的 50%；属国家 I 级保护的有东方白鹳、黑鹳、丹顶鹤、白头鹤、白鹤、金雕、白尾海雕、大鸨 8 种；属国家 II 级保护的有大天鹅、白枕鹤、灰鹤、白琵鹭、白额雁、鸳鸯等 35 种。陆上野生动物有狼、狐、貉等 25 种，两栖爬行类 9 种，昆虫 446 种，植物 200 种，其中具有药用价值的 149 种。

4. 莫莫格国家级自然保护区

莫莫格自然保护区位于吉林省西部镇赉县域内。1981 年吉林省人民政府批准在此建立自然保护区，保护区东靠嫩江，南临洮儿河，总面积 14.4 万 hm²，地理坐标为东经 122° 27′ ~ 124° 4′，北纬 45° 45′ ~ 46° 10′。莫莫格自然保护区地处松辽沉降带北段、松嫩平原西部边缘，平均海拔142m 左右。由于莫莫格自然保护区具有物种珍稀濒危性、生物多样性、物种代表性、生境原始的重要性等多种显著特征，1997 年 12 月经国务院批准为国家级自然保护区。

该自然保护区属温带大陆性季风气候。其特点为：春旱风大，夏热多雨，秋燥凉爽，冬寒雪少。该自然保护区平均气温 2.3℃，平均年降水量为 3918mm，初霜期平均为 9 月 25 日左右，终霜期平均为 5 月 10 日，全年无霜期为 137 天。该自然保护区水利资源十分丰富，嫩江流经东区 111.5km，流域面积超过 3 万 hm²，年平均流量 647.36m³/SEC，洮儿河流经东区 60km，流域面积超过 7 万 hm²，年平均流量 14.47m³/SEC，东区尚有 2 条季节河，即二龙涛河、呵尔达河，分别注入洮儿河与嫩江。土壤可分为 7 个土类、17 个亚类，沿江、河地区以草甸土、黑钙土和冲积土为主要土类，中部及中西部则分布为淡黑钙土、风沙土。

该自然保护区生态景观分为江河湖泊水域湿地、苔草小叶草湿地、芦苇沼泽湿地、碱蓬碱草湿地。在 14.4 万 hm² 保护面积中，水域面积 2.67 万 hm²，芦苇苔草沼泽面积 7.73 万 hm²，草原面积 1.5 万 hm²，天然次生林和人工林面积 1.16 万 hm²，其他用地面积 1.34 万 hm²。湿地面积占全区总面积的 80% 以上，为吉林省最大的湿地类型保留地。该自然保护区内有种子植物 600 余种，其中药用和经济植物有 361 种。鱼类有 4 目 11 科 52 种；两栖类有 1 目 3 科五种；爬行类有 2 目 3 科 7 种；兽类有 4 目 9 科 25 种；鸟类有近 300 种，分 16 目 43 科，其中非雀形目鸟类占 61.66%。全世界有鹤类 15 种，该自然保护区有 6 种，分别为白鹤、丹顶鹤、白头鹤、白枕鹤、灰鹤、蓑羽鹤，其中丹顶鹤、蓑羽鹤、白枕鹤在该自然保护区繁殖。白鹤属鹤类之中的优势种，在此迁徙数量达 550 余只，停歇时间 70 天左右。该自然保护区有鹳类 2 种，即东方白鹳和黑鹳，其中白鹳不仅在该自然保护区繁殖，而且迁徙经过的数量高峰值达 800 余只。世界濒危物种大鸨，在该自然保护区也有分布和繁殖。

5. 天佛指山国家级自然保护区

天佛指山自然保护区位于吉林省东南部、延边州龙井市内，地理坐标为东经 129° 16′ ～ 129° 46′，北纬 42° 23′ ～ 42° 41′，距龙井市 10.2km，与朝鲜隔江相望，总面积 77317hm²。1996 年吉林省人民政府批准在此建立省级自然保护区，2002 年经国务院批复为国家级自然保护区。该自然保护区是中国第一个珍贵食用菌类的自然保护区，松茸生长分布区面积达 32000hm²。

天佛指山自然植被属典型的长白山植物区系，海拔高度相差悬殊，具明显的垂直分布特征。按海拔高度可分为 4 个野生植物类型，即山顶岳桦、白桦林和亚高山草本植物类型区，海拔 1000 ～ 1331m 的鱼鳞云杉、臭冷杉针阔叶混交林和亚高山草本植物类型区，海拔 500 ～ 1000m 的红松、赤松、臭冷杉针阔叶混交林和草本植物类型区及海拔 500m 以下的赤松、蒙古栎和草本植物类型区。该自然保护区内植物资源十分丰富，约近千种，其中，真菌门有 4 科 76 种，蕨类有 15 科 47 种，裸子植物门有 2 科 18 种，被子植物门有 75 科 412 种。按用途分类，药用植物有 72 科 289 种，食用植物有 39 科 216 种，蜜源植物有 38 科 185 种，工业原料植物有 40 科 17 种，香料植物有 28 科 75 种，染料植物有 10 科 22 种，观赏植物有 32 科 54 种，建筑用乔木有 20 余种。主要针叶树种有赤松、杉松、臭冷杉、鱼鳞云杉、红松等，主要阔叶树种有胡桃楸、黄菠萝、水曲柳、杨、桦木、椴树、槭树、柞木等，主要药用植物有党参、黄耆、五味子、刺五加、东北雷公藤、细辛、桔梗、苦参、猕猴桃等，主要食用菌及植物有松茸、木耳、蕨菜、榛蘑、辽东楤木、山芹、猴头菌等。该自然保护区内有 8 种国家级濒危保护植物,即松茸、红松、野生人参、胡桃楸、野大豆、紫椴、水曲柳和黄檗。

该自然保护区风景秀丽,人烟稀少,村屯分散,水草茂密,野生动物资源丰富。保护区内的野生动物有梅花鹿、野猪、狍子等 52 种,鸟类有松鸡、啄木鸟、云雀等 205 种,爬行动物和两栖动物有林蛙、蛇类等 21 种。该自然保护区内有国家重点保护 I 级野生动物 1 种,即紫貂;有国家重点保护 II 级野生动物 12 种,即黑熊、猞猁、鸳鸯、燕隼、红脚隼、红隼、花尾榛鸡、长尾林鸮、短耳鸮、鸮、鸢、鹊鹞;有珍稀鱼类 3 种,即大马哈鱼、斑头鱼、日本七鳃鳗。

6. 松花江三湖省级保护区

吉林省松花江三湖自然保护区是由松花江上 3 座水电站大坝拦江形成的松花湖、红石湖、白山湖及连接三湖的松花江段与周边划定的陆地组成。

松花江三湖自然保护区位于吉林省东南部,地处长白山余脉,全长 196km,总面积 103 万 hm²,其中,水域面积 5.7 万 hm²,占总面积的 5.5%;林地面积 82.3 万 hm²,森林覆盖率 79.9%。该自然保护区地理坐标为东经 126°35′ ~ 128°02′,北纬 42°06′ ~ 43°51′。吉林省松花江三湖自然保护区是根据吉林省人民政府《关于建立松花江"三湖"保护区的通知》(吉政函〔1990〕9 号)文件于 1990 年 2 月建立的省级自然保护区,是以保护森林生态和水资源为主要目的的综合性保护区。2009 年 9 月 25 日,吉林省松花江三湖自然保护区经国务院办公厅《关于发布吉林松花江三湖等 16 处新建国家级自然保护区名单的通知》(国办发〔2009〕54 号)审批成功晋升为吉林松花江三湖国家级自然保护区。该自然保护区处于北温带大陆性季风气候区内,四季分明,春季干燥多风,夏季温热多雨,秋季凉爽多晴,冬季气候严寒。由于保护区受到 3 个湖泊及森林等因素影响,故具有湖泊气候、谷地气候和森林气候的复合特征。

该自然保护区是我国东北长白山重要的野生动物种源基因库,生物多样性比较丰富,是珍稀濒危植物集中分布的地段,是不可多得的珍稀濒危野生动植物的避难所和天然生物基因库,是保护和研究我国及全球生物多样性的重要基地。由于特殊的地理、气候环境,这里保存着较大面积的呈自然原生状态的森林生态系统和湿地生态系统,繁衍、栖息着大量的野生生物物种。据初步调查,该自然保护区野生植物有 63 目 160 科 526 属 1489 种,其中,国家 I 级重点保护野生植物有 1 种,即东北红豆杉;国家 II 级重点保护野生植物有 10 种,即红松、水曲柳、黄檗、钻天柳、紫椴、胡桃楸、刺五加、野大豆、东北对开蕨、东北茶藨子。该自然保护区有脊椎动物 35 目 93 科 403 种,其中,水生脊椎动物有 7 目 15 科 74 种,陆生脊椎动物有 28 目 78 科 329 种。国家 I 级保护动物有 9 种,其中,鸟类有 7 种,即东方白鹳、金雕、白尾海雕、中华秋沙鸭、丹顶鹤、白鹤、白头鹤;兽类有 2 种,即紫貂、原麝。国家 II 级保护动物有 44 种,其中,鸟类有 37 种,即黄嘴白鹭、蓑羽鹤、白枕鹤、灰鹤、鸳鸯、苍鹰、雀鹰、松雀鹰、普通鵟、大鵟、毛脚鵟、鹊鹞、白尾鹞、白头鹞、燕隼、红隼、红脚隼、灰背隼、黄爪隼、花尾榛鸡、秃鹫、普通鹏鸮、普通角鸮、领角鸮、长耳鸮、短耳鸮、鸮、纵纹腹小鸮、长尾林鸮等；兽类有 7 种，即棕熊、黑熊、猞猁、水獭、马鹿、青鼠鼬和豺。

7. 左家省级自然保护区

左家自然保护区是 1982 年吉林省人民政府批准建立的，主要保护对象是次生林生态环境。该自然保护区位于吉林省永吉县与九台县之间，地理坐标为东经 126° 02′，北纬 44° 06′ 附近。全区东西宽 6km，南北长 8km，总面积 5544hm²，其中，林地面积 4800hm²，耕地面积 800hm²，人工湖面面积 40hm²。该自然保护区属低山丘陵区，区内最高峰大马虎头山海拔 542m，河谷最低海拔 210m。该自然保护区植被属温带针阔叶混交林地带，区内次生林与人工林占 80%，主林植被有蒙古栎、黑桦、色木槭、山杨、水曲柳、椴等，林下灌木、草本植被有榛、胡枝子、忍冬、刺五加、党参、细辛、银莲花、铃兰、玉竹等。该自然保护区内共有 400 余种植物。野生动物有狐狸、貉、獾、狍子等兽类和环颈雉、鹌鹑、斑翅山鹑、黑枕黄鹂、红点颏、家燕、金腰燕、红尾鸲、红脚隼等鸟类 100 余种。该自然保护区的生态环境适宜引种驯化吉林省特有的珍稀、经济野生动植物，是次生林地带建立野生动植物遗传基因库的场所。经过引进养殖和天然繁殖，该自然保护区内现有马鹿、梅花鹿、杂交鹿近 1000 头，紫貂、水貂 1000 余只，种兔 180 只，貉、狸獭、毛丝鼠等近 100 只，以及雉鸡、大雁、灰鹤、天鹅、丹顶鹤、大鸨、褐马鸡、锦鸡等珍禽。栽培果树有山葡萄、山楂、文冠果、梨、苹果等。栽培的药用植物有人参、天麻等 300 余种。

8. 龙湾省级自然保护区

龙湾坐落在吉林省辉南县内，位于吉林省长白山北麓龙岗山脉中段、通化市辉南县内，其东部、南部以龙岗山山脊为界与靖宇县、柳河县相邻，西部和北部与辉南森林经营局接壤，东南端以鸡冠山为顶点，南北与东西走向的龙岗山脉为两腰，地理坐标为东经 126° 13′ ～ 126° 32′，北纬 42° 16′ ～ 42° 26′。1990 年 9 月，龙湾被吉林省人民政府批准为省级自然保护区，总面积 15061hm²。龙湾是进入长白山的门户之一，海拔 833m，水域面积 50hm²，湖中最大水深 180m，蓄水量达 1000 万 m³，水位稳定。

龙湾不仅是旅游风光胜地，而且是宝贵的资源王国，植被茂密丰富，物种珍稀多样。该自然保护区内有 500 余种动植物，常见的药用植物有人参、天麻、贯众、党参、贝母、五味子、刺五加等；纯天然绿色食品有蕨菜、元蘑、猴头菌、榆黄蘑、辽东楤木、龙须菜、山葡萄、小猕猴桃等。该自然保护区内有 56 种野生动物，野兔、狐狸、狍子等经常出没，飞龙、野鸡栖息林间，蟾蜍、田鸡随处可见，人工驯养的梅花鹿已达数千只。曾有人在龙湾内捕到重 128 斤的龙湾野生大鱼。

9. 通化石湖省级自然保护区

石湖自然保护区位于吉林省通化县石湖乡，包括头道湖、二道湖、三道湖等。石湖乡距县城 48km，地理坐标为东经 126° 06′ ～ 126° 23′，北纬 41° 19′ ～ 41° 31′。1993 年该自然保护区经吉林省人民政府批准为省级自然保护区，总面积 15200hm²。

该自然保护区内冷杉、白桦林、水曲柳等针阔叶混交林深浅交错；猕猴桃、北五味子、山葡萄、毛榛、刺五加、蒿类、蕨类等各种山野果以及野生人参、平贝母、天麻等名贵中药材随处可见；梅花鹿、狍子、野猪、花尾榛鸡、鸳鸯、山鸡、林蛙、红樽鱼及蛇类、鸟类等野生动物栖息繁衍。据调查，该自然保护区内孕育着红松、杉松、臭冷杉、色木槭、紫椴、黄檗、水曲柳、白桦、胡桃楸、香杨等植物，几乎囊括了长白山系 87% 的植物物种；有野生动物共计 320 余种。层次复杂的林相结构森林公园是由四周山脊线围绕而成，包含数条小沟的大山谷谷地海拔不足 300m，最高山山顶海拔达 1589m，相对高差较大，植被垂直带谱明显。海拔 500m 以下，主要植被有红松、落叶松、樟子松等针叶树和多种阔叶树，伴生有亚乔、灌木、蒿等 1100 余种植物。由于受人类活动的影响较大，阔叶林多演变为次生林或更新为人工林。海拔 500 ~ 900m，为山地针阔叶混交林带，主要植被有红松、沙冷杉、千金榆林、紫椴、风桦林等。海拔 900 ~ 1500m，为山地寒温带针叶林带，主要植被有红松、鱼鳞云杉、红皮云杉、臭冷杉林等。海拔 1500m 以上，为亚高山矮曲林带，主要植被为岳桦（假松）矮曲林。

（三）吉林省重点药用植物保存圃建设情况

吉林省是我国北药基地之一，也是我国三大中药特产区之一。吉林省作为国家生态建设试点省和国家重点建设的国家中药现代化科技产业基地，有着丰富的中药资源。吉林省自 2002 年全省实施退耕还林工作以来，主要将生态脆弱区、特别是 25℃以上的坡耕地作为退耕还林的重点，不仅初显生态效益，而且通过在适宜的林地种植中药材，增加了农民收入、调动了基层干部和群众退耕还林的积极性。大力发展吉林省中药材产业，是将资源优势转化为经济优势的重要途径，对推进吉林省生态建设和调整农业产业结构具有十分重要的现实意义。

为促进吉林省第四次全国中药资源普查（试点）工作成果转化，进一步提高基层药用植物资源保存、繁育、科普和合理利用的能力，吉林省在全国中药资源普查（试点）工作的基础上，针对区域内珍稀濒危、具有重要利用价值和道地药材品种等重点物种，建设了吉林省药用植物重点物种保存圃，由北药园和南药苑两部分构成。长春中医药大学为项目的承担单位，肖井雷副教授作为项目的负责人，负责该项目的具体实施。目前，保存圃的基础设施建设已经完成，正在开展重点品种的引种、驯化、种质推广及科普教育等工作。

1. 保存圃基础条件

为达到突出区域药用植物特色、保存种质资源、承担科学研究和教学实习任务、承接科技示范和观光旅游活动等多功能相结合的目的，保存圃的建设充分贯彻了生态观念，体现了设计结合自然的思想，使药用植物在地形、地貌、朝向、群落组成、内部物质能量流动上符合生态学的要求，并实行了乔木、灌木、藤本、草本植物相互配置的原则。

吉林省重点药用植物保存圃建设在长春中医药大学整个校园内，以七星百草园为主，校园其他地区为辅，百草园占地面积 3.7hm²，其中陆地面积 3.2hm²、水域面积 0.5hm²，由北药园和南药苑两大部分构成。同时，项目组正在开展吉林省重点药用植物仿生态保存圃建设，建设地点在吉林省舒兰市新安乡八台村，建设面积 10hm²。

2. 引种与繁殖情况

2015 年以来，保存圃进行了大量的引种及驯化工作，北药园主要引种栽培了北方药用植物 400 种，其中吉林省重点药用植物 138 种；南药苑建有无土栽培区、立体栽培区、种苗繁育区、华北区、西北区、怀药、浙药、广药等区域，引种栽培了南方药材 117 种，如砂仁、通草、厚朴、黄柏、辛夷、沉香、白术、血竭等。

保存圃中物种的繁殖方式主要为无性繁殖和有性繁殖。无性繁殖每种药用植物保存 50 株以上，有性繁殖每种药用植物至少保存 5m²，并保存相应的种子。

3. 保存展示与信息记录情况

保存圃由北药园和南药苑两部分构成。其中，北药园保存了北方药用植物 400 种，其中吉林省重点药用植物 138 种。南药苑保存了南方药用植物 117 种。

目前，保存圃道路、展示牌等硬件设施均已完成，以七星大道为主，辅以数条甬路，可到达任意一种药用植物栽培区。园区建有喷灌系统，可充分保障药用植物生长所需的水分。同时，为了更好地参观学习中药知识，园区内每种植物都配有植物标牌和二维码标牌，包含了大量药学知识。

吉林省药用植物重点物种保存圃建立了责任到人、分工合理的管理制度。同时，保存圃的各类信息都建立了档案，并得到了有效保存。

4. 社会化服务

吉林省重点药用植物保存圃已被评为全国科普教育基地，也是长春中医药大学中药学等相关专业的重要实习实训基地。本着"开放"的建圃理念，学生可以随时进入园区认识药用植物，保存圃成为了学生的第二课堂，而且每年学校会在保存圃内安排开放性实验课，以巩固学习理论知识。学生社团和青马工程等定期组织开展系列认知中药的活动，而且全天候向学生开放。同时，保存圃也是大学生创新创业实践基地，每年学校中医药实践协会的数十名大学生，围绕微生物菌肥、废弃药渣再利用等内容，开展创新创业项目研究。2019 年，长春中医药大学的大学生以保存圃为基地参加的"北药心·脱贫路"项目，获得建行杯第五届中国"互联网＋"大学生创新创业大赛青年红色筑梦之旅公益组吉林省银奖。

近 3 年来，保存圃累计承接了全国中药传承人才、种植技术等培训 450 余人次，吉林大学、吉林农业大学、长春中医药大学相关专业本科实习实践 1200 余人次。接待社会各界人士、长春市中小学生以及日本、俄罗斯等参观访问团共 3000 余人次。同时，保存圃也为中药栽培学、药用植物学、中药鉴定学、中药炮制学等相关课程的实习实训环节提供教学场地和实验材料，每年累计开放时间约 160 小时。

中 篇

吉林省道地、大宗中药资源……

多孔菌科 Polyporaceae 灵芝属 Ganoderma 凭证标本号 220622120725115LY

灵芝 *Ganoderma lucidum* (Curtis) P. Karst.

| 物种别名 | 灵芝草、木灵芝、菌灵芝。

| 药 材 名 | 灵芝（药用部位：子实体。别名：灵芝草、菌灵芝、木灵芝）、灵芝孢子（药用部位：孢子）。

| 形态特征 | 担子果一年生，有柄，木栓质。菌盖半圆形或肾形，直径10 ~ 20cm，盖肉厚1.5 ~ 2cm，盖表褐黄色或红褐色，盖边渐趋淡黄色，有同心环纹，微皱或平滑，有亮漆状光泽，边缘微钝。菌肉乳白色，近管处淡褐色。菌管长达1cm，每1mm间4 ~ 5个；管口近圆形，初白色，后呈淡黄色或黄褐色。菌柄圆柱形，侧生或偏生，偶中生，长10 ~ 19cm，直径1.5 ~ 4cm，与菌盖色泽相似。皮壳部菌丝呈棒状，先端膨大。菌丝系统三体型，生殖菌丝透明，薄壁；骨架菌丝黄褐色，厚壁，近实心；缠绕菌丝无色，厚壁，弯曲，

灵芝

均分枝。孢子卵形，双层壁，先端平截，外壁透明，内壁淡褐色，有小刺，（9 ~ 11）μm×（6 ~ 7）μm，担子果多在秋季成熟。

|**野生资源**| 生于阔叶林中的枯树桩或倒伏朽木上、向阳的壳斗科和松科松属植物等的根际或枯树桩上。分布于吉林长春（农安、榆树、德惠、九台）、吉林（桦甸、磐石、蛟河、舒兰、永吉）、辽源（东丰、东辽）、通化（通化、柳河、集安、梅河口、辉南）、白山（临江、靖宇、抚松、长白）、延边（延吉、图们、敦化、安图、珲春、龙井、汪清、和龙）等。野生资源较少。

|**栽培资源**| （1）栽培条件。本种的栽培适宜海拔为 300 ~ 1000m，生长要求避光，适宜萌发生长温度为 23 ~ 28℃。

（2）栽培区域。主要栽培于吉林通化、白山、延吉、吉林等。

（3）栽培要点。本种栽培环境要求远离农业药害污染威胁。现有林下仿野生栽培和棚膜栽培2种栽培模式，采用长白山区硬杂木树段做培养基。林下仿野生栽培时采收成熟子实体做药材，一次接种可以多年收获。棚膜栽培时采收灵芝孢子粉做药材，每年更换培养基重新接种，人工控制温度、湿度。

（4）栽培面积与产量。林下仿野生栽培占地达 20hm²，棚膜栽培灵芝折算面积约 10hm²。吉林每年灵芝子实体产量为 50t，灵芝孢子粉产量约 100t。

| 采收加工 | 当子实体菌盖边缘白色消失、与菌盖中部色泽一致，并开始有少量褐色孢子散出、菌盖腹面呈米黄色至黄色时即可采收。采收时用剪刀把子实体从菌柄基部剪下，采下的灵芝子实体不能水洗，不能用手接触菌盖腹面，避免子实体相互碰撞，除去杂质，剪除附有朽木、泥沙或培养基质的下端菌柄，阴干或 40 ～ 50℃下烘干。吉林收集灵芝孢子时一般采用吸风机吸附法，也称负压收集法。一般在一个 200 ～ 300m² 的出芝棚中使用 2 台孢子收集器可满足收集的要求。当灵芝孢子开始释放时，将孢子收集器放置在出芝棚中间，打开电源收集灵芝孢子粉。收集完灵芝孢子后要及时将其晾干或低温烘干。此外，南方一些省市还采用套筒收集法、小拱棚地膜收集法、凉亭式防雨拱棚布笼收集法等采收灵芝孢子。

| 药材性状 | 灵芝：本品野生品呈伞状，菌盖肾形、半圆形或近圆形，直径 10 ～ 18cm，厚 1 ～ 2cm。皮壳坚硬，黄褐色至红褐色，有光泽，具环状棱纹和辐射状皱纹，边

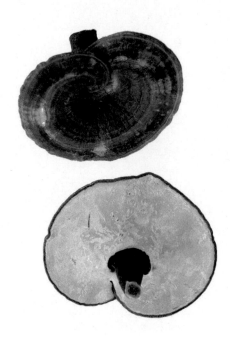

缘薄而平截，常稍内卷。菌肉白色至淡棕色。菌柄圆柱形，侧生，少偏生，长 7 ~ 15cm，直径 1 ~ 3.5cm，红褐色至紫褐色，光亮。孢子细小，黄褐色。气微香，味苦、涩。栽培品子实体较粗壮、肥厚，直径 12 ~ 22cm，厚 1.5 ~ 4cm。皮壳外常被大量粉尘样的黄褐色孢子。

灵芝孢子：本品为棕褐色粉末。体轻，手捻有滑腻感，易附着手指上。气微，味淡、微苦。

| **功能主治** | 灵芝：甘，平。归心、肺、肝、肾经。补气安神，止咳平喘。用于心神不宁，失眠心悸，肺虚咳喘，虚劳短气，不思饮食。

灵芝孢子：甘、微苦，平。归心、肺、脾经。补气安神，健脾益肺。用于虚劳体弱，失眠多梦，咳嗽气喘。

| **用法用量** | 灵芝：内服煎汤，6 ~ 12g；或研末，2 ~ 6g；或浸酒。

灵芝孢子：内服煎汤，6 ~ 12g。

| **附　　注** | （1）栽培历史。《吉林省野生经济植物志》记载灵芝分布于吉林长白山区；《吉林中草药》记载灵芝产于吉林延边、通化等地，野生资源稀少。20 世纪 80 年代，灵芝的代料栽培技术研究成功，并在全国范围推广，吉林也着手进行灵芝栽培。1990 年，吉林在代料栽培灵芝的基础上，又开展了灵芝段木栽培技术的科研工作，1999 年，吉林研究、推广灵芝短段木熟料棚栽技术，使吉林的灵芝栽培技术达到国际先进水平，并在蛟河和敦化建成了大规模人工栽培灵芝基地。吉林蛟河黄松甸从 1995 年开始进行灵芝短段木熟料栽培，1999 年，蛟河短段木熟料袋栽灵芝规模达到 50 多万段，2015 年 8 月，蛟河"黄松甸灵芝"被中华人民共和国农业农村部（原中华人民共和国农业部）批准实施国家农产品地理标志登记保护。

（2）市场信息。灵芝商品一般为统货，货源稳定。近 5 年，灵芝市场价格平稳，市场价格维持在 40 ~ 60 元 / 千克。当前药材市场依据灵芝的来源，将其分为野生品和栽培品 2 种，其中栽培品又根据栽培方式不同，分为"段木"和"代料" 2 种；依据灵芝的采收时间，将其分为"产孢"和"未产孢" 2 种。灵芝药材商品主要依据其直径划分等级，但是由于灵芝菌盖直径的大小与所用培养基相关性很大，所以只对段木灵芝（未产孢）划分等级。灵芝商品规格等级划分见表 2-1-1。灵芝为常用名贵中药材，是中华人民共和国国家卫生健康委员会发布的"可用于保健食品的真菌菌种"之一。吉林主要生产的中药品种为灵芝片、雪哈灵芝酒、灵芝胶囊、灵芝糖浆等。灵芝的消费主体主要集中在南方地区，广东、江苏、福建等地购买品种以灵芝孢子油为主，浙江、上海、北京等地购

买品种以破壁灵芝孢子粉为主，广西、四川等市场消费能力相对偏低，购买品种以灵芝片、灵芝粉、灵芝茶为主。2013 年，灵芝孢子油销售额呈上升趋势，较往年有大幅度提高，年销售额超过 20 亿元；破壁灵芝孢子粉销售额上升趋势更加明显，据统计，其年销售额近 50 亿元，其中部分来源于原料出口；灵芝子实体及衍生产品（如灵芝茶、灵芝片、灵芝提取物、灵芝盆景等）受孢子粉市场影响较大，年销售额下降趋势明显，灵芝子实体以外销为主，主要销往东南亚一带。

表 2-1-1　灵芝商品规格等级划分

规格	等级	形状	色泽	质地
野生灵芝	统货	菌盖完整，亦有不完整者，有丛生、叠生者混入	盖面红褐色至棕褐色，稍有光泽，腹面浅褐色	木栓质，质密
段木灵芝（未产孢）	特级	菌盖完整，肾形、半圆形或近圆形	盖面红褐色至紫红色，有光泽，腹面黄白色，干净，无划痕	木栓质，质重，密实
	一级	菌盖完整，肾形、半圆形或近圆形	盖面红褐色，有光泽，腹面黄白色或浅褐色，干净，无划痕	
	二级	菌盖完整，肾形、半圆形或近圆形	盖面红褐色，有光泽，腹面浅褐色，干净，无划痕	
	统货	菌盖完整，肾形、半圆形或近圆形，或有丛生、叠生者混入	盖面黄褐色至红褐色，腹面黄白色或浅褐色	
段木灵芝（产孢）	统货	菌盖完整，肾形、半圆形或近圆形，或有丛生、叠生者混入	盖面黄褐色至红褐色，皱缩，光泽度不佳，腹面棕褐色或可见明显管孔裂痕	木栓质，质稍疏松
代料灵芝（未产孢）	统货	菌盖完整，肾形、半圆形或近圆形	盖面黄褐色至红褐色，腹面黄白色或浅褐色	木栓质，质稍疏松
代料灵芝（产孢）	统货		盖面黄褐色至红褐色，皱缩，光泽度不佳，腹面棕褐色或可见明显管孔裂痕	木栓质，质疏松

规格	等级	菌盖直径 /cm	菌盖厚度 /cm	菌柄长度 /cm	虫蛀、霉变	杂质	气味
野生灵芝	统货	≤ 10	≤ 1.0	长短不一	一般会有虫蛀等现象	下端菌柄附有朽木、泥沙	气微香，味苦、涩
段木灵芝（未产孢）	特级	≥ 20	≥ 2.0		无	无	
	一级	≥ 18	≥ 1.5	≤ 2.5	无	无	
	二级	≥ 15	≥ 1.0		无	无	
	统货	大小不一	厚薄不均	长短不一	无	无	气微香，味苦、涩
段木灵芝（产孢）	统货	大小不一	厚薄不均	长短不一	无	无	
代料灵芝（未产孢）	统货	大小不一	厚薄不均	长短不一	无	无	
代料灵芝（产孢）	统货	大小不一	厚薄不均	长短不一	无	无	

（3）濒危情况、资源利用和可持续发展。灵芝野生资源主要分布于长白山区，

稀缺。目前，吉林仅有极少量野生灵芝子实体被采收，故野生灵芝为珍品。现在灵芝以人工栽培为主，抚松、蛟河、通化采用封闭大棚栽培，以采收孢子粉为主；靖宇、长白等地采用林下仿野生的露天栽培，以采收子实体为主。每万段培养基可产干灵芝 600kg、灵芝孢子粉 200kg。按干灵芝 55 元 / 千克，灵芝孢子粉 400 元 / 千克计算，每万段培养基投入成本 4.97 万元，产值 11.3 万元，可获利 6.33 万元，栽培灵芝的经济效益十分显著，故其成为受药农欢迎的增收致富项目，其产业前景广阔。2018 年 9 月 5 日，中华人民共和国农业农村部正式批准对"吉林长白山灵芝"实施国家农产品地理标志登记保护，保护范围为北纬 41° 21′ ～ 44° 30′，东经 125° 17′ ～ 131° 18′，南起长白，北至汪清，西起通化，东至珲春市，涉及白山、通化、吉林、延边的 15 个县（市、区）29 个乡镇。灵芝不但具有较高的药用价值，其观赏、食用价值也越来越引起人们的重视。近年来，观赏灵芝的价格成倍增长，其市场潜力巨大，此外，随着保健意识的增强，人们对于在功能性食品中添加灵芝提取物的需求更为强烈，因此，未来灵芝在观赏和食用方面的应用前景将更加广阔。

鳞毛蕨科 Dryopteridaceae ┃ 鳞毛蕨属 *Dryopteris* ┃ 凭证标本号 220284130624099LY

粗茎鳞毛蕨 *Dryopteris crassirhizoma* Nakai

| **植物别名** | 东北贯众、野鸡膀子、东绵马。

| **药 材 名** | 绵马贯众（药用部位：根茎、叶柄残基。别名：绵马、贯众、东北贯众）。

| **形态特征** | 植株高达 1m。根茎粗大，直立或斜升。叶簇生；叶柄连同根茎密生鳞片，鳞片膜质或厚膜质，淡褐色至栗棕色，具光泽，下部鳞片一般较宽大，卵状披针形或狭披针形，长 1 ~ 3cm，边缘疏生刺突，向上渐变成线形至钻形而扭曲的狭鳞片；叶轴上的鳞片明显扭卷，线形至披针形，红棕色；叶柄深麦秆色，明显短于叶片；叶片长圆形至倒披针形，长 50 ~ 120cm，宽 15 ~ 30cm，基部狭缩，先端短渐尖，2 回羽状深裂；羽片通常超过 30 对，无柄，线状披针形，下部羽片明显缩短，中部稍上羽片最大，长 8 ~ 15cm，宽 1.5 ~ 3cm，向两端羽片依次缩短，羽状深裂；裂片密接，长圆形，宽 2 ~ 5mm，

粗茎鳞毛蕨

基部与羽轴广合生，先端圆或钝圆，近全缘或具浅钝锯齿；叶脉羽状，侧脉分叉，偶单一。叶厚草质至纸质，背面淡绿色，沿羽轴生具长缘毛的卵状披针形鳞片，裂片两面及边缘散生扭卷的窄鳞片和鳞毛。孢子囊群圆形，通常着生于叶片背面上部 1/3 ~ 1/2 处，背生于小脉中下部，每裂片 1 ~ 4 对；囊群盖圆肾形或马蹄形，近全缘，棕色，稀带淡绿色或灰绿色，膜质，成熟时不完全覆盖孢子囊群。孢子具周壁。

| 野生资源 | 生于山地林下、次生林、针阔叶混交林、湿地、林缘山坡等。以长白山区为主要分布区域，分布于吉林延边、白山、通化、吉林、辽源等。野生资源丰富。

| 栽培资源 | 无人工栽培。

| 采收加工 | 秋季采挖，削去叶柄、须根，除去杂质，整个或剖成两半晒干。

| 药材性状 | 本品呈长倒卵形，略弯曲，上端钝圆或截形，下端较尖，有的纵剖为两半，长 7 ~ 20cm，直径 4 ~ 8cm。表面黄棕色至黑褐色，密被排列整齐的叶柄残基及鳞片，并有弯曲的须根。叶柄残基呈扁圆形，长 3 ~ 5cm，直径 0.5 ~ 1cm；表面有纵棱线，质硬而脆，断面略平坦，棕色，有黄白色维管束 5 ~ 13，环列；每叶柄残基的外侧常有 3 须根，鳞片条状披针形，全缘，常脱落。质坚硬，断面略平坦，深绿色至棕色，有黄白色维管束 5 ~ 13，环列，其外散有较多的叶迹维管束。

气特异，味初淡而微涩，后渐苦、辛。以个大、质坚实、叶柄断面棕绿色者为佳。

| **功能主治** | 苦，微寒；有小毒。归肝、胃经。清热解毒，驱虫。用于虫积腹痛，疮疡。

| **用法用量** | 内服煎汤，4.5 ～ 9g。

| **附　注** | （1）道地沿革。由于蕨类植物种属之间差异较小，且古代文献对植物形态的描述往往语焉不详，使贯众药材基原考证的难度增加。通过本草考证，可知古代使用的贯众按其药材形状分作 2 类。一类为韩保升所说"根直多枝"者，主要指狗脊贯众；而另一类为陶弘景所说"似老鸱头"者，或如苏颂所说"形如大瓜"者。两者明显不是来源于鳞毛蕨科植物，但其基原实难考证，绵马贯众、紫萁贯众等恐亦包含其中。诸多志书记载吉林盛产贯众，清代的《吉林通志》（1891）卷三十三中记载："贯众，吉林贡产，有贯众菜。"这表明，在光绪年间，贯众为吉林贡品。《吉林分巡道造送会典馆、国史馆清册》（1902）将吉林物产

分为 13 类，其中"药类"记载本地药材共计 45 味，其中包括贯众；清代的《大中华吉林省地理志》（1921）简单地记载了本地的物产，将其分为矿物、植物、动物 3 类，罗列 64 味吉林可用药材，贯众为其中之一；另外，《长白汇征录》（1910）、《通化县志》（1927）、《额穆县志》（1939）等地方志均记载当地出产贯众。

（2）传统医药知识。绵马贯众原本只是东北的民间药，且其分布区域仅限于东北和华北，民间将其用于解毒、杀虫。绵马贯众炒炭后止血作用增强，用于邪热诸毒，痘疹不透，血衄、血痢，金疮肿痛，崩漏、带下，并可预防流行性感冒。

（3）市场信息。在 2003 年抗击"非典型肺炎"期间，绵马贯众的价格曾达到 40 元 / 千克的历史高价。近 5 年，绵马贯众的价格较平稳。据统计，2015 年，绵马贯众的收购价为 7.5 ～ 9 元 / 千克；2016—2018 年，绵马贯众的收购价为 6.5 ～ 7.5 元 / 千克；2019 年，绵马贯众的收购价为 7 ～ 10 元 / 千克；2020 年上半年，绵马贯众的收购价为 8.5 ～ 11 元 / 千克。吉林是绵马贯众的主产区之一，该地绵马贯众的年产量最高可达 300t，平常年份的年产量也可达 100 ～ 150t。绵马贯众商品一般分为选货与统货。绵马贯众商品规格等级划分见表 2-1-2。

表 2-1-2　绵马贯众商品规格等级划分

规格	等级	性状	
		相同点	不同点
绵马贯众	选货	本品为不规则的厚片或碎块。根茎外表皮黄棕色至黑褐色，多被有叶柄残基，有的可见棕色鳞片。切面淡棕色至红棕色，有黄白色维管束小点，环状排列。气特异，味初淡而微涩，后渐苦、辛	本品多为不规则的厚片，长 7 ～ 20cm，宽 4 ～ 8cm，碎块比例少于 30%。无虫蛀、霉变、杂质
	统货		本品 70% 为脱落的叶柄残基碎块，20% ～ 30% 为直径小于 3cm 的厚片。无虫蛀、霉变，稍有绒毛、杂质

（4）濒危情况、资源利用和可持续发展。粗茎鳞毛蕨寿命较长，可达 30 年以上。由于种群自然更新和药用部位生长缓慢，对资源大量开发的生态承载力不强。近年来，生态环境的恶化及掠夺式的开发使得蕨类资源急剧减少，其分布区正逐年缩小。粗茎鳞毛蕨人工繁殖技术既是保护自然资源的有效措施，也是顺应市场、充分开发利用资源的必要手段。从当前栽培进展来看，组织培养技术作为一种有效的快速繁殖手段已经运用于蕨类植物生产中。目前我国在粗茎鳞毛蕨的孢子常规繁殖技术和组织培养与植株再生的培养条件方面已取得突破，可有效地扩大药源，解决粗茎鳞毛蕨的资源减少问题。绝大多数本草记载贯众"有毒"或"有小毒"，仅《本草纲目》记载其"无毒"。2020 年版《中国药典》记载绵马贯众"苦，微寒；有小毒"，这使其在开发利用上受到极大的限制，因此目前少有绵马贯众产品被开发出来。

麻黄科 Ephedraceae 麻黄属 *Ephedra* 凭证标本号 220382120717018LY

草麻黄
Ephedra sinica Stapf

| 植物别名 | 华麻黄、麻黄。

| 药 材 名 | 麻黄（药用部位：草质茎。别名：色道麻）、麻黄根（药用部位：根。别名：结力根）。

| 形态特征 | 草本状灌木，高 20 ～ 40cm。木质茎短或呈匍匐状，小枝直伸或微曲，表面细纵槽纹常不明显，节间长 2.5 ～ 5.5cm，多为 3 ～ 4cm，直径约 2mm。叶 2 裂，鞘占全长的 1/3 ～ 2/3，裂片锐三角形，先端急尖。雄球花多呈复穗状，常具总梗，苞片通常 4 对，雄蕊 7 ～ 8，花丝合生，稀先端稍分离；雌球花单生，在幼枝上顶生，在老枝上腋生，在成熟过程中基部常有梗抽出，使雌球花呈侧枝顶生状，卵圆形或矩圆状卵圆形，苞片 4 对，下部 3 对合生部分占 1/4 ～ 1/3，最上 1 对合生部分达 1/2 以上；雌花 2，胚珠的珠被管长 1mm 或稍长，直

草麻黄

立或先端微弯，管口裂隙窄长，占全长的 1/4 ~ 1/2，裂口边缘不整齐，常被少数毛茸。雌球花成熟时肉质，红色，矩圆状卵圆形或近圆球形，长约 8mm，直径 6 ~ 7mm。种子通常 2，包于苞片内，不露出或与苞片等长，黑红色或灰褐色，三角状卵圆形或宽卵圆形，长 5 ~ 6mm，直径 2.5 ~ 3.5mm，表面具细皱纹，种脐明显，半圆形。花期 5 ~ 6 月，种子 8 ~ 9 月成熟。

| **野生资源** | 生于荒漠、草原、草甸、沙丘、山坡、平原、干燥荒地、河床等。分布于吉林白城（镇赉、通榆、洮南）、松原（乾安、长岭、扶余）、四平（双辽、伊通）、长春（德惠）等。野生资源较少。

| **栽培资源** | （1）栽培条件。本种适宜栽培于海拔 100 ~ 300m 的干旱平原地区。

（2）栽培区域。主要栽培于吉林白城（镇赉、通榆、洮南）、四平（双辽）等。

（3）栽培要点。本种的栽培、采收受到严格管控，未经主管部门登记允许，严禁私自栽培。

（4）栽培面积与产量。1998 年以后，吉林基本没有栽培本种，仅有极少量野生品产出。

| **采收加工** | 麻黄：野生品于 9 ~ 10 月采割绿色草质茎，除去杂质，晒干或阴干。栽培品一般于生长 3 年后采收，收获后可隔年轮采，采收时注意保护根茎，以免影响生长。采收后除去木质茎及杂质，晒干或阴干；或晾至五六成干，扎成小把，晒干。
麻黄根：秋末采挖，除去残茎、须根及泥沙，晒干。 |

| **药材性状** | 麻黄：本品呈细长圆柱形，少分枝，直径 1 ~ 2mm。有的带少量棕色木质茎。表面淡绿色至黄绿色，有细纵脊线，触之微有粗糙感。节明显，节间长 2 ~ 6cm。节上有膜质鳞叶，长 3 ~ 4mm；裂片 2（稀 3），锐三角形，先端灰白色，反曲，基部连合成筒状，红棕色。体轻，质脆，易折断，断面略呈纤维性，周边绿黄色，髓部红棕色，近圆形。气微香，味涩、微苦。以干燥，茎粗，淡绿色，内心充实，味苦、涩者为佳。
麻黄根：本品呈圆柱形，略弯曲，长 8 ~ 25cm，直径 0.5 ~ 1.5cm。表面红棕色或灰棕色，有纵皱纹和支根痕。外皮粗糙，易成片剥落。根茎具节，节间长 0.7 ~ 2cm，表面有横长凸起的皮孔。体轻，质硬而脆，断面皮部黄白色，木部淡黄色或黄色，射线放射状，中心有髓。气微，味微苦。以色红棕、质坚实、粗壮者为佳。 |

| **功能主治** | 麻黄：辛、微苦，温。归肺、膀胱经。发汗散寒，宣肺平喘，利水消肿。用于风寒感冒，胸闷喘咳，风水浮肿。
麻黄根：甘，平。归心、肺经。止汗。用于自汗，盗汗。 |

| **用法用量** | 麻黄：内服煎汤，2 ~ 9g；或入丸、散。
麻黄根：内服煎汤，3 ~ 9g。外用适量，研粉撒扑。 |

| 附 注 | （1）栽培历史。《磐石县乡土志》（1915）、《怀德县志》（1929）、《永吉县志》（1931）等吉林地方志记载省内物产麻黄。原国家食品药品监督管理总局办公厅在 2013 年下发的《食品药品监管总局办公厅关于进一步加强麻黄草药品生产经营管理的通知》（食药监办药化监〔2013〕84 号）中规定："中药材专业市场不得经营麻黄草类药材。各级食品药品监管部门要进一步加强药品生产经营企业麻黄草经营、使用的监督检查，发现药品生产经营过程中违反规定采挖、销售、收购、加工、使用麻黄草的，要按照有关法律法规严肃查处。涉嫌构成犯罪的，一律移送公安机关予以严惩。"现吉林很少栽培本种。

（2）物种鉴别。草麻黄 *Ephedra sinica* Stapf 与双穗麻黄 *Ephedra distachya* Linn. 的形态最为近似。草麻黄的叶一般具较长的裂片，裂片先端细窄而尖；球花的苞片具极窄的膜质边缘；珠被管具较短的裂口，裂口占全长的 1/4 ～ 1/2。而双穗麻黄的叶裂片一般较短，裂片先端较钝；球花的苞片常具较明显的膜质边缘；珠被管的裂口较长，通常占全长的 1/2，稀达 4/5。

（3）市场信息。麻黄商品一般为统货。统货干品市场价格为 10 ～ 15 元 / 千克。

（4）濒危情况、资源利用和可持续发展。2009 年，本种被列为吉林省Ⅲ级重点保护野生植物。由于 20 世纪末对麻黄资源的掠夺式开发，其适生环境和野生资源遭到严重破坏，正品麻黄的资源急剧减少。如今，内蒙古中西部已少见草麻黄，宁夏和甘肃西北部的数万公顷麻黄也已完全消失，尤其是木贼麻黄已濒临灭绝，仅在新疆阿勒泰山脉一带有零星分布。全国市场上麻黄的主流品种为草麻黄，中麻黄次之，但中麻黄仅在其分布区（青海和新疆）的小规模诊所中常见，市场上未见木贼麻黄商品药材。目前，随着企业生产设备的更新和药物分析技术的提高，从麻黄中提取生产生物碱的工艺已基本成熟，提取出的麻黄碱、伪麻黄碱、甲基麻黄碱、甲基伪麻黄碱、去甲基麻黄碱、去甲基伪麻黄碱、麻黄定碱等开始应用于医药领域。麻黄既是常用的解表中药材，又是提取麻黄碱的主要原料。由于本种野生资源锐减，加之政府严格管控麻黄提取物，导致市场上麻黄货源紧缺，其价格暴涨。吉林麻黄的产量不大，内蒙古、甘肃、宁夏、青海、新疆等均栽培草麻黄。但人工栽培的麻黄质量参差不齐，因此开展品种纯化和良种选育工作迫在眉睫，同时有必要建立生产适宜区，在政府的指导、监督下有序开发，从而保证药材的品质。

桑寄生科 Loranthaceae 槲寄生属 Viscum 凭证标本号 220521120811118LY

槲寄生
Viscum coloratum (Kom.) Nakai

| 植物别名 | 冬青、冻青。

| 药 材 名 | 槲寄生（药用部位：带叶茎枝。别名：北寄生、寄生子）。

| 形态特征 | 灌木，高 0.3 ~ 0.8m。茎、枝均呈圆柱状，二歧或三歧，稀多歧分枝，节稍膨大，小枝的节间长 5 ~ 10cm，直径 3 ~ 5mm，干后具不规则皱纹。叶对生，稀 3 轮生，厚革质或革质，长椭圆形至椭圆状披针形，长 3 ~ 7cm，宽 0.7 ~ 1.5（ ~ 2）cm，先端圆形或圆钝，基部渐狭；基出脉 3 ~ 5；叶柄短。雌雄异株；花序顶生或腋生于茎叉状分枝处。雄花序聚伞状，总花梗长达 5mm 或几无，总苞舟形，长 5 ~ 7mm，通常具 3 花，中央的花具 2 苞片或无；雄花花蕾时卵球形，长 3 ~ 4mm，萼片 4，卵形；花药椭圆形，长 2.5 ~ 3mm。雌花序聚伞式穗状，总花梗长 2 ~ 3mm 或几无，具 3 ~ 5 花，顶生

槲寄生

的花具 2 苞片或无，交叉对生的花各具 1 苞片；苞片阔三角形，长约 1.5mm，初具细缘毛，稍后变全缘；雌花花蕾时长卵球形，长约 2mm，花托卵球形，萼片 4，三角形，长约 1mm；柱头乳头状。果实球形，直径 6 ~ 8mm，具宿存花柱，成熟时淡黄色或橙红色，果皮平滑。花期 4 ~ 5 月，果期 9 ~ 11 月。

| 野生资源 | 生于海拔 500 ~ 1400m 的阔叶林中，寄生于榆、杨、柳、桦、栎、槭、山荆子、椴、胡桃楸、黄檗等阔叶树顶端。以长白山区为主要分布区域，分布于吉林延边、白山、通化、吉林、辽源（东丰）等。野生资源丰富。

| **栽培资源** | 无人工栽培。

| **采收加工** | 冬季至翌年春季采收，除去粗茎，切段，干燥或蒸后干燥。

| **药材性状** | 本品茎枝呈圆柱形，2～5叉状分枝，长约30cm，直径0.3～1cm。表面黄绿色、金黄色或黄棕色，有纵皱纹，节膨大，节上有分枝或枝痕。体轻，质脆，易折断，断面不平坦，皮部黄色，木部色较浅，射线放射状，髓部常偏向一边。叶对生于枝梢，易脱落，无柄，叶片呈长椭圆状披针形，长2～7cm，宽0.5～1.5cm；先端钝圆，基部楔形，全缘，表面黄绿色，有细皱纹，主脉5出，中间3条明显，革质。气微，味微苦，嚼之有黏性。以枝嫩、色黄绿、叶多者为佳。

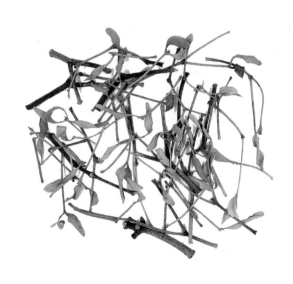

| 功能主治 | 苦，平。归肝、肾经。祛风湿，补肝肾，强筋骨，安胎元。用于风湿痹痛，腰膝酸软，筋骨无力，崩漏经多，妊娠漏血，胎动不安，头晕目眩。

| 用法用量 | 内服煎汤，9～15g；或入丸、散；或浸酒；或捣汁。外用适量，捣敷。

| 附　　注 | （1）道地沿革。自《神农本草经》开始，历代本草所用桑寄生大多为现代药典所载寄生于桑树上的槲寄生，桑寄生及其同属的他种植物常作为桑寄生药材的混伪品偶被提及。从桑寄生和槲寄生的植物来源、性状特征、化学成分、药理作用、临床应用记载来看，都是不同的。《吉林新志》（1934）等多本吉林地方志仅记载桑寄生，据其形态描述来看，所载植物应为槲寄生。

（2）市场信息。槲寄生商品一般为统货。多年来，槲寄生干品收购价格为30～40元/千克。吉林每年产销量约20t。

（3）濒危情况、资源利用和可持续发展。作为大宗药材品种之一，槲寄生药材商品主要来源于野生。前些年，槲寄生赖以生存的山杨等树木被大量砍伐，再加上人们大量采收槲寄生，导致其资源逐渐减少。近年来，虽然林业部门加大了管控力度，但槲寄生资源在短时期内难以恢复。吉林的槲寄生产量日益减少，如今难有大货可供，后市看好。

| 木兰科 | Magnoliaceae | 五味子属 | *Schisandra* | 凭证标本号 | 220623120724033LY |

五味子
Schisandra chinensis (Turcz.) Baill.

|植物别名|

北五味、辽五味、山花椒。

|药材名|

五味子（药用部位：成熟果实。别名：北五味子、五梅子、山花椒）。

|形态特征|

落叶木质藤本。幼枝红褐色，老枝灰褐色，常起皱纹，片状剥落。叶宽椭圆形、卵形、倒卵形、宽倒卵形或近圆形，先端急尖，基部楔形，上部边缘具胼胝质疏浅锯齿，近基部全缘。雄花花被片粉白色或粉红色，6～9片，长圆形或椭圆状长圆形，外面的较狭小；雄蕊仅5（～6），互相靠贴，直立排列于长约0.5mm的柱状花托先端，形成近倒卵圆形的雄蕊群。雌花花被片和雄花相似；雌蕊群近卵圆形，心皮17～40，子房卵圆形或卵状椭圆形，柱头鸡冠状，下端下延成长1～3mm的附属体。果实为聚合果；小浆果红色，近球形或倒卵圆形，果皮具不明显腺点；种子1～2，肾形，淡褐色，种皮光滑，种脐明显凹入，呈"U"形。花期5～7月，果期7～10月。

五味子

| **野生资源** | 生于沟谷、溪旁、山坡、针阔叶混交林下或林缘等。以长白山区为主要分布区域，分布于吉林延边、白山、通化、吉林、辽源（东丰）等。野生资源较少，幼苗多见于林下，结果成株者较少。药材主要来源于栽培。

| **栽培资源** | （1）栽培条件。本种适宜栽培于无霜期在 115 天以上、海拔 300 ~ 800m 的西北坡向的冷凉和坡度低的地区，以排水良好、通风、肥沃湿润的砂壤土为佳。

（2）栽培区域。主要栽培于吉林白山、通化、延边、吉林等。

（3）栽培要点。本种的播种方式为条播或撒播。五味子干种子的种皮坚硬，有油层，不易透水，出苗困难，播前应进行种子处理。首先将五味子果实用温水浸 3 ～ 5 天，搓去果肉，洗出种子，漂去秕粒，然后进行催芽处理。

（4）栽培面积与产量。20 世纪 60 年代，长白山开始驯化栽培五味子。20 世纪 70 年代，成熟的栽培技术得到广泛推广，栽培面积迅速扩大。21 世纪初，吉林五味子的栽培面积达到历史最高水平，为 13000hm²。2010 年以后，五味子市场收购价格下降，导致吉林五味子的栽培面积大量减少。至 2014 年，吉林五味子栽培面积约 4000hm²。2015 年以后，随着市场收购价格的回升，吉林五味子的栽培面积有所增加。据统计，截至 2018 年，吉林五味子的栽培面积达到6314hm²，产量为 12725t。

| **采收加工** | 秋季果实成熟后采收，一般在 8 月下旬至 10 月上旬果实呈紫红色时，随熟随采，宜选择晴天的上午，待露水消失后进行，以便及时将其置阳光下晒干。采摘时用剪枝剪剪下果穗，注意轻拿轻放，防止损伤果实，采摘后的果实应晒干或烘干。烘干时要保持适宜的温度，首先将室内温度控制在 60℃左右，将果实烘至半干，然后将室内温度降至 40 ～ 50℃，将果实烘至全干，或烘至八成干时，在室外晾晒至全干，注意温度不能过高，以防其变成焦粒。将果实晒干或烘干后，用筛药机筛去果柄及灰屑，如果还残留果柄，再用风选机进一步除去果柄，最后人工挑净残留果柄及杂质。

| **药材性状** | 本品呈不规则的球形或扁球形，直径 5 ～ 8mm。表面红色、紫红色或暗红色，

皱缩，显油润；有的表面呈黑红色或出现"白霜"。果肉柔软，种子1~2，肾形，表面棕黄色，有光泽，种皮薄而脆。果肉气微，味酸。种子破碎后有香气，味辛、微苦。以粒大、果皮紫红、肉厚、柔润者为佳。

| **功能主治** | 酸、甘，温。归肺、心、肾经。收敛固涩，益气生津，补肾宁心。用于久嗽虚喘、梦遗滑精，遗尿尿频，久泻不止，自汗盗汗，津伤口渴，内热消渴，心悸失眠。

| **用法用量** | 内服煎汤，2~6g；或研末，每次1~3g；或熬膏；或入丸、散。外用研末掺；或煎汤洗。

| **附　注** | （1）道地沿革。《本草经集注》记载："今第一出高丽，多肉而酸、甜，次出青州、冀州，味过酸，其核并似猪肾。又有建平者，少肉，核型不相似，味苦，亦良。"该书记载五味子的主产区和道地产区均为古高丽地区（即现今辽宁、吉林部分地区和朝鲜半岛北部）。《本草纲目》记载："五味今有南北之分，南产者色红，北产者色黑，入滋补药必用北产者良。"该书首次对南北五味子进行划分，并指出北五味子在滋补方面优于南五味子。明代《本草乘雅半偈》言："高丽者最胜，河中（今山西）府者岁贡，杭越间亦有之。俱不及高丽河中之肥大膏润耳。"清代多数本草均延续《本草纲目》之说。吉林方志对五味子亦有记载。如《吉林外记》（1827）："少肉，厚者为胜，出吉林者最佳。"《长白汇征录》（1910）记载："行消内地，每岁所得价值次于人参。"《吉林新志》（1934）记载："五倍子，即五味子……省境所产者，子少肉厚，入药最良。"现代资料中记载的五味子的产区也与历史资料记载相符，如《药材资料汇编》（1959）记载五味子的产地包括吉林双阳、抚松、桦甸、敦化、临江、集安、通化、柳河、靖宇，《中华本草》记载五味子分布于东北、华北及河南等地。现代对五味子的考证也证实了吉林五味子的悠久历史和道地性。

（2）物种鉴别。华中五味子 *Schisandra sphenanthera* Rehd. et Wils. 常被误认为本种而成为中药五味子的代用品。本种的叶通常中部以上最宽，叶背侧脉及中脉被柔毛，外果皮具不明显的腺点，种子较大。除花的特征外，通过上述特点也可以识别本种。

（3）市场信息。五味子商品分为 2 个等级，商品规格等级划分见表 2-1-3。2015—2016 年五味子价格为 45～70 元/千克，2016 年下半年价格逐渐上涨，2017—2019 年价格涨至 110～160 元/千克，2020 年上半年价格回落至 80～110 元/千克。五味子是常用大宗中药材，全国年供销量为 7000～8000t。吉林是五味子的主要产区之一，所产五味子以子少、肉厚、色泽鲜艳而被誉为质量上乘的道地药材。

表 2-1-3　五味子商品规格等级划分

规格	等级	性状	
		相同点	不同点
五味子	一等	本品呈不规则球形、扁球形或椭圆形。皱缩，内有肾形种子 1～2。果肉味酸；种子有香气，味辛、微苦	表面红色、暗红色或紫红色，色度值 $b*$ 为 $-3.12～-118.9$（D_{65} 光源），质油润。干瘪粒不超过 2%
	二等		表面黑红色或具"白霜"，色度值 $b*$ 为 $1.63～157.72$（D_{65} 光源）。干瘪粒不超过 20%

（4）资源利用和可持续发展。目前，临床上应用五味子时以复方制剂为主，以北五味子为主要原料生产的成药有护肝片、五味子糖浆、乙肝灵、复方益肝灵、五味子片、五灵丸、五味子冲剂、生脉散、三宝胶囊、雄宝口服液、生脉注射液、五仁醇胶囊等。五味子具有较高的营养价值和一定的医疗保健作用，现已成为特种食品的原料，用于加工药食两用食品。目前，我国市场上已开发出五味子保健饮料、食用色素和香精、食品防腐剂等一系列产品。五味子果实中含有抗氧化剂和五味子酸，为食品工业提供了绿色无公害的防腐剂原料和色素原料。五味子果实、嫩叶经加工制成的果茶或叶茶有怡人的柠檬香味，含丰富的营养物质和铁、镁等无机元素，具有补铁和增强体质等作用。五味子果肉甜、酸，内核辛、苦，全体皆咸，其五味皆具也，是一种良好的调味品。五味子藤茎在民间被称作山花椒藤，因其有花椒的味道，故被用来作调味品。五味子有抗氧化及清除体内自由基的作用，将其添加到化妆品中可增强抗衰老作用，有效改善皮肤状态，使肌肤细腻、光洁。此外，五味子富含多种营养成分，并具有增强免疫的功能，用作饲料添加剂可促进动物生长、提高生产性能，且无毒副作用，为理想的抗生素替代品。五味子的根和茎中富含木脂素、蛋白质及微量元

素等成分，具有较高的营养价值。可以以五味子根、茎为原料，经乙醇提取、减压浓缩等制成固体无醇饮料和低醇饮料。五味子鲜叶具有较丰富的营养成分，每 100g 鲜叶的热量为 293J，每 100g 鲜叶含蛋白质 3.9g，含碳水化合物 13g，含脂肪 0.3g，含钙 363mg，含磷 22mg，含铁 6.6mg，含维生素 C 23mg，故五味子鲜叶属于高蛋白、低脂肪食品。五味子早春嫩芽是一种营养价值很高的山野菜，其绿叶经冷冻干燥、超微粉碎后可制成速溶茶。五味子的茎、叶、果实可以用来提取芳香油，其种子仁可用来提取脂肪油。《中国植物志》记载全世界五味子属 Schisandra 植物约有 30 种，我国有 19 种，大多可供药用。《中国药典》（2020）将五味子 Schisandra chinensis (Turcz.) Baill. 和华中五味子 Schisandra sphenanthera Rehd. et Wils. 分别作为药材五味子和南五味子的植物来源。随着森林被过度采伐及人工造林规模扩大，五味子的生态环境发生了巨大变化，五味子野生资源破坏严重。掠夺式采集也加剧了野生资源的消耗。开发较早的老林区的情况更加严重，经过多年采收，五味子数量已大减。因此，变野生为栽培是保护、扩大、利用资源的发展趋势。为保护环境，保证五味子资源的可持续发展，满足中医药产业的发展需求，需做好如下工作：①建立五味子属植物种质资源基因库，特别要对有药用价值的种类加以保护，以便能够长期利用该属药用植物资源；②在保护野生五味子资源的基础上，加强五味子的人工栽培，目前，五味子的繁殖方法主要包括种子繁殖、硬枝扦插繁殖、嫩枝扦插繁殖及根蘖苗移栽等；③利用比较形态学方法和化学分析方法对五味子进行亲缘关系研究，加强利用相关资源，以扩大药源。

| 毛茛科 | Ranunculaceae | 乌头属 | Aconitum | 凭证标本号 | 22032320120821049LY |

黄花乌头

Aconitum coreanum (Lévl.) Rapaics

黄花乌头

| 植物别名 |

白附子、关白附、黄乌拉花。

| 药材名 |

关白附（药用部位：块根。别名：白附子、节附、两头尖）。

| 形态特征 |

多年生草本。块根呈倒卵球形或纺锤形，长约 2.8cm。茎高 30 ~ 100cm，疏被反曲的短柔毛，密生叶，不分枝或分枝。茎下部叶在开花时枯萎，茎中部叶具稍长柄；叶片宽菱状卵形，长 4.2 ~ 6.4cm，宽 3.6 ~ 6.4cm，3全裂，全裂片细裂，小裂片线形或线状披针形，干时边缘稍反卷，两面几无毛；叶柄长为叶片的 1/4 或比叶片稍短，长 1.4 ~ 4.5cm，无毛，具狭鞘。顶生总状花序短，有 2 ~ 7花；花序轴和花梗密被反曲的短柔毛；下部苞片羽状分裂，其他苞片不分裂，线形；下部花梗长 0.8 ~ 2cm；小苞片生于花梗中部，狭卵形至线形，长 1.5 ~ 2.6mm；萼片淡黄色，外面密被曲柔毛，上萼片船状盔形或盔形，高 1.5 ~ 2cm，下缘长 1.4 ~ 1.7cm，外缘在下部缢缩，喙短，侧萼片斜宽倒卵形，下萼片斜椭圆状卵形；花瓣无毛，爪细，瓣

片狭长，长约6.5mm，距极短，头形；花丝全缘，疏被短毛；心皮3，子房密被紧贴的短柔毛。蓇葖果直，长约1cm；种子长2～2.5mm，椭圆形，具3纵棱，表面稍皱，沿棱具狭翅。8～9月开花。

| 野生资源 | 生于山地草坡或疏林中。分布于吉林长白山区及长春（九台）、四平（伊通）、松原（扶余）等。野生资源较少。

| 栽培资源 | （1）栽培条件。本种喜光，适宜栽培于海拔300～800m、有效积温在2300℃以上、无霜期在120天以上的向阳坡地、平坦地块、耕地旱田，以黑钙土为佳。

（2）栽培区域。主要栽培于吉林吉林（磐石、舒兰、蛟河等）、白山等。

（3）栽培要点。本种的繁殖方式为种子直播或育苗移栽。非留种田可以摘花去蕾以保证块根发育。注意及时排水，防止积水造成根茎腐烂。

（4）栽培面积与产量。本种栽培历史极短，正处于新兴试种阶段，主要为药农小规模分散种植，栽培面积不足 50hm²，年产量为 10t。

| 采收加工 | 秋季茎叶枯萎时采挖，除去残茎、须根及泥沙，晒干（将块根洗净、分选后，在晾晒场内晒干）、阴干（将块根洗净、分选后，按大小分别装盘，放置于遮阴棚下自然干燥）或烘干（将块根洗净、分选后，按大小分别装盘，放置于烘干室内，烘干温度从 45℃逐渐升至 50℃，最高为 55℃，直至完全烘干，一般需要 8 ~ 9 天，烘干时注意排潮）。

| 药材性状 | 本品肥厚，常 2 个连生在一起。母根呈圆锥形，先端有 1 茎基或茎痕，长 2 ~ 4cm，直径 0.5 ~ 1.5cm，表面棕褐色或黄棕色，有纵沟、沟纹或横长凸起的根痕。子根呈纺锤形或长卵形，长 1.5 ~ 3cm，直径 0.5 ~ 2cm，表面灰褐色或棕褐色，有皱纹、侧根痕或小侧根。母根体轻，质松，断面有蜂窝状裂隙，粉性差；子根体实，质硬，不易折断，断面较平坦，有环列的筋脉点，显粉性，类白色。气微，味辛，麻舌。以个大、皮细、饱满充实、粉性大的子根为佳。

| 功能主治 | 辛、甘，热；有毒。归肝、胃经。祛风痰，定惊痫，逐寒湿。用于风湿痹痛，头痛，癫痫，冻疮，破伤风，面部䵟黯，疮疡疥癣，皮肤湿痒，中风痰壅，口眼㖞斜。

| 用法用量 | 内服煎汤，1.5 ~ 6g；或入丸、散。一般宜炮制后用。外用适量，生品捣烂，煎汤洗；或熬膏；或研末，以酒调敷患处。

| 附　注 | （1）道地沿革。白附子始载于《名医别录》，位列下品。《唐本草》云："此物，

本出高丽，今出凉州、巴西，形似天雄。"这表明白附子药材本出自高丽一带。《海药本草》云："生东海，又新罗国（今朝鲜半岛东南部）。苗与附子相似。"《本草纲目》记载："白附子乃阳明经药，因与附子相似，故得此名。根正如草乌头之小者，长寸许，干者皱文有节。"清代《本草从新》谓："根如草乌之小者，皱纹有节，炮用。"显然，自唐代到清代，药用的白附子是以毛茛科的黄花乌头（即关白附）为主流。吉林地方志亦记载有白附子。清代《吉林通志》（1891）在"食货志·物产"的药属中记载了本地所产药材 41 味，白附子为其中之一，为"熟女真（今吉林部分地区和辽宁境内）土产"。《通化县志》（1927）记载："境内亦盛产之。"上述记载均表明，关白附（黄花乌头）为吉林历史悠久的道地药材。

（2）物种鉴别。本种与拟黄花乌头 *Aconitum anthoroideum* DC. 相似，但本种花序和子房都有贴伏的短毛，花瓣的爪不膝状弯曲，心皮 3，可以此区别两者。

（3）市场信息。关白附有毒，临床应用较少，主要用于民间偏方或生产治伤散、创伤散、婴宁散等中药制剂。吉林和辽宁是关白附药材商品的主产区，两地的关白附产量占全国总产量的 80% 以上。吉林关白附的年产量大约为 10t。关白附商品一般为统货，市场价格为 70 ~ 110 元 / 千克。吉林关白附走销顺畅。

（4）濒危情况、资源利用和可持续发展。2009 年，本种被列为吉林省Ⅲ级重点保护野生植物。近年来，由于人们恶性采伐，本种野生资源遭到严重破坏，加之本种天然无性繁殖力低下，易受真菌、病毒感染，少根、腐根情况日益严重，导致其产量急剧下降。黄花乌头的开发利用研究主要集中在抗心律失常、抗炎、镇痛、抗血小板聚集等方面，并扩展到了抗衰老、抗癌等方面。盐酸关附甲素（Acehytisine Hydrochloride）是从本种块根中提取分离得到的二萜类生物碱，是具有抗心律失常活性的天然化合物。中国科学院上海药物研究所与中国药科大学合作完成了抗心律失常新药盐酸关附甲素注射液的研发，并于 2005 年获得原国家食品药品监督管理局颁发的新药证书。另外，研究表明，天然提取物关白附多糖毒副作用小，在研制、开发抗自由基保健食品方面有良好前景。利用黄花乌头有毒成分开发的生物农药既不会产生农药残留，又能有效地防治作物病虫害，这也是综合开发、利用黄花乌头的一个方面。此外，经过配伍、炮制等方法，黄花乌头的块根也可用作药膳原料。通过药理实验研究，可以不断揭示关白附这一传统药物的防病、治病机理，使关白附更好地为现代医学服务。

毛茛科 Ranunculaceae 乌头属 Aconitum 凭证标本号 220523130803116LY

北乌头 *Aconitum kusnezoffii* Reichb.

北乌头

| 植物别名 |

草乌、蓝乌拉花、百步草。

| 药 材 名 |

草乌（药用部位：块根。别名：奚毒、金鸦）、草乌叶（药用部位：叶）。

| 形态特征 |

多年生草本。块根呈圆锥形或胡萝卜形，长2.5～5cm，直径7～10cm。茎高（65～）80～150cm，无毛，等距离生叶，通常分枝。茎下部叶有长柄，在开花时枯萎，茎中部叶有稍长柄或短柄；叶片纸质或近革质，五角形，长9～16cm，宽10～20cm，基部心形，3全裂，中央全裂片菱形，渐尖，近羽状分裂，小裂片披针形，侧全裂片斜扇形，不等2深裂，表面疏被短曲毛，背面无毛；叶柄长为叶片的1/3～2/3，无毛。顶生总状花序具9～22花，通常与其下的腋生花序形成圆锥花序；花序轴和花梗无毛；下部苞片3裂，其他苞片长圆形或线形；下部花梗长1.8～3.5（～5）cm；小苞片生于花梗中部或下部，线形或钻状线形，长3.5～5mm，宽1mm；萼片紫蓝色，外面被疏曲柔毛或几无毛，上萼片盔形或高盔形，高1.5～

2.5cm，有短或长喙，下缘长约 1.8cm，侧萼片长 1.4 ~ 1.6（~ 2.7）cm，下萼片长圆形；花瓣无毛，瓣片宽 3 ~ 4mm，唇长 3 ~ 5mm，距长 1 ~ 4mm，向后弯曲或近拳卷；雄蕊无毛，花丝全缘或有 2 小齿；心皮（4 ~）5，无毛。蓇葖果直，长（0.8 ~）1.2 ~ 2cm；种子长约 2.5mm，扁椭圆状球形，沿棱具狭翅，只在一面生横膜翅。7 ~ 9 月开花。

野生资源　　生于山地草坡、疏林中或草甸上，形成小群落。分布于吉林长白山区及长春（九台）、四平（伊通）、辽源（东辽）等。野生资源较少。

| **栽培资源** | （1）栽培条件。本种喜光，适宜栽培于海拔 300 ~ 800m、有效积温在 2300℃以上、无霜期在 120 天以上的向阳坡地、平坦地块、耕地旱田，以黑钙土为佳。

（2）栽培区域。主要栽培于吉林吉林（磐石、舒兰、蛟河等）、白山等。

（3）栽培要点。本种的繁殖方式为种子直播或育苗移栽。非留种田可以摘花去蕾以保证块根发育。注意及时排水，防止积水造成根茎腐烂。

（4）栽培面积与产量。本种栽培历史较短，正处于新兴试种发展阶段，主要为药农小规模分散种植，尚未形成规模。

| 采收加工 | 草乌：秋季茎叶枯萎时采挖，除去残茎、须根及泥沙，晒干。
草乌叶：夏季叶茂盛、花未开时采收，除去杂质，及时干燥。

| 药材性状 | 草乌：本品母根呈不规则长圆锥形，略弯曲，长 2 ~ 7cm，直径 0.6 ~ 1.8cm。先端常有残茎和少数不定根残基；有的先端有一枯萎的芽，一侧有一圆形或扁圆形不定根残基。表面灰褐色或黑棕褐色，有纵皱纹、点状须根痕和数个瘤突状侧根。子根与母根形相似，表面较光滑。质硬，难折断，断面灰白色或暗灰色，有裂隙，形成层环纹多角形或类圆形，髓部较大或中空。气无，味辛辣、麻舌。以个大、质坚实、断面灰白色者为佳。

草乌叶：本品多皱缩卷曲、破碎。完整叶片展平后呈卵圆形，3 全裂，长 5 ~ 12cm，宽 10 ~ 17cm，灰绿色或黄绿色；中间裂片菱形，渐尖，近羽状深裂，侧裂片 2 深裂，小裂片披针形或卵状披针形。上表面微被柔毛，下表面无毛。叶柄长 2 ~ 6cm。质脆。气微，味微咸、辛。

| **功能主治** | 草乌：辛，热；有毒。归心、肝、脾经。祛风除湿，散寒止痛，开窍，消肿。用于风寒湿痹，心腹冷痛，寒疝作痛，中风瘫痪，破伤风；外敷用于痈疽疔疮。草乌叶：辛、涩，平；有小毒。清热，解毒，止痛。用于热病发热，泄泻腹痛，头痛，牙痛。 |

| **用法用量** | 草乌：内服煎汤，3 ~ 6g；或入丸、散。外用适量，研末调敷；或醋、酒磨涂。草乌叶：1 ~ 1.2g，多入丸、散。孕妇慎用。 |

| **附　注** | （1）道地沿革。《吉林新志》（1934）、《西安县乡土志》（1908）、《东丰县志略》（1910）等多部吉林地方志均记载省内物产草乌。 |

（2）市场信息。草乌商品以统货为主。近年来，产地收购价格为 60 ~ 70 元 / 千克。但吉林草乌产量不足，年产量不足 10t。

（3）资源利用和可持续发展。北乌头的干燥块根即草乌，是民间常用中草药，市场需求量很大。北乌头块根含有乌头碱、中乌头碱、次乌头碱、3- 脱氧乌头碱、北乌碱等 20 余种成分，其中双酯型生物碱有麻辣味，亲脂性强，毒性大，是北乌头中的主要毒性成分。北乌头块根提取液对昆虫有很好的毒杀和驱避作用，可以开发成一种新型植物性杀虫剂，具有广阔的应用前景。吉林仅有少量野生北乌头自产自销。目前，中药产业高速发展，栽培北乌头有一定的市场前景。

毛茛科 Ranunculaceae 银莲花属 *Anemone* 凭证标本号 220281120512009LY

多被银莲花 *Anemone raddeana* Regel

| 植物别名 |

红被银莲花、关东银莲、老鼠屎。

| 药 材 名 |

两头尖（药用部位：根茎）。

| 形态特征 |

多年生草本，高 10 ~ 30cm。根茎横走，圆柱形，长 2 ~ 3cm，直径 3 ~ 7mm。基生叶 1，有长柄，长 5 ~ 15cm；叶片 3 全裂，全裂片有细柄，2 或 3 深裂，变无毛，叶柄长 2 ~ 7.8cm，有疏柔毛。花葶近无毛；苞片 3，有柄(长 2 ~ 5mm)，近扇形，长 1 ~ 2cm，3 全裂，中全裂片倒卵形或倒卵状长圆形，先端圆形，上部边缘有少数小锯齿，侧全裂片稍斜；花梗 1，长 1 ~ 1.3cm，变无毛；萼片 9 ~ 15，白色，长圆形或线状长圆形，长 12 ~ 19mm，宽 2.2 ~ 6mm，先端圆或钝，无毛；雄蕊长 4 ~ 8mm，花药椭圆形，长约 0.6mm，先端圆形，花丝丝形；心皮约 30，子房密被短柔毛，花柱短。花期 4 ~ 5 月。

| 野生资源 |

生于林下山坡或林缘灌丛中。分布于吉林延边、白山、通化、吉林、辽源、松原等。野

多被银莲花

生资源较丰富，呈群落分布。

| **栽培资源** | 无人工栽培。

| **采收加工** | 5 ~ 6 月地上部分枯萎前采挖，除去地上残茎及须根，洗净，晒干。

| **药材性状** | 本品呈类长纺锤形，两端尖，微弯曲，其中近一端处较膨大，长 1 ~ 3cm，直径 2 ~ 7mm。表面棕褐色至棕黑色，具微细纵皱纹，膨大部位常有 1 ~ 3 支根痕呈鱼鳍状突起，偶见不明显的 3 ~ 5 环节。质硬而脆，易折断，断面略平坦，类白色或灰褐色，略角质样。气微，味先淡，后微苦而麻、辣。以质硬、断面

类白色者为佳。

| 功能主治 | 辛，热；有毒。归肝、脾经。祛风湿，消痈肿。用于风寒湿痹，四肢拘挛，痈肿溃烂。

| 用法用量 | 内服煎汤，1.5 ~ 3g；或入丸、散。外用适量，研末撒膏药上，敷贴。

| 附　　注 | （1）道地沿革。明代《本草品汇精要》将两头尖作为一种独立的药材记载，并注明"白附子经石灰水泡皮皲皱者为伪"。《本草原始》记载："两头尖自辽东来货者甚多。"现在两头尖药材主要来源于黑龙江、吉林、辽宁、山东、河北、山西等地，其中吉林产量最多。

（2）市场信息。两头尖商品以统货为主。当两头尖的市场价格高时，吉林两头尖的年产量曾达 200t，平常年份年产量为 20 ~ 30t，商品主要流入安国中药材市场和中国（亳州）中药材交易中心。

（3）资源利用。清代，王旭高曾以两头尖治疗乳癌。现代临床上，两头尖用于风寒湿痹、手足拘挛、痈疽肿痛，多与其他药物配伍，不单方入药，是著名中成药大活络丹和再造丸的主要原料。本种资源丰富，药材价格低廉，药用价值较高，具有广阔的应用前景，应对其化学成分和生物活性进行系统的研究。

毛茛科 Ranunculaceae 升麻属 *Cimicifuga* 凭证标本号 220281120818127LY

兴安升麻
Cimicifuga dahurica (Turcz.) Maxim.

兴安升麻

| 植物别名 |

东北升麻、窟窿芽、地龙芽。

| 药 材 名 |

升麻（药用部位：根茎。别名：北升麻、龙眼根、窟窿芽根）。

| 形态特征 |

多年生草本。根茎粗壮，多弯曲，表面黑色，有许多下陷的圆洞状老茎残基。茎高达1m，微有纵槽，无毛或微被毛。下部茎生叶为二回或三回三出复叶；叶片三角形，宽达22cm；顶生小叶宽菱形，长5～10cm，宽3.5～9cm，3深裂，基部通常呈微心形或圆形，边缘有锯齿；侧生小叶长椭圆状卵形，稍斜，表面无毛，背面沿脉疏被柔毛；叶柄长达17cm。上部茎生叶似下部茎生叶，但较小，具短柄。花序复总状，雄株花序大，长超过30cm，具7～20分枝或更多，雌株花序稍小，分枝较少；花序轴和花梗被灰色腺毛和短毛；苞片钻形，渐尖；萼片宽椭圆形至宽倒卵形，长3～3.5mm；退化雄蕊叉状2深裂，先端有2个乳白色空花药；花药长约1mm，花丝丝形，长4～5mm；心皮4～7，疏被灰色柔毛或近无毛，无柄或有

短柄。蓇葖果生于长 1～2mm 的心皮柄上，长 7～8mm，宽 4mm，先端近截形，被贴伏的白色柔毛；种子 3～4，椭圆形，长约 3mm，褐色，四周生膜质鳞翅，中央生横鳞翅。7～8 月开花，8～9 月结果。

| 野生资源 | 生于海拔 300～1200m 的山地、林缘、灌丛及山坡疏林或草地中。分布于吉林通化（通化、柳河、集安、梅河口、辉南）、白山（临江、靖宇、抚松、长白）、延边（延吉、图们、敦化、安图、珲春、龙井、汪清、和龙）、长春（农安、榆树、德惠、九台）、吉林（桦甸、磐石、蛟河、舒兰、永吉）、辽源（东丰、东辽）等。野生资源较少。

| **栽培资源** | （1）栽培条件。本种喜湿、喜光，适宜栽培于海拔 300 ~ 800m、有效积温在 2300℃以上、无霜期在 120 天以上的地区，以寒地黑钙土为佳。

（2）栽培区域。主要栽培于吉林通化、白山、延吉等。

（3）栽培要点。本种栽培环境要求远离农业药害污染威胁，可选择湿地、涝洼地以及平整的耕地。本种早年以野生宿根芽头引种繁殖，现在的主要繁殖方式为种子直播或育苗移栽。可在 5 月中旬采割当年生幼嫩茎叶食用。栽培 4 年后采挖能获得较好效益。

（4）栽培面积与产量。吉林兴安升麻栽培尚处于引种育苗初期，未形成较大规模种植区，栽培面积不足 100hm²，预计年产出 100t。

| **采收加工** | 秋季茎叶枯萎时采收，应选择晴天进行，先割去地上茎叶，将根茎挖出，除去泥土，洗净，晒至八成干，用火燎去须根或置于滚筒内撞去须根，再将根茎晒至全干。

| **药材性状** | 本品呈不规则长条状，多分枝，呈结节状，长 3 ~ 13cm，直径 1.5 ~ 2.4cm。表面灰黑色，粗糙；茎基痕呈圆洞状，直径 0.5 ~ 1.5cm，高 1 ~ 3cm，洞内壁显纵向或网状沟纹；下面有坚硬的须根残基。体轻，质坚，不易折断，断面极不平坦，木部呈放射状，纤维性，黄绿色，具裂隙，髓部中空，黑色。气微，味较苦。以肥大、外皮黑褐色、无细根、断面微绿色者为佳。

| **功能主治** | 辛、微甘，微寒。归肺、脾、胃、大肠经。发表透疹，清热解毒，升举阳气。
用于风热头痛，齿痛，口疮，咽喉肿痛，麻疹不透，阳毒发斑，脱肛，子宫脱垂。 |

| **用法用量** | 内服煎汤，用于升阳，3～10g，宜蜜炙、酒炙；用于清热解毒，可用15g，宜生用；
或入丸、散。外用适量，研末调敷；或煎汤含漱；或淋洗。 |

| **附　注** | （1）栽培历史。本种药材始载于《神农本草经》，位列上品。《本草经集注》云：
"（升麻）旧出宁州者（今四川省内）第一，形细而黑，极坚实，顷无复有。今
惟出益州（今四川省内），好者细削，皮青绿色，谓之鸡骨升麻，北部间亦有，
形又虚大，黄色。"这表明南北朝时北部地区即产升麻。吉林地方志中亦有关于
升麻的记载。清代《吉林外记》（1827）记载："升麻其叶似麻，其气上升故名。
《纲目》云，形细而黑，极坚者为佳。今则通取里白外黑而坚者，去须芦用之，
俗名为鬼脸升麻，其苗呼为窟窿芽。"《吉林新志》（1934）记载："升麻，俗称
苦老芽，多年生草。产于溪间阴地。茎高二三尺，叶为复叶，小叶有缺刻及锯
齿。夏开白花成总状花序。根紫黑色多须，入药。宁安十三年采五百余斤，每
斤值三角。"该书所描述品种为大三叶升麻或兴安升麻。另外，《磐石县乡土志》
（1915）、《榆树县志》（1943）等十余本地方志均记载当时土产"升麻"。《中药
大辞典》记载："（关升麻）主产辽宁、吉林、黑龙江等地。"上述记载表明，
吉林出产升麻的历史悠久，升麻为吉林著名道地药材之一。
（2）传统医药知识。兴安升麻在吉林民间作山野菜食用，俗称窟窿芽，具有 |

解毒、止痛的功效，与半夏配伍，治疗胃下垂。

（3）市场信息。关升麻是东北地区的道地药材，其基原为兴安升麻和大三叶升麻，因其有效成分含量高，受到药厂青睐，商品主要来源于野生。升麻商品一般为统货，不分等级，以个头大、外皮绿黑色、须根去净、断面深绿色者为佳。《中国药典》中记载升麻为大三叶升麻、兴安升麻或升麻的干燥根茎，目前，三者在市场中均有流通销售。但由于大三叶升麻与兴安升麻的产地、外观性状等比较相近，因此在药材商品规格中将大三叶升麻和兴安升麻统称为"关升麻"，以便与升麻区分。2015—2018年升麻价格稳定，市场价格为25～30元/千克。自2019年开始价格略有上涨，至2020年上半年，升麻市场价格涨至30～45元/千克。升麻用量较大。吉林升麻年产量约50t，供销平稳。

（4）濒危情况、资源利用和可持续发展。每年春季，当地百姓采挖兴安升麻幼苗作山野菜食用，在秋季，个别山民采挖其根茎作药材出售，由于兴安升麻资源较少且人为破坏严重，所以资源逐渐减少。兴安升麻作为升麻的三大基原之一，其化学成分丰富，药理作用明确，现已广泛开展人工种植。目前，很多学者对兴安升麻的地上部分展开了深入研究。研究表明，兴安升麻地上部分的总皂苷与地下部分的总皂苷均具有良好的细胞毒作用和抗氧化能力，且作用强度相同，兴安升麻地上部分和地下部分在治疗子宫脱垂方面具有相似作用，且其药理作用相似。近几年，吉林科研人员积极申报地本级科技项目并探索寒地升麻的繁育技术，以期为后续的开发利用奠定基础。

毛茛科 Ranunculaceae 升麻属 *Cimicifuga* 凭证标本号 220523130626081LY

大三叶升麻 *Cimicifuga heracleifolia* Kom.

| 植物别名 |

窟窿芽根、龙眼根。

| 药 材 名 |

升麻（药用部位：根茎。别名：关升麻、龙眼根、窟窿芽根）。

| 形态特征 |

多年生草本。根茎粗壮，表面黑色，有许多下陷的圆洞状老茎残痕。茎高 1m 或更高，下部微具槽，无毛。下部茎生叶为二回三出复叶，无毛；叶片稍带革质，三角状卵形，宽达 20cm；顶生小叶倒卵形至倒卵状椭圆形，长 6 ~ 12cm，宽 4 ~ 9cm，顶端 3 浅裂，基部圆形、圆楔形或微心形，边缘有粗齿，侧生小叶通常呈斜卵形，比顶生小叶小，无毛或背面沿脉疏被白色柔毛；叶柄长达 20cm，无毛。上部茎生叶通常为一回三出复叶。花序具 2 ~ 9 分枝，分枝和花序轴所成的角通常小于 45°；花序轴及花梗被灰色腺毛和柔毛；苞片钻形，长约 1mm；花梗长 2 ~ 4mm；萼片黄白色，倒卵状圆形至宽椭圆形，长 3 ~ 4mm，宽 2.5 ~ 3mm；退化雄蕊椭圆形，长 2.5 ~ 4mm，宽 1.6 ~ 2mm，先端白色，近膜质，通常全缘；花丝丝形，

大三叶升麻

长 3 ~ 6mm；心皮 3 ~ 5，有短柄，无毛。蓇葖果长 5 ~ 6mm，宽 3 ~ 4mm，下部有长约1mm的细柄；种子通常2，长约3mm，四周生膜质鳞翅。8 ~ 9 月开花，9 ~ 10 月结果。

| **野生资源** | 生于山坡草丛或灌丛中。以长白山区为主要分布区域，分布于吉林延边、白山、通化、吉林、辽源，中部部分地区亦有少量分布。野生资源较少。

| **栽培资源** | 同"兴安升麻"。

| **采收加工** | 同"兴安升麻"。

| **药材性状** | 本品呈不规则长块状，多分枝，呈结节状，长 5 ～ 22cm，直径 2 ～ 6cm。表面灰褐色或黄褐色，粗糙；茎基痕呈圆盘状或槽状，直径 1 ～ 3.5cm，高 0.5 ～ 2cm，盘或槽内壁显网状纹理；下面有坚硬的须根残基。体轻，质坚，不易折断，断面不平坦，纤维性，木部呈放射状纹理，黄棕色或黄绿色，髓部黑褐色。气微，味苦。以个大、整齐、外皮黑色、无细根、断面灰色者为佳。

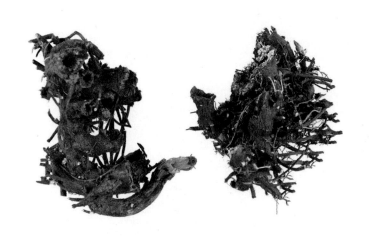

| **功能主治** | 同"兴安升麻"。

| **用法用量** | 同"兴安升麻"。

| **附　　注** | 同"兴安升麻"。

| 毛茛科 | Ranunculaceae | 铁线莲属 | Clematis | 凭证标本号 | 220323120809026LY |

棉团铁线莲
Clematis hexapetala Pall.

棉团铁线莲

植物别名

野棉花、棉花子花、棉花花。

药材名

威灵仙（药用部位：根及根茎。别名：山蓼、老虎须、铁扫帚）。

形态特征

直立草本，高 30 ～ 100cm。老枝呈圆柱形，有纵沟；茎疏生柔毛，后变无毛。叶片近革质，绿色，干后常变黑色，单叶至复叶，1 ～ 2 回羽状深裂，裂片线状披针形、长椭圆状披针形至椭圆形或线形，长 1.5 ～ 10cm，宽 0.1 ～ 2cm，先端锐尖或凸尖，有时钝，全缘，两面或沿叶脉疏生长柔毛或近无毛，网脉突出。花序顶生，聚伞花序或总状、圆锥状聚伞花序，有时花单生，花直径2.5 ～ 5cm；萼片 4 ～ 8，通常 6，白色，长椭圆形或狭倒卵形，长 1 ～ 2.5cm，宽 0.3 ～ 1（～ 1.5）cm，外面密生绵毛，花蕾时像棉花球，内面无毛；雄蕊无毛。瘦果倒卵形，扁平，密生柔毛，宿存花柱长 1.5 ～ 3cm，生灰白色长柔毛。花期 6 ～ 8 月，果期 7 ～ 10月。

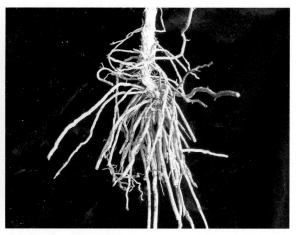

|野生资源| 生于半山区的丘陵地带，多生于固定沙丘、山坡草地、草原、山脊土壤贫瘠之处。本种常与相对耐寒、耐旱的草本植物构成群落，其种群数量比较多，植株分散。吉林各地均有分布。野生资源较丰富。

|栽培资源| 因栽培产量较低而没有形成栽培规模。

|采收加工| 秋季茎叶枯萎时采挖，除去茎叶、泥土，洗净，晒干。

|药材性状| 本品根茎呈短柱状，长 1 ~ 4cm，直径 0.5 ~ 1cm；表面淡棕黄色；先端残留茎基；质较坚韧，断面纤维性；下侧着生多数细根。根呈细长圆柱形，稍弯曲，

长 4 ~ 20cm，直径 0.1 ~ 0.2cm；表面棕褐色至棕黑色，有细纵纹，有的皮部脱落，露出黄白色木部；质硬脆，易折断，断面皮部较广，木部淡黄色，圆形，皮部与木部间常有裂隙。气微，味咸。以条均匀、质坚硬、断面色灰白者为佳。

| 功能主治 | 辛、咸、微苦，温；有小毒。归膀胱经。祛风除湿，通络止痛。用于风湿痹痛，肢体麻木，筋脉拘挛、屈伸不利，脚气肿痛，疟疾，骨鲠咽喉，痰饮积聚。

| 用法用量 | 内服煎汤，6 ~ 10g，用于骨鲠咽喉可用至 30g；或入丸、散；或浸酒。外用适量，捣敷；或煎汤熏洗。

| 附　注 | （1）道地沿革。自古威灵仙就存在同名异物现象。南北朝时期的《集验方》所载威灵仙可能是毛茛科铁线莲属植物；唐代周君巢所著《威灵仙传》中记载的威灵仙应为直立草本棉团铁线莲；唐宋时期，经济重心和文化重心南移，导致威灵仙的应用和记载亡轶；宋代的《本草图经》及《证类本草》所载威灵仙与玄参科植物草本威灵仙 *Veronicastrum sibiricum* (L.) Pennell 相似；到了明清时期，《本草纲目》与《植物名实图考》记载的威灵仙则可以确定为毛茛科铁线莲属植物。由此可见，威灵仙的基原自古就较为混乱。自 1977 年起，《中国药典》将棉团铁线莲、东北铁线莲（辣蓼铁线莲）作为威灵仙的基原。《中华本草》记载："（棉团铁线莲）分布于黑龙江、吉林、辽宁、内蒙古、河北、山西、陕西、甘肃东部、山东及中南地区……（辣蓼铁线莲）分布于东北及内蒙古、山西等地。"这表明近年来吉林为棉团铁线莲、辣蓼铁线莲产区。从《中国植物志》记载的分布情况以及普查结果来看，威灵仙 *Clematis chinensis* Osbeck 分布于淮河以南区域，

吉林无分布。吉林地方志中有关于威灵仙的记载。清代《吉林外记》（1827）记载："威灵仙，威言性猛，灵仙言其功神……初时黄黑色，干则深黑色，人称铁脚威灵仙。但色或黄或白者，不可用。"《吉林志书》（1813）记载："葳灵仙，俗呼铁脚。"《吉林分巡道造送会典馆、国史馆清册》（1902）物产中亦记载威灵仙。吉林地方志中所记载威灵仙应为辣蓼铁线莲或棉团铁线莲。

（2）传统医药知识。本种在民间用于祛风湿、通络止痛，对风湿性关节炎、痛风、手足麻木有一定疗效。

（3）市场信息。威灵仙商品一般为统货。近年威灵仙市场价格平稳，维持在20～30元/千克。

毛茛科 Ranunculaceae 铁线莲属 Clematis 凭证标本号 220323120811027LY

辣蓼铁线莲
Clematis terniflora DC. var. *mandshurica* (Rupr.) Ohwi

| 植物别名 | 东北铁线莲、山辣椒秧子、威灵仙。

| 药 材 名 | 威灵仙（药用部位：根及根茎。别名：黑薇、铁脚威灵仙、百条根）。

| 形态特征 | 多年生草质藤本，长 1 ~ 3m。茎圆柱形，有细棱，节上有白色柔毛。
叶为一至二回羽状复叶，小叶柄长 1 ~ 4cm；小叶卵形或披针状卵形，
长 2 ~ 8cm，宽 1 ~ 5cm，先端渐尖，基部圆形或略呈心形，全缘，
叶片近革质，无毛或沿脉疏被毛。圆锥花序长 20cm 或更长，花序
轴及花梗疏被毛，花梗近基部生 1 对小苞片，线状披针形，被硬毛；
萼片 4 ~ 5，白色，长圆形至倒卵状长圆形，长 1 ~ 1.5cm，宽约 0.5cm，
沿边缘密被白色绒毛；雄蕊多数，比萼片短；心皮多数，被白色柔毛。
瘦果卵形，先端有宿存花柱，长 2.5 ~ 3cm，弯曲，被有白色柔毛。
花期 6 ~ 8 月，果期 7 ~ 9 月。

辣蓼铁线莲

| **野生资源** | 生于林缘、林下、灌丛中,或附生于其他木本植物枝干上。分布于吉林通化(通化、柳河、集安、梅河口、辉南)、白山(临江、靖宇、抚松、长白)、延边(延吉、图们、敦化、安图、珲春、龙井、汪清、和龙)、长春(农安、榆树、德惠、九台)、吉林(桦甸、磐石、蛟河、舒兰、永吉)、辽源(东丰、东辽)等。野生资源丰富。 |

| **栽培资源** | (1)栽培条件。本种喜光,耐寒、耐旱,适宜栽培于海拔 200 ～ 800m、有效积温在 2400℃以上、无霜期在 110 天以上的向阳山坡、林缘及耕地。
(2)栽培区域。主要栽培于吉林通化、白山、延边(延吉)、吉林等。
(3)栽培要点。本种栽培环境要求远离农业药害污染威胁,可选择山坡地、林间平坦草地及农耕旱地栽培。本种主要繁殖方式为种子直播,种子需要进行技 |

术处理，湿籽播种。如需采集种子，则在栽培前期搭设攀爬架，使其攀缘生长，以便于采收。栽培第 3 年可收获种子，第 4～5 年根据长势采挖地下根。

（4）栽培面积与产量。2016 年起，因繁殖种源需求量大，辣蓼铁线莲根茎被大量采挖，其野生资源遭到严重破坏，蕴藏量急剧减少，现野生资源已极少。2013 年，吉林在东部山区、半山区的适宜生长区开展规模化人工育苗种植，现柳河、蛟河、舒兰、通化、梅河口等地辣蓼铁线莲种植已初具规模。2018 年，吉林威灵仙播种面积约为 70hm²。直播栽培 4 年的辣蓼铁线莲产干品约 9000kg/hm²。

| **采收加工** | 秋季茎叶枯萎时采挖，平地可用机械采挖，而坡地只能人工用锹或板镐采挖，一般采挖深度至少为 30cm。采挖后抖净泥土，除去茎叶，晾晒 1～2 天后用小木棒敲打，使残存泥土脱净，置于通风处晒干；也可将鲜根除去残茎后用清水洗净，晒干。

| **药材性状** | 本品根茎呈柱状，长 1 ~ 11cm，直径 0.5 ~ 2.5cm；表面淡棕黄色；先端残留茎基；质较坚韧，断面纤维性；下侧着生多数细根。根较密集，长 5 ~ 23cm，直径 0.1 ~ 0.4cm；表面棕黑色，有细纵纹，有的皮部脱落，露出黄白色木部；质硬脆，易折断，断面皮部较广，木部淡黄色，近圆形，皮部与木部间常有裂隙。气微，味辛辣。以条均匀、质坚硬、断面色灰白者为佳。

| **功能主治** | 同"棉团铁线莲"。

| **用法用量** | 同"棉团铁线莲"。

| **附　　注** | （1）道地沿革。同"棉团铁线莲"。
（2）传统医药知识。吉林民间取辣蓼铁线莲早春幼苗食用，用于预防感冒、增强体质。将微老一点的辣蓼铁线莲晾干后留至冬天食用，可增强抗风寒的能力。
（3）市场信息。吉林是将威灵仙中药材的主要产区，市场上 60% ~ 70% 的货源来自吉林。经过十几年的挖掘，辣蓼铁线莲野生资源几近枯竭。2015 年起，辽宁、黑龙江的辣蓼铁线莲种子返销吉林，吉林辣蓼铁线莲种植面积大幅增加。辣蓼铁线莲种子的后熟特性使其干种子无法正常萌发出芽，需要专业人士处理以促进萌发。市场上辣蓼铁线莲的种子有干籽、水籽之分。另外，棉团铁线莲种子与辣蓼铁线莲种子不易区分，市场上廉价的辣蓼铁线莲种子中常掺有棉团铁线莲种子。
（4）资源利用。以辣蓼铁线莲为原料开发的中成药可用于食管癌、胃癌、肠癌及肺癌的治疗，配合化疗、放疗，可提高疗效，为企业及地方带来了可观收入。同时辣蓼铁线莲可用于布置花坛、花境、岩石园、假山、拱门等，也可作地被植物栽植，是乡土植物中少有的香味花卉。

毛茛科 Ranunculaceae 芍药属 *Paeonia* 凭证标本号 220323130623185LY

芍药 *Paeonia lactiflora* Pall.

芍药

| 植物别名 |

山芍药、野芍药、芍药花。

| 药 材 名 |

赤芍（药用部位：根。别名：木芍药、赤芍药、红芍药）、白芍（药用部位：去皮的根。别名：白芍药、金芍药）。

| 形态特征 |

多年生草本。根粗壮，分枝黑褐色。茎高40～70cm，无毛。下部茎生叶为二回三出复叶，上部茎生叶为三出复叶；小叶狭卵形、椭圆形或披针形，先端渐尖，基部楔形或偏斜，边缘具白色骨质细齿，两面无毛，背面沿叶脉疏生短柔毛。花数朵，生于茎顶和叶腋，有时仅先端1朵开放，而近先端叶腋处有发育不好的花芽，直径8～11.5cm；苞片4～5，披针形，大小不等；萼片4，宽卵形或近圆形，长1～1.5cm，宽1～1.7cm；花瓣9～13，倒卵形，长3.5～6cm，宽1.5～4.5cm，白色，有时基部具深紫色斑块；花丝长0.7～1.2cm，黄色；花盘浅杯状，包裹心皮基部，先端裂片钝圆；心皮（2～）4～5，无毛。蓇葖果长2.5～3cm，直径1.2～1.5cm，先端具喙。花期5～6月，果期8月。

 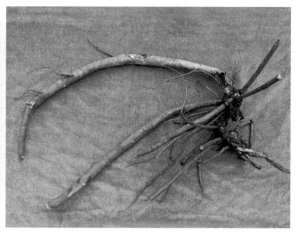

| **野生资源** | 生于林间、林缘、林中草甸。分布于吉林延边、松原（扶余）、白城（洮南）等。野生资源较少，经长年采挖，野生资源逐渐减少。

| **栽培资源** | （1）栽培条件。本种喜光，耐寒、耐旱，适宜栽培于海拔 200 ~ 600m、有效积温在 2300℃以上、无霜期在 110 天以上的向阳山坡、林缘及耕地。

（2）栽培区域。主要栽培于吉林通化（柳河、通化、梅河口、辉南）、延边（汪清、安图）、吉林（蛟河、舒兰、磐石）、长春（农安）等。

（3）栽培要点。栽培本种可选择山坡地、林间平坦草地及农耕旱地。本种繁殖方式为种子直播或育苗移栽，二年苗移栽的成活率较高。种子于采收当年播种，隔年陈籽出芽率低。栽培第 3 年可收获种子，第 4 ~ 5 年根据长势采挖地下根。

（4）栽培面积与产量。吉林本种的栽培面积约 500hm²，年产量约 200t。

采收加工 　赤芍：春、秋季采挖，除去根茎、须根及泥沙，晒干。

白芍：夏、秋季采挖，洗净，除去头尾及细根，置沸水中煮后除去外皮或去皮后再煮，晒干。

药材性状 　赤芍：本品呈圆柱形，稍弯曲，长 5 ～ 40cm，直径 0.5 ～ 3cm。表面棕褐色，粗糙，有纵沟和皱纹，并有须根痕和横长的皮孔样突起，有的外皮易脱落。质硬而脆，易折断，断面粉白色或粉红色，皮部窄，木部放射状纹理明显，有的有裂隙。气微香，味微苦、酸、涩。

白芍：本品呈圆柱形，平直或稍弯曲，两端平截，长 5 ～ 18cm，直径 1 ～ 2.5cm。表面类白色或淡棕红色，光洁或有纵皱纹及细根痕，偶有残存的棕褐色外皮。质坚实，不易折断，断面较平坦，类白色或微带棕红色，形成层环明显，射线呈放射状。气微，味微苦、酸。

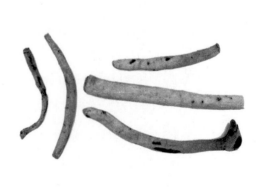

| **功能主治** | 赤芍：苦，微寒。归肝经。清热凉血，散瘀止痛。用于热入营血，温毒发斑，吐血衄血，目赤肿痛，肝郁胁痛，经闭痛经，癥瘕腹痛，跌仆损伤，痈肿疮疡。
白芍：苦、酸，微寒。养血调经，敛阴止汗，柔肝止痛，平抑肝阳。用于血虚证，月经不调，自汗，盗汗，胁痛，腹痛，四肢挛痛，头痛眩晕。 |

| **用法用量** | 赤芍：内服煎汤，6 ~ 12g；或入丸、散。不宜与藜芦同用。
白芍：内服煎汤，6 ~ 15g；或入丸、散。不宜与藜芦同用。 |

| **附　注** | （1）道地沿革。芍药始载于《神农本草经》。南北朝时期陶弘景始将芍药分为赤、白二芍。明代《本草品汇精要》在描述产地的"地"项中首次明确指出赤芍以"茅山者最胜"。民国时期《药物出产辨》记载："赤芍原产陕西汉中府，今所用者俱产自北口外。"该内容反映了野生芍药的产地从明清以后逐渐北移的趋势。《吉林外记》（1827）记载："此处所产，尤胜他处。"《吉林通志》（1891）记载："吉林所产较胜，他处亦有白者。"《长白汇征录》（1910）记载："长地所产惟赤色者，营销辽东。"《吉林分巡道造送会典馆、国史馆清册》（1902）言："（芍药）佳于他处所产。"《永吉县志》（1931）记载："吉林产者胜他处。"《桦甸县志》（1931）云："入药最好。"以上记载均表明，吉林所产芍药（赤芍）质量极佳，优于他处所产，为道地药材。
（2）物种鉴别。芍药 *Paeonia lactiflora* Pall. 与美丽芍药 *Paeonia mairei* Lévl. 形态近似，但芍药叶缘具白色骨质细齿，叶先端渐尖，具数朵花，易与后者区别，尤以叶缘具骨质细齿为本属其他各种所没有的特征。
（3）市场信息。一般商品分为 2 个等级。一等品长 16cm 以上，两端粗细均匀，中部直径大于 1.2cm，无疙瘩头、空心、须根。二等品长 15.9cm 以下，中部直径大于 5mm，其余同一等品。出口品分为 3 个等级。一等品长 30cm 以上，中部直径大于 1.2cm，允许有直径够、长度不够，但长度小于 15cm 者不超过 6%。二等品长 20cm 以上，中部直径 1 ~ 1.2cm，允许有直径够、长度不够，但长度小于 15cm 者不超过 6%。三等品长 30cm 以上，中部直径 0.7 ~ 1cm，允许有直径够、长度不够，但长度小于 15cm 者不超过 6%。近年来，赤芍、白芍价格平稳，维持在 40 ~ 60 元 / 千克。赤芍、白芍主产于吉林东部山区，年产量约 300t，价格平稳，走势良好。
（4）濒危情况、资源利用和可持续发展。2009 年，本种被列为吉林省 II 级重点保护野生植物。吉林对于芍药的研究主要集中在分类学和药用价值两方面，引种、育种工作开展较少。野生芍药中蕴含着宝贵的遗传基因是育种的重要物质资源 |

和原始材料。吉林虽是芍药资源大省和栽培大省，但对于野生芍药在育种中的应用却鲜见报道。吉林野生芍药资源破坏严重，而人们尚未掌握野生芍药资源分布的现状，导致人们无法科学地规划、保护和利用野生芍药资源。因此，建议吉林从以下4个方面开展对于野生芍药的进一步研究：①尽快调查、准确掌握吉林野生芍药种质资源的分布现状并加以评价，以便更好地了解和合理开发利用吉林野生芍药种质资源；②在了解吉林野生芍药资源现状的基础上，科学规划并制定合理的保护措施，对一些破坏较严重的地区必须加大保护力度，同时，将资源调查与资源收集结合起来，建立种质资源库，既可以在适合的地区进行迁地保护，也可以采用离体保存等形式加以保护；③可以在分布较集中的地区筛选观赏性较好的野生芍药，就近直接引种应用，以丰富当地的园林植物材料；④鼓励和加强育种工作，特别要重视具有特殊性状的野生种在育种中的应用。

（5）其他。目前芍药分为白芍、赤芍2种，两者均为芍药。芍药野生品多出自黑龙江及吉林延边地区。芍药栽培品种源复杂，有人将黑龙江产者作赤芍正品，有人将安徽亳州产者作白芍正品。有人曾将来自安徽的白芍以移栽的方式引进吉林，结果证明该种无法在吉林正常生长。不能单纯以花瓣颜色判定所谓"赤芍""白芍"。

毛茛科 Ranunculaceae 白头翁属 *Pulsatilla* 凭证标本号 220284130525051LY

白头翁 *Pulsatilla chinensis* (Bunge) Regel

| 植物别名 |

耗子花、毛姑朵花、老姑花。

| 药 材 名 |

白头翁（药用部位：根。别名：野丈人、胡王使者、白头公）。

| 形态特征 |

植株高 15 ~ 35cm。根茎直径 0.8 ~ 1.5cm。基生叶 4 ~ 5，通常在开花时刚刚生出，有长柄；叶片宽卵形，长 4.5 ~ 14cm，宽 6.5 ~ 16cm，3 全裂，中全裂片有柄或近无柄，宽卵形，3 深裂，中深裂片楔状倒卵形，少有狭楔形或倒梯形，全缘或有齿，侧深裂片不等 2 浅裂，侧全裂片无柄或近无柄，不等 3 深裂，表面变无毛，背面有长柔毛；叶柄长 7 ~ 15cm，有密长柔毛。花葶 1（~ 2），有柔毛；苞片 3，基部合生成长 3 ~ 10mm 的筒，3 深裂，深裂片线形，不分裂或上部 3 浅裂，背面密被长柔毛；花梗长 2.5 ~ 5.5cm，结果时长达 23cm；花直立；萼片蓝紫色，长圆状卵形，长 2.8 ~ 4.4cm，宽 0.9 ~ 2cm，背面有密柔毛；雄蕊长约为萼片之半。聚合果直径 9 ~ 12cm；瘦果纺锤形，扁，长 3.5 ~ 4mm，有长柔毛，宿存花

白头翁

柱长 3.5 ～ 6.5cm，有向上斜展的长柔毛。4 ～ 5 月开花。

| 野生资源 | 生于平原、山坡草丛、林边或干旱多石的坡地，以干山坡、林缘、林中草甸、山岗、荒坡及田野间比较多见。分布区域跨度大，成小型群落，不易采挖。分布于吉林长春（农安、榆树、德惠、九台）、吉林（桦甸、磐石、蛟河、舒兰、永吉）、辽源（东丰、东辽）以及东部地区。野生资源较少。

| 栽培资源 | （1）栽培条件。本种喜光，耐寒、耐旱，种子 7 月成熟，适宜栽培于海拔

200 ～ 600m 的向阳山坡、草甸及耕地。

（2）栽培区域。主要栽培于吉林通化（梅河口）、吉林等。

（3）栽培要点。夏季及时采收种子，当年秋季播种或次年春季播种。本种属于早春植物，允许伴生杂草，生态化栽培优势明显。本种种源易混乱，应避免同属植物朝鲜白头翁及兴安白头翁混入。

（4）栽培面积与产量。吉林白头翁栽培处于起步阶段，现有栽培面积不足 10hm²。尚未有药材产出，目前以种子种苗产出为主。

| 采收加工 | 春季开花前或秋季茎叶枯萎后采挖野生品，洗去泥土，晒干。人工采挖或者使用起药机采挖栽培品，除去茎叶和须根，保留根头部白色茸毛，洗去泥土，晒干。

| 药材性状 | 本品呈类圆柱形或圆锥形，稍扭曲，长 6 ～ 20cm，直径 0.5 ～ 2cm。表面黄棕色或棕褐色，具不规则纵皱纹或纵沟，皮部易脱落，露出黄色木部，有的有网状裂纹或裂隙，近根头处常有朽状凹洞。根头部稍膨大，有白色绒毛，有的可见鞘状叶柄残基。质硬而脆，断面皮部黄白色或淡黄棕色，木部淡黄色。气微，味微苦、涩。以条粗长、整齐、外表灰黄色、根头部有白色茸毛者为佳。

| 功能主治 | 苦，寒。归大肠、肝、胃经。清热解毒，凉血止痢。用于细菌性痢疾，热毒血痢，阴痒带下，温疟寒热，咽喉肿痛，秃疮，瘰疬。

| 用法用量 | 内服煎汤，9 ～ 15g；或入丸、散。外用适量，煎汤洗；或捣敷。

| 附　注 | （1）道地沿革。白头翁为常用中药，始载于《神农本草经》。自宋代以来，白

头翁正品为毛茛科植物白头翁 *Pulsatilla chinensis* (Bunge) Regel，与今《中国药典》记载一致。明代以来，白头翁的主要产区为安徽滁州，民国以后，以滁州白头翁为道地药材。从唐代至明代本草著作的记载来看，白头翁的基原可能还包括朝鲜白头翁、兴安白头翁、蒙古白头翁等多种。白头翁在吉林产量大，药用历史较久。在《桦甸县志》（1931）、《永吉县志》（1931）、《吉林新志》（1934）等多部地方志中均有关于白头翁的记载。

（2）传统医药知识。吉林民间用本种药材治疗腹痛，方为白头翁 10g、木香 10g、大黄 6g、砂仁 6g。

（3）市场信息。市场上白头翁按产地分为东北货、内蒙古货、山西货、河南货、河北货，东北货占主流，药材稍大，与其他产地白头翁的性状特征无显著差别。白头翁商品规格等级划分见表 2-1-4。关于白头翁的基原，《中国药典》仅收载了白头翁 *Pulsatilla chinensis* (Bunge) Regel。而在实际应用中，朝鲜白头翁 *Pulsatilla cernua* (Thunb.) Bercht. et Opiz.、兴安白头翁 *Pulsatilla dahurica* (Fisch.) Spreng. 等都可作白头翁药材商品。特别是朝鲜白头翁，以个儿大、色泽好而备受药商青睐，成为市场热销的主流品种，其产销量占市场份额的 60% 以上。

表 2-1-4　白头翁商品规格等级划分

规格	等级	性状	
		相同点	不同点
白头翁	选货	类圆柱形或圆锥形，稍扭曲，长 1.5 ~ 23.7cm，直径 0.2 ~ 3cm；60% 以上的个子货长 2.5 ~ 19.5cm，直径 0.3 ~ 2.1cm，根头部有白色茸毛，有的可见鞘状叶柄残基；表面棕褐色，具有不规则纵皱纹或纵沟，近根头处有朽状凹洞，凹洞部位可见木部网格纹理；皮部易脱落。质硬而脆，易折断，断面皮部黄白色或淡黄棕色，木部淡黄色。气微，味微苦、涩	根头先端鞘状叶柄残基长不超过 1cm，重量占比低于 3%
	统货		根头先端鞘状叶柄残基长不超过 3cm，重量占比低于 5%

（4）濒危情况。以前，市场上的白头翁均来源于野生。近年来，白头翁价格连年上涨，价格从 2000 年的每千克 1 元涨到目前的几十元，为了追逐利益，人们多年进行无序采挖，再加之过度开荒和除草剂的使用，目前白头翁的野生资源已经寥寥无几，仅存的野生资源在短期内也难以恢复。而我国对于白头翁的需求量却以每年百吨的速度增加，库存空虚、后续乏力、供需缺口加大、价格连年上涨等形势已成定局，且短期不易缓解。因此，大力开展白头翁人工栽培迫在眉睫。

（5）其他。栽培白头翁品种混乱。市售的白头翁种子多以野生种子为主，但由于采收人员分辨不清白头翁与朝鲜白头翁、兴安白头翁，容易造成种子混淆。

小檗科 Berberidaceae 淫羊藿属 Epimedium 凭证标本号 220622120627063LY

朝鲜淫羊藿 *Epimedium koreanum* Nakai

| 植物别名 |

淫羊藿、三枝九叶草、仙灵脾。

| 药 材 名 |

淫羊藿（药用部位：叶。别名：三枝九叶草、仙灵脾、牛角花）。

| 形态特征 |

多年生草本，高 15 ~ 40cm。根茎横走，褐色，质硬，直径 3 ~ 5mm，多须根。花茎基部被鳞片。二回三出复叶基生和茎生，通常具 9 小叶；小叶纸质，卵形，长 3 ~ 13cm，宽 2 ~ 8cm，先端急尖或渐尖，基部深心形，基部裂片圆形，侧生小叶基部裂片不等大，上面暗绿色，无毛，背面苍白色，无毛或疏被短柔毛，叶缘具细刺齿；花茎仅具 1 二回三出复叶。总状花序顶生，具 4 ~ 16 花，长 10 ~ 15cm，无毛或被疏柔毛；花梗长 1 ~ 2cm；花大，直径 2 ~ 4.5cm，颜色多样，白色、淡黄色、深红色或紫蓝色；萼片 2 轮，外萼片长圆形，长 4 ~ 5mm，带红色，内萼片狭卵形至披针形，急尖，扁平，长 8 ~ 18mm，宽 3 ~ 6mm；花瓣通常较内萼片长，向先端渐细，成钻状距，长 1 ~ 2cm，基部具花瓣状瓣片；雄蕊长约 6mm，花药长

朝鲜淫羊藿

约 4.5mm，花丝长约 1.5mm；雌蕊长约 8mm，子房长约 4.5mm，花柱长约 3.5mm。
蒴果狭纺锤形，长约 6mm，宿存花柱长约 2mm；种子 6 ~ 8。花期 4 ~ 5 月，
果期 5 月。

| **野生资源** | 生于林下、林缘、灌丛中。分布于吉林通化（通化、柳河）、吉林（舒兰）、白山
（临江、靖宇、抚松、长白）、延边（敦化）等。早年资源较多，但因多年遭
到毁灭性的采挖，野生资源逐年减少。

| **栽培资源** | （1）栽培条件。本种喜阴，要求环境湿度较高，适宜栽培于海拔 300 ～ 800m 的林下。本种也能适应砂石土质。

（2）栽培区域。主要栽培于吉林通化（集安）、吉林（舒兰）、白山（临江、浑江、江源）、延边（敦化）等。

（3）栽培要点。本种主要以根茎繁殖为主，种子繁殖技术尚未成熟。栽培时需要搭设遮阴设施。

（4）栽培面积与产量。繁育难点制约着栽培规模，少量野生移栽未能形成规模。

| **采收加工** | 夏、秋季茎叶茂盛时采收，8 月是本种生长发育好、有效成分累积量最高的时期，此时采收质量较佳。用镰刀等适宜的农用工具齐地面割取淫羊藿叶，除去杂草、病株等，均匀铺于晾晒场内阴干或晒干。

| **药材性状** | 本品呈卵圆形，小叶较大，长 4 ～ 10cm，宽 3.5 ～ 7cm；先端长尖，顶生小叶基部心形，侧生小叶较小，偏心形，外侧较大，呈耳状，边缘具黄色刺毛状细锯齿；上表面黄绿色，下表面灰绿色，主脉 7 ～ 9，基部有稀疏细长毛，细脉在两面凸起，网脉明显；小叶柄长 1 ～ 5cm。叶片近革质，较薄。气微，味微苦。

| **功能主治** | 辛、甘，温。归肝、肾经。补肾阳，强筋骨，祛风湿。用于阳痿遗精，筋骨痿软，风湿痹痛，麻木拘挛。

| **用法用量** | 内服煎汤，3 ～ 9g。阴虚火旺者忌用。

| **附　注** | （1）道地沿革。淫羊藿始载于《神农本草经》，历代本草著作均有收载。1963 年版《中国药典》开始收载淫羊藿，1977 年版《中国药典》将朝鲜淫羊藿

Epimedium koreanum Nakai 作为淫羊藿的基原。《临江县志》（1935）物产篇中记载："淫羊藿，别名三枝九叶草，羊藿叶。"《长白汇征录》（1910）、《安图县志》（1911）中亦记载淫羊藿。《吉林中草药》（1977）记载："淫羊藿别名三枝九叶草、仙灵脾、沙姆吉（朝名），生于多荫的杂木林下及灌丛间，分布于吉林省东部山区。"2014年起，吉林各科研单位、药材种植企业、农户陆续开展不同规模、不同模式的种植试验，目前淫羊藿仅限于采挖野生根茎繁殖，种子繁育尚未成功，但市场上种子售价奇高。

（2）市场信息。淫羊藿商品一般为统货，另外，市场上也按药材性状将淫羊藿分为"大叶淫羊藿"及"小叶淫羊藿"2种。大叶淫羊藿商品规格等级划分见表2-1-5。目前，市场上的小叶淫羊藿多来源于《中国药典》收载的小檗科植物淫羊藿 *Epimedium brevicornu* Maxim.，大叶淫羊藿多来源于小檗科植物柔毛淫羊藿 *Epimedium pubescens* Maxim.、朝鲜淫羊藿 *Epimedium koreanum* Nakai。随着市场需求量的增加，淫羊藿价格逐年攀升。2015—2016年价格为16～25元/千克，2017年价格为25～35元/千克，2018年价格为35～47元/千克，2019年价格为50元/千克，2020年上半年价格约60元/千克，品质好的淫羊藿价格可达到85～100元/千克。朝鲜淫羊藿主产于东北长白山区，是吉林道地药材之一，年产量大约100t。由于连年大量采收，造成本种野生资源锐减、收购量降低、品质下降。目前，朝鲜淫羊藿的人工驯化栽培和规范化种植尚未成功，药材商品完全来源于野生。在倡导保护性采收的同时，应当加强对朝鲜淫羊藿的人工驯化栽培研究。

表 2-1-5 大叶淫羊藿商品规格等级划分

规格	等级	性状	
		相同点	不同点
大叶淫羊藿	一等	干货，无根、茎和外源性杂质，无虫蛀、霉变	叶色鲜亮，上表面呈绿色至深绿色。无根头，叶占比不少于85%。碎叶少，占比低于1%
	二等		部分叶上表面呈淡绿色至棕黄绿色。无根头，叶占比为75%～85%。碎叶占比为1%～2%
	统货	干货，基本无外源性杂质，基本不带根头，无虫蛀、霉变。叶占比为65%～75%。碎叶占比低于3.5%	

（3）资源利用和可持续发展。朝鲜淫羊藿为北方药材市场中淫羊藿的主流品种，野生资源有限。为充分利用朝鲜淫羊藿野生资源，建议科学割取地上部分，并限制其采收量，以利于资源恢复和更新。淫羊藿为最具开发潜力和研究价值的中药之一。市场上以淫羊藿为原料的药品有赞育丸、骨松宝片、肾宝合剂（颗

粒）、仙灵骨葆胶囊、喘可治注射液等几十种。淫羊藿年需求量超过 5000t，逐渐步入大宗品种行列，在中医药产业中占有重要地位。2002 年中华人民共和国卫生部（现为中华人民共和国国家卫生健康委员会）将淫羊藿列为可用于保健食品的中药材。淫羊藿已被广泛用于保健酒的生产、茶叶和药膳的开发，其提取物亦可作为一种新型食品添加剂。随着人们对健康的日益关注和中医药事业的快速发展，淫羊藿在保健食品中的应用更加广泛，具有广阔市场开发前景。朝鲜淫羊藿是东北地区唯一的淫羊藿属植物，具有独特的分布区域，是开发药品和保健食品的重要原料，市场需求量大，是产业发展的急需品。

马兜铃科 Aristolochiaceae 细辛属 *Asarum* 凭证标本号 220622120625050LY

辽细辛
Asarum heterotropoides Fr. Schmidt var. *mandshuricum* (Maxim.) Kitag.

| **植物别名** | 北细辛、细辛、烟袋锅花。

| **药 材 名** | 细辛（药用部位：根及根茎。别名：北细辛、少辛、独叶草）。

| **形态特征** | 多年生草本。根茎横走，直径约3mm；根细长，直径约1mm。叶卵状心形或近肾形，长4～9cm，宽5～13cm，先端急尖或钝，基部心形，两侧裂片长3～4cm，宽4～5cm，先端圆形，叶面脉上有毛，有时被疏生短毛，叶背毛较密；芽苞叶近圆形，长约8mm。花紫棕色，稀紫绿色；花梗长3～5cm，花期在顶部呈直角弯曲，果期直立；花被管壶状或半球状，直径约1cm，喉部稍缢缩，内壁有纵行脊皱，花被裂片三角状卵形，长约7mm，宽约9mm，由基部向外反折，贴靠于花被管上；雄蕊着生于子房中部，花丝常较花药稍短，药隔不伸出；子房半下位或近上位，近球形，花柱6，先端2裂，柱头

辽细辛

侧生。果实半球形，长约 10mm，直径约 12mm。花期 5 月。

| **野生资源** | 生于腐殖土层深厚、土质肥沃的阔叶林、针阔叶混交林林下、密集的灌丛中、山沟底部稍湿润处、林缘。本种为喜湿、喜肥、喜阴、怕强光的植物，但在林下郁闭度过大的地方则生长极为缓慢，在适宜生境形成小群落，个体数量不多。分布于吉林长白山区及长春（九台）、四平（伊通）等。野生资源一般。

| **栽培资源** | （1）栽培条件。本种喜阴，栽培应避免光照，适宜栽培于海拔 300 ~ 800m 的林下、沟谷湿地。

（2）栽培区域。主要栽培于吉林通化（通化、集安）、白山（靖宇、长白）、延边（安图、珲春、汪清）、吉林（永吉）等。

（3）栽培要点。本种的繁殖方式为种子直播。种子需要春化、沙藏处理，宜栽

培于林下阴处或搭设遮阴棚。到夏季，清理园区杂草及地上枯萎茎叶，撤除遮阴棚。冬季无须保暖即可安全越冬。

（4）栽培面积与产量。2014 年，吉林细辛的栽培面积约 300hm²，至 2019 年，栽培面积达 620hm²，年产量约 3300t。

| 采收加工 | 6 ～ 7 月果熟期采收，除去泥土及残存茎叶，每 1 ～ 2kg 捆成 1 把，置于阴凉通风处阴干，至七成干时，将须根捋直继续阴干，至完全干燥；或抖去泥土，剪去地上茎叶，装盘，装盘时将细辛根捋直平放，然后将其放进烘干室，烘干室温度保持在 25 ～ 30℃，最高时不能超过 35℃，烘干过程中进行多次排潮，一般 24 ～ 48h 即可干燥。加工细辛时要避免水洗、日晒或烘烤，以免挥发油散发。水洗后根条发白，日晒后根易变黑，都会使其香气减弱，影响质量。

| 药材性状 | 本品常卷曲成团。根茎横生，呈不规则圆柱状，具短分枝，长 1 ～ 10cm，直径 0.2 ～ 0.4cm；表面灰棕色，粗糙，有环形的节，节间长 0.2 ～ 0.3cm，分枝先端

有碗状的茎痕。根细长，密生节上，长 10 ~ 20cm，直径约 0.1cm；表面灰黄色，平滑或具纵皱纹；有须根和须根痕；质脆，易折断，断面平坦，黄白色或白色。气辛香，味辛辣、麻舌。以根灰黄色、味辛辣而麻舌者为佳。

| 功能主治 |　辛，温。归心、肺、肾经。解表散寒，祛风止痛，通窍，温肺化饮。用于风寒感冒，头痛，牙痛，鼻塞流涕，鼻鼽，鼻渊，风湿痹痛，痰饮喘咳。

| 用法用量 |　内服煎汤，1 ~ 3g；或研末，0.5 ~ 1g。外用适量，研末吹鼻、塞耳、敷脐；或煎汤含漱。不宜与藜芦同用。

| 附　　注 |　（1）栽培历史。细辛始载于《神农本草经》，位列上品。《名医别录》云："生华阴山谷，二月、八月采根，阴干。"陶弘景指出："今用东阳、临海者，形段乃好，而辛烈不及华阴、高丽者。用之去其头节。"可见，陶弘景认为高丽所产细辛质优效佳。《本草图经》记载："细辛生华山山谷，今处处有之，然他处所出者，不及华州者真。今人多以杜衡当之。"《本草衍义》言："今惟华州者佳，柔韧，极细直，深紫色，味极辛，嚼之习习如椒……叶如葵叶，赤黑，非此则衡也。"《本草纲目》云："叶似小葵，柔茎细根，直而色紫，味极辛者，细辛也。"上述本草著作所云华阴、华山、华州细辛，均指产自陕西华阴及附近地区的细辛，从文献所载其形态、产地来看，应为马兜铃科植物细辛。陶弘景所指产高丽者，系我国东北地区及朝鲜所产辽细辛，或许还包括同地所产的汉城细辛。至于产东阳、临海而辛烈不及华阴、高丽者，恐系杜衡或土细辛之类，正如《梦溪笔谈》所云："东方、南方所用细辛皆杜衡也。"《本草从新》亦指出："北产者细而香，华阴出者最佳。南产者稍大而不香，名土辛，又名马辛，以其叶似马蹄也。"《本经逢原》云："细辛辛温，无毒。产华阴及辽东者良。"吉林地方志中有诸多关于细辛的记载，如《吉林外记》（1827）云："医家以吉省细辛为佳，通行各省。"《吉林通志》（1891）云："以产吉林省为佳。"《中华本草》记载辽细辛主产于黑龙江、吉林、辽宁。现种植区域集中在柳河、集安、梅河口、靖宇。人工栽培细辛始于 20 世纪中期，至今已有约 70 年的栽培历史。20 世纪 50 年代末至 60 年代初，吉林、辽宁等地的一些大专院校和科研院所开始进行细辛的人工栽培试验，加快了人工栽培细辛的步伐。20 世纪 60 年代末期，吉林进入大面积栽培细辛阶段。20 世纪 70 年代中期，人工栽培细辛进入市场。至 20 世纪 80 年代，吉林的人工栽培细辛已遍布东北三省，成为当地细辛商品的主要来源。与此同时，吉林通化集安、白山靖宇开始细辛野生驯化种植，20

世纪 90 年代达到细辛种植高峰。2000 年，吉林通化建立了北细辛规范化种植示范基地，对全国细辛产业全面实现规范化种植起到了推动作用。2004 年，吉林制定了《绿色细辛生产技术规程》。2019 年，吉林细辛栽培面积较 2018 年扩大 50%，超过 600hm^2。

（2）市场信息。辽细辛商品一般为统货。2015 年，细辛价格为 60～75 元／千克。从 2016 年开始，细辛价格有少许回落，之后价格一直比较平稳，维持在 40～60 元／千克。尽管细辛在中药配伍中属于细药，用量较少，古人有"细辛不过钱"之说，但因细辛药用价值高，疗效独特，在多个领域中应用广泛，需求量连年增长。从 20 世纪 50 年代至今，细辛一直为医药界所关注。吉林是细辛药材的主产区之一，细辛野生资源较丰富，只因其市场价格偏低，少有人采挖。吉林细辛栽培面积较大，2019 年细辛药材产值达 0.27 亿元。

（3）资源利用和可持续发展。细辛为我国常用的传统中药材，具有祛风散寒、温肺化饮、通窍止痛等功效，常用于治疗风寒感冒、头痛、痰饮咳喘、关节疼痛、鼻塞、牙痛等。细辛应用历史悠久，在国内外享有盛名。细辛除了用于中医方剂的配伍外，还是多种中成药的重要原料。近年来，随着科技水平的提高与发展，细辛在化工业方面的应用也逐渐增多。此外，细辛还常被用于开发靶向药物、日用品、香精、杀虫剂、绿色农药等产品。目前，市面上已有含细辛提取物的全效牙膏、消毒型洗手液产品。此外，日本、德国、美国等国家开发出了细辛精油产品，并从我国源源不断地进口细辛。由此可见，细辛既满足了国内医药市场和卫生轻工业市场的需求，又是出口创汇的重要物资，具有广阔的开发前景。

（4）其他。栽培细辛的种源来自野生驯化，因此栽培细辛中常混有北细辛和汉城细辛，通常不做细分。后期市场销售的细辛种子多来源于辽宁的种植基地。

马兜铃科 Aristolochiaceae 细辛属 *Asarum* 凭证标本号 220622120512025-1LY

汉城细辛
Asarum sieboldii Miq. f. *seoulense* (Nakai) C. Y. Cheng et C. S. Yang

| 植物别名 | 毛柄细辛、细参、烟袋锅花。

| 药 材 名 | 细辛（药用部位：根及根茎。别名：细草、独叶草、金盆草）。

| 形态特征 | 多年生草本。根茎直立或横走，直径 2～3mm，节间长 1～2cm，有多条须根。叶通常 2，叶片心形或卵状心形，长 4～11cm，宽 4.5～13.5cm，先端渐尖或急尖，基部深心形，两侧裂片长 1.5～4cm，宽 2～5.5cm，先端圆形，叶片背面密生短毛；叶柄被疏毛；芽苞叶肾圆形，长、宽各约 13mm，边缘疏被柔毛。花紫黑色；花梗长 2～4cm；花被管钟状，直径 1～1.5cm，内壁有疏离纵行脊皱；花被裂片三角状卵形，长约 7mm，宽约 10mm，直立或近平展；雄蕊着生于子房中部，花丝与花药近等长或稍长，药隔突出，短锥形；子房半下位或近上位，球状，花柱 6，较短，先端 2 裂，柱头侧生。

汉城细辛

果实近球形，直径约 1.5cm，棕黄色。花期 4 ~ 5 月。

| **野生资源** | 生于林下及山沟湿地。分布于吉林通化（通化、柳河、集安、辉南）、白山（临江）等。野生资源较少。

| **栽培资源** | （1）栽培条件。本种喜阴，栽培应避免光照，适宜栽培于海拔 300 ~ 800m 的林下、沟谷湿地。

（2）栽培区域。主要栽培于吉林通化（通化、集安）、白山（靖宇、长白）、

延边（安图、珲春、汪清）、吉林（永吉）等。

（3）栽培要点。本种的繁殖方式为种子直播，种子需要春化、沙藏处理，宜栽培于林下阴处或搭设遮阴棚。到夏季，清理园区杂草及地上枯萎茎叶，撤除遮阴棚。冬季无须保暖即可安全越冬。本种种源中常混有北细辛，通常不需要细分。

（4）栽培面积与产量。20 世纪 90 年代吉林本种的栽培面积高达 300hm² 以上，2000 年以后，本种栽培面积逐年减少，现存留面积约 100hm²，年产量不足 70t。

| 采收加工 | 8 ~ 9 月采挖，采挖时，清理好待采收场地，剪掉茎叶，从畦头开始深挖根，防止伤根、断须，或者用机械采收。

| 药材性状 | 本品常卷曲成团。根茎呈不规则圆柱状，具短分枝，长 1 ~ 10cm，直径 0.1 ~ 0.3cm；表面灰棕色，粗糙，有环形的节，节间长 0.1 ~ 1cm，分枝先端有碗状茎痕。根细长，密生节上，长 10 ~ 20cm，直径 0.1cm；表面灰黄色，平滑或具纵皱纹；有须根和须根痕；质脆，易折断，断面平坦，黄白色或白色。气辛香，味辛、辣，麻舌。

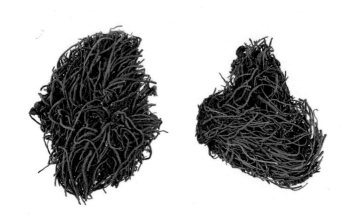

| 功能主治 | 同"辽细辛"。

| 用法用量 | 同"辽细辛"。

| 附　注 | 2009 年，本种被列为吉林省 II 级重点保护野生植物。

菘蓝
Isatis indigotica Fortune

菘蓝

| 植物别名 |

茶蓝、板蓝根。

| 药 材 名 |

板蓝根（药用部位：根。别名：大蓝根、大青根）、大青叶（药用部位：叶。别名：大青）。

| 形态特征 |

二年生草本，高 40 ~ 100cm。茎直立，绿色，顶部多分枝，植株光滑无毛，带白色粉霜。基生叶莲座状，长圆形至宽倒披针形，长 5 ~ 15cm，宽 1.5 ~ 4cm，先端钝或尖，基部渐狭，全缘或稍具波状齿，具柄；茎生叶蓝绿色，长椭圆形或长圆状披针形，长 7 ~ 15cm，宽 1 ~ 4cm，基部叶耳不明显或呈圆形。萼片宽卵形或宽披针形，长 2 ~ 2.5mm；花瓣黄白色，宽楔形，长 3 ~ 4mm，先端近平截，具短爪。短角果近长圆形，扁平，无毛，边缘有翅；果梗细长，微下垂；种子长圆形，长 3 ~ 3.5mm，淡褐色。花期 4 ~ 5 月，果期 5 ~ 6 月。

| 野生资源 |

吉林无野生分布。

| 栽培资源 |　（1）栽培条件。本种喜光、喜肥、喜水，适宜栽培海拔为 100 ~ 500m。

（2）栽培区域。吉林各地均有栽培。

（3）栽培要点。本种可栽培于前茬为粮食作物的耕地，慎栽培于花生地，切忌栽培于低洼地。大面积平整的连片耕地可选择机械操作，以降低人工成本。本种的繁殖方式为种子直播，选择打垄行播或做畦散播，可根据种子出芽率调整播种机播量，控制单位面积播种量，避免苗稀或过密。本种经年陈种会开花而无收获，选种应谨慎，杜绝陈年种子。

（4）栽培面积与产量。本种栽培一年即可采收，故栽培面积受市场影响，每年增减幅度很大。2019 年，吉林本种的栽培面积近 7000hm^2，年产量达 3000t。

| **采收加工** | 板蓝根：9～10月待地上部枯萎后采收。先用割草机将地上部分全部割掉，然后用起药机采挖，采挖深度一般为0.5m。机械挖取后再人工捡拾。挖取的根除去芦头和残存茎叶，洗净，晒干或烘干。

大青叶：夏、秋季分2～3次采收，除去杂质，晒干。

| **药材性状** | 板蓝根：本品呈圆柱形，稍扭曲，长10～20cm，直径0.5～1cm。表面淡灰黄色或淡棕黄色，有纵皱纹、横长皮孔样突起及支根痕。根头略膨大，可见暗绿

色或暗棕色轮状排列的叶柄残基和密集的疣状突起。体实，质略软，断面皮部黄白色，木部黄色。气微，味微甜，后苦、涩。以根平直粗壮、坚实、粉性大者为佳。

大青叶：本品多皱缩卷曲，有的破碎。完整叶片展平后呈长椭圆形至长圆状倒披针形，长 5～20cm，宽 2～6cm；上表面暗灰绿色，有的可见颜色较深、稍凸起的小点；先端钝，全缘或微波状，基部狭窄，下延至叶柄呈翼状；叶柄长 4～10cm，淡棕黄色。质脆。气微，味微酸、苦、涩。以叶大、无柄、色暗灰绿者为佳。

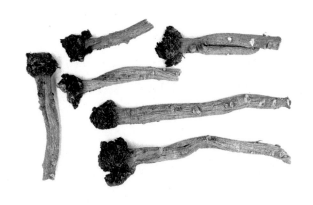

| 功能主治 | 板蓝根：苦，寒。归心、胃经。清热解毒，凉血利咽。用于温疫时毒，发热咽痛，温毒发斑，痄腮，烂喉丹痧，大头瘟疫，丹毒，痈肿。

大青叶：苦，寒。归心、胃经。清热解毒，凉血消斑。用于温病高热，神昏，发斑发疹，痄腮，喉痹，丹毒，痈肿。

| 用法用量 | 板蓝根：内服煎汤，9 ~ 15g，大剂量可用 60 ~ 120g；或入丸、散。外用适量，煎汤熏洗。

大青叶：内服煎汤，9 ~ 15g，鲜品 30 ~ 60g；或捣汁服。外用捣敷；或煎汤洗。

| 附　注 | （1）栽培历史。2001 年，吉林西部通榆、洮南、大安等地开始规模化种植菘蓝，后期因效益平平而停止种植。直到 2015 年，部分地区恢复种植。2017 年，菘蓝栽培主要集中在蛟河、舒兰、永吉、辉南、梅河口等地。至 2018 年，吉林大部分地区都种植菘蓝，种植区域几乎遍布吉林。

（2）市场信息。根据市场流通情况，将板蓝根分为选货和统货 2 个等级。板蓝根商品规格等级划分见表 2-1-6。大青叶药材商品一般为统货。近年来，板蓝根价格较为稳定，2015—2019 年价格为 10 ~ 15 元 / 千克，2020 年上半年价格略有上涨，为 20 ~ 25 元 / 千克。大青叶价格稳定，为 2.5 ~ 5.5 元 / 千克。

表 2-1-6　板蓝根商品规格等级划分

规格	等级	性状	
		相同点	不同点
板蓝根	选货	本品呈圆柱形，稍扭曲，长 5 ~ 20cm，直径 0.5 ~ 1.5cm。表面淡灰黄色或淡棕黄色，有纵皱纹、横长皮孔样突起及支根痕。根头略膨大，可见暗绿色或暗棕色轮状排列的叶柄残基和密集的疣状突起。体实，质略软，断面皮部黄白色，木部黄色。气微，味微甜，后苦、涩。无虫蛀、霉变	中部直径超过 0.8cm，长超过 10cm。几乎不带根头
	统货		中部直径 0.5 ~ 1.5cm，长 5 ~ 20cm。多带根头

（3）资源利用和可持续发展。菘蓝的茎叶是很好的蔬菜，其营养丰富，食用方法多样。菘蓝全年均可栽培，其茎叶产量高，加以合理利用并不影响根的产量。菘蓝茎叶的市场价格较高，未来发展前景十分广阔。菘蓝在抽薹期，可采摘嫩茎叶 1 ~ 2 次，在整个生长期，可采摘其茎叶 4 ~ 5 次，其年产量可达 4.5t/hm²，按每千克售价 3 ~ 4 元计算，仅此一项药农可增加收入 15000 元 /hm²。

豆科 Leguminosae 黄耆属 Astragalus 凭证标本号 220523130826123LY

黄耆
Astragalus membranaceus (Fisch.) Bunge

黄耆

| 植物别名 |

膜荚黄耆、东北黄耆。

| 药 材 名 |

黄芪（药用部位：根。别名：铁芪、箭芪、口芪）。

| 形态特征 |

多年生草本,高50～100cm。主根肥厚,木质,常分枝,灰白色。茎直立,上部多分枝,有细棱,被白色柔毛。羽状复叶有13～27小叶,长5～10cm；叶柄长0.5～1cm；托叶离生,卵形、披针形或线状披针形,长4～10mm,下面被白色柔毛或近无毛；小叶椭圆形或长圆状卵形,长7～30mm,宽3～12mm,先端钝圆或微凹,具小尖头或不明显,基部圆形,上面绿色,近无毛,下面被伏贴白色柔毛。总状花序稍密,有10～20花；总花梗与叶近等长或较长,至果期显著伸长；苞片线状披针形,长2～5mm,背面被白色柔毛；花梗长3～4mm,连同花序轴稍密被棕色或黑色柔毛；小苞片2；花萼钟状,长5～7mm,外面被白色或黑色柔毛,有时萼筒近无毛,仅萼齿有毛,萼齿短,三角形至钻形,长仅为萼筒的1/5～1/4；花冠

黄色或淡黄色，旗瓣倒卵形，长 12 ~ 20mm，先端微凹，基部具短瓣柄，翼瓣
较旗瓣稍短，瓣片长圆形，基部具短耳，瓣柄较瓣片长约 1.5 倍，龙骨瓣与翼
瓣近等长，瓣片半卵形，瓣柄较瓣片稍长；子房有柄，被细柔毛。荚果薄膜质，
稍膨胀，半椭圆形，长 20 ~ 30mm，宽 8 ~ 12mm，先端具刺尖，两面被白色
或黑色细短柔毛，果颈超出萼外；种子 3 ~ 8。花期 6 ~ 8 月，果期 7 ~ 9 月。

| **野生资源** | 生于草原、山坡、林缘、林间草地、草甸、灌丛或疏林下。分布于吉林松原（乾安）及长春以东各地。野生资源丰富。

| **栽培资源** | （1）栽培条件。本种适宜栽培于海拔 100 ~ 800m、无霜期在 120 天以上的地区。

（2）栽培区域。主要栽培于吉林通化、白山、吉林、延边等。

（3）栽培要点。本种耐旱，不耐积水，栽培时要求土层厚度超过 50cm。播种前种子需要适当破壁，以机械磨损为佳。栽培本种时多打垄直播。部分外销黄者生长 2 年即可采收，内销黄者至少栽培 4 年以上。

（4）栽培面积与产量。由于受蒙古黄者冲击，本种栽培面积大量减少，现栽培面积不足 100hm²，年产量不足 60t。

| **采收加工** | 秋季茎叶枯萎时采挖野生品，除去泥土及须根，干燥。播种后 1 ~ 3 年均可采收栽培品，但一般于播种后 1 ~ 2 年采收，9 ~ 11 月或春季越冬芽萌动前采挖，采挖前先将地上部分割掉，采挖深度为 60 ~ 70cm，挖出后除去泥土，剪去芦头，晒至七八成干时，剪去侧根及须根，捆成小捆再晒干。

| **药材性状** | 本品呈圆柱形，极少有分枝，上端较粗，下端较细，两端平坦，长 20 ~ 70cm，直径 1 ~ 3cm。一般在先端有较粗大的根头，并有茎基残留。表面灰黄色或淡棕褐色，全体有不整齐的纵皱纹或纵沟。皮孔横向，细长，略凸起。质硬、略韧、坚实，有粉性，折断面纤维性甚强，呈毛状；皮部黄白色，有放射状弯曲的裂隙，较疏松；木部淡黄色至棕黄色，有多少不等的放射状弯曲的裂隙；老根断面木部有时枯朽而呈黑褐色，甚至木部脱落而成空洞。气微弱而特异，味微甜，

嚼之有豆腥气。

| **功能主治** | 甘，温。归肺、脾经。补气固表，利尿，托毒，排脓，敛疮生肌，补中益气。用于气虚乏力，食少便溏，久泻脱肛，便血崩漏，表虚自汗，痈疽难溃、久溃不敛，血虚证，内热消渴，慢性肾炎。

| **用法用量** | 内服煎汤，9～30g。

| **附　注** | （1）栽培历史。黄芪药材始载于《神农本草经》，原名"黄耆"，位列上品，后代诸家本草多有记载。《药物出产辨》记载："（黄芪）正芪产区分三处。一关东（今黑龙江、吉林、辽宁），二宁古塔（今黑龙江宁安），三卜奎（今黑龙江齐齐哈尔）。产东三省，伊黎（今新疆伊犁）、吉林（今吉林）、三姓地方（在清代指黑龙江下游、松花江下游及乌苏里江流域的广大地区）。"吉林地方志记载颇多。《吉林志书》（1813）记载："黄芪荒山旷野皆有，长者如箭，名曰箭芪，通行各省。"《珲春县志》记载："行销祁州。"《吉林新志》（1934）记载："尤为宁安县之特产。"《吉林分巡道造送会典馆、国史馆清册》（1902）记载："通行各省。"《桦甸县志》（1931）记载："亚于宁安之产，至那尔轰山采得者尤佳。"《长白汇征录》（1910）记载："长属每岁所产，足售远方。"《吉林通志》（1891）记载："宁古塔所产为佳，敦化县次之。"《临江县志》（1935）记载："产于北口外者佳，本地所产其功用亦同。"随着黄芪用量大幅度增加，野生药材难以满足市场所需，因此从20世纪70年代国内开始广泛栽培本种，市场上的黄芪逐渐以栽培品为主。

（2）物种鉴别。黄耆与蒙古黄耆形态极相似，两者的主要区别在于：黄耆植株高大、挺拔，小叶 6 ~ 13 对，叶片大，荚果薄膜质，有毛；蒙古黄耆植株矮小、柔软、纤细，易倒伏，小叶 12 ~ 18 对，叶片较小，通常呈椭圆形，子房及荚果均光滑无毛。黄耆根坚硬、木质化，被称作"铁耆"；蒙古黄耆根相对柔软，被称作"绵耆"。

（3）市场信息。根据栽培方式，将黄芪药材分为仿野生黄芪与移栽黄芪 2 个规格，又根据长度、头部斩口下 3.5cm 处直径划分等级。黄芪商品规格等级划分见表 2-1-7。多年生栽培黄耆多用于饮片加工，价格较高；一年生栽培黄耆因有效成分含量不足，故不被国内市场接受，主要出口韩国。蒙古黄耆生长周期短，产量较高，采挖相对容易，且有效成分含量亦符合标准，药厂生产中成药等多用该种。野生或多年生栽培黄耆价格较高，不同规格等级的黄芪药材价格为 60 ~ 120 元 / 千克，二年生栽培黄耆主要出口韩国，价格较低，为 40 ~ 60 元 / 千克。吉林近年黄芪年销售量约 100t。

表 2-1-7　黄芪商品规格等级划分

规格	等级	性状		
		相同点	不同点	
仿野生黄芪	特等	干货，呈圆柱形，有的有分枝，上端较粗，表面淡棕黄色或棕褐色，有不整齐的纵皱纹或纵沟。质硬而韧，不易折断，断面纤维性强，并显粉性，皮部黄白色，木部淡黄色，有放射状纹理。气微，味微甜，嚼之微有豆腥味	表皮粗糙，根皮绵韧，断面皮部有裂隙，木心黄色，质地松泡，老根中心有的呈枯朽状，黑褐色，或呈空洞状	长不小于40cm，头部斩口下3.5cm处直径不小于1.8cm
	一等			长不小于45cm，头部斩口下3.5cm处直径1.4 ~ 1.7cm
	二等			长不小于45cm，头部斩口下3.5cm处直径1.2 ~ 1.4cm
	三等			长不小于30cm，头部斩口下3.5cm处直径1 ~ 1.2cm
移栽黄芪	大选		表皮平滑，根皮较柔韧，断面致密，木心中央黄白色，质地坚实	长不小于30cm，头部斩口下3.5cm处直径不小于1.4cm
	小选			长不小于30cm，头部斩口下3.5cm处直径不小于1.1cm
	统货			长短不分，粗细不均匀，头部斩口下3.5cm处直径不小于1cm

（4）濒危情况。2009 年，本种被列为吉林省 Ⅱ 级重点保护野生植物。吉林西部地区以蒙古黄耆为主，东部地区以膜荚黄耆为主，现资源量日渐减少。

豆科 Leguminosae 黄耆属 Astragalus 凭证标本号 220623120925095LY

蒙古黄耆
Astragalus membranaceus (Fisch.) Bunge var. mongholicus (Bunge) P. K. Hsiao

蒙古黄耆

| 植物别名 |

膜荚黄耆、一人挺、黄耆。

| 药 材 名 |

黄芪（药用部位：根。别名：绵芪、红蓝芪、白皮芪）。

| 形态特征 |

多年生草本，植株较原变种矮小。主根肥厚，木质，常分枝，灰白色。茎直立，上部多分枝，有细棱，被白色柔毛。羽状复叶有 13 ~ 27 小叶，小叶亦较原变种小；托叶离生，卵形、披针形或线状披针形，长 4 ~ 10mm，下面被白色柔毛或近无毛；小叶椭圆形或长圆状卵形，长 7 ~ 30mm，宽 3 ~ 12mm，先端钝圆或微凹，基部圆形，上面绿色，近无毛，下面被伏贴白色柔毛。总状花序有 10 ~ 20 花；总花梗与叶近等长或较叶长，至果期显著伸长；苞片线状披针形，背面被白色柔毛；花梗长 3 ~ 4mm，连同花序轴稍密被棕色或黑色柔毛；小苞片 2；花萼钟状，外面被白色或黑色柔毛，有时萼筒近无毛，仅萼齿有毛，萼齿短，三角形至钻形，长仅为萼筒的 1/5 ~ 1/4；花冠黄色或淡黄色，旗瓣倒卵形，长 12 ~ 20mm，先端微凹，基部具短

瓣柄，翼瓣较旗瓣稍短，瓣片长圆形，基部具短耳，瓣柄较瓣片长约 1.5 倍，龙骨瓣与翼瓣近等长，瓣片半卵形，瓣柄较瓣片稍长；子房有柄，被细柔毛。荚果薄膜质，稍膨胀，半椭圆形，先端具刺尖，荚果无毛；果颈超出萼外；种子 3 ~ 8。花期 6 ~ 8 月，果期 7 ~ 9 月。

| **野生资源** | 生于草原、山坡、林缘、林间草地等。吉林各地均有分布。野生资源丰富，药

材主要来源于栽培。

| 栽培资源 | （1）栽培条件。本种适宜栽培于海拔 100～500m、无霜期在 120 天以上的地区。

（2）栽培区域。主要栽培于吉林白城、松原、吉林、四平等。

（3）栽培要点。本种耐旱、忌积水，育苗地土层厚度不低于 30cm，需深松打垄或做畦。播种前种子需要适当破壁，以机械磨损为佳。现在本种栽培多以育苗一年、移栽一年的方式为主，为了方便起挖，多以平卧摆栽模式进行。

（4）栽培面积与产量。吉林本种栽培面积超过 1000hm²，年产量达 5000t。

| 采收加工 | 春、秋季均可采挖野生品，除去泥土，剪掉芦头、须根，晾晒至六七成干时，将根理直，捆成小捆再晒干。播种后 1～3 年均可采收栽培品，但一般播种后 1～2 年收获，9～11 月或春季越冬芽萌动前采挖，采挖前先将地上部分割掉，采挖深度为 60～70cm，挖出后除去泥土，剪去芦头，晒至七八成干时，剪去侧根及须根，捆成小捆再晒干。

| 药材性状 | 本品呈长条圆柱形，单枝，间有分枝，顺直，有的略扭曲，根茎及幼尾已切除，长 30～90cm，直径 1～3.5cm，芦茎切口处呈正圆形，中央常枯空而成黑褐色的洞，习称"空头"。空头深度一般约 5cm，比原生芪的空头浅。表面灰褐色，有不规则细底纹及稀疏须根痕。质坚实，体较重，不易折断，断面纤维性而有粉性，皮部稍松，白色或淡黄白色，木部较紧实，黄色，菊花心明显，习称"皮松肉紧"。

气香，味甜，嚼之有豆腥气。以条粗长、皱纹少、质坚而绵、断面色黄白、粉性足、味甜者为佳。

| **功能主治** | 同"黄耆"。

| **用法用量** | 同"黄耆"。

| **附　　注** | 本种药材商品规格同"黄耆"。本种药材产地收购价较低，干品为 12 ～ 20 元 / 千克，鲜品为 4 ～ 6 元 / 千克。本种药材市场需求量较大。2019 年，吉林本种药材商品产值为 0.45 亿元。

豆科 Leguminosae 甘草属 Glycyrrhiza 凭证标本号 220821130717025LY

甘草
Glycyrrhiza uralensis Fisch.

甘草

| 植物别名 |

国老、甜草、乌拉草。

| 药 材 名 |

甘草（药用部位：根及根茎。别名：国老、甜草、灵通）。

| 形态特征 |

多年生草本。根与根茎粗壮，外皮褐色，里面淡黄色，具甜味。茎直立，多分枝。托叶三角状披针形，两面密被白色短柔毛；叶柄密被褐色腺点和短柔毛；小叶 5 ~ 17，卵形、长卵形或近圆形。总状花序腋生，总花梗短于叶，密生褐色鳞片状腺点和短柔毛；苞片长圆状披针形，外面被黄色腺点和短柔毛；花萼钟状，萼齿 5，与萼筒近等长，上部 2 齿大部分连合；花冠紫色、白色或黄色，旗瓣长圆形，先端微凹，基部具短瓣柄，翼瓣短于旗瓣，龙骨瓣短于翼瓣；子房密被刺毛状腺体。荚果弯曲成镰状或环状，密集成球，密生瘤状突起和刺毛状腺体；种子 3 ~ 11，暗绿色，圆形或肾形。花期 6 ~ 8 月，果期 7 ~ 10 月。

| **野生资源** | 生于干旱沙地、河岸砂质地、山坡草地、湿草甸、草原、耕地头。分布于吉林长春（九台）、四平（双辽）、松原（宁江、前郭尔罗斯、长岭、乾安）、白城（镇赉、通榆、洮南、大安）等。野生资源稀少。

| **栽培资源** | （1）栽培条件。本种适宜栽培于海拔 100 ~ 500m、无霜期在 120 天以上的平原地区草原、耕地。

（2）栽培区域。主要栽培于吉林白城、松原、四平（双辽）等。

（3）栽培要点。本种耐旱、忌积水。本种的繁殖方式为种子直播，育苗地土层厚度不低于 50cm，需深松打垄或做畦。本种为深根作物，采收相对困难。种源切忌混入刺果甘草。

（4）栽培面积与产量。2019 年，本种保有面积约 50hm²，年产量 30t。

| **采收加工** | 春、秋季采挖。春季在解冻之后、甘草发芽前采挖；秋季在地上茎叶枯萎后采挖，时间一般为 9 月下旬至 10 月初。采挖前，先割去地上部分，斜栽或平栽的甘草可沿行两侧进行采挖，直播的甘草应顺着根系生长方向深挖，不要挖断或伤及根皮，待根茎露出地面 30 ~ 40cm 后，再挖出药材。机械化采挖栽培甘草时，最佳采挖深度为 40 ~ 50cm。秋季采挖时，要采挖根头直径 0.5cm 以上的根，保留根头直径 0.5cm 以下的根，保留的根春季即可萌发新芽；或把根头直径 0.5cm 以下的根拣出来作移栽苗；或者将根剪成长 10 ~ 15cm、带有 2 ~ 3 芽眼的小段，埋入土中，采用假植的办法保存越冬，使其保持连续生长，不留空地。采挖后除去残茎、泥土，分出主根和侧根，去掉芦头、毛须等，截成段，晒至半干，然后按长短、粗细分级，捆成直径约 10cm 的小捆，继续晒至全干，亦可刮去栓皮后晒干。

| **药材性状** | 本品根呈圆柱形，不分枝，长 25 ~ 100cm，直径 0.6 ~ 3.5cm。外皮松紧不一。

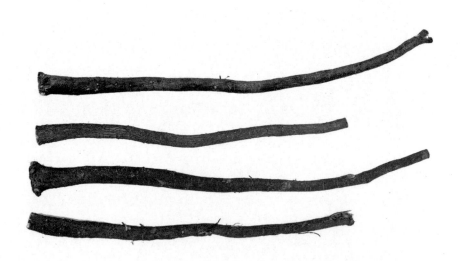

表面红棕色或灰棕色，具显著的纵皱纹、沟纹、皮孔及稀疏的细根痕。质坚实，断面略显纤维性，黄白色，粉性，形成层环明显，射线放射状，有的有裂隙。根茎呈圆柱形，表面有芽痕，断面中部有髓。气微，味甜而特殊。以外皮细紧、色红棕、质坚实、断面色黄白、粉性足、味甜者为佳。

| 功能主治 | 甘，平。归心、肺、脾、胃经。补脾益气，清热解毒，祛痰止咳，缓急止痛，调和诸药。用于脾胃虚弱，倦怠乏力，心悸气短，咳嗽痰多，脘腹、四肢挛急疼痛，痈肿疮毒，缓解药物毒性、烈性。

| 用法用量 | 内服煎汤，1.5 ～ 9g，调和诸药用量宜小，作主药用量宜稍大，可用至 10g；用于中毒抢救，可用至 30 ～ 60g。入补益药宜炙用，入清泻药宜生用。外用适量，煎汤洗；或研末敷。

| 附　注 | （1）道地沿革。甘草在吉林药用历史较久。在《吉林分巡道造送会典馆、国史馆清册》（1902）、《农邑乡土志》（1905）、《吉林新志》（1934）等 10 余部地方志中均有关于甘草的记载。《镇东县志》（1927）云："本地大宗出产。"《梨树县志》（1934）云："本境所产与地道产品无甚差别，药肆多购用之。"
（2）市场信息。市场上，栽培甘草划分为条草一等、条草二等、条草三等、条草统货、毛草统货和草节统货 3 个规格 6 个等级；野生甘草划分为条草一等、条草二等、条草三等、毛草统货、草节统货和疙瘩头统货 4 个规格 6 个等级。甘草商品规格等级划分见表 2-1-8。栽培甘草药材的性状和品质与品种、产地、种植年限等有一定相关性。本种产地收购价格为 6 ～ 10 元 / 千克。历史上吉林甘草最高年产量超过 1000t，近年年产量仅为 50t。

表 2-1-8　甘草商品规格等级划分

规格	等级	性状	长度 /cm	先端直径 /cm	尾端直径 /cm
栽培甘草条草	一等	干货。本品呈圆柱形，单枝，顺直。表面红棕色、淡红棕色、红褐色、棕褐色或灰棕色，皮细紧，有纵纹，斩去头尾，口面整齐。质坚实、体重。断面黄色至黄白色，粉性足或一般。味甜。间有黑心。无须根、杂质、虫蛀、霉变	25 ～ 100	＞ 1.7	＞ 1.1
	二等			1.1 ～ 1.7	＞ 0.6
	三等			0.6 ～ 1.1	＞ 0.3
	统货			＞ 0.6	＞ 0.3
栽培甘草毛草	统货		—	＜ 0.6	—
栽培甘草草节	统货		—	≥ 0.6	—
野生甘草条草	一等		25 ～ 100	＞ 1.7	＞ 1.1
	二等			1.1 ～ 1.7	＞ 0.6
	三等			0.6 ～ 1.1	＞ 0.3
野生甘草毛草	统货		—	＜ 0.6	—
野生甘草草节	统货		6 ～ 25	≥ 0.6	—
野生甘草疙瘩头	统货	本品为加工条草砍下的根头，呈疙瘩状	—	—	—

（3）濒危情况、资源利用和可持续发展。2009 年，本种被列为吉林省Ⅲ级重点保护野生植物。甘草是中医方剂中必不可少的药物，号称"药老"或"国老"。据相关资料记载，我国是世界上唯一的甘草生产大国，所产甘草出口 30 多个国家和地区。我国甘草的年需求量达数万吨，市场上 60% 的甘草商品来源于野生。过度采挖甘草导致产区草原大面积退化，生态环境遭到严重破坏。自 2000 年起，国务院曾多次出台文件制止采挖野生甘草，同时对甘草实行专营制度和许可证管理制度，为人工种植甘草提供了良好的政策氛围。

| 豆科 | Leguminosae | 槐属 | *Sophora* | 凭证标本号 | 220323120809016LY |

苦参
Sophora flavescens Alt.

苦参

| 植物别名 |

地槐、地骨、山槐子。

| 药 材 名 |

苦参（药用部位：根。别名：野槐、好汉枝、苦骨）、苦参子（药用部位：种子。别名：山槐子）。

| 形态特征 |

草本或亚灌木。茎具纹棱，幼时疏被柔毛，后无毛。羽状复叶长达 25cm；托叶披针状线形，渐尖；小叶 6 ～ 12 对，互生或近对生，先端钝或急尖，基部宽楔形或浅心形，上面无毛，下面疏被灰白色短柔毛或近无毛，中脉在下面隆起。总状花序顶生，花多数；花梗纤细；苞片线形；花萼钟状，明显歪斜，具不明显波状齿，完全发育后近截平，疏被短柔毛；花冠比花萼长 1 倍，白色或淡黄白色，旗瓣倒卵状匙形，先端圆形或微缺，基部渐狭成柄，瓣柄宽 3mm，翼瓣单侧生，强烈皱褶几达瓣片的顶部，瓣柄与瓣片近等长，龙骨瓣与翼瓣相似，稍宽；雄蕊 10，分离或近基部稍连合；子房近无柄，被淡黄白色柔毛，花柱稍弯曲，胚珠多数。荚果长 5 ～ 10cm，种子间稍缢缩，呈不明显串珠状，

稍呈四棱形，疏被短柔毛或近无毛，成熟后开裂成4瓣，有种子1～5；种子长卵形，稍压扁，深红褐色或紫褐色。花期6～8月，果期7～10月。

| **野生资源** | 生于平原、丘陵、河滩、山坡、灌木林中。吉林各地均有分布。野生资源较丰富。

| **栽培资源** | （1）栽培条件。本种适宜栽培于海拔200～500m、无霜期在120天以上、土层深厚的平原地区、半山区草原、耕地。

（2）栽培区域。主要栽培于吉林通化（梅河口）、松原、四平（双辽）等。

（3）栽培要点。本种耐旱、忌积水。本种的繁殖方式为种子直播，育苗地土层厚度至少50cm，要深松打垄或做畦。本种为深根作物，采收相对困难。本种种子萌发率、出芽率较高，单位面积播种量不宜过大。

（4）栽培面积与产量。本种现保有面积约 300hm²，年产量约 150t。

采收加工　苦参：秋季采挖野生品，洗净，晒干。一般栽培品采收年限为 3～4 年，育苗移栽的栽培品采收年限为 2～3 年。春、秋季采挖，采收时小心挖出根部，勿使其折断，一般使用起药机采挖，挖取时要注意深挖。采挖后切去根头，除去细根，洗净泥土，晒干或阴干，或趁鲜切成厚片，晒干。

苦参子：秋季采收成熟果实，剥取种子，晒干。

药材性状　苦参：本品呈长圆柱形，下部常有分枝，长 10～30cm，直径 1～6.5cm。表面灰棕色或棕黄色，具纵皱纹和横长皮孔样突起，外皮薄，多破裂反卷，易剥落，剥落处显黄色，光滑。质硬，不易折断，断面纤维性。切片厚 3～6mm，切面黄白色，具放射状纹理和裂隙，有的具异型维管束呈同心性环列或不规则散在。气微，味极苦。以条匀、断面色黄白、无须根、味苦者为佳。

苦参子：本品呈类卵圆形，长 4～6mm，直径 3～4mm。表面黄棕色至黑褐色，平滑，有光泽，一端具短鹰嘴状突起，种脐凹陷，背部浑圆。质坚硬。种皮薄而脆，子叶 2，肥厚，淡黄色。气微，味苦，嚼之有豆腥味。

| 功能主治 | 苦参：苦，寒。归心、肝、胃、大肠、膀胱经。清热燥湿，杀虫，利尿，抗菌消炎。用于热痢，便血，黄疸尿闭，赤白带下，阴肿阴痒，湿疹，疥癣麻风；外用于滴虫性阴道炎。

苦参子：苦，寒。归心、肝、胃、大肠、膀胱经。清热解毒，燥湿止痛，通便。用于热性痢疾，肠炎，腹痛，便秘。

| 用法用量 | 苦参：内服煎汤，4.5 ~ 9g；或入丸、散。外用适量，煎汤熏洗；或研末敷；或浸酒搽。

苦参子：内服煎汤，15 ~ 20g。

| 附　注 | （1）道地沿革。历代本草对于苦参的生境和分布均描述为："苦参，生汝南山谷及田野，今近道处处皆有之。"历代本草并未强调苦参的产地，指出全国均有分布。吉林苦参的产量大，药用历史较久。在《桦甸县志》（1931）、《吉林新志》（1934）、《榆树县志》（1943）等 10 余部地方志中均有关于苦参的记载。

（2）市场信息。目前，市场上的苦参药材按照来源分为野生苦参和栽培苦参。野生苦参比栽培苦参生长年限长，根分枝多，质疏松，因此野生苦参药材的异形片率和碎屑率高于栽培苦参。两者又各划分选货和统货 2 个等级。苦参商品规格等级划分见表 2-1-9。近年来，本种药材统货收购价格持续走低，干品收购价不足 10 元 / 千克。低价格导致年产量逐年减少。近年年销量不足 100t。

表 2-1-9　苦参商品规格等级划分

规格	等级	性状	
		相同点	不同点
野生苦参	统货	本品呈类圆形或不规则形，厚 3 ~ 6mm，大小不均匀。表面灰棕色或棕黄色，具纵皱纹和横长皮孔样突起，外皮薄，多破裂反卷，易剥落，剥落处显黄色，光滑。断面纤维性；切面黄白色，具放射状纹理及裂隙，有的具异型维管束。外皮与木部的剥离裂隙较大。气微，味极苦	质疏松，片直径 ≥ 1cm，异形片率 ≤ 40%，碎屑率 ≤ 28%
	选货		质疏松，片直径 ≥ 1.5cm，异形片率 ≤ 24%，碎屑率 ≤ 7%
栽培苦参	统货		质紧密，片直径 ≥ 1cm，异形片率 ≤ 18%，碎屑率 ≤ 23%
	选货		质紧密，片直径 ≥ 1cm，异形片率 ≤ 16%，碎屑率 ≤ 3%

（3）濒危情况、资源利用和可持续发展。2009 年，本种被列为吉林省Ⅲ级重点保护野生植物。近年来，苦参除药用外，还被广泛用于生物农药的开发，开发前景十分广阔。随着市场对于苦参需求量的增加和其野生资源逐年减少，开展苦参种植将是解决供需矛盾的唯一出路。

（4）其他。苦参子已被列入 2019 年版《吉林省中药材标准》第二册。

芸香科　Rutaceae　白鲜属　*Dictamnus*　凭证标本号　220323120906065LY

白鲜 *Dictamnus dasycarpus* Turcz.

白鲜

| 植物别名 |

八股牛、山牡丹、白膻。

| 药 材 名 |

白鲜皮（药用部位：根皮。别名：北鲜皮、藓皮、白藓皮）。

| 形态特征 |

多年生草本，高达 1m，全株有强烈香气。根肉质，粗长，淡黄白色，幼嫩部分密被白色长毛并着生水泡状凸起的腺点。茎直立，基部木质。奇数羽状复叶互生，小叶 9 ~ 13，纸质，椭圆形、长圆形或长圆状披针形，先端渐尖，基部楔形，无柄，具细锯齿，上面密被油腺点，沿脉被毛。总状花序顶生，长达 30cm，花梗基部有条形苞片 1；花大，淡紫色或白色；萼片 5，宿存，下面 1 片下倾并稍大；雄蕊 10，伸出花瓣外。花期 5 ~ 6 月，果期 7 ~ 8 月。

| 野生资源 |

生于山坡、林下、林缘或草甸。分布于吉林通化（通化、柳河、集安、梅河口、辉南）、白山（临江、靖宇、抚松、长白）、延边（延吉、图们、敦化、安图、珲春、龙井、汪清、

和龙）、长春（农安、榆树、德惠、九台）、吉林（桦甸、磐石、蛟河、舒兰、永吉）、辽源（东丰、东辽）等。野生资源一般，不能形成量产。

| **栽培资源** | （1）栽培条件。本种喜光，耐寒，适宜栽培于海拔 300～800m、有效积温在 2300℃以上、无霜期在 110 天以上的退耕还林地、农耕地。本种对土质要求不高，以寒性黑土为佳。

（2）栽培区域。主要栽培于吉林通化、白山、延边（延吉）、吉林等。

（3）栽培要点。本种栽培环境要求远离农业药害污染威胁。本种主要繁殖方式为种子直播和育苗移栽。种子需要沙藏、春化处理，萌动状态播种。栽培用地土层须深翻 30cm 以上。本种收获周期较长，一般六七年可达到质量、产量标准。种子直播根系性状优于育苗移栽。第 4 年蓇葖果未开裂前采收可得成熟种子。

（4）栽培面积与产量。吉林本种的栽培面积约 500hm²，2021 年产量达 200t。

| **采收加工** | 春、秋季采收，挖出后用水枪或洗药机洗去泥土，除去须根及粗皮，趁鲜用机械纵向剖开，人工抽去木心，晒干。

| **药材性状** | 本品呈卷筒状，长 5～15cm，直径 1～2cm，厚 0.2～0.5cm。外表面灰白色或淡灰黄色，具细纵皱纹和细根痕，常有凸起的颗粒状小点，内表面类白色，有细纵纹。质脆，折断时有粉尘飞扬，断面不平坦，略呈层片状，剥去外层，迎光可见闪烁的小亮点。有羊膻气，味微苦。以条大、皮厚、色灰白者为佳。

| **功能主治** | 苦，寒。归脾、胃、膀胱经。清热燥湿，祛风解毒。用于湿热疮毒，湿疹，风疹，疥癣疮癞，风湿热痹，黄疸尿赤。

| **用法用量** | 内服煎汤，4.5～9g；或入丸、散。外用适量，煎汤洗；或研末敷。

| **附　注** | （1）道地沿革。白鲜皮原名白鲜，始载于《神农本草经》，位列中品。《神农本草经》记载："（白鲜）味苦，寒。主头风，黄疸，咳逆，淋沥，女子阴中肿痛，湿痹死肌，不可屈伸起止行步。生川谷。"川谷即今河北易县。《本草经集注》云："近道处处有，以蜀中者为良，俗呼为白羊鲜，气息正似羊膻或名白膻。"经考证，主流本草中记载的白鲜产地为山东、河北、四川、山西、江苏、安徽等地。《现代中药材商品通鉴》记载："江苏、山西、内蒙古、吉林、黑龙江等地亦产。"《中华本草》记载白鲜皮"分布于东北、华北、华东及陕西、甘肃、河南、四川、贵州"。《常用中药鉴定大全》记载："主产于辽宁、湖北、山东。江苏、山西、内蒙古、吉林、黑龙江等地亦产。"吉林地方志中亦有吉林出产白鲜的记载。《永吉县志》（1931）物产卷药之属项下记载："有白鲜皮。"白鲜为东北地区的道地药材，是药材市场上常说的"东北三白"之一，其分布区域窄。吉林野生白鲜产量约占全国总产量的 80%，质量优于其他产地，为药市的抢手俏货。但吉林白鲜的野生资源逐渐匮乏，少有大货供应，人工种植成为必然趋势。

（2）市场信息。根据市场流通情况，将白鲜皮分为选货和统货。又根据选货中部直径、厚度和长度，将其分为一等和二等 2 个等级。白鲜皮商品规格等级划分见表 2-1-10。东北产白鲜皮表面较平滑，色较白，较厚，质量略优于内蒙古产者，应注意区分。目前市场上销售的白鲜皮直径小于药典规定，对于这一现象应引起重视。从朝鲜进口的白鲜皮条形较细，色偏暗，有效成分含量不足，部分不良商家在顾客大批量购买药材时将其掺入优质白鲜皮中，以次充好。近年来，白鲜皮市场价格逐年攀升。2015—2016 年，白鲜皮市场价格为 53 ~ 70 元 / 千克，2017—2018 年，其市场价格涨至 70 ~ 75 元 / 千克，2019 年上半年，其价格稳定在 80 元 / 千克左右，2019 年下半年，其价格有所上涨，2019 年末，其价格达到 120 元 / 千克，2020 年上半年，其市场价格维持在 120 元 / 千克左右。白鲜皮用量较大，供销平稳。此外，白鲜皮及其植物提取物是我国出口创汇的重要商品，出口国家和地区不断增加，出口范围扩大，市场份额增多，出口量逐年攀升。由于连年大量采挖，吉林白鲜皮的野生资源蕴藏量锐减，野生品年产量约 150t，有时大货难求。

表 2-1-10 白鲜皮商品规格等级划分

规格	等级	性状	
		相同点	不同点
白鲜皮	一等	本品呈卷筒状。外表面灰白色或淡灰黄色，具细纵皱纹和细根痕，常有凸起的颗粒状小点；内表面类白色，有细纵纹，平滑。质脆，易折断，折断时有粉尘飞扬，断面不平坦，略呈层片状，剥去外层，迎光可见闪烁的小亮点。有羊膻气，味微苦	抽芯率 ≥ 99%，中部直径 ≥ 1.8cm，厚度 ≥ 0.4cm，长度 ≥ 10cm
	二等		抽芯率 ≥ 98%，中部直径 ≥ 1.5cm，厚度 ≥ 0.3cm，长度 ≥ 8cm
	统货		抽芯率 < 98%，中部直径 < 1.5cm，厚度 < 0.3cm，长度 < 8cm

（3）濒危情况、资源利用和可持续发展。本种被列为吉林省Ⅲ级野生保护植物。由于大量采挖，白鲜野生资源遭到严重破坏，目前处于濒危状态，因此急需对野生白鲜加以保护，并且应积极进行人工栽培。目前，吉林中部、东部和南部地区已开始大面积种植白鲜。有资料表明，白鲜皮甲醇提取物中的苧酮对虫体具有拒食活性，因此，白鲜皮具有较强的杀虫活性，对于蟋蟀、蚂蚱、黏虫、螨虫等均有很强的杀灭作用，可以用于畜禽体外寄生虫病的防治和植物性农药的开发。

（4）其他。世界上多部专著上曾将白鲜划为白花白鲜 *Dictamnus albus* L. 的亚种（亦即地理亚种），也有将之作为变种的，但《中国植物志》将其列为单独的种。

芸香科 Rutaceae 黄檗属 Phellodendron 凭证标本号 220323120918013LY

黄檗 *Phellodendron amurense* Rupr.

黄檗

| 植物别名 |

黄柏、关黄柏、东黄柏。

| 药材名 |

关黄柏（药用部位：树皮。别名：黄檗、元柏、檗木）。

| 形态特征 |

落叶乔木，高 10 ~ 20m，大树高达 30m，胸径 1m。枝扩展，成年树的树皮有厚木栓层，浅灰色或灰褐色，深沟状或不规则网状开裂，内皮薄，鲜黄色，味苦，黏质，小枝暗紫红色，无毛。叶轴及叶柄均纤细，有小叶 5 ~ 13；小叶薄纸质或纸质，卵状披针形或卵形，长 6 ~ 12cm，宽 2.5 ~ 4.5cm，先端长渐尖，基部阔楔形，一侧斜尖或为圆形，叶缘有细钝齿和缘毛，叶面无毛或中脉有疏短毛，叶背仅基部中脉两侧密被长柔毛，秋季落叶前叶由绿色转黄色而明亮，毛被大多脱落。花序顶生；萼片细小，阔卵形，长约 1mm；花瓣紫绿色，长 3 ~ 4mm；雄花的雄蕊比花瓣长，退化雌蕊短小。果实圆球形，直径约 1cm，蓝黑色，通常有 5 ~ 10 浅纵沟，干后较明显；种子通常 5。花期 5 ~ 6 月，果期 9 ~ 10 月。

| **野生资源** | 生于阔叶林、针阔叶混交林、林中河岸、谷地、低山坡、林缘及杂木林中。分布于吉林长白山区及四平（双辽）等。野生资源较少。 |

| **栽培资源** | （1）栽培条件。本种喜光，耐寒，适宜栽培于海拔 200～800m 的地区。 |

（2）栽培区域。主要栽培于吉林通化、白山、延边（延吉）、吉林等。

（3）栽培要点。本种主要繁殖方式为种子育苗移栽，遵照造林苗木种植管理模式养护。

（4）栽培面积与产量。本种主要栽培于林业部门建立的人工抚育林，现有成林约 200000hm²，抚育苗地约 10000hm²，预计年产量 2000t。

| 采收加工 | 黄檗定植 15 ～ 20 年后即可采收。采收时将树干伐倒，按照相应规格剥皮，此方法一般在对黄檗林进行合理间伐时使用。采收于 4 ～ 6 月进行。先在树干枝下 15cm 处横割一圈，并按照商品规格需要向下再横割一圈，在两环间纵切一刀，深度恰好割断韧皮部，以不伤及木质部为宜，在纵横切口交界处撬起树皮，轻轻剥下树皮。在剥皮的过程中要避免手接触剥面，以防止病菌感染而影响新皮的形成。剥下树皮后，可将含量为 10μg/g 的萘乙酸溶液与含量为 10μg/g 的赤霉素溶液混合，将其喷在创面上，以加快新皮形成的速度，并用塑料薄膜包裹，要注意上紧下松，这样有利于排出积水，并可减少薄膜与木质部的接触面积，每隔一周松开薄膜透风一次。当剥皮处由乳白色变为浅褐色时，可以去掉薄膜，让其自然生长。一般 7 ～ 16 天树皮可以再生，2 ～ 3 年后可以重新剥离。或采用条状剥皮的方法剥取部分树皮。将剥取的树皮晒至半干，刮净粗皮，不可伤及内皮，压成板片状，刷净，再晒至全干。或将剥下的树皮趁鲜刮去粗皮，晒至半干，压平，再晒至全干。

| 药材性状 | 本品呈板片状或浅槽状，长、宽不一，厚 2 ～ 4mm。外表面黄绿色或淡棕黄色，较平坦，有不规则的纵裂纹，皮孔痕小而少见，偶有灰白色的粗皮残留；内表面黄色或黄棕色。体轻，质较硬，断面纤维性，有的呈裂片状分层，鲜黄色或黄绿色。气微，味极苦，嚼之有黏性。以片张厚大、鲜黄色、无栓皮者为佳。

| 功能主治 | 苦，寒。归肾、膀胱经。清热燥湿，泻火除蒸，解毒疗疮。用于湿热泻痢，黄疸尿赤，带下阴痒，热淋涩痛，脚气痿躄，骨蒸劳热，盗汗，遗精，疮疡肿毒，湿疹。 |

| 用法用量 | 内服煎汤，3～12g；或入丸、散。外用适量，研末调敷；或煎汤浸洗。 |

| 附　注 | （1）道地沿革。黄柏始载于《神农本草经》，原名"檗木"，位列上品。从古本草所载的黄柏产地分布情况及《证类本草》所附"黄檗"图与"商州黄檗"图来看，古本草所载黄柏与现今川黄柏相符，其基原为黄皮树 *Phellodendron chinense* Schneid. 及秃叶黄皮树 *Phellodendron chinense* Schneid. var. *glabriusculum* Schreid.。本草所言："肉厚色深者为佳。"此论至今仍可作为为黄柏外观质量的评价标准。关黄柏为后起药材，其基原为黄柏 *Phellodendron amurense* Rupr.。据目前全国黄柏的供销情况来看，关黄柏已成为黄柏的主流商品。清代《长白汇征录》（1910）记载："长属所产足售远方。"《临江县志》（1935）记载："为本地出产大宗。"《中药大辞典》记载："（东黄柏）主产辽宁、吉林、河北。"《中华本草》记载："分布于东北及华北。"以上记载均表明，关黄柏为吉林道地所出，已有百余年历史。
（2）市场信息。关黄柏统货为干货，无粗栓皮及死树的松泡皮，无杂质、虫蛀、霉变。20世纪90年代中期，关黄柏的市场价格为2.8～3元／千克，最高时可达35元／千克，后几经起落，近5年，关黄柏的市场价格趋于稳定，维持在14～16元／千克。由于关黄柏药用价值高，应用范围广，自2005年起，《中国药典》将关黄柏从黄柏项下分出单列。关黄柏年需求量约为1500t。吉林是关黄柏的主产区之一，盛产时期其年产量达600～800t。人们为了获取经济利益 |

而疯狂采剥，直接导致黄檗野生资源严重枯竭，再加上林业部门把黄檗列入保护树种加以管控，使关黄柏产量大幅下跌，目前年产量不足 20t。

（3）濒危情况、资源利用和可持续发展。1999 年，黄檗被列为国家 II 级重点保护野生植物。2009 年，黄檗被列为吉林省 II 级重点保护野生植物。20 世纪 60 年代以前，黑龙江、吉林、辽宁的关黄柏资源十分丰富，蕴藏量极多，漫山遍野都是黄檗。但由于当时国家急需军用和民用木材，东北三省林区按指令性计划大规模砍伐黄檗，加之部分民众盗伐，导致黄檗林大面积减少，同时由于砍伐后未及时育林造林，所以时至今日吉林已少见或不见成片的黄檗林。2010—2013 年关黄柏产销情况显示，黄檗野生资源日趋枯竭，关黄柏进口数量连年降低。川黄柏的产量亦减少，但市场需求量却逆势增长，供需矛盾加剧，而黄檗人工栽培发展滞后。关黄柏生产周期长，即使当年大规模种植黄檗，也需到 10 ~ 15 年后才能产出关黄柏，"远水不解近渴"，关黄柏短缺已成定局，关黄柏市场正处于"内外交困""山穷水尽"之境地，且几年内供需矛盾难以解决。业内人士认为，关黄柏后市走势持续看好，价格将逐年上涨，预计涨幅为 20% ~ 30%。

五加科 Araliaceae　五加属 *Acanthopanax*　凭证标本号 220323120819010LY

刺五加
Acanthopanax senticosus (Rupr. et Maxim.) Harms

| 植物别名 |

坎拐棒子、刺拐棒、刺花棒。

| 药 材 名 |

刺五加（药用部位：根及根茎、茎。别名：
刺拐棒、老虎镣子、刺木棒）。

| 形态特征 |

落叶灌木。分枝多，一年生、二年生枝通常
密生刺，稀仅节上生刺或无刺；刺直而细长，
针状，脱落后残留圆形刺痕，叶有 5 小叶；
叶柄常疏生细刺；小叶片纸质，椭圆状倒卵
形或长圆形，先端渐尖，基部阔楔形，上面
粗糙，深绿色，下面淡绿色，边缘有锐重锯
齿，侧脉 6 ~ 7 对，在两面明显，网脉不明
显；小叶柄长 0.5 ~ 2.5cm，生棕色短柔毛，
有时有细刺。伞形花序单个顶生或 2 ~ 6 组
成稀疏的圆锥花序，有多数花；总花梗长
5 ~ 7cm；花梗长 1 ~ 2cm，无毛或基部略
有毛；花紫黄色；花萼近全缘或有不明显的
5 小齿；花瓣 5，卵形，长 1 ~ 2mm；雄蕊 5；
子房 5 室，花柱全部合生成柱状。果实球形
或卵球形，具 5 棱，黑色。花期 6 ~ 7 月，
果期 8 ~ 10 月。

刺五加

| **野生资源** | 生于山坡林缘、山坡灌丛中、溪水边湿甸及针阔叶混交林或阔叶林内。以长白山区为主要分布区域，分布于吉林延边、白山、通化、吉林、辽源（东丰）等。野生资源较丰富。 |

| **栽培资源** | （1）栽培条件。本种喜光，耐寒，适宜栽培于海拔 300 ~ 1000m、有效积温在 2300℃以上、无霜期在 110 天以上的林缘、山地、退耕还林地。本种对土壤要求不高。 |

（2）栽培区域。主要栽培于吉林通化、白山、延边（延吉）等。

（3）栽培要点。本种主要繁殖方式为种子育苗移栽。移栽时用 2～3 年的幼苗，保持足够的株行距，以利于灌丛枝条生长。管理时及时修枝，均衡钾肥，保证枝条生长坚挺。定植 2 年后可视生长情况采摘，春季可采摘嫩叶芽，秋季可剪采枝条。上冻前做平茬处理，以利于安全越冬及次年枝条萌发。

（4）栽培面积与产量。本种栽培面积接近 300hm²，现年产量约 1000t。

| 采收加工 | 春初发芽前或秋末落叶后采收，用刀割取地上茎或挖取地下根及根茎，晒干或烘干。目前，为了保护资源，产区多于秋季割取地上茎。

| 药材性状 | 本品根茎呈结节状不规则圆柱形，直径 1.4～4.2cm，有分枝。表面灰棕色，有纵皱，弯曲处常有密集的横皱纹，皮孔横长，微凸起而色淡。根呈圆柱形，多扭曲，直径 0.3～1.5cm。表面灰褐色或黑褐色，皱纹明显，皮较薄，剥落处呈灰黄色。质硬，断面黄白色，纤维性。香气特异，味微辛、稍苦而涩。茎呈长圆柱形，多分枝，长短不一，直径 0.5～2cm。表面浅灰色，老枝灰褐色，具纵裂沟，无刺；幼枝黄褐色，密生细刺。质坚硬，不易折断，断面皮部薄，黄白色，木部宽广，

淡黄色，中心有髓。气微，味微辛。以粗大、质硬、断面色白、香气浓者为佳。

| 功能主治 | 辛、微苦，温。归脾、肾、心经。益气健脾，补肾安神。用于脾肺气虚所致的体虚乏力、食欲不振，肺肾两虚所致的久咳虚喘，肾虚腰膝酸痛，心脾不足所致的失眠多梦。

| 用法用量 | 内服煎汤，9～27g；或入丸、散；或浸酒。外用适量，研末调敷；或鲜品捣敷。

| 附　注 | （1）道地沿革。古代本草中未见刺五加的记载，《神农本草经》中只记载五加皮。《名医别录》云："生汉中及冤句。"《蜀本草》云："今所在有之。"《本草图经》云："今江淮湖南州郡皆有之。"据《中国植物志》记载，刺五加分布于黑龙江、吉林、辽宁、河北、山西，这与《名医别录》《蜀本草》及《本草图经》所述产地不符。据推测，最早记载刺五加一药的文献并非《名医别录》，而可能是明代李时珍所著的《本草纲目》。但由于《本草纲目》所绘五加皮原植物图并不符合刺五加的形态特征，故推断古代本草中记载的五加皮并非来源于刺五加。吉林地方志中也只记载五加皮，但未记载刺五加。根据历代本草对五加皮原植物的形态描述分析，古代所用五加皮应来源于五加科五加属 Acanthopanax 的多种植物，可能包括刺五加 Acanthopanax senticosus (Rupr. et Maxim.) Harms 在内。1977年版《中国药典》始将刺五加作为独立的药物收载。《中国药材学》记载："产于辽宁、吉林、黑龙江等地。"《中华本草》记载："（刺五加）产于辽宁、吉林、黑龙江、河北、陕西等地。"《中药大辞典》记载："（刺五加）产于辽宁、吉林、黑龙江、河北、陕西等地。"《现代中药材商品通鉴》记载："主产于黑龙江、吉

林、辽宁、河北、山西等地。"以上记载均表明吉林为刺五加的主产地。

（2）市场信息。刺五加商品一般为统货。刺五加地上茎的市场价格一般为8 ～ 10 元 / 千克，主要是以地上茎为主。根片售价为 25 ～ 30 元 / 千克。

（3）濒危情况、资源利用和可持续发展。2009 年，本种被列为吉林省Ⅲ级重点保护野生植物。刺五加全国年需求量超过 5000t，中医临床对刺五加的需求量较大，以刺五加为原料的中成药种类繁多，如刺五加片、刺五加注射液、安神补脑胶囊、脑安片等。另外，人们对刺五加相关产品的开发逐渐增多，幼嫩刺五加的叶及叶芽可用于生产加工刺五加茶，刺五加嫩叶可作鲜嫩山野菜食用，或用于制作泡菜，从刺五加的干燥根、茎中提取的刺五加苷 E 具有固本强体作用，能够提高机体适应能力，改善血液循环，双向调节血压。刺五加产品开发较广，其需求量逐渐加大，使刺五加的市场供需关系日趋紧张。刺五加是一种常用中药。市场上 95% 的刺五加来源于野生，少有栽培。为满足市场需求，人们对刺五加滥采滥挖，使野生资源几近枯竭。目前刺五加人工栽培产业刚刚起步，尚难以满足市场需求。刺五加具有较高的药用价值，我国用其开发的新中成药超过 300 种，同时刺五加可用于开发保健品、饮品和食品，故其市场用量逐年增加，后市持续看好。由于国内外制药企业开发刺五加药品的需求加大，加之人们对野菜的追捧，刺五加市场缺口逐年加大，短期难以缓解，后市持续走强已成定局。业内人士称，刺五加野生资源日渐减少，供需矛盾日益突出，发展刺五加人工栽培产业已刻不容缓。刺五加人工栽培是农村农业结构调整的一个好项目，是农民脱贫致富的重要途径。各地可依据自身条件，因地制宜地开展刺五加人工栽培，以增加农民收入。

五加科 Araliaceae 人参属 Panax 凭证标本号 220502150708096LY

人参
Panax ginseng C. A. Mey.

人参

| 植物别名 |

棒槌、人衔、地精。

| 药 材 名 |

人参（药用部位：根及根茎。别名：棒锤、山参、园参）、红参（药材来源：经蒸制后的根及根茎）、人参芦头（药用部位：根茎）、人参叶（药用部位：叶。别名：参叶）、人参须（药用部位：支根、须根）、人参果（药用部位：成熟果实）、人参花（药用部位：花序）。

| 形态特征 |

多年生草本。主根肉质，圆柱形或纺锤形，淡黄色，野生者根茎长，栽培者根茎短。茎直立，单生，有纵纹，生长年限不同，叶的数目分别为：一年生者有 3 小叶，苗高 3 ~ 7cm，称为"三花"；二年生者有 5 小叶，苗高 5 ~ 10cm，称为"巴掌"；三年生者有 2 复叶，每叶着生 5 小叶，称为"二甲"；四年生者有 3 复叶，称为"灯台子"；五年生者有 4 复叶，称为"四匹叶"；六年以上生者有 5 复叶或 6 复叶，分别称为"五匹叶"或"六匹叶"。掌状复叶具 3 ~ 5 小叶；叶片卵圆形或倒卵圆形，先端渐尖，边缘有重

锯齿；叶柄长。伞形花序单个顶生，直径约1.5cm，有花30~50，稀5~6；总花梗通常较叶长，长15~30cm，有纵纹；花梗丝状；花淡黄绿色；萼无毛，边缘有5三角形小齿；花瓣5，卵状三角形；雄蕊5，花丝短；子房2室；花柱2，离生。果实扁球形，鲜红色，长4~5mm，宽6~7mm；种子肾形，乳白色。

| **野生资源** | 生于肥沃、湿润、排水良好、以红松为主的针阔叶混交林下或通风良好的针叶林下。吉林长白山区有少量野生分布，野生资源稀少。

| **栽培资源** | （1）栽培条件。本种为喜阴植物，长期在山林环境中生长，经过系统发育，已适应中温带大陆性季风气候；具有喜冷凉、湿润气候，怕强光，忌高温，耐严

寒的特性；适宜栽培于北纬 40° ～ 45° ，海拔 500 ～ 1000m，以蒙古栎、椴树为主的阔叶林和针阔叶混交林林间山坡地、伐林地。近年开始转向开发耕地进行平地栽培。

（2）栽培区域。主要栽培于吉林通化（集安、通化、柳河、辉南）、白山（抚松、靖宇、长白、临江）、延边（和龙、汪清、珲春、安图）、吉林（桦甸、舒兰、蛟河、永吉）等。

（3）栽培要点。人参栽培主要有园参栽培和林下参栽培 2 种形式。人参种子具有休眠特性，需经形态后熟和生理后熟方能出苗。低温下沙藏 4 个月后，及时对种子进行人工催芽，促进种胚发育，以缩短人参种子休眠期，使种子提前出苗并且使苗齐、苗壮。一般人参种子催芽均采用沙子或腐殖土做基质的层积方法进行。因人参种子种胚具有生长发育缓慢的特性，所以播种期也不同于其他作物，只要土壤未封冻，均可进行播种。根据种子发育程度和气候特点，播种时期一般分为春播、夏播（伏播）、秋播 3 种。人参为阴性植物，必须遮阴栽培。而遮阴方式对人参生育、产量和质量有直接影响。因此，在栽培人参过程中必须科学遮阴，充分、合理利用光能，提高人参光合效率，方能达到优质、高产的目的。选用不同荫棚材质、棚式及规格仅仅是一种基础性的调光措施，并不能满足人参整个生长期的采光要求。因此还应根据生长季节温度的变化，因时制宜地采取多种有效的辅助性措施，调节光强与温度，如在春、秋季低温季节增强光强，以利于提高人参光合速度，增加干物质积累，促进人参生长，在夏季高温季节减弱光强而降低温度，可避免强光、高温影响人参光合速度，以减

少干物质积累，以免对人参生长不利。

（4）栽培面积与产量。吉林是全国最大的人参产区，抚松是全国最大的人参加工交易集散地。2019 年，吉林园参栽培保有面积达 11182hm²，林下参栽培面积达 93200hm²，人参年产量为 30786t。

| **采收加工** | 人参：播种在山林野生状态下自然生长者为"林下山参"或"林下参"，习称"籽海"，林下参一般于栽培 15 年后采收。9 ~ 10 月、果实成熟且变为鲜红色时采挖。采收时除去周围杂草，视参株大小而从四周挖去泥土，先顺人参须根将泥土拨松，逐渐向主根方向挖进，把参体连须根完整挖出，除去地上茎，裹以青苔、树皮，防止吹干走浆。采挖时须小心，以免断根或破皮。采挖后晒干或低温烘干。栽培者俗称"园参"，园参于栽培 5 ~ 6 年后的秋季采挖，培植大货可栽培 8 ~ 9 年后采收。采收时先拆除棚架，然后将畦面的土先搂下一部分，割去地上部分，随即将参刨出，要深刨慢拉，防止伤根，除去茎叶、泥土。若人参浆气不足，可于起收前 10 天左右拆除荫棚进行放雨、放阳，使人参浆足，提高产量。未加工的鲜者称"园参水子"。

红参：一般体形较大、浆液多的鲜参适合加工成红参。将选好的鲜参洗去杂质及泥沙，剪去须根及小支根，注意不能损伤鲜参的外皮。刷去泥土，刮去病疤，但不要刷破外皮或碰断支根。按大小分等，于清水中浸渍 20 ~ 30 分钟，装入蒸笼中蒸 2 ~ 3 小时，先武火后文火，不能随意加火或撤火，以避免因温度急剧上升或下降而造成参根破裂或熟化度欠佳，蒸至参根半透明状、呈红棕色为止。目前也有工厂规模化生产红参，即采收人参后，先用清洗机清洗人参，然后将其放入蒸盘中，用蒸参机进行蒸制，再将人参晒干或烘干，然后进行整形、分等。

人参芦头：9 ~ 10 月采收人参时收集。

人参须：多于秋季采挖，加工人参时，收集支根、须根，洗净，晒干或烘干。

人参叶、人参果、人参花：秋季采收，晾干或烘干。

| **药材性状** | 人参：林下参的主根与根茎近等长或较根茎短，呈"人"字形、菱形或圆柱形，长 1 ~ 6cm，表面灰黄色，具纵皱纹，上部或中下部有环纹；支根 2 ~ 3；须根少而细长，清晰不乱，具明显的疣状突起；根茎细长，少数粗短，中上部具稀疏或密集而深陷的茎痕，不定根较细，多下垂；以条粗、质硬、完整者为佳。园参的主根呈圆柱形或纺锤形，长 5 ~ 15cm，直径 1 ~ 3cm，先端具有短的根茎（芦头），长 1 ~ 4cm，多拘挛而弯曲，具不定根（艼）和稀疏的凹窝状茎痕（芦碗），表面灰黄色，上部或全体有疏浅断续的横环纹及明显的纵皱纹，下部有支根 2 ~ 3，其上着生多数细长须根；须根上有不明显的细小疣状突起；质较硬，断面淡黄白色，显粉性，形成层环纹棕黄色，皮部有黄棕色的点状树脂道及放射状裂隙；香气特异，味微苦、甘；以身长、支大、芦（根茎）长者为佳。

红参：本品主根呈纺锤形、圆柱形或扁方柱形，长 3 ~ 10cm，直径 1 ~ 2cm。表面半透明，红棕色，偶有不透明的暗黄褐色斑块，具纵沟、皱纹及细根痕；上部有时具断续的不明显环纹；下部有 2 ~ 3 扭曲交叉的支根，并带弯曲的须根或仅具须根残迹。根茎（芦头）长 1 ~ 2cm，上有数个凹窝状茎痕（芦碗），有的带 1 ~ 2 完整或折断的不定根（艼）。质硬而脆，断面平坦，角质样。气微香而特异，味甘、微苦。

人参芦头：本品为不规则圆柱形，多拘挛而弯曲，长 1 ~ 4cm，最长可至 15cm，直径 0.3 ~ 1.5cm，具有稀疏的凹陷状茎痕，习称"芦碗"。质较硬，断面淡黄白色，显粉性，形成层环纹棕黄色，皮部有黄棕色的点状树脂道及放射状裂隙。香气特异，味微苦、甘。

人参叶：本品常扎成小把，呈束状或扇状，长 12 ~ 35cm。掌状复叶有长柄，暗绿色，3 ~ 6 轮生。小叶通常 5，偶有 7 或 9，呈卵形或倒卵形。基部的小叶长 2 ~ 8cm，宽 1 ~ 4cm，上部的小叶大小相近，长 4 ~ 16cm，宽 2 ~ 7cm。基部楔形，先端渐尖，边缘具细锯齿及刚毛，上表面叶脉生刚毛，下表面叶脉隆起。纸质，易碎。气清香，味微苦而甘。

人参须：本品较粗的支根习称"白直须"，呈圆柱形或长圆锥形，较直或略弯曲，下部偶有分枝，长 3 ~ 15cm，直径 0.1 ~ 1cm。表面灰黄色，其上偶见不明显的细小疣状突起。质脆，易折断，断面平坦，黄白色，木质部、韧皮部和形成层清晰可见。较纤细的须根习称"白弯须"，常呈团状，表面灰黄色，有细小疣状突起。二者常混成团状，习称"白混须"。气微香而特异，味微苦、微甘。

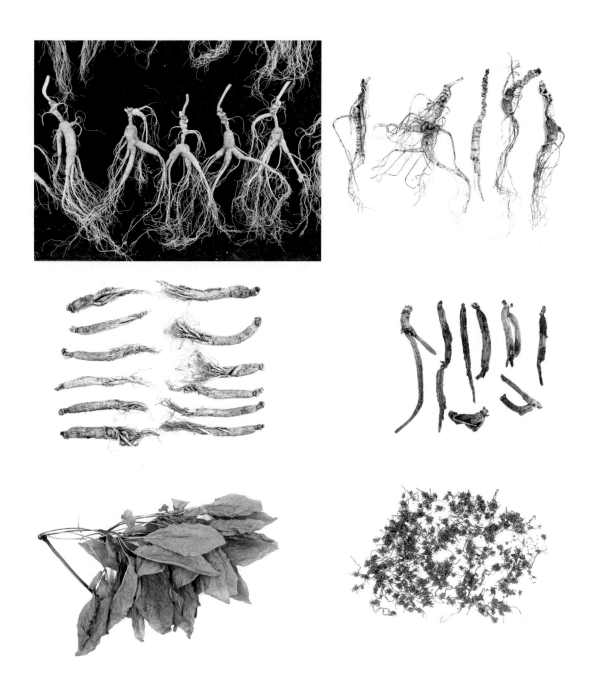

人参果：本品呈不规则的扁球形或肾形，直径4～9mm，表面暗红色，果肉皱缩。种子1～2，扁球形，背侧呈弓状隆起，黄白色，粗糙。气微，味甘、辛。

人参花：本品伞形花序单一顶生，总花梗长15～25cm，每花序有10～80花蕾，集成伞；花蕾小，直径2～3mm；花萼绿色，5齿裂；未开放的花瓣5，淡黄绿色，卵形；雄蕊5，花丝甚短；子房下位，花柱2，基部合生，上部分离。气清香，味苦、微甜。

| **功能主治** | 人参：甘、微苦，微温。归脾、肺、心经。大补元气，复脉固脱，补脾益肺，

生津养血，安神益智。用于体虚欲脱，肢冷脉微，脾虚食少，肺虚喘咳，津伤口渴，内热消渴，气血亏虚，久病虚羸，惊悸失眠，阳痿宫冷。

红参：甘、微苦，温。归脾、肺、心经。大补元气，复脉固脱，益气摄血。用于体虚欲脱，肢冷脉微，崩漏下血。

人参芦头：甘、微苦，温。归胃、脾、肺经。升阳举陷。用于脾虚气陷的久泻，脱肛。

人参叶：苦、甘，寒。归肺、胃经。补气，益肺，祛暑，生津。用于气虚咳嗽，暑热烦躁，津伤口渴，头目不清，四肢倦乏。

人参须：甘、微苦，平。归肺、胃经。益气，生津，止渴。用于咳嗽吐血，口渴，胃虚呕逆。

人参果：甘、微苦，微温。补气强身。用于久病体虚，倦怠乏力，头晕失眠，胸闷气短。

人参花：补气强身，延缓衰老。用于头昏乏力，胸闷气短。

| 用法用量 | 人参：内服煎汤，3 ~ 9g，另煎；或研末吞服，每次 2g，每日 2 次。不宜与藜芦、五灵脂同用。

红参：内服煎汤，3 ~ 9g。不宜与藜芦、五灵脂同用。

人参芦头：内服煎汤，3 ~ 10g；或入丸、散。

人参叶：内服煎汤，3 ~ 9g。不宜与藜芦、五灵脂同用。

人参须：内服煎汤，3 ~ 9g；或代茶饮。

人参果：内服煎汤，3 ~ 10g。

人参花：内服煎汤，3 ~ 6g。

| 附　注 | （1）道地沿革。《名医别录》中即有人参出于辽东的记载。至明代，人参产地逐渐从辽东向长白山核心区转移。南北朝时期的《名医别录》记载："生上党及辽东。"《本草经集注》记载："次用高丽，高丽即是辽东。"宋代的《本草图经》记载："生上党山谷及辽东，今河东诸州及泰山皆有之。又有河北榷场及闽中来者，名新罗人参，然俱不及上党者佳。"明代的《本草蒙荃》记载："东北境域有，阴湿山谷生。"《本草纲目》记载："上党，今潞州也，民以人参为地方害，不复采取。今所用者皆是辽参。"《本草乘雅半偈》记载："生上党，及百济、高丽。多于深山，背阳向阴，及漆树下。下有人参，则上有紫气。"清代的《本草便读》记载："人参产辽东吉林高丽等处，其草生山之北，背阳向阴。"《人参谱》记载："以吉林参为本，于他地者则绝少论及。"民国时期的《增

订伪药条辨》记载："真人参，以辽东产者为胜。"《本草药品实地之观察》记载："尤以吉林各地所产者为多，品质亦最良，故有吉林人参之名。"由于历史原因，吉林乃至东北地区的方志对人参的记载较少。清代的《钦定盛京通志》记载："昔陶弘景称人参上党者佳，今惟辽阳、吉林、宁古塔诸山中所产者神效，上党之参直同凡卉矣。"《吉林外记》（1827）记载："人参生成神草，为药之属极上上品。"《通化县乡土志》记载："人参，入药大补元气。产于深山，有数百年者人不易见。挖参人偶得极大之苗，如获异宝。"《吉林分巡道造送会典馆、国史馆清册》（1902）记载："省中设有官参局，岁时采取入贡。"民国时期的《吉林汇征》（1914）记载："吉林人参，前清时采禁甚严，由官设票房领票往采，无票则为私挖有千例禁。"《吉林新志》（1934）记载："每年输运出口，为吉林天然产品之大宗。"《辉南县风土志》（1919）记载："人参，有盛京、通化、营口等处参客来县收买，运销各省。"《大中华吉林省地理志》（1921）记载："吉林植物，莫贵于老山人参。"《辉南县志》（1927）记载："人参，本产最佳，四方商贾远来收买，获利倍蓰。茎叶根须膏汁无不珍贵。"《永吉县志》（1931）记载："人参，吉林贡品。"《额穆县志》（1939）记载："山参为本境之特产，挖得者蒸而晒之，凡须、叶以及蒸参之水无不珍藏。"吉林人参栽培历史悠久，吉林不仅是我国人参的发源地，而且是东北人参栽培业的策源地。唐代以来，吉林就因是人参贡地而闻名；明朝末年，吉林开始大面积栽培人参；嘉庆年间（1810），吉林的人参种植业逐渐发达；光绪七年（1881）栽培人参已遍布长白山各地；民国时期，吉林抚松就已经成为"人参之乡"，园参产业成为抚松税收的支柱产业。为此，1914 年，抚松成立了参业协会，参业协会管理生产资金和销售，进一步促进了园参生产的发展。1929 年，抚松干品人参年产量已达 20t。中华人民共和国成立后，抚松的人参产业迅速发展，人参的栽培面积和产量有了显著提高，产品销路也由营口扩大到天津、上海，分销于广东、浙江、云南、山西及香港，抚松人参走向全国。随着科学技术飞速发展，林参间作、林下栽参等科学栽培方法不仅提高了园参产量，而且有效地保护了生态平衡，使长白山的人参栽培事业持续发展。

（2）物种鉴别。我国引种栽培的西洋参 *Panax quinquefolius* Linn. 和本种的区别在于前者总花梗与叶柄近等长或稍长，小叶片倒卵形，上面脉上几无刚毛，边缘的锯齿不规则且较粗大。

（3）市场信息。人参药材商品分为野山参、林下参和园参 3 种，每种各分 3 等，见表 2-1-11。此外，市场中尚有高丽参出售，以高丽红参为主。高丽红参为方圆柱形，多单枝，棕红色，半透明。

表 2-1-11　人参商品规格等级划分

规格	等级	性状
野山参	特等	干货，纯野山参的根部。芦为三节芦，圆芦、堆花芦分明，个别有双芦或三芦以上；芋为枣核芋，芋大小不超过主体的40%，须长下伸，色正有光泽；体为灵体、疙瘩体，黄褐色或淡黄白色，腿分档自然；主体上部的环纹细而深，紧皮细纹，不跑纹；须细而长，疏而不乱，柔韧不脆，有珍珠点，无伤残。不抽沟，无疤痕、水锈
	一等	干货，纯野山参的根部。芦为三节芦或两节芦，个别有双芦或三芦以上，芦碗较大；芋为枣核芋或毛毛芋，芋大小不超过主体的50%，须长下伸，色正有光泽；体为顺体、过梁体，黄褐色或淡黄白色，腿分档自然；主体上部的环纹细而深，紧皮细纹，不跑纹；须细而长，疏而不乱，柔韧不脆，有珍珠点，主须无伤残。不抽沟，无疤痕、水锈
	二等	干货，纯野山参的根部。芦为两节芦、缩脖芦，芦碗较粗，芦头排列扭曲，有残缺、疤痕、水锈；芋大或无芋，有残缺、疤痕、水锈；体为顺体、笨体、横体，黄褐色或淡黄白色，皮较松，抽沟，体小、芋变，有疤痕、水锈；主体上部的环纹不全，断纹或环纹较少；须细而长，柔韧不脆，有珍珠点，有部分伤残及水锈
林下参	一等	芦长，有两节芦或三节芦，芦碗较大；芋大小不超过主体的40%，无疤痕、水锈；体为灵体、短体，淡黄白色，有光泽，腿分档自然，不抽沟，无疤痕、水锈；环纹细而深；须长，柔韧性好
	二等	有两节芦或三节芦，多为竹节芦，芦碗较大；芋大小不超过主体的50%，无水锈；体为顺体、过梁体、笨体，有光泽，不抽沟，无疤痕、水锈；环纹粗而浅或断纹、跑纹；须较长，不清疏，柔韧性差
	三等	有两节芦，多为竹节芦、缩脖芦，芦碗较小；芋大，有伤残、水锈；芋变或无芋，有伤残、水锈；环纹残缺不全；须较短，不清疏，柔韧性差
园参	一等	主根呈圆柱形，芦须齐全，表面白色或黄白色，无水锈、抽沟、黄皮。质坚实，有粉性，无空心。气香，味甘、微苦。无虫蛀、霉变、破损、疤痕
	二等	主根呈圆柱形，芦须较齐全，表面白色或色较深，有轻度水锈、抽沟、轻度黄皮。质坚实，有粉性，无空心。气香，味甘、微苦。无虫蛀、霉变，有轻度破损、疤痕
	三等	主根呈圆柱形，芦须严重残缺，表面黄白色或较深，有水锈、抽沟、黄皮。质坚实，有粉性，无空心。气香，味甘、微苦。无虫蛀、霉变，有破损、疤痕

人参作为传统中药材以及食品原料，各品种价格参差不齐，近年没有明显波动，生晒参及红参因大小、质量差异，价格在 500 ~ 1000 元 / 千克波动。林下参因形态、生长年限不同，价格差别更大些，单支价格几十元到几百元，甚至上千元。据统计，国际上人参的年贸易量为 6000 ~ 6500t，我国的人参产量约占世界总产量的 70%，其中约 65% 的人参出口到中国香港及日本等地，而我国 80% 的人参产自吉林。2018 年，吉林人参留存面积 6800hm²，鲜参产量达到 3.9 万 t，人参总产值近 552 亿元，约为 2009 年人参总产值的 11 倍，从产业来看，第一产业（种植业）产值 59 亿元，第二产业（加工业）产值 333 亿元，第三产业产值 160 亿元。2019 年末，吉林人参综合产值达 526 亿元。

（4）濒危情况、资源利用和可持续发展。人参被誉为"百草之王"，是我国传统中医药宝库中的明珠，在我国中医药发展和中华文化史中占有十分重要的地位。20 世纪 50 年代，山参主要分布在我国东北地区，朝鲜和俄罗斯也有分布。

目前山参资源分布范围还在进一步缩小，仅局限在长白山脉，少量分布于小兴安岭南麓。我国野生人参主要分布在辽宁东部山区，吉林的长白山脉及近地山区，黑龙江的大、小兴安岭一带的林区。目前，人参在我国主要以人工栽培为主，东北三省已广泛栽培。近年来，河北、山东、山西、陕西、湖南、湖北、广西、四川、云南等均有引种。据有关专家考证，早在 1600 年前我国就开始栽培人参；至唐代，人参的栽培技术已经达到了较为成熟的水平；明代，人们开始用参种繁殖的方法栽培人参。目前，人参栽培地主要分布在中国、日本、韩国和朝鲜，我国的人参产量最高，占世界人参总产量的 70%。但是由于人参资源的再生能力弱，加上人类无节制的采挖和对人参生境的破坏，导致人参产区逐渐缩小。同时，虽然我国人参产量高，但其品质与韩国人参相比，差距比较大，致使人参价格偏低，"人参卖个萝卜价"的现象严重影响参农的积极性。为实现人参资源可持续、高质量发展，带动参农的积极性，提高"中国人参"品牌知名度，进而提高经济效益，需做好如下工作：①强化政府管理，建立自然保护区，为人参产业营造良好的发展环境；②优化栽培模式，进行无公害人参栽培，实现人参栽培可持续发展；③加快技术创新，解决人参连作障碍问题，推动人参产业发展的优化升级；④树立品牌意识，加大宣传力度，实施人参品牌战略。2019 年 1 月，《吉林省人民政府办公厅关于推进人参产业高质量发展的意见》出台。该意见提出，到 2020 年和 2025 年，参业产值力争实现 800 亿元和 1200 亿元的目标，并通过建立人参精深加工体系、推进人参标准化生产、做大做强龙头企业等措施，建设现代人参产业体系、生产体系和经营体系，把人参产业打造成吉林振兴发展的战略支柱产业。据初步分析，2020 年 1 ~ 7 月吉林人参出口量大幅增长与人参产业链向高端产品延伸有关。一是人参产业由粗放型原材料出口逐步向高端产品出口转化，人参产品附加值大幅提高，市场需求也有所增加。2020 年 1 ~ 7 月，吉林人参出口价格由 260.6 元 / 千克上涨到 455.1 元 / 千克。二是企业与高校合作，推进人参深加工产品研发。吉林部分人参加工企业与北京大学等高校的实验室合作研发新产品。经计量调配或与其他营养物质调和后的人参产品比粗加工直接食用的人参能更好地被人体吸收，出口前景广阔。在人参药食产品开发方面，集中打造以鲜参生产与加工、人参饮品、人参提取物加工品、人参保健食品四大产品为主体的人参系列健康产品链。2010 年 9 月，吉林获准在全国率先开展人工种植人参进入食品试点，2 年后又获准人工种植人参进入新资源食品。目前，吉林制订了人参食品通用标准，已研发出人参蔬果酵素、蜜片、酒、糖、茶、米等食品 500 余种。

（5）其他。人参芦头、人参果、人参须已被列入 2019 年版《吉林省中药材标准》

第一册。人参栽培品种分为以下几类，见表 2-1-12 至表 2-1-13。

表 2-1-12　依据人参的主产区分类

分类	主产区	特点
普通参	主产于吉林抚松、靖宇、长白	根茎短，主根体短粗，支根短，须根多。商品价值较低
边条参	主产于吉林集安参区	根茎长，主根体长，支根长，须根少。商品价值高，约是普通参的 2 倍
石柱参	主产于辽宁宽甸下露河朝鲜族乡石柱子村	芦长，根短，体灵，皮老，纹深，须根少，须上珍珠疙瘩较明显，体形美观，形似山参。商品价值极高，是普通参的 2 ~ 4 倍

表 2-1-13　依据人参的根及根茎（芦头）形态分类

分类	特点
大马牙类型	越冬芽（芽孢）大，芦碗（茎痕）大。根茎粗。主根短且粗，须根多，支根少。根皮黄白色，纹浅；参根产量高
二马牙类型	越冬芽比大马牙类型稍小。根茎较大马牙类型长，且稍细。主根长于大马牙类型，支根明显，须根少。参根产量略低于大马牙类型；根皮黄白色，纹浅；商品价值高于大马牙类型
圆膀圆芦类型	与二马牙类型相比，根茎稍长，芦碗较明显，肩头圆形，近肩处呈圆柱形。主根体长，丰满，根形美观。根皮黄白色，纹较深；参根产量较低，但商品价值较高
长脖类型	与大马牙类型、二马牙类型、圆膀圆芦类型相比，根茎更细长，芦碗清楚。主根长，有支根，须根长，体形优美，生长缓慢。根皮黄白色或褐色，纹深；参根产量偏低，商品价值高

已通过审定的人参品种见表 2-1-14。

表 2-1-14　已通过审定的人参品种

序号	品种名称	选育单位
1	吉参 1 号（1998）	中国农业科学院特产研究所
2	吉林黄果人参（1996）	中国农业科学院特产研究所
3	福星 1 号（2009）	中国农业科学院特产研究所、抚松县人参产业发展办公室、抚松县参王植保有限责任公司
4	宝泉山人参（2002）	吉林农业大学中药材学院、吉林大学生物与农业工程学院、吉林长白参隆集团
5	集美人参(2009)	吉林农业大学、集安市人参特产业办公室、吉林中森药业有限公司、中国农业科学院特产研究所
6	康美 1 号(2012)	集安大地参业有限公司、集安人参研究所、吉林农业大学、中国农业科学院特产研究所
7	益盛汉参 1 号（2013）	吉林省集安益盛药业股份有限公司、吉林农业大学
8	新开河 1 号（2013）	中国医学科学院药用植物研究所、集安人参研究所、康美新开河（吉林）药业有限公司
9	福星 2 号（2014）	抚松县参王植保有限责任公司、中国农业科学院特产研究所、抚松县人参研究所
10	百泉人参 1 号（2014）	通化百泉参业集团股份有限公司、吉林农业大学
11	中大林下参（2016）	中国农业科学院特产研究所、延边大太阳参业有限公司
12	新开河 2 号（2016）	康美新开河（吉林）药业有限公司、中国农业科学院特产研究所、集安人参研究所

五加科 Araliaceae 人参属 *Panax* 凭证标本号 22242420120624001LY

西洋参
Panax quinquefolius Linn.

| **植物别名** | 花旗参、洋参、西洋人参。

| **药 材 名** | 西洋参（药用部位：根。别名：洋参、西参、花旗参）、西洋参叶（药用部位：叶）。

| **形态特征** | 多年生草本。主根呈圆形或纺锤形，表面浅黄色或黄白色，色泽油光，皮纹细腻，质地饱满而结实，切断面干净，呈现较清晰的菊花纹理，全体无毛；根肉质，纺锤形，有时呈分歧状；根茎短；茎圆柱形，有纵条纹，或略具棱。掌状五出复叶，通常 3 ~ 4，轮生于茎端；小叶片膜质，广卵形至倒卵形，先端突尖，边缘具粗锯齿，基部楔形，最下 2 小叶最小。总花梗由茎端叶柄中央抽出，较叶柄稍长或与叶柄近等长；伞形花序，花多数，花梗细短，基部有卵形小苞片 1；萼绿色，钟状，先端 5 齿裂，裂片钝头，萼筒基部有三角形小苞片 1；

西洋参

花瓣5，绿白色，矩圆形；雄蕊5，花丝基部稍宽，花药卵形至矩圆形；雌蕊1，子房下位，2室，花柱2，上部分离成叉状，下部合生；花盘肉质，环状。浆果扁圆形，成对状，成熟时鲜红色，果柄伸长。花期7月，果熟期9月。

| 野生资源 | 原产于加拿大的魁北克与美国的威斯康星州。吉林无野生分布。

| 栽培资源 | （1）栽培条件。本种喜阴湿环境，忌强光和高温，生长期最适温度18～24℃，空气相对湿度80%左右，对土壤要求较严，适生于土质疏松肥沃、土层较厚、富含腐殖质的森林砂壤土中，可选择阔叶林或肥沃的农田、休闲地、生荒地栽培，忌连作。

（2）栽培区域。主要栽培于吉林通化（通化、集安、辉南）、白山（靖宇、抚松、长白）、延吉（汪清、和龙、安图）等。

（3）栽培要点。本种属于引进品种，栽培时播地翻耕深度应为20cm左右，不宜太深，使土壤风化腐熟，使枯枝落叶充分腐熟。休耕1年后，再翻耕1次，作业道宽80～100cm，以利排水、空气流通和接受散射光。通常采用人工催芽法，一般种子采用层积沙埋法。采红果，去果肉，洗净晾干，于第2年5月进行催芽处理。多采用春播育苗方式，移栽2年苗，把主根上的须根或多余支根剪去，以改善参根体形，同时使营养集中于主根，以提高其质量。从出苗到采收，需要长期搭设遮阴棚。

（4）栽培面积与产量。吉林是我国最大的西洋参产区。2019年，吉林西洋参栽培面积为2867hm^2，年产鲜西洋参超过14000t。

| 采收加工 | 西洋参：栽培4～5年后，于枯萎期采挖，9～10月为收获的最佳时期。采收时先清理床面覆盖物，若床土湿度过大，可晾晒1～2天，从参床的一头开始将西洋参刨出。采收后洗去泥土，除去支根及须尾，置于室外稍晾晒，按大、中、小分等，装盘，上架，干燥。干燥的过程中必须排潮，否则易导致西洋参霉变。如果温度过高或烘干速度过快，参体表面先形成硬壳，内部水分不能均匀排出，

易产生抽沟现象。最初 24 小时，干燥室温度应控制在 28 ~ 30℃，室内相对湿度应控制在 65% 以下，此后温度逐渐升高，并控制在 30 ~ 42℃，最高不超过 45℃，20 ~ 30 天可逐渐干透。干燥初期应尽量开足排风扇以排除室内水汽，中后期每隔 15 分钟排潮 1 次，每次 5 ~ 10 分钟，并注意调换参盘位置，使干燥均匀、一致。也可置于玻璃房日光晒干。

西洋参叶：9 月中旬至 10 月中旬采收，晾干或烘干。

| **药材性状** | 西洋参：本品呈纺锤形、圆柱形或圆锥形，长 3 ~ 12cm，直径 0.8 ~ 2cm，无芦头、侧根及须根。表面浅黄褐色（原皮参）或黄白色（粉光参），可见横向环纹和线形皮孔状突起，并有细密浅纵皱纹和须根痕。主根中下部有 1 至数条侧根，多已折断，有的上端有根茎（芦头），环节明显，茎痕（芦碗）圆形或半圆形，具不定根（芋）或已折断。体重，质坚实，不易折断，断面平坦，浅黄白色，略显粉性，皮部可见黄棕色点状树脂道，形成层环纹棕黄色，木部略呈放射状纹理。气微而特异，味微苦、甘。以条匀、质硬、体轻、表面横纹紧密、气清香、味浓者为佳。

西洋参叶：本品常扎成小把，呈束状，长 20 ~ 45cm。掌状复叶有长柄，绿色至绿褐色，3 ~ 4 轮生。小叶通常 5，呈卵形或倒卵形，基部的 2 小叶最小，长 3 ~ 8cm，宽 1 ~ 4cm，叶柄短或近无柄；上部的 3 小叶大小相近，长 4 ~ 15cm，宽 2 ~ 7cm，叶柄长约 2.5cm，基部楔形，先端渐尖，边缘具锯齿及刚毛，上表面叶脉生刚毛，下表面叶脉隆起。纸质，易碎。气清香，味微苦。

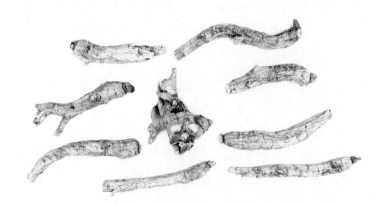

| 功能主治 | 西洋参：甘、微苦，凉。归心、肺、肾经。补气养阴，清热生津。用于气虚阴亏，虚热烦倦，咳喘痰血，内热消渴，口燥咽干。

西洋参叶：甘、微苦，凉。归心、肺、肾经。补气养阴，清热泻火，生津止渴。用于气阴不足，心脉失养，肺虚久咳，口渴咽干，心烦少寐，胸闷心痛，体虚乏力。

| 用法用量 | 西洋参：内服煎汤，3 ~ 6g；或入丸、散。不宜与藜芦同用。

西洋参叶：内服煎汤，5 ~ 10g。不宜与藜芦同用；中阳衰微、胃有寒湿者忌服。

| 附　　注 | （1）道地沿革。西洋参原产于北美洲，清代吴仪洛所著《本草从新》（1757）首次收载西洋参，云："补肺降火……出大西洋佛兰西，形似辽东糙人参。"清代赵学敏的《本草纲目拾遗》（1765）亦记载："洋参似辽参之白皮泡丁，味类人参，惟性寒……出大西洋佛兰西……入药选皮细洁，切开中心不黑，紧实而大者良。"1975 年以后，我国陆续从美国引进西洋参种子，并在吉林、辽宁、黑龙江、陕西、江西、贵州、云南、河北、山东、安徽、福建等地引种栽培成功，其中东北三省、陕西秦巴山区普遍栽培，而福建、云南等高海拔山区的成功引种，为我国西洋参栽培区域向低纬度地区扩大生产提供了依据。1980 年 9 月，吉林召开了首次西洋参引种成果鉴定会，并在省内进行了西洋参大面积引种栽培。1996 年，靖宇被国务院发展研究中心、农村发展研究部、中国农学会特产经济专业委员会、中国特产报社授予"中国西洋参之乡""中国西洋参种源基地"称号，1999 年，又被国家科技部定为"全国西洋参种苗生产基地"。2004 年，靖宇西洋参获得绿色食品证书，并通过全国首批 GAP 认证。2010 年 12 月 24 日，原中华人民共和国农业部批准对"靖宇西洋参"实施农产品地理标志登记保护。近几年，通化地区西洋参产业也逐步发展起来。

（2）市场信息。西洋参多根据直径、长度、重量分为长支、短支、圆粒、参段和参须等规格，见表 2-1-15。近年来，西洋参价格出现回落的态势。2015—2018 年初，西洋参价格为 600 ~ 750 元 / 千克；2018 年末，西洋参价格出现回落；2019—2020 年，西洋参价格为 300 ~ 500 元 / 千克。2016 年，吉林作为西洋参主产区，其西洋参年销量占全国总销量的 50% 以上。目前，在现货交易中，万良人参市场和通化人参市场为西洋参的主要销售市场。此外，还有部分企业和商家直接收购农户参地里的西洋参。吉林约 85% 的西洋参销往南方城市。

表 2-1-15　国产西洋参商品规格划分

规格		直径 /cm	长度 /cm	平均单支重 /g	形状
长支	特大支	＞ 1.3	＞ 6.5	≥ 7.0	主根呈圆柱形或圆锥形，单枝，顺直，表面浅黄褐色或黄白色，有横向环纹和线形皮孔状突起，无疤痕，主根上端有的有芦头，环节明显，侧根多已折断，体重，质坚实，断面浅黄白色，致密，无裂隙，无纵沟，有形成层环纹，香气浓郁，味微苦、甘
	大支	1.0 ~ 1.3	5.5 ~ 6.5	≥ 5.0	
	中支	0.9 ~ 1	4.5 ~ 5.5	≥ 3.5	
	小支	0.7 ~ 0.9	3.5 ~ 4.5	≥ 2.5	
短支	特号	＞ 1.9	＞ 5.0	＞ 10.0	
	1 号	1.6 ~ 1.9	≥ 5.0	≥ 7.0	
	2 号	1.4 ~ 1.6	4.0 ~ 5.0	≥ 5.0	
	3 号	1.3 ~ 1.4	4.0 ~ 5.0	≥ 3.0	
	4 号	1.1 ~ 1.3	3.0 ~ 4.0	≥ 2.0	
圆粒	1 号	—	—	≥ 7.0	
	2 号	—	—	≥ 5.0	
	3 号	—	—	≥ 3.0	
	4 号	—	—	≥ 1.5	
	5 号	—	—	＜ 1.5	
参段（剪口）		—	—	—	表面浅黄色或黄白色，断面黄白色，无纵沟，无疤痕，香气浓郁
参须		—	—	—	

（3）资源利用和可持续发展。长白山区是西洋参的主产区，长白山独特的自然环境使该地所产西洋参的品质明显优于其他地区所产西洋参。吉林政府大力支持西洋参产业发展，通过出台《吉林省人参管理办法》《吉林省人参产业条例》《关于推进人参产业高质量发展的意见》等文件、设立人参产业发展专项资金等一系列政策措施，持续为西洋参品牌建设保驾护航。经过 40 多年的研究，吉林利用从西洋参根、茎叶、花、果实等中提取的皂苷、多肽、多糖等有效成分，相继开发出药品、美容化妆品及保健食品等三大类多系列的多种产品，实现了西洋参整体利用，且无剩余物。西洋参产业已成为吉林重要的特色支柱产业，为促进吉林地方经济的发展做出很大的贡献。

| 伞形科 | Umbelliferae | 柴胡属 | *Bupleurum* | 凭证标本号 | 220621120825146LY |

北柴胡

Bupleurum chinense DC.

北柴胡

| 植物别名 |

柴胡、硬苗柴胡、竹叶柴胡。

| 药 材 名 |

柴胡（药用部位：根。别名：茈胡、山菜、茹草）。

| 形态特征 |

多年生草本，高 50 ~ 85cm。主根较粗大，棕褐色，质坚硬。茎单一或数茎，表面有细纵槽纹，实心，上部多回分枝，微作"之"字形曲折。基生叶倒披针形或狭椭圆形，先端渐尖，基部收缩成柄，早枯落；茎中部叶倒披针形或广线状披针形；茎顶部叶同形，但更小。复伞形花序很多，花序梗细，常水平伸出，形成疏松的圆锥状；总苞片 2 ~ 3，甚小，狭披针形，3 脉；伞幅 3 ~ 8，纤细，不等长；小总苞片 5，披针形，长 3 ~ 3.5mm，宽 0.6 ~ 1mm，先端尖锐，3 脉；小伞直径 4 ~ 6mm，花 5 ~ 10；花柄长 1mm；花瓣鲜黄色，上部向内折，中肋隆起，小舌片矩圆形；花柱基深黄色。果实广椭圆形，棕色，两侧略扁，棱狭翼状，淡棕色，每棱槽油管 3，很少 4，合生面 4。花期 7 ~ 8 月，果期 9 ~ 10月。

| **野生资源** | 生于海拔 1500m 以下的灌丛、林缘及干燥的石质的山坡、草丛、路边等。分布于吉林通化（通化、柳河、集安、梅河口、辉南）、白山（临江、靖宇、抚松、长白）、延边（延吉、图们、敦化、安图、珲春、龙井、汪清、和龙）、长春（农安、榆树、德惠、九台）、吉林（桦甸、磐石、蛟河、舒兰、永吉）、辽源（东丰、东辽）。野生资源较丰富。 |

| **栽培资源** | （1）栽培条件。本种喜温暖、潮湿环境，耐寒、耐旱，怕水涝。宜选择肥沃、疏松、不积水的大田或缓坡山地种植，不宜种植于积水洼地、土层薄的地块。
（2）栽培区域。主要栽培于吉林辽源、四平、松原、吉林等。
（3）栽培要点。采用种子直播繁殖方式。北柴胡种子发芽时对温度要求严格，发芽的最佳温度为 18 ~ 22℃，北柴胡发芽需 20 天左右。种子寿命为 1 年，温水浸泡 4 ~ 6 小时可催芽。每亩用种量 2 ~ 3kg。可与玉米、大豆等粮食作物错 |

时套种。

（4）栽培面积与产量。吉林北柴胡栽培面积约 50hm²，年产量约 50t，产量较低。

| **采收加工** | 于春初植物发芽前或秋末落叶后采收，一般以秋季采挖为宜。选择晴天进行采挖，采挖前割去地上茎，采挖时应注意勿伤根部，不得碰破根皮，以免影响商品品质。采挖后除去泥土、残茎，以备加工。为了提高效率、降低成本，目前产区多利用机械采挖。采挖后要随收获随加工，不要长时间堆积，以防霉烂。加工时剪掉残茎和须根，用水冲洗干净，晒至七八成干，捆成小把，晒干或烘干。

| **药材性状** | 本品呈圆锥形或圆柱形，长 6 ~ 15cm，直径 0.3 ~ 1.2cm，常有分枝。根头膨大，先端残留数个茎基或短纤维状叶基。表面灰褐色或棕色，具纵皱纹、支根痕及皮孔。质坚硬，不易折断，断面纤维性，横断面皮部淡棕色，木部黄白色。气

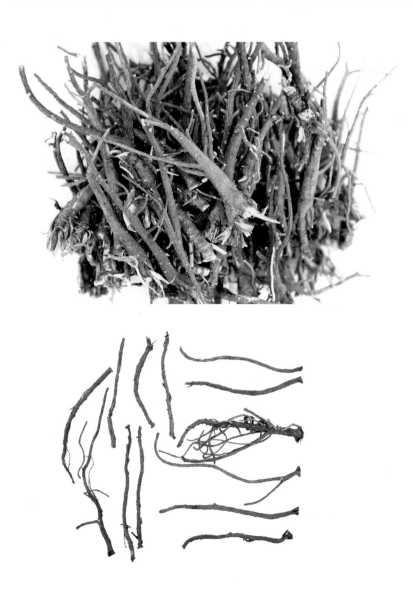

微香，味微苦。以根粗长、无茎苗、须根少者为佳。

| 功能主治 | 辛、苦，微寒。归肝、胆经。疏散退热，疏肝解郁，升举阳气。用于感冒发热，寒热往来，胸胁胀痛，月经不调，子宫脱垂，脱肛。

| 用法用量 | 内服煎汤，3 ~ 9g；或入丸、散。外用适量，煎汤洗；或研末调敷。

| 附　注 | （1）道地沿革。柴胡原名茈胡，汉代《神农本草经》记载："茈胡，味苦平，一名地薰。""柴胡"一名为宋代《本草图经》首次收载。清代以前的文献记载柴胡产地为"生弘农及冤句长安及河内""冤句（今山东菏泽）、长安及河内、关陕、银州、丹州（今陕西宜川）"，有文献认为银州（今陕西）产者为佳。但自清代起，各文献将银州柴胡从柴胡项下单列出。现《中国药典》收载的银柴胡为石竹科繁缕属植物银柴胡 *Stellaria dichotoma* L. var. *lanceolata* Bge. 的干燥根。现代文献记载柴胡因基原不同分为北柴胡和南柴胡，产地广泛，其中北柴胡主要产于河北、河南、辽宁、黑龙江、吉林、陕西、内蒙古、山西、甘肃等地。吉林旧志中称吉林所产柴胡为"北柴胡"，认为"入药亦良"。清代《吉林外记》（1827）记载："北产者如前胡而软，入药亦良。"《吉林通志》（1891）记载："柴胡如前胡而软，入药亦良。"《长白汇征录》（1910）记载："北地今人谓之北柴胡，入药亦佳，观此用药以地道为妙矣。"《柳河县乡土志》（1907）记载："植物之药产……柴胡……本境之常产。"以上记载表明，在古代，柴胡的基原较为混乱，至清代以后，柴胡的基原逐渐明晰。吉林所产为北柴胡，已有上百年应用历史。

（2）物种鉴别。本种分布广泛，北柴胡药材的基原多为本种及其 3 个变型。北京柴胡 *Bupleurum chinense* DC. f. *pekinense* (Franch.) Shan et Y. Li 与原种的主要区别在于：下部茎生叶椭圆状披针形，长 5 ~ 10cm，宽 1 ~ 2cm，硬纸质，两面现灰绿色。多伞北柴胡 *Bupleurum chinense* DC. f. *chiliosciadium* (Wolff) Shan et Y. Li 与原种的主要区别在于：分枝细而多；小伞形花序多，直径约 5mm，伞幅亦短，长 1.5 ~ 2cm。百花山柴胡 *Bupleurum chinense* DC. f. *octoradiatum* (Bunge) Shan et Sheh 与原种的主要区别在于：茎上部分枝向两侧均匀开展，不呈"之"字形分枝；小总苞片 4 ~ 5，椭圆状披针形，通常超过花期小伞形花序而略长于果柄；伞幅通常 8，有时 5 ~ 14。百花山柴胡与北京柴胡极相似，但分枝较少，不呈重复二歧式分枝。吉林大叶柴胡 *Bupleurum longiradiatum* Turcz. 资源较多，但因其有毒，不可作柴胡使用。大叶柴胡根茎密生环节，注意鉴别。

（3）市场信息。市场上《中国药典》正品北柴胡有家种和野生2种，二者价格相差较大；家种北柴胡主要依据其直径大小、去茎多少划分等级，分为选货和统货，见表2-1-16。吉林野生北柴胡资源稀少，年产量不足2t，多自产自销，无商品供市。2020年以后，吉林陆续有栽培品产出，年产量约50t。

表 2-1-16　北柴胡商品规格等级划分

规格	等级	性状	
		相同点	不同点
家种	选货	干货。呈圆柱形或长圆锥形，上粗下细，顺直或弯曲，多分枝。头部膨大，呈疙瘩状，下部多分枝。表面灰褐色或土棕色，有纵皱纹。质硬而韧，断面黄白色，显纤维性。微有香气，味微苦、辛。无须毛、杂质、虫蛀、霉变	直径大于0.4cm，残茎不超过0.5cm
	统货		直径大小不一，残茎不超过1cm
野生		干货。呈圆柱形或长圆锥形，上粗下细，顺直或弯曲，多分枝。头部膨大，呈疙瘩状，残茎不超过1cm，下部多分枝。表面黑褐色，有纵皱纹、支根痕及皮孔。质硬而韧，不易折断，断面纤维性较强，皮部浅棕色，木部黄白色。气微香，味微苦、辛。无须毛、杂质、虫蛀、霉变	

（4）濒危情况、资源利用和可持续发展。柴胡是柴黄冲剂、柴黄片、坤净栓、柴枳四逆散、小柴胡片等中成药的重要原料。近几年，柴胡市场供略微大于求。随着"一带一路"倡议的提出，我国柴胡的出口份额逐日增大，药农只需考虑柴胡质量。随着社会需求逐年加大和野生资源日渐匮乏，柴胡药材的市场缺口越来越大，家种柴胡的市场前景十分广阔。

| 伞形科 | Umbelliferae | 藁本属 | *Ligusticum* | 凭证标本号 | 220882130818148LY |

辽藁本

Ligusticum jeholense (Nakai et Kitagawa) Nakai et Kitagawa

辽藁本

植物别名

藁本、北藁本、山香菜。

药材名

藁本（药用部位：根及根茎。别名：家藁本、水藁本）。

形态特征

多年生草本，高 30 ~ 80cm。根圆锥形，分叉，表面深褐色。茎直立，圆柱形，中空，具纵条纹，常带紫色，上部分枝。叶具柄，基生叶柄长可达 19cm，向上渐短；叶片宽卵形，2 ~ 3 回三出羽状全裂，羽片 4 ~ 5 对，卵形，长 5 ~ 10cm，宽 3 ~ 7cm，基部者具柄，柄长 2 ~ 5cm；小羽片 3 ~ 4 对，卵形，基部心形至楔形，边缘常 3 ~ 5 浅裂；裂片具齿，齿端有小尖头。复伞形花序顶生或侧生；总苞片 2，线形，长约 1cm；伞幅 8 ~ 10；小总苞片 8 ~ 10，钻形；小伞形花序具花 15 ~ 20；花柄不等长；萼齿不明显；花瓣白色，长圆状倒卵形；花柱基隆起，半球形，花柱长，果期向下反曲。分生果背腹扁压，椭圆形，背棱凸起，侧棱具狭翅；每棱槽内油管 1 ~ 2。花期 8 月，果期 9 ~ 10 月。

| **野生资源** | 生于海拔 1250 ～ 2500m 的林下、草甸及沟边等阴湿处。吉林各地均有分布。野生资源稀少。

| **栽培资源** | （1）栽培条件。本种在吉林多栽培于海拔 300 ～ 800m 的地区。本种对土壤要求不严，但以土层深厚、疏松肥沃、富含有机质的砂壤土为宜，重黏土、盐碱地、低洼地不易种植。忌连作。

（2）栽培区域。主要栽培于吉林通化（柳河、梅河口）、吉林（蛟河、舒兰、磐石）等。

（3）栽培要点。第 1 年育苗，第 2 年春季移栽。春播在 4 月中旬左右（气温稳

定在 15℃以上），秋播在土壤冻结前。在种子中拌入适量的细河沙，将其均匀撒于床面上，覆盖 1cm 厚的松针，7 天后即可出苗，幼苗出土前要保持床面湿润。以根茎为主产品的植株，在花蕾期应适当摘除部分花序，以集中营养促进根系生长。

（4）栽培面积与产量。吉林本种的栽培面积约 100hm²，年产量约 250t。

| **采收加工** | 秋季植株枯萎后采挖，除去茎叶及杂质，洗去泥土，晒干或烘干。

| **药材性状** | 本品呈不规则的团块状或柱状，长 1 ~ 3cm，直径 0.6 ~ 2cm。有多数细长弯曲的根。表面棕褐色或暗棕色，粗糙，有纵皱纹，上侧残留数个凹陷的圆形茎基，下侧有多数点状凸起的根痕和残根。体轻，质较硬，易折断，断面黄色或黄白色，纤维状。气浓香，味辛、苦、微麻。以身干、整齐、香气浓者为佳。

| **功能主治** | 辛，温。归膀胱经。祛风，散寒，除湿，止痛。用于风寒感冒，巅顶头痛，风湿痹痛。

| **用法用量** | 内服煎汤，3 ~ 9g；或入丸、散。外用适量，煎汤洗；或研末调涂。

| **附　　注** | （1）道地沿革。藁本始载于《神农本草经》，被列为中品。《本草纲目》引陶弘景之言，云："俗中皆有芎藭，须根，其形气乃相类。"《唐本草》记载："藁本茎叶根与芎藭小别，今出岩州（今甘肃省内）者佳。"可见自古以来藁本与芎藭混用。宋代《本草图经》对藁本的记载比较详细，云："藁本今西川（今四川省内）、河东州郡（今山西省内）及兖州（今山东省内）、杭州皆有之，

叶似白芷香，又似芎䓖，但芎䓖似水芹而大，藁本叶细尔，五月有花，七八月结子，根紫色。"根据产地分析，《本草图经》所载藁本至少包括 2 种植物，其中产于西川和杭州的藁本与现在藁本的分布区相符，产于河东州郡及兖州的藁本可能是现在用的辽藁本。明代《本草品汇精要》云："藁本产于并州（今山西省内）者为地道。"这里所说的藁本其原植物可能为苏颂所说的"产于河东州郡"的叶细根紫的辽藁本。综上所述，古代藁本的原植物有 2 种，即分布于黄河上游、长江流域的藁本和分布于黄河流域下游以北地区的辽藁本，此 2 种植物与目前藁本的主流品种一致。民国时期《抚松县志》记载："藁本，五月开白花，八月结子，根紫色味最香。"该记载表明吉林产辽藁本。现代《中华本草》首次记载辽藁本为藁本的基原，辽藁本分布于吉林、辽宁、湖北、山西、山东等地，吉林为主产区之一。

（2）市场信息。辽藁本商品一般为统货。藁本药用量一般，市场价格为30 ~ 50 元 / 千克，供销平稳。

（3）濒危情况、资源利用和可持续发展。2009 年，本种被列为吉林省Ⅲ级重点保护野生植物。据调查统计（估算），国内市场每年需辽藁本 2000 ~ 2300t。在国际市场上，日本、韩国、东南亚等国家和地区也青睐我国的野生辽藁本，对其需求量连年增长。此外，经过香港代理商转手出口到其他国家和地区的辽藁本超过 50t。2000 年以来，国内外医药市场辽藁本的需求量持续增加，大货走动加快，批量成交活跃，产销两旺，产区库存所剩无几。目前，大货难求，市场缺口逐年加大，辽藁本短缺已成定局，且在短期内难以缓解。因此，辽藁本的后市价格仍有一定上升空间，但难以暴涨。20 世纪 90 年代之前，辽藁本在我国药材市场和医药市场上销势平平，量少价低，不为业界所重视，但进入 21 世纪后，其药用价值逐渐显现出来，辽藁本日益受到药企、药商和药农的关注。由于辽藁本的药用价值较高，应用范围较广，市场需求量不断增加。在国内市场上，近千家大型医药集团（厂）研发了 700 余种以辽藁本为主要原料的新药（包括 300 余种西药）。近几年，由于产区药农无序和过度采挖，导致本种野生资源几近枯竭，市场上的药材主要来源于人工种植。但由于人工种植周期长、规模小、产量低，难以满足市场日益增长的需求，扩种辽藁本正当其时。产区药农应以市场为导向，因地制宜地发展辽藁本生产，适度扩大种植面积，以生产出满足市场需求、质量过硬的药材，并以此增加药农收入。

伞形科 Umbelliferae 防风属 Saposhnikovia 凭证标本号 220882130728041LY

防风 *Saposhnikovia divaricata* (Turcz.) Schischk.

| 植物别名 | 北防风、关防风、旁风。

| 药 材 名 | 防风（药用部位：根。别名：关防风、北防风）。

| 形态特征 | 多年生草本，高 30 ~ 80cm。根粗壮，细长圆柱形。茎单生，自基部分枝较多，斜上升，与主茎近等长，有细棱，基生叶丛生，有扁长的叶柄，基部有宽叶鞘。叶片卵形或长圆形，长 14 ~ 35cm，宽 6 ~ 8（~ 18）cm，2 回或近 3 回羽状分裂，第 1 回裂片卵形或长圆形，有柄，长 5 ~ 8cm，第 2 回裂片下部具短柄，末回裂片狭楔形，长 2.5 ~ 5cm，宽 1 ~ 2.5cm。茎生叶与基生叶相似，但较小，顶生叶简化，有宽叶鞘。复伞形花序多数，生于茎和分枝，先端花序梗长 2 ~ 5cm；伞幅 5 ~ 7，长 3 ~ 5cm；小伞形花序有花 4 ~ 10；无总苞片；小总苞片 4 ~ 6，线形或披针形，先端长，长约 3mm，萼齿

防风

短三角形；花瓣倒卵形，白色，长约1.5mm，先端微凹，具内折小舌片。双悬
果狭圆形或椭圆形，长4～5mm，宽2～3mm，幼时有疣状突起，成熟时渐平
滑；每棱槽内通常有油管1，合生面油管2。花期8～9月，果期9～10月。

| 野生资源 | 生于林间草地、林缘、灌丛、草原、沙地及干燥的石质山坡上。分布于长春（农
安、榆树、德惠、九台）、吉林（桦甸、磐石、蛟河、舒兰、永吉）、辽源（东
丰、东辽）、白城（洮南、镇赉、大安、通榆）、松原（乾安、扶余、长岭、
前郭尔罗斯）、四平（双辽、梨树、伊通、公主岭）等。野生资源较丰富。

| 栽培资源 | （1）栽培条件。本种在吉林多种植于海拔200～500m的地区。本种适应性较强，
耐寒、耐干旱，喜阳光充足、凉爽的气候，适宜在排水良好、干燥的砂壤土中生长。

（2）栽培区域。主要栽培于吉林松原、白城、吉林、四平等。

（3）栽培要点。本种种子容易萌芽，在15～25℃均可萌发，新鲜种子的发芽

率可达 70% 以上，贮藏 1 年以上的种子发芽率显著降低，生产中以新鲜种子作种为好。种子发芽的适宜温度为 15℃，春、秋季播种。春播 20 天左右出苗，秋播翌年春季出苗。本种出苗后的管理比较简单，非留种田要及时控制抽薹开花。

（4）栽培面积与产量。吉林西部平原地区野生防风年产量大约 15t，栽培防风陆续产出，年产量约 100t。其他地区产量稍少。

| **采收加工** | 春、秋季采挖，采挖前先割去地上部分，然后人工或用起药机采挖，采挖后除去茎基、须根和泥沙，晒至八九成干，捆成小把，再晒干。

| **药材性状** | 本品呈长圆锥形或长圆柱形，下部渐细，有的略弯曲，长 15 ~ 30cm，直径 0.5 ~ 2cm。表面灰棕色或棕褐色，粗糙，有纵皱纹、多数横长皮孔样突起及点状细根痕。根头部有明显、密集的环纹，有的环纹上残存棕褐色毛状叶基。体轻，质松，易折断，断面不平坦，皮部棕黄色至棕色，有裂隙，木部黄色。气特异，味微甘。一般以条粗长、单枝、顺直、根头部环纹紧密（蚯蚓头明显）、质松软、断面菊花心明显者为佳。

| **功能主治** | 辛、甘，微温。归膀胱、肝、脾经。祛风解表，胜湿止痛，止痉。用于感冒头痛，风湿痹痛，风疹瘙痒，破伤风。

| **用法用量** | 内服煎汤，4.5 ~ 9g；或入丸、散。外用适量，煎汤熏洗。

| **附　注** | （1）道地沿革。防风始载于《神农本草经》，被列为上品。经考证，在唐宋时期，防风南、北方产区界线比较靠南，且北方产区防风质量较优。明代《本草品汇精要》对防风的道地产区描述为："齐州、龙山者最善，淄州、兖州、青

州者尤佳。"清代《本草崇原》记载："防风始出沙苑川泽及邯郸、琅琊、上蔡，皆属中州之地。"该记载更加明确了华东与华北地区为防风的主产地。民国时期《药物出产辨》记载："产黑龙江省洮南县（今吉林洮南）为最多。春秋雨季出新。必经烟台牛庄运来，曰庄风。又有一种产直隶（今河北石家庄、保定）、古北口（今北京密云）、热河（今河北承德）等一带。清明前后收成。有天津运来名曰津风。均野生。"该记载说明，防风主产地有明显的北移，民国时期山东已经不再是防风主产区，东北地区成为新的防风主产区，河北次之。由上述文献对防风产地描述的变化可以看出，防风产地不断北移，这与耕地的扩大对野生防风资源的破坏有很大关系。据统计，防风在吉林地方旧志中共出现 40次，是吉林地方旧志中出现频率最高的药材。据清代《吉林分巡道造送会典馆、国史馆清册》（1902）记载："防风，诸山皆产，甲于他省。"《长白汇征录》（1910）记载："长白所产，营销本省。"《吉林志书》（1813）记载："诸山皆产，甲于他省。"以上记载表明，防风为吉林历史悠久的道地药材。

（2）传统用药知识。在吉林民间有采防风叶做菜食用的习惯，久食可预防感冒，亦可强身健体。

（3）市场信息。根据市场流通情况，防风药材根据来源分为"野生防风"和"栽培防风"。在防风药材各规格下，根据药材芦头下直径与药材长度划分等级。防风商品规格等级划分见表 2-1-17。防风市场购销平稳，价格稍有波动。2015年防风的价格为 10 ～ 13 元 / 千克；2016 年下半年防风价格有所上涨，2016 年年末，防风价格涨至 23 元 / 千克；2017 年防风价格维持在 20 ～ 30 元 / 千克；2018 年防风价格稍有回落，至 2020 年上半年，防风价格维持在 15 ～ 25 元 / 千克，质量好的防风价格可达到 30 元 / 千克。

表 2-1-17　防风商品规格等级划分

规格	等级	性状				
		相同点	不同点			
			形状	断面	芦头下直径 /cm	长度 /cm
野生防风	选货 一等	主根粗大，长圆柱形至圆锥形，单枝，略弯曲，有的具"扫帚头"。体轻，质松泡，易折断，断面不平坦。气略香，味微甘	表皮黑褐色至灰褐色，粗糙，具"蚯蚓头"	有"凤眼圈"	0.6 ~ 2.0	15 ~ 30
	选货 二等				0.3 ~ 0.6	8 ~ 15
	统货 —				—	
栽培防风	选货 一等	主根较粗大，长圆柱形，单枝或多分枝，略弯曲，有的具"扫帚头"。体坚实，质硬脆，易折断。气略香，味微甘	表皮灰黄色至黄白色，紧致，有多而深的纵皱纹，横向突起皮孔较小而密，"蚯蚓头"不明显	无"凤眼圈"	0.8 ~ 2.0	20 ~ 30
	选货 二等				0.5 ~ 0.8	15 ~ 20
	统货 —				—	

（4）濒危情况、资源利用和可持续发展。2009 年，本种被列为吉林省 Ⅱ 级保护野生植物。防风是大宗常用中药材，出口量亦大。防风药材商品根据产地不同可分为以下几种：①冀防风和水防风，主产于河北、山西、山东等地，来源于栽培；②口防风，主产于河北张家口、承德一带，来源于野生或栽培；③关防风，主产于吉林、黑龙江、内蒙古东部，来源于野生或栽培。防风为吉林诸多药品的原料，2020 年新冠肺炎诊疗方案中推荐的中成药——防风通圣丸的君药即为防风。据不完全统计，现共有 468 种中成药的处方中包含防风，可见其应用面极广。关防风在中成药、中药饮片、植提物、兽药等诸多领域中的需求呈逐年增长之势，特别是在 2012 年全国药市销势不佳，多数品种用量减少、价格下降时，关防风却逆势上扬，销势活跃，销量继续增加，产量供不应求，供需缺口显现，而各地库存又显薄弱，致使产新后不久大货便销售殆尽，市场无大货可供，只在药农和中间商手中尚有少量惜售货源，估计存量仅为百吨，亟须通过扩大栽培增加产能。

龙胆科 Gentianaceae 龙胆属 *Gentiana* 凭证标本号 220502150708136LY

龙胆
Gentiana scabra Bunge

| **植物别名** | 关龙胆、苦地胆、龙胆草。

| **药 材 名** | 龙胆（药用部位：根及根茎。别名：关龙胆、龙胆草、山龙胆）。

| **形态特征** | 多年生草本，高 30 ~ 60cm。根茎平卧或直立，短缩或长达 5cm，具多数粗壮、略肉质的须根。花枝单生，直立，黄绿色或紫红色，中空，近圆形。枝下部叶膜质，淡紫红色，中部以下连合成筒状抱茎；中上部叶近革质，无柄，卵形或卵状披针形至线状披针形，长 2 ~ 7cm，宽 2 ~ 3cm，愈向茎上部叶愈小，先端急尖，基部心形或圆形，叶脉 3 ~ 5。花多数，簇生枝顶和叶腋；每花下具 2 苞片，苞片披针形或线状披针形，长 2 ~ 2.5cm；萼筒倒锥状筒形或宽筒形；花冠蓝紫色，有时喉部具多数黄绿色斑点，筒状钟形，裂片卵形或卵圆形；雄蕊着生于花冠筒中部，整齐，花丝钻形，长 9 ~ 12mm，

龙胆

花药狭矩圆形，长 3.5 ~ 4.5mm；子房狭椭圆形或披针形，柱头 2 裂，裂片矩圆形。蒴果内藏，宽椭圆形；种子褐色，线形或纺锤形。花期 8 ~ 9 月，果期 9 ~ 10 月。

| 野生资源 | 生于山坡草地、路边、河滩、灌丛、林缘、林下及草甸等。吉林各地均有分布，野生资源较少。

| 栽培资源 | （1）栽培条件。本种在吉林多种植于海拔 300 ~ 800m 的地区。要求地势平坦，背风向阳，土壤较湿润，以富含腐殖质的壤土或砂壤土为好。要保证水源，以利灌溉。移栽地可选择岗平地、缓平地，新垦荒地和老参地也可以。

（2）栽培区域。主要栽培于吉林辽源、白山、吉林等。

（3）栽培要点。采用种子直播繁殖方式。龙胆种子极其细小，播种时按1∶3的比例掺拌细沙和草木灰。镇压苗床，无须覆土，可覆盖松针或草帘保湿并防止种子被风吹散。

（4）栽培面积与产量。龙胆栽培较难，病害、草害不易控制，人工成本较高，导致吉林栽培面积较小，约 $30hm^2$，年产量约50t。

| **采收加工** | 春、秋季采收，秋季采挖较好。采挖时先拔去地上茎，用起药机将地下部分翻出，人工拾取，除去地上残茎，洗去泥土，低温烘干或晒干。

| **药材性状** | 本品根茎呈不规则块状，长 1～3cm，直径 0.3～1cm。表面暗灰棕色或深棕色，

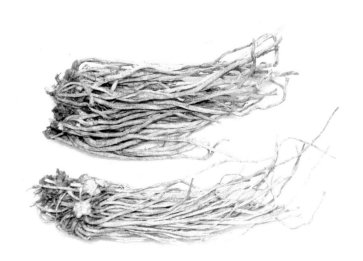

上端有茎痕或残留茎基,周围和下端着生多数细长的根。根圆柱形,略扭曲,长 10 ~ 20cm,直径 0.2 ~ 0.5cm。表面淡黄色或黄棕色,上部多有显著的横皱纹,下部较细,有纵皱纹及支根痕。质脆,易折断,断面略平坦,皮部黄白色或淡黄棕色,木部色较浅,呈点状环列。气微,味甚苦。一般以根条粗大饱满、长条顺直、根上部有环纹、不带茎枝、色黄、质柔软、味极苦者为佳。

| 功能主治 | 苦,寒。归肝、胆经。清热燥湿,泻肝胆火。用于湿热黄疸,阴肿阴痒,带下,湿疹瘙痒,肝火目赤,耳鸣耳聋,胁痛口苦,强直,惊风抽搐。

| 用法用量 | 内服煎汤,3 ~ 6g;或入丸、散。外用适量,煎汤洗;或研末调搽。

| 附 注 | (1)道地沿革。民国时期《药物出产辨》记载:"龙胆草又名陵游,西药名真仙,产安徽省;一产江苏镇江府(江苏一带);一产吉林、奉天洮南府(今吉林、辽宁一带)。各处出产,味不相上下。"1935 年陈存仁所著的《中国药学大辞典》记载:"龙胆产安徽由汉口进来,产江苏镇江府由上海运来,产吉林、奉天、洮南由山东牛荘帮运来。"洮南府为现今的吉林洮南、大安和通榆,位于嫩江两岸,其地势低洼,非常适合龙胆生长,是龙胆药材的主要产地,该地所产龙胆被称为"关龙胆"。1999 年《500 味常用中药材的经验鉴别》记载:"龙胆以根条粗大饱满、长条顺直、根上有环纹,质柔软,色黄或黄棕,不带茎枝,味极苦者为佳。各种商品中以关龙胆为最佳,山龙胆次之,坚龙胆最次。"2010 年《金世元中药材传统经验鉴别》记载:"以东北三省所产的三种龙胆质量为优,并以根条粗长,黄色或黄棕色者为佳。"该记载充分证明东北地区(关内)是优质龙胆的产区。

(2)物种鉴别。三花龙胆与龙胆形态相似,区别在于三花龙胆全株绿色,不带紫色,叶线状披针形或披针形,宽 0.5 ~ 1.2cm,叶缘及叶脉光滑,花冠裂片先端钝,褶极小。

(3)市场信息。龙胆商品分为选货与统货,市场上流通的龙胆根据其长度、中部直径等进行划分,见表 2-1-18。2015—2017 年龙胆价格平稳,维持在 45 ~ 52 元 / 千克。2017 年末龙胆价格出现上涨的趋势,2018 年价格为 70 ~ 120 元 / 千克,其中 5 ~ 10 月价格上扬,到 2018 年末价格出现回落,约 90 元 / 千克。2019 年至 2020 年 6 月,龙胆价格平稳,为 75 ~ 90 元 / 千克。目前市场上的野生龙胆很少,其药材商品主要来源于人工栽培。吉林年产龙胆药材 50t 左右,只有很少一部分来源于野生,主要用于出口。

表 2-1-18 龙胆商品规格等级划分

规格	等级	性状	
		相同点	不同点
龙胆	选货	干货。根茎呈不规则块状，先端有凸起的茎痕或残留茎基，周围和下端着生多数细长的根。根圆柱形，略扭曲，上部多有显著横皱纹，下部较细，有纵皱纹和支根痕。质脆，易断，断面略平坦，皮部黄白色或淡黄棕色，木部色较浅，成点状环列。气微，味甚苦。无虫蛀、霉变	长短粗细均匀，完整，根条较多，根茎表面灰棕色，根表面淡黄色或黄棕色，中部直径不小于1.8mm
	统货		长短粗细欠均匀，不完整，根条较少，根茎表面灰棕色，根表面淡黄色或黄棕色

（4）濒危情况、资源利用和可持续发展。1987年国务院颁布的《野生药材资源保护管理条例》中将龙胆列为国家Ⅲ级保护物种。2009年，本种被列为吉林省Ⅱ级重点保护野生植物。由于龙胆特殊的生物学特性，其自我更新周期长，加上大规模开荒和掠夺式采挖，导致东北龙胆野生资源枯竭，使以龙胆为原材料的中成药的生产受到极大影响，而国内外市场对龙胆的需求量呈逐年上升的趋势，每年以100t的速度递增。因此，研究如何保护、利用龙胆，对吉林中药资源的可持续发展是非常必要的。1934年，东北龙胆的分布区为整个西部松辽平原。1965年，野生东北龙胆产量达到最高，为5000t。经过几十年的盲目开发，2000年野生东北龙胆产量为1300～1500t，2011年，野生东北龙胆产量已不到100t，产量急剧下降。龙胆自身繁殖率低也是其野生资源难以恢复的主要原因。龙胆在自然条件下主要依靠种子进行繁殖，但龙胆种子细小，具有休眠性，且是需光种子，种子萌发需要湿润环境，萌发后根系生长缓慢，幼苗成活率低，这些因素都限制了东北龙胆种群的发展。东北人工栽培龙胆始于1990年，至今已有30多年的历史了。30年来，用地受限、价格偏低、效益减少、青壮年进城、生产周期长以及自然灾害等原因导致龙胆栽培产业发展缓慢，产量没有大幅度增加。目前，龙胆种植面积呈减少趋势，产量亦同步减少。未来需要合理开发、利用龙胆野生资源，控制采挖，保持生态平衡，扩大人工栽培面积，以增加货源。

（5）其他。与龙胆相比，坚龙胆药材表面无横皱纹，外皮膜质，易脱落，木部黄白色，易与皮部分离，可以此区别。

萝摩科 Asclepiadaceae 鹅绒藤属 Cynanchum 凭证标本号 222406120814026LY

白薇 *Cynanchum atratum* Bunge

白薇

| 植物别名 |

老君须、薇草、老鸹瓢。

| 药 材 名 |

白薇（药用部位：根及根茎。别名：白马尾、春草、芒草）。

| 形态特征 |

直立多年生草本，高达50cm。根须状，有香气。叶卵形或卵状长圆形，先端渐尖或急尖，基部圆形，两面均被白色绒毛，特别以叶背及脉上为密；侧脉6～7对。伞形聚伞花序，无总花梗，生于茎的四周，着花8～10；花深紫色，直径约10mm；花萼外面有绒毛，内面基部有小腺体5；花冠辐状，外面有短柔毛，并具缘毛；副花冠5裂，裂片盾状，圆形，与合蕊柱等长，花药先端具1圆形膜片；花粉块每室1，下垂，长圆状膨胀；柱头扁平。菁葖果单生，向端部渐尖，基部钝形，中间膨大；种子扁平，种毛白色，长约3cm。花期5～6月，果期8～9月。

| 野生资源 |

生于丘陵、半山区的林缘、林间空地、山坡草甸及灌丛间等。分布于吉林通化（通化、

柳河、集安、梅河口、辉南）、白山（临江、靖宇、抚松、长白）、延边（延吉、
图们、敦化、安图、珲春、龙井、汪清、和龙）、长春（农安、榆树、德惠、九台）、
吉林（桦甸、磐石、蛟河、舒兰、永吉）、辽源（东丰、东辽）等。野生资源较少。

| 栽培资源 |　（1）栽培条件。本种喜光，耐旱，在吉林多种植于海拔 200 ～ 800m、有效积
温在 2000 ～ 3000℃、无霜期为 120 天的向阳坡地、草甸、耕地。

（2）栽培区域。栽培于吉林吉林、长春、四平、通化等。

（3）栽培要点。本种的种子需要物理去毛处理。采用种子直播或育苗移栽的繁
殖方式。土地深翻 30cm，移栽要尽量保证穴坑深度可使根须伸直。不宜过度浇
水。蓇葖果外皮变黄但未开裂时可带果采收种子。

（4）栽培面积与产量。本种栽培推广进程缓慢，吉林本种的栽培面积不足50hm²，预计年产量约200t。

| 采收加工 | 秋季地上部分枯萎或春季萌芽前采挖，以秋季采收为佳，挖出后，除去残茎，洗去泥土，晒干。

| 药材性状 | 本品呈马尾状，多弯曲。根茎粗短，有结节，多弯曲，上面有圆形的茎痕，下面及两侧簇生多数细长的根。根长10～25cm，直径0.1～0.2cm。表面棕黄色。质脆，易折断，断面皮部黄白色，木部黄色。气微，味微苦。以根色黄棕、粗壮、条匀、断面白色实心者为佳。

| 功能主治 | 苦、咸，寒。归胃、肝、肾经。清热凉血，利尿通淋，解毒疗疮。用于温邪伤营发热，

阴虚发热，骨蒸劳热，产后血虚发热，热淋，血淋，痈疽肿毒。

| 用法用量 | 内服煎汤，4.5 ~ 9g；或入丸、散。

| 附　注 | （1）道地沿革。在《长白汇征录》（1910）、《洮南县志》（1930）、《永吉县志》（1931）等地方志中均有关于白薇的记载。2016 年，吉林农安、辉南、蛟河、通化、伊通开始在大地直播或育苗，截至 2018 年秋季，吉林种植规模较小。直播需要 4 年才可产出成品药材。目前的少量产出来源于野生。

（2）市场信息。白薇商品一般为统货。近 5 年，白薇价格平稳，一直在30 ~ 50 元 / 千克波动。白薇药用量较大，走销顺畅。吉林的野生白薇产出不多，年产量不足 10t，有货即走，供不应求。

（3）濒危情况和可持续发展。由于近年来野生白薇价格持续上涨，当地农民受利益驱使而大量采挖白薇，导致野生白薇濒临灭绝。为了保护地方物种资源，实现资源开发与保护相结合，地方政府和农林部门加大了对稀有药用植物的保护力度和政策扶持。目前白薇人工种植极少，产量远远不能满足市场需求。为保护长白山区优质白薇种源，弥补野生资源不足，带动广大农民增收致富，吉林积极开展白薇人工繁育试验，大力推广白薇人工种植，开发白薇人工繁育和栽植技术，以促进白薇资源可持续利用。

唇形科 Labiatae 黄芩属 Scutellaria 凭证标本号 220382120720043LY

黄芩
Scutellaria baicalensis Georgi

黄芩

| 植物别名 |

黄金茶、黄金茶根、山茶根子。

| 药 材 名 |

黄芩（药用部位：根。别名：山茶根、黄芩茶、土金茶根）、黄芩茎叶（药用部位：茎叶）。

| 形态特征 |

多年生草本。根茎肥厚，肉质，直径达2cm，伸长而分枝。茎基部伏地，上升，高 15 ~ 90cm，钝四棱形。叶坚纸质，披针形至线状披针形，侧脉 4 对；叶柄短，长 2mm。花序在茎及枝上顶生，总状，长 7 ~ 15cm，常再于茎顶聚成圆锥花序；花梗长 3mm；苞片下部者似叶，上部者向上渐变小，卵圆状披针形至披针形；花萼开花时长 4mm，果时花萼长 5mm。花冠紫色、紫红色至蓝色；冠檐 2 唇形，上唇盔状，先端微缺，下唇中裂片三角状卵圆形，两侧裂片向上唇靠合；雄蕊 4，稍露出，前对较长；花丝扁平；花柱细长，先端锐尖，微裂；花盘环状；子房褐色。小坚果卵球形，黑褐色。花期 7 ~ 8 月，果期 8 ~ 9 月。

| **野生资源** | 生于草甸、草原、砂质草地、向阳山坡、林缘、林间。分布于吉林白城（洮南、镇赉、大安、通榆）、松原（乾安、扶余、长岭、前郭尔罗斯）、四平（双辽、梨树、伊通）等。野生资源较少。

| 栽培资源 | （1）栽培条件。本种在吉林多种植于低海拔平原地区，可栽培于草原、耕地。

（2）栽培区域。主要栽培于吉林长春、松原、白城等。

（3）栽培要点。本种成熟种子出苗率高，出芽快。采用种子直播繁殖方式，田间管理注意中耕除草、排水通畅。1～3年出产子芩产量效益最高，4～5年枯芩产量效益较差。

（4）栽培面积与产量。近年吉林黄芩年产量约50t。

| 采收加工 | 黄芩：春、秋季采挖根，除去地上部分、须根和泥沙，晒至半干，用铁丝筛、竹筛、竹筐或撞皮机撞掉老皮，晒干。晾晒过程中应避免水洗和雨淋，否则易导致黄芩苷水解，黄芩根变绿、发黑而影响质量。

黄芩茎叶：夏、秋季茎叶茂盛时采割，除去杂质，晒干。

| 药材性状 | 黄芩：本品野生品呈圆锥形，扭曲，长8～25cm，直径1～3cm。表面棕黄色或深黄色，有稀疏的疣状细根痕，上部较粗糙，有扭曲的纵皱纹或不规则的网纹，下部有顺纹和细皱纹。质硬而脆，易折断，断面黄色，中心红棕色。老根中心呈枯朽状或中空，暗棕色或棕黑色。气微，味苦。栽培品较细长，多有分枝。表面浅黄棕色，外皮紧贴，纵皱纹较细腻。断面黄色或浅黄色，略呈角质样。味微苦。以条长、质坚实、色黄者为佳。

黄芩茎叶：本品茎呈钝四棱形，自基部多分枝，长15～120cm，直径0.1～3cm；具细条纹，近无毛或被卷曲至开展的微柔毛，绿色或带紫色；断面淡绿色，有髓。

叶对生，有短柄；完整叶片披针形至线状披针形，长 0.7 ~ 4.5cm，宽 0.2 ~ 1.2cm，先端钝，基部圆形，全缘，上表面暗绿色，无毛或疏被贴生至开展的微柔毛，下表面色较淡，无毛或沿中脉疏被微柔毛；质脆，多破碎。气微，味微苦。

| 功能主治 | 黄芩：苦，寒。归肺、胆、脾、大肠、小肠经。清热燥湿，泻火解毒，凉血止血，安胎。用于胸闷呕恶，湿热痞满，泻痢，黄疸，肺热咳嗽，高热烦渴，血热吐衄，痈肿疮毒，胎动不安。

黄芩茎叶：苦，寒。归肺经。清热解毒，利咽。用于风热上攻所致的咽喉肿痛，乳蛾。

| 用法用量 | 黄芩：内服煎汤，3 ~ 9g；或入丸、散。外用适量，煎汤洗；或研末调敷。

黄芩茎叶：内服煎汤，5 ~ 15g。

| 附　注 | （1）道地沿革。《神农本草经》最早记载黄芩"生川谷"。吉林黄芩产量大，药用历史较久。《吉林通志》（1891）记载："黄芩，吉林产。"《吉林外记》（1827）记载："黄芩，有枯芩、条芩之别，中虚者为枯芩，内实者为条芩。其用自异。此处所产俱备焉，惟深色坚实者良。"另外，《西安县乡土志》（1908）、《东丰县志略》（1910）、《东丰县志》（1917）等 20 余部地方志中均有关于黄芩的记载。

（2）市场信息。根据市场流通情况，将黄芩分为"栽培"和"野生"2 个规格。根据形状、直径和长度，将栽培黄芩选货分为"一级""二级""三级"3 个等级。见表 2-1-19。统货收购价为 20 元 / 千克。

表 2-1-19　黄芩商品规格等级划分

规格	等级	性状			
		相同点	不同点		
			形状	直径 /cm	长度 /cm
栽培	选货 一等	本品呈圆锥形,上部皮较粗糙,有明显的网纹及扭曲的纵皱,下部皮细,有顺纹或皱纹。表面棕黄色或深黄色,断面黄色或浅黄色。质坚脆。气微,味苦。无粗皮	上部中央具黄绿色、暗棕色或棕褐色的枯心	≥ 1.5	≥ 10
	二等		—	1.0 ~ 1.5	≥ 10
	三等		—	0.7 ~ 1.0	5 ~ 10
	统货 —		—	—	—
野生	统货 —	本品多为枯芩。表面较粗糙,棕黄色或深黄色。中心多呈暗棕色或棕黑色,枯朽状或已成空洞。气微,味苦。无粗皮			

（3）濒危情况和可持续发展。2009 年,本种被列为吉林省Ⅲ级重点保护野生植物。近年来,市场对于黄芩药材的需求量大增。为了满足市场需求,人们掠夺式采挖野生黄芩,导致黄芩野生资源遭到严重破坏,野生资源储量锐减,有些地区的野生黄芩有濒临灭绝的危险。目前,人工栽培黄芩的面积迅速扩大,但是由于栽培技术体系不完善和种源混杂、退化等多方面的原因,栽培黄芩的产量、质量差异较大。吉林黄芩野生资源分布较广,但数量较少,且吉林尚未进行人工种植,故无黄芩药材商品产出。加大保护野生黄芩资源的力度,加快黄芩优良品种的选育,加强黄芩栽培技术的研究,提高经营水平,建立黄芩示范基地,以保护和发展黄芩资源。

（4）其他。黄芩茎叶已被列入 2019 年版《吉林省中药材标准》第二册。

桔梗科　Campanulaceae　沙参属　*Adenophora*　凭证标本号　222406120718018LY

轮叶沙参

Adenophora tetraphylla (Thunb.) Fisch.

| 植物别名 |

南沙参、四叶参、沙参。

| 药 材 名 |

南沙参（药用部位：根。别名：沙参、知母、白沙参）。

| 形态特征 |

多年生草本。茎高大，可达 1.5m，不分枝，无毛或少有毛。茎生叶 3 ~ 6 轮生，无柄或有不明显叶柄；叶片卵圆形至条状披针形，边缘有锯齿，两面疏生短柔毛。花序狭圆锥状，花序分枝（聚伞花序）大多轮生，细长或很短，生数朵花或单花；花萼无毛，筒部倒圆锥状，裂片钻状，全缘；花冠筒状细钟形，口部稍缢缩，蓝色或蓝紫色，裂片短，三角形；花盘细管状。蒴果球状圆锥形或卵圆状圆锥形；种子黄棕色，矩圆状圆锥形，稍扁，有 1 棱，并由棱扩展成 1 白色带，长1mm。花期 7 ~ 9 月。

| 野生资源 |

生于山坡、林缘、草甸、林下、灌丛。吉林各地均有分布。野生资源较丰富。

轮叶沙参

| **栽培资源** | （1）栽培条件。本种在吉林多种植于山坡地、平缓耕地。要求土层松软，且厚度超过 20cm。

（2）栽培区域。栽培于吉林吉林、长春等。

（3）栽培要点。平整土地，做畦打垄，种子直播，注意排水，非留种田注意摘蕾去花。

（4）栽培面积与产量。本种有零星分散栽培。栽培品多食用，基本不药用。药材多来源于野生。

| **采收加工** | 春、秋季采挖，除去须根，洗后趁鲜刮去粗皮，洗净，干燥。

| **药材性状** | 本品呈圆锥形或圆柱形，略弯曲，长 7 ~ 27cm，直径 0.8 ~ 3cm。表面黄白色或淡棕黄色，凹陷处常残留粗皮，上部多有深陷横纹，呈断续的环状，下部有纵纹及纵沟。先端具 1 或 2 根茎。体轻，质松泡，易折断，断面不平坦，黄白色，多裂隙。气微，味微甘。

| **功能主治** | 甘，微寒。归肺、胃经。养阴清肺，益胃生津，化痰益气。用于肺热燥咳，阴虚劳嗽，干咳痰黏，胃阴不足，食少呕吐，气阴不足，烦热口干。

| **用法用量** | 内服煎汤，10 ~ 15g，鲜品 15 ~ 30g；或入丸、散。

| **附　注** | （1）道地沿革。《本经逢原》（1695）记载："沙参甘淡微寒，无毒。有南北二种，北者质坚、性寒，南者体虚力微。反藜芦。"该书首次记载南、北沙参之别。《辑安县乡土志》（1906）、《通化县志》（1927）、《长白汇征录》（1910）

等数部旧志中有地产沙参的记载。

（2）市场信息。轮叶沙参商品多为统货。干品收购价为 35 ~ 40 元 / 千克。年产销量约 10t。

（3）濒危情况、资源利用和可持续发展。2006 年，本种被列为吉林省Ⅲ级重点保护野生植物。轮叶沙参在我国分布广泛，化学成分复杂，药理作用广泛，但目前我国仅针对轮叶沙参的研究较少。轮叶沙参的有效成分主要为多糖，但其具体的作用机制尚未明确，需进一步研究，轮叶沙参的有效成分还具有抗肥胖的作用。应进一步加强对轮叶沙参的研究，并探讨其有效成分在其他方面的生物活性，以提高对轮叶沙参的综合利用度，为合理利用药材资源、提高药材质量提供理论依据。

（4）其他。本种的幼苗为吉林常用山野菜。

桔梗科 Campanulaceae 党参属 Codonopsis 凭证标本号 222406120810125LY

党参
Codonopsis pilosula (Franch.) Nannf.

| **植物别名** | 东党参。 |

| **药 材 名** | 党参（药用部位：根。别名：东党参、本党参、上党参）。 |

| **形态特征** | 多年生草本植物，茎基具多数瘤状茎痕，根常肥大，呈纺锤状或纺锤状圆柱形，较少分枝或中部以下略有分枝，表面灰黄色，上端有细密环纹，下端疏生横长皮孔，肉质。茎缠绕，有多数分枝，侧枝15 ~ 50cm，小枝 1 ~ 5cm，具叶，不育或先端着花，黄绿色或黄白色，无毛。在主茎及侧枝上的叶互生，在小枝上的叶近对生，叶柄长 0.5 ~ 2.5cm，有疏短刺毛，叶片卵形或狭卵形，先端钝或微尖，基部近心形，边缘具波状钝锯齿，分枝上的叶渐趋狭窄，叶基圆形或楔形，上面绿色，下面灰绿色，两面疏或密被贴伏的长硬毛或柔毛，少为无毛。花单生于枝端，与叶柄互生或近对生，有梗；花萼贴生 |

党参

至子房中部，筒部半球状，裂片宽披针形或狭矩圆形，先端钝或微尖，近全缘或微波状，其间弯缺尖狭；花冠上位，阔钟状，黄绿色，内面有明显紫斑，浅裂，裂片正三角形，端尖，全缘；柱头有白色刺毛。蒴果下部半球状，上部短圆锥状；种子多数，卵形，无翼，细小，棕黄色，光滑无毛。花果期 7 ~ 10 月。

| 野生资源 | 生于土质肥沃的山坡、林缘、疏林灌丛、路旁及小河旁等，常成片生长。分布于吉林通化（通化、柳河、集安、梅河口、辉南）、白山（临江、靖宇、抚松、长白）、延边（延吉、图们、敦化、安图、珲春、龙井、汪清、和龙）、长春（农安、榆树、德惠、九台）、吉林（桦甸、磐石、蛟河、舒兰、永吉）、辽源（东丰、东辽）等。野生资源较丰富。

| 栽培资源 | （1）栽培条件。本种在吉林多种植于东部海拔 400 ～ 800m 的山区，林缘、坡地、沟谷、耕地均可栽培。

（2）栽培区域。栽培于吉林白山、延吉、通化等。

（3）栽培要点。选择土层深厚、腐殖土丰富、土壤肥沃的土地栽培。种子直播，打垄条播。生长期搭架以方便植株攀爬。

（4）栽培面积与产量。近年吉林本种的栽培面积大量减少，目前栽培面积不足 10hm²，很多荒废多年、疏于管理的栽培地处于野生状态。年产量少，约 10t。

| 采收加工 | 秋季地上部分枯萎或翌年春季植株萌芽前采挖。秋季采收的药材粉性足，折干率高，质量好。采挖时要避免挖断或伤皮，否则汁液流失导致质量降低。采挖后除去茎叶、泥土，洗净，晒至三四成干，至表面略起润发软时捆成小把，用手顺握或将其置于木板上，用手搓揉，如参梢太干可先放水中浸一下再搓，搓后再晒，反复 3 ～ 4 次，使党参皮肉紧贴、充实饱满并富有弹性。将党参日晒或挂晾于通风处，至七成干时，解开，摊平排直，以头压尾，重叠排列，晒至九成干时，将党参置于阴凉干燥通风处，使其自然干透。应注意搓揉的次数不宜过多，用力不宜过大，否则会使党参变成"油条"，影响质量。

| 药材性状 | 本品呈长圆柱形，稍弯曲，长 10 ～ 35cm，直径 0.4 ～ 2cm。表面黄棕色至灰棕色，根头部有多数疣状突起的茎痕及芽，俗称"狮子盘头"，每个茎痕的先端呈凹下的圆点状。根头下有致密的环状横纹，向下渐稀疏，有的达全长的一半，栽培品环状横纹少或无。全体有纵皱纹和散在的横长皮孔样突起，支根断落处常有黑褐色胶状物。质稍硬或略带韧性，断面稍平坦，有裂隙或放射状纹理，皮部淡黄白色至淡棕色，木部淡黄色。有特殊香气，味微甜。以条粗壮、质柔润、

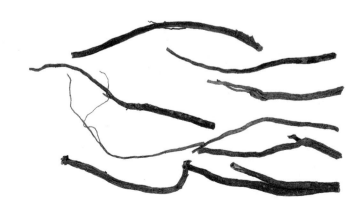

气味浓、嚼之无渣者为佳。

| **功能主治** | 甘，平。归脾、肺经。健脾益肺，养血生津。用于食少倦怠，咳嗽虚喘，面色萎黄，心悸气短，津伤口渴，内热消渴。

| **用法用量** | 内服煎汤，9～30g；或熬膏；或入丸、散。生津、养血宜生用，补脾益肺宜炙用。

| **附　　注** | （1）道地沿革。党参在吉林药用历史较久。在《珲春县志》（1931）、《临江县志》（1935）、《桦甸县政况概要》（1936）等10余部地方志中均有关于党参的记载。《临江县志》（1935）记载："本地所产者最佳，性平能建中补脾，为东省之特产。"《安图县志》（1911）记载："安图产者，皮色黄肉白细，味甘而微苦，土人当夏月采之，根尖力大。"过去野生党参是商品的主要来源，随着用药量增加，栽培党参逐渐成为商品的主要来源。20世纪50年代，由于我国卫生事业的发展，党参在医疗保健上广为使用，除了满足国内需求，每年还有大量出口。为确保市场供应，吉林药农采集野党参的种子进行大规模的人工种植。通过几年的栽培试验，现栽培党参基本上生育良好，丰产保收。目前，吉林党参栽培品主要集中在东部山区，有部分流向市场，其余自产自销。

（2）市场信息。党参商品以统货为主。产品规格不一，价格较低，产地收购价低于30元/千克。出货量较少，年产销量不足10t。

（3）濒危情况、资源利用和可持续发展。2006年，本种被列为吉林省Ⅲ级重点保护野生植物。目前我国党参资源破坏十分严重，吉林的野生资源较之前大幅度减少，究其原因，一是人们无节制的采挖，二是当地农民大量开垦山地，种植经济作物。因此要注意党参药源的保护，尤其是党参野生资源的保护。党参的地上茎、叶中含有挥发油、多种氨基酸、常量元素及微量元素等，因此党参的茎、叶具有一定开发价值。然而，目前吉林对党参的综合开发不够深入，在党参生产过程中，党参的地上部分被丢弃，没有得到充分利用，造成极大的浪费，因此有必要加大这方面的开发力度。

桔梗科　Campanulaceae　桔梗属　*Platycodon*　凭证标本号　222406120813030LY

桔梗 *Platycodon grandiflorus* (Jacq.) A. DC.

| 植物别名 |

和尚帽子、道拉基。

| 药 材 名 |

桔梗（药用部位：根。别名：梗草、荠苨、苦梗）。

| 形态特征 |

多年生草本，高 20 ~ 120cm，有白色乳汁。根粗壮，肉质，呈胡萝卜状，外皮黄褐色。茎直立，通常无毛，偶密被短毛，不分枝，极少上部分枝。叶全部轮生、部分轮生至全部互生，无柄或有极短的柄，叶片卵形、卵状椭圆形至披针形，长 2 ~ 7cm，宽 0.5 ~ 3.5cm，基部宽楔形至圆钝，先端急尖，上面无毛而绿色，下面常无毛而有白粉，有时脉上有短毛或瘤突状毛，边缘具细锯齿。花单朵顶生，或数朵集成假总状花序，或有花序分枝而集成圆锥花序；花萼筒部半圆球状或圆球状倒锥形，被白粉，裂片三角形或狭三角形，有时齿状；花冠大，长 1.5 ~ 4cm，蓝色或紫色，先端 5 浅裂或中裂，裂片三角形，先端尖；雄蕊 5，花丝短，基部膨大；子房下半部与萼筒合生，呈半球形，花柱较长，柱头 5 裂，裂片线形。蒴果球状或球状

桔梗

倒圆锥形，或倒卵状，长1～2.5cm，直径约1cm。花期7～8月，果期8～9月。

| **野生资源** | 生于荒山、山地林缘、山坡、草地、灌丛或草甸等。吉林各地均有分布。野生资源较丰富。

| 栽培资源 |　（1）栽培条件。本种在吉林主要种植于海拔 200 ~ 800m 的地区。本种喜光，耐寒、耐旱，属深根性植物。应选土层深厚、疏松肥沃、排水良好的腐殖质土或砂壤土栽培。要求土地深翻 30cm 以上，且要整平耙细。

（2）栽培区域。主要栽培于吉林通化、白山、延吉、吉林、四平、松原等。

（3）栽培要点。本种主要通过种子繁殖，春播、秋播或冬播均可，每亩用种 1.5kg。直播法种植的桔梗产量高，且根直、分叉少，便于刮皮加工，质量好，生产上多用。在苗期遇到严重干旱时应及时浇灌，以确保出苗，生长期应注意防涝，积水易造成根腐。

（4）栽培面积与产量。吉林本种的栽培面积约 300hm²，年产鲜桔梗约 2000t。

| 采收加工 |　春、秋季采收。秋季采者体重，质坚实，质量较好。一般在地上茎叶枯萎时采挖，过早根部尚未充实，折干率低，影响产量，过晚则不易剥皮。采收时，先用镰刀或割草机将地上部分割掉，然后从地一端起挖，一次深挖取出，或用起药机翻起，将根拾出，要避免伤根，以免汁液外流。切忌挖断主根，否则桔梗易腐烂。采挖后，除去泥土、芦头及须根，趁鲜用竹刀、木棱、瓷片等刮去栓皮，洗净，晒干或烘干。皮要趁鲜刮净，刮皮后应及时晒干，否则易发霉变质或生黄色水锈。若因桔梗采收太多而无法及时加工，可用沙将桔梗埋起来，否则易导致外皮干燥而不易刮去，但不要长时间放置。刮皮时不要伤及中皮，以免内心中的黄水流出而影响质量。晒干时要经常翻动，使其干燥均匀，至近干时可堆置起来发汗 1 天，再晒至全干。也可通过机械脱皮、烘干。

| **药材性状** | 本品呈长纺锤形或长圆柱形。下部渐细，有时分枝，稍弯曲，先端具根茎（芦头），上面有许多半月形茎痕（芦碗）。全长 6～30cm，直径 0.5～2cm。表面白色或淡棕色，皱缩，上部有横纹，全体有不规则纵皱纹及沟纹，并有横向皮孔样的疤痕。质硬脆，易折断，折断面略不平坦，可见放射状裂隙，皮部类白色，形成层环明显，木部类白色，中央无髓。气无，味先微甘而后苦。以条粗均匀、坚实、洁白、味苦者为佳。 |

功能主治	苦、辛，平。归肺经。宣肺，利咽，祛痰，排脓。用于咳嗽痰多，胸闷不畅，咽痛音哑，肺痈吐脓。
用法用量	内服煎汤，3～9g；或入丸、散。外用适量，烧灰研末敷。
附　　注	（1）道地沿革。吉林桔梗产量大，药用历史较久。在《吉林外记》（1827）、《吉林通志》（1891）、《吉林新志》（1934）等 30 余部地方志中均有关于桔梗的记载。早在 20 世纪 60 年代，吉林延边地区开始小面积种植桔梗，当时主要食用；20 世纪 90 年代，吉林逐步扩大种植面积；2014 年以后，吉林其他地区开始从赤峰、山东引进优良品种并扩大了种植规模。现吉林延边的和龙、龙井，吉林的永吉、舒兰、蛟河，通化的辉南、梅河口，四平的伊通，白城的洮南，松原的前郭尔罗斯等地都有较大规模的栽培。 （2）市场信息。桔梗一般按照上部直径、长度不同分为 3 等。一等品：上部直径 1.4cm 以上，长 14cm 以上。二等品：上部直径 1cm 以上，长 12cm 以上。三

等品：上部直径不小于 0.5cm，长度不小于 7cm。近 5 年，桔梗市场价格平稳。2015 年，桔梗价格为 24 元 / 千克左右；2016 年末，价格略有上涨，达到 33 元 / 千克左右；2017 年初至 2020 年 6 月，桔梗市场价格维持在 30 元 / 千克左右。吉林年产销桔梗干品大约 300t。

（3）濒危情况、资源利用和可持续发展。2009 年，本种被列为吉林省Ⅲ级重点保护野生植物。桔梗主要作食材和药材，条形直顺、分枝少的桔梗多作食材，收购价格较高。条形短小、分枝多的桔梗作中药材原料，价格略低。吉林的桔梗大量出口韩国、日本以及东南亚等国家和地区。在未来，作为药食兼用的植物，桔梗的需求量会不断增加。因此，应加快桔梗种质资源的收集与创新，解决生产中种质资源混杂的问题，同时加快栽培技术的研究，彻底改变粗放栽培的模式，破解制约桔梗药材发展的难题，为桔梗药材产业的发展打下坚实基础。

菊科 Compositae 牛蒡属 *Arctium* 凭证标本号 220323130708097LY

牛蒡
Arctium lappa L.

牛蒡

| 植物别名 |

恶实、鼠粘子、大力子。

| 药 材 名 |

牛蒡子（药用部位：果实。别名：恶实、荔实、大力子）、牛蒡根（药用部位：根。别名：恶实根、鼠粘根、牛菜）。

| 形态特征 |

二年生高大草本，全株被蛛丝状绒毛，具粗大的肉质直根。茎直立，基部通常带紫红色或淡紫红色，具高起的纵条棱；基生叶有长柄，叶片大，宽卵形，基部心形，两面异色，表面绿色，背面有浓密的灰白色蛛丝状绒毛，茎生叶与基生叶同形或近同形，较基生叶小；头状花序，多数，着生于分枝的先端，排成疏松的伞房花序或圆锥状伞房花序。总苞片多层，覆瓦状排列，近等长，先端有软骨质钩刺。小花紫红色。瘦果倒长卵形，稍偏斜，一侧扁平，一侧微凸，浅褐色，有深褐色的色斑，有多数细纵脉纹。冠毛多层，浅褐色，不等长，刚毛状。花期7~8月，果期8~9月。

| **野生资源** | 生于山坡、山谷、林缘、草甸、林下、灌丛中、河边、村庄路旁或荒地等，常成片生长。吉林各地均有分布。野生资源较丰富。 |

| **栽培资源** | 吉林伊通、靖宇、蛟河有少数农户试验性栽培，未批量产出。 |

| **采收加工** | 牛蒡子：秋季果实成熟时采收，曝晒，待充分干燥后，用木棒反复打击，脱出果实，然后扬净杂质，再晒干。
牛蒡根：10 月采挖 2 年以上的根，洗净，晒干。 |

| **药材性状** | 牛蒡子：本品呈长倒卵形，略扁，微弯曲，长 5 ~ 7mm，宽 2 ~ 3mm。表面灰褐色，带紫黑色斑点，有数条纵棱，通常中间 1 ~ 2 条较明显。先端钝圆，稍宽，顶面有圆环，中间具点状花柱残迹，基部略窄，着生面色较淡。果皮较硬，子叶 2，淡黄白色，富油性。气微，味先苦，后微辛而稍麻舌。以粒大、饱满、色灰褐者为佳。 |

牛蒡根：本品呈纺锤状，肉质，直，皮部黑褐色，有皱纹，内呈黄白色。气微，味微苦而性黏。

| **功能主治** | 牛蒡子：辛、苦，寒。归肺、胃经。疏散风热，宣肺透疹，解毒利咽。用于风热感冒，咳嗽痰多，麻疹，风疹，咽喉肿痛，痄腮，丹毒，痈肿疮毒。

牛蒡根：苦，寒。归肺、心经。散风热，消毒肿。用于风热感冒，头痛，咳嗽，热毒面肿，咽喉肿痛，风湿痹痛，癥瘕积块，痈疖恶疮，痔疮脱肛。

| **用法用量** | 牛蒡子：内服煎汤，5 ~ 10g；或入散剂。外用适量，煎汤含漱。

牛蒡根：内服煎汤，6 ~ 15g；或捣汁；或研末；或浸酒。外用适量，捣敷；或熬膏涂；或煎汤洗。

| **附　注** | （1）道地沿革。在吉林旧志中，牛蒡子共出现 25 次。《珲春县志》（1931）载："行销本地及日本。"《临江县志》（1935）载："为本地大宗出口药材。"

（2）市场信息。东北三省的牛蒡子产量最大，东北所产牛蒡子销往全国并出口。2003 年，牛蒡子被列为预防、治疗"非典"的主要药物，其价格疯涨到 68 元／千克，创下历史最高价，现今已理性回归到 18 元／千克，购销平稳。吉林野生牛蒡子和栽培牛蒡子都有产出，以野生为主，年产量在 20t 左右，走销顺畅。

（3）濒危情况、资源利用和可持续发展。现东北地区的野生牛蒡子蕴藏量最大，并有少量栽培。牛蒡子的开发价值主要体现在药用保健方面。从直接将其作药物使用，到对其有效成分的提取利用，对于牛蒡子的开发利用已越来越深入。

（4）其他。本种的嫩叶柄及根可以作野菜食用。

| 菊科 | Compositae | 苍术属 | Atractylodes | 凭证标本号 | 220323120817100LY |

苍术 *Atractylodes lancea* (Thunb.) DC.

| 植物别名 |

北苍术、明叶菜。

| 药 材 名 |

苍术（药用部位：根茎。别名：赤术、仙术、枪头菜）。

| 形态特征 |

多年生草本。根茎粗长，常呈疙瘩状，生多数等粗、等长或近等长的不定根。茎直立，单生或少数簇生。叶质厚，革质；基生叶花期脱落；中下部茎生叶基部楔形或宽楔形，几无柄，扩大半抱茎，倒卵形、长倒卵形、倒披针形或长倒披针形，3 ~ 9 羽状深裂或半裂；中部以上或仅上部茎生叶不分裂，倒长卵形至长椭圆形。头状花序单生茎枝先端；总苞钟状，苞叶针刺状羽状全裂或深裂；总苞片覆瓦状排列，最外层及外层卵形至卵状披针形，中层长卵形至长椭圆形或卵状长椭圆形，内层线状长椭圆形或线形；小花白色。瘦果倒卵圆状，被稠密、顺向贴伏的白色长直毛；冠毛刚毛褐色或污白色，羽毛状。花期 7 ~ 8 月，果期 9 ~ 10 月。

苍术

| **野生资源** | 生于草甸、山坡、灌丛、蒙古栎林下及林缘。吉林各地均有分布。野生资源丰富。 |

| **栽培资源** | （1）栽培条件。本种在吉林多种植于海拔 200 ~ 800m 的向阳坡地、前茬玉米地、退耕还林地。 |

（2）栽培区域。吉林东部山区、半山区以及中部农耕区均有栽培。

（3）栽培要点。以育苗移栽方式扩大栽培。3 月中旬至 4 月上旬播种，每公顷播种量 40kg。播种时在畦面上均匀撒上种子，覆厚 1 ~ 2cm 的细土。条播时于畦面横向开沟，沟距 20 ~ 25cm，沟深 3cm 左右，将种子均匀撒入沟内，然后覆土。播种后均覆盖稻草或松针保墒，以利于种子萌发。一年生幼苗长至 10cm 左右再移栽定植。

（4）栽培面积与产量。吉林种子种苗基地栽培面积约 100hm²，年产种子约 10t，产出种苗超亿株。药材种植基地栽培面积达 1000hm²。

| **采收加工** | 春、秋季采挖，一般以秋季采挖为主，采挖时先割取地上部分收集种子，然后用起药机将根茎挖出，采挖深度一般为 20cm 左右，采挖后应将其置于地里晾晒，并及时翻动，干后除去泥土，然后置于滚筒中撞去须根及毛，个大未干透者可掰开或切开继续晾干。

| **药材性状** | 本品呈疙瘩块状或结节状圆柱形，长 4 ~ 9cm，直径 1 ~ 4cm。表面黑棕色，除去外皮者黄棕色，有皱纹、横曲纹及残留的须根，先端具茎痕或残留茎基。质较疏松，断面散有黄棕色油点。香气较淡，味辛、苦。以个大、质坚实、断

面朱砂点多、香气浓者为佳。

| 功能主治 | 辛、苦，温。归脾、胃、肝经。燥湿健脾，祛风散寒，明目。用于湿阻中焦，脘腹胀满，泄泻，水肿，脚气痿躄，风湿痹痛，风寒感冒，夜盲，眼目昏涩。

| 用法用量 | 内服煎汤，3~9g；或入丸、散。

| 附　注 | （1）道地沿革。《神农本草经》记载："术，味苦、温，主风寒湿痹，死肌，痉，疸，止汗，除热，消食。作煎饵。久服可轻身延年，不饥。一名山蓟，生山谷。"之后历代本草均有苍术的记载。在《桦甸县志》（1931）、《吉林新志》（1934）、《榆树县志》（1943）等20余部地方志中亦有关于苍术的记载。吉林的《柳河县乡土志》（1907）记载："植物之药产，如人参、细辛……苍术……紫草等，为本境之常产。"《临江县志》（1935）记载："苍术，多生于山地，土人呼为茅苍术，实较茅山出产者性多燥，用时需先以米泔水浸去其身上之细茅，始有燥痰利湿之功。"吉林规模种植苍术始于2010年，引种自河北承德。2013年，在吉林柳河安口镇建立了"国家基本药物所需中药材种子种苗繁育基地"吉林分基地，开展苍术栽培研究。2015年后，吉林苍术种植规模迅速扩大。近年来，东北地区逐渐成为苍术的主产区。

（2）市场信息。苍术商品一般分为选货与统货，见表2-1-20。部分药材市场有关苍术和朝鲜苍术出售，有商家将两者混作苍术出售。关苍术和朝鲜苍术一般纤维性较强，朱砂点较少或无朱砂点，香气微弱，需与苍术区分。近5年苍术的价格一直呈现上扬的态势。2015年，苍术市场价格为45元/千克左右；2016年，其市场价格为48～68元/千克；2017年，其市场价格为73～85元/千克；2018年，其市场价格为88～115元/千克；2019年至2020年6月，其市场价格为105～150元/千克。

表2-1-20　苍术商品规格等级划分

规格	等级	性状		
		相同点		不同点
苍术	选货	干货。呈不规则的疙瘩状或结节状。表面黑棕色或棕褐色。质较疏松。断面黄白色或灰白色，散有棕黄色朱砂点。气香。味微甘、辛、苦。中部直径1cm以上。无须根、杂质、虫蛀、霉变。		无芽头、茎梗、碎屑，每500g40头以内
	统货			偶见残留茎基及碎屑，不分大小

（3）濒危情况、资源利用和可持续发展。2009年，本种被列为吉林省Ⅲ级重点保护野生植物。苍术具有较高的药用、食用价值等。由于苍术用途的扩大和市场份额的增加，苍术全株应用价值升高，这大幅度提高了种植户的收益。苍术的加工、采收和日常管理提供的工作岗位，可以解决当地就业问题，促进经济发展，为当地百姓创收，解决政府的扶贫问题。以药企平台、药企"中药材种植供销合作联社"平台，搭建乡（镇）、村、屯级的应用平台，促成合作社互助项下的合作与经营。柳河亨通镇的村、屯成立专业种植合作社，加入到镇合作社的互助平台，在乡村振兴战略规划中，做专品特色小镇（苍术小镇）。"国家基本药物所需中药材种子种苗繁育基地（2013—2017）"建设是第四次中药资源普查的配套项目，该基地坐落于柳河安口镇后林子村，是以苍术为主的中药材种子种苗繁育基地。

菊科 Compositae 千里光属 Senecio 凭证标本号 220521120826087LY

麻叶千里光 *Senecio cannabifolius* Less.

麻叶千里光

| 植物别名 |

宽叶返魂草。

| 药 材 名 |

返魂草（药用部位：全草）。

| 形态特征 |

多年生高大草本,高100～200cm。根茎歪斜,须根多数。茎直立,单生,中空,不分枝,无毛。单叶互生,叶柄短,叶基有叶耳。基生叶和下部茎生叶在花期凋萎;中部茎生叶大,羽状分裂成4～7裂片,先端尖或渐尖,基部楔形,边缘具内弯的尖锯齿,纸质,上面深绿色,无毛,下面淡绿色,具卷曲短柔毛;上部叶沿茎上渐小,常不分裂,条形。头状花序,在茎顶排成宽复伞房状花序;花序梗细,短,具2～3线形苞片;苞片被疏短柔毛。总苞圆柱状,具外层苞片;苞片3～4,线形;总苞片8～10,长圆状披针形,尖,上端被短柔毛,草质,边缘宽干膜质,外面被疏短柔毛或近无毛。舌状花8～10,舌片黄色,先端具3细齿,具4脉;管状花多数,花冠黄色。瘦果圆柱形,无毛;冠毛禾秆色。花期8～9月,果期9～10月。

| **野生资源** | 生于沟边、灌丛、湿草甸、林下或林缘等，常成片生长。分布于吉林通化（柳河）、白山（临江、靖宇、抚松、长白）、延边（敦化、安图、和龙）、吉林（蛟河）等。野生资源较丰富。 |

栽培资源	（1）栽培条件。本种在吉林多种植于海拔 200 ~ 1000m 的湿地、耕地、山间洼地等。本种喜光、喜湿。
	（2）栽培区域。主要栽培于吉林通化、白山、延边、吉林等。
	（3）栽培要点。本种栽培一次，可持续多年收割地上茎叶。可以种子直播或育苗移栽的方式扩大栽培。直播或移栽时需要保证足够的株行距。本种地上部分

比较高大，需要足够的伸展空间，以保证地上茎叶的产量。

（4）栽培面积与产量。吉林麻叶千里光的栽培面积约200hm²，年产干品约500t。

| **采收加工** | 夏、秋季采收，除去杂质，阴干。

| **药材性状** | 本品茎呈细圆柱形，直立，无毛，上部多分枝；表面绿褐色、紫褐色、灰绿色或黄棕色，具细纵棱；体轻，质脆，易折断，断面不平整，灰白色，髓部宽广，疏松或中空。单叶互生，多皱缩破碎，叶柄短，完整叶片展开后基部有2小耳，羽状或近掌状分裂，裂片披针形或条状披针形，先端渐尖，边缘有密锯齿。头状花序多数，生于茎顶或枝端，排列成复伞房状；总苞筒状；舌状花黄色，筒

状花多数。瘦果圆柱形，有纵沟，长约 4mm；冠毛污黄白色。气微，味淡。

| **功能主治** | 苦，平。归肺经。清热解毒，止咳平喘，散瘀止痛。用于肺热咳嗽，瘀血肿痛，跌打损伤。

| **用法用量** | 内服煎汤，5 ～ 15g。外用适量，捣敷。

| **附　　注** | （1）栽培历史。返魂草始载于《新华本草纲要》，为长白山地区的特色药材。返魂草原来以野生资源为主，近几年，由于产区群众过早采收、采伐破坏森林以及牲畜践踏等原因，致使野生资源逐渐枯竭。后来白山的长白、抚松、靖宇以及通化的柳河、通化等地进行了人工驯化栽培。较早进行返魂草驯化栽培的是抚松泉阳镇泉阳河村，从 2004 年开始，该地就有农民进行试验栽培，经济效益比较可观。现在抚松、长白、通化、靖宇等地的人工驯化栽培已形成规模。

（2）市场信息。返魂草商品一般为统货。近年来，返魂草市场价格稳定，一般为 7 ～ 10 元 / 千克。吉林所产返魂草主要在省内销售，年收购量约 1000t。

（3）濒危情况和资源利用。2009 年，本种被列为吉林省Ⅲ级重点保护野生植物。由于以返魂草为原料的药物疗效显著，近几年，多家药品生产企业开始用其研制、开发治疗肺病的新药。

（4）其他。返魂草已被列入 2019 年版《吉林省中药材标准》第一册。

菊科 Compositae 千里光属 Senecio 凭证标本号 222426120807168LY

全叶千里光

Senecio cannabifolius Less. var. *integrifolius* (Kŏidz.) Kitam.

全叶千里光

| 植物别名 |

单麻叶千里光、单叶返魂草。

| 药 材 名 |

返魂草（药用部位：全草）。

| 形态特征 |

多年生高大草本，高 100 ~ 200cm。根茎歪斜，须根多数。茎直立，单生，中空，不分枝，无毛。单叶互生，叶柄短，叶基有叶耳。基生叶和下部茎生叶在花期凋萎；中部茎生叶具柄，叶片长圆状披针形，不分裂，先端尖或渐尖，基部楔形，边缘具内弯的尖锯齿，纸质，上面深绿色，无毛，下面淡绿色，具卷曲短柔毛；上部叶沿茎向上渐小，不分裂，条形。头状花序，在茎顶排成宽复伞房状花序；花序梗细，短，具 2 ~ 3 线形苞片；苞片被疏短柔毛；总苞圆柱状，具 3 ~ 4 外层苞片，外层苞片线形；总苞片 8 ~ 10，长圆状披针形，尖，上端被短柔毛，草质，边缘宽干膜质，外面被疏短柔毛或近无毛；舌状花 8 ~ 10，舌片黄色，先端具 3 细齿，具 4 脉；管状花多数，花冠黄色。瘦果圆柱形，无毛，冠毛禾秆色。花期 8 ~ 9 月，果期 9 ~ 10 月。

| **野生资源** | 生于湿地、林缘、沟边、灌丛、路旁。分布于吉林通化（通化、柳河）、白山（临江、靖宇、抚松、长白）、延边（敦化、安图、和龙）、吉林（蛟河）等。野生资源较丰富。

| **栽培资源** | 同"麻叶千里光"。

| 采收加工 |　同"麻叶千里光"。

| 药材性状 |　本品与返魂草（麻叶千里光）的区别在于单叶互生，叶不分裂。

| 功能主治 |　同"麻叶千里光"。

| 用法用量 |　同"麻叶千里光"。

| 附　　注 |　（1）栽培历史。同"麻叶千里光"。

（2）市场信息。制药企业收购统货。市场价格为 6 ～ 8 元 / 千克。

（3）濒危情况。近些年，制药企业竞相出高价大量收购野生药材，致使全叶千里光野生资源遭到极大破坏。全叶千里光生于高海拔的湿甸，分布区域极为狭小。全叶千里光主要靠种子自然繁殖，但其生长环境温度低、无霜期短，种子成熟度很低，加之采收时正值开花期，种子尚未成熟，这极大地影响其繁殖，人为破坏已成为全叶千里光最主要的致危因子。

菊科 ┃ Compositae ┃ 蒲公英属 ┃ *Taraxacum* ┃ 凭证标本号 ┃ 220681120511003LY

蒲公英
Taraxacum mongolicum Hand.-Mazz.

| 植物别名 | 蒙古蒲公英、姑姑英、婆婆丁。

| 药 材 名 | 蒲公英（药用部位：全草。别名：黄花地丁、婆婆丁）、蒲公英根（药用部位：根）。

| 形态特征 | 多年生草本，高 10 ~ 25cm，全株含有乳汁。根圆柱状，黑褐色，粗壮。叶倒卵状披针形、倒披针形或长圆状披针形，先端钝或急尖，边缘有时具波状齿或羽状深裂，有时倒向羽状深裂或大头羽状深裂，先端裂片较大，三角形或三角状戟形，基部渐狭成叶柄，叶柄及主脉常带红紫色，疏被蛛丝状白色柔毛或几无毛。花葶 1 至数个，与叶等长或比叶稍长，上部紫红色，密被蛛丝状白色长柔毛；头状花序；总苞钟状，淡绿色；总苞片 2 ~ 3 层，外层总苞片卵状披针形或披针形，边缘宽膜质，基部淡绿色，上部紫红色，先端增厚或具

蒲公英

小到中等的角状突起；内层总苞片线状披针形，先端紫红色，具小角状突起；舌状花黄色，边缘花舌片背面具紫红色条纹，花药和柱头暗绿色。瘦果倒卵状披针形，暗褐色，上部具小刺，下部具成行排列的小瘤，喙稍长，纤细，冠毛白色。花期4～9月，果期5～10月。

| **野生资源** | 生于地头、荒地、林缘、山坡、田间、路旁等，常成片生长。吉林各地均有分布。野生资源丰富。

| **栽培资源** | （1）栽培条件。本种在吉林多种植于海拔200～1000m、无霜期不小于110天的地区。本种喜光、喜湿，耐寒，适宜栽培于缓坡地、平整耕地。

（2）栽培区域。主要栽培于吉林通化、延边、吉林、四平、松原等。

（3）栽培要点。在吉林，主要采用移根栽培的繁殖方式。土壤肥力以磷钾肥偏高为好，避免地上叶徒长。蒲公英种子细小，直播时混拌杂料以便播种均匀。

采用单垄双行的栽培方式以达到最佳收益，播种时覆土不超过 1cm，镇压平整，遇到严重干旱时需及时喷淋补水。

（4）栽培面积与产量。每年吉林蒲公英的栽培面积变化较大。2019 年，吉林蒲公英的栽培面积约 500hm^2，年产鲜根约 5000t。

| **采收加工** | 蒲公英：春至秋季采收，除去杂质，洗净，晒干。
蒲公英根：一般于 9 月末人工或机器采挖，采挖后除去泥沙、杂质，洗净，晒干。

| **药材性状** | 蒲公英：本品呈皱缩卷曲的团块。根呈圆锥状，多弯曲。叶基生，多皱缩破碎，完整叶片呈倒披针形，绿褐色或暗灰绿色，先端尖或钝，边缘浅裂或羽状分裂，基部渐狭，下延成柄状，下表面主脉明显。花茎 1 至数条，每条顶生头状花序，总苞片多层，内面一层较长，花冠黄褐色或淡黄白色。有的可见多数具白色冠毛的长椭圆形瘦果。气微，味微苦。以叶多、色灰绿、根完整、无杂质者为佳。

蒲公英根：本品呈圆锥状，多弯曲，长 3 ~ 7cm。表面棕褐色，抽皱；根头部有棕褐色或黄白色茸毛，有的已脱落。气微，味微苦。

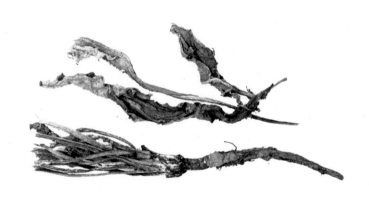

| **功能主治** | 蒲公英：苦、甘，寒。归肝、胃经。清热解毒，消肿散结，利尿通淋。用于疔疮肿毒，乳痈，瘰疬，目赤，咽痛，肺痈，肠痈，湿热黄疸，热淋涩痛。

蒲公英根：清热解毒，利尿缓泻。用于感冒发热，扁桃体炎，急性咽喉炎，急性支气管炎，胃炎，肝炎，胆囊炎，痢疾，尿路感染。

| **用法用量** | 蒲公英：内服煎汤，9 ~ 15g。外用适量，鲜品捣敷；或煎汤熏洗。

蒲公英根：内服煎汤，10 ~ 30g；或作茶饮。

| 附　注 | （1）道地沿革。吉林的蒲公英产量大，药用历史较久。在《磐石县乡土志》（1915）、《桦甸县志》（1931）、《榆树县志》（1943）等 20 余部地方志中均有关于蒲公英的记载。吉林规模化种植蒲公英始于 2014 年。

（2）市场信息。当前药材市场中的蒲公英分为野生和栽培 2 种，两者的商品规格等级划分见表 2-1-21。蒲公英价格平稳，没有较大波动，近 5 年，价格一直维持在 5 ~ 10 元 / 千克。

表 2-1-21　蒲公英商品规格等级划分

规格	等级	性状				
		相同点	不同点			
			形状	叶长 /cm	叶宽 /cm	头状花序 / 个
野生蒲公英	统货	呈皱缩卷曲的团块。根呈圆锥状，多弯曲，表面棕褐色，抽皱；根头部有棕褐色或黄白色茸毛，有的已脱落。叶基生，多皱缩破碎，完整叶片呈倒披针形，绿褐色或暗灰绿色。无杂质、虫蛀、霉变	叶片较小。头状花序较多	10 ~ 15	2 ~ 3	< 3
栽培蒲公英			叶片较大。头状花序较少	15 ~ 25	5 ~ 8	3 ~ 6

（3）濒危情况、资源利用和可持续发展。蒲公英是常用中药材，用量较大，同时蒲公英又是人们喜爱的山野菜和较好的禽畜饲料，故其销售市场广阔。由于蒲公英营养丰富，国外已将其开发成保健食品，扩展了蒲公英的海外市场。如德国已将蒲公英作为蔬菜种植，用来做沙拉。日本也兴起了蒲公英热潮，将蒲公英做成饮料、酱汤、酒等并将其推向市场。吉林野生蒲公英资源丰富，在通化、吉林等地也已开展了人工种植。吉林以所产蒲公英根为原料生产的蒲公英根茶深受消费者的喜爱。另外，吉林蒲公英根的出口贸易量也连年递增，行市看好。

百合科 Liliaceae　葱属 *Allium*　凭证标本号　220582120619208LY

薤白
Allium macrostemon Bunge

| 植物别名 |

小根蒜、野蒜、响头菜。

| 药 材 名 |

薤白（药用部位：鳞茎。别名：小根蒜、薤根、野蒜）。

| 形态特征 |

多年生草本。鳞茎近球状，基部常具小鳞茎；鳞茎外皮灰黑色，纸质或膜质，不破裂。叶3 ~ 5，紫红色，后变绿色，为半圆柱状，因背部纵棱发达而为三棱状半圆柱形，中空，上面具沟槽，比花葶短。花葶圆柱状，1/4 ~ 1/3 被叶鞘；总苞 2 裂，比花序短；伞形花序半球状至球状，具多而密集的花，间具珠芽或有时全为珠芽；小花梗近等长，比花被片长 3 ~ 5 倍，基部具小苞片；珠芽暗紫色，基部亦具小苞片；花淡紫色或淡红色；花被片矩圆状卵形至矩圆状披针形，内轮常较狭；花丝等长，与花被片等长至比其长 1/3，在基部合生并与花被片贴生，分离部分的基部呈狭三角形扩大，向上收狭成锥形，内轮基部宽约为外轮基部的 1.5 倍；子房近球状，基部具有帘的凹陷蜜穴；花柱伸出花被外。花期 6 ~ 7 月，果期 7 ~ 8 月。

薤白

| **野生资源** | 生于林缘、路边、山坡、房前屋后、田间、地头、山野及荒地等，常成片生长。吉林各地均有分布。野生资源丰富。 |

| **栽培资源** | （1）栽培条件。本种在吉林多种植于海拔 100 ～ 500m 的农耕区。 |

（2）栽培区域。主要栽培于吉林四平、吉林、长春等。

（3）栽培要点。本种需优选高产种源，栽培技术相对简单，多以葱、蒜的栽培模式进行种植，以密植求高产。可以采用种子直播或球茎营养繁殖方式。

（4）栽培面积与产量。保有面积变化较大，零散栽培以蔬菜输出为主。2018 年保有栽培面积为 300hm²，当年产鲜货约 1000t。

| **采收加工** | 夏、秋季采挖，洗净，除去须根，蒸透或置沸水中烫透，晒干。 |

| **药材性状** | 本品呈不规则的卵圆形，大小不一，长 0.5 ~ 1.2cm，直径 0.5 ~ 1.5cm，上部有茎痕。表面黄白色或淡黄棕色，半透明，有纵沟与皱纹，或有数层膜质鳞片包被，揉之易脱。质坚硬，角质，不易破碎，断面黄白色。有蒜臭，味微辣。以个大、质坚、饱满、黄白色、半透明、不带花茎者为佳。

| **功能主治** | 辛、苦，温。归肺、胃、大肠经。通阳散结，行气导滞。用于胸痹心痛，脘腹痞满胀痛，泻痢后重。

| **用法用量** | 内服煎汤，5 ~ 9g，鲜品 30 ~ 60g；或入丸、散；亦可煮粥食。外用适量，捣敷；或捣汁涂。

| **附　　注** | （1）道地沿革。《海龙县志》（1913）、《怀德县志》（1929）、《永吉县志》（1931）等 10 余部吉林旧志记载吉林产薤白。

（2）市场信息。薤白一般为统货。统货收购价格为 20 元 / 千克。2018 年吉林产销薤白药材商品约 50t。

（3）资源利用和可持续发展。薤白具有独特的葱、蒜味，作为野生蔬菜，具有白净透明、脆嫩无渣、香气浓郁的特点，自古就被视为席上佐餐佳品。薤白在吉林分布广泛，资源丰富，可以利用其营养丰富、保健作用强的特点将其开发成多种保健食品。充分利用薤白资源并对其进行深入、系统的研究，对于发展拥有自主知识产权的现代保健食品及药品产业具有一定的学术价值和经济意义。

（4）其他。本种的鳞茎及地上幼苗为传统野菜，春、秋季民间常采挖。2020 年版《中国药典》记载本种的中文名为小根蒜。

百合科 Liliaceae 知母属 Anemarrhena 凭证标本号 220822120712050LY

知母
Anemarrhena asphodeloides Bunge

知母

| 植物别名 |

野蓼、倒根草、木梳草。

| 药 材 名 |

知母（药用部位：根茎。别名：连母、野蓼、地参）。

| 形态特征 |

多年生草本。根茎粗壮，横走，上部被黄褐色纤维所覆盖，下部生多数须根。叶基生，丛出，线形，质稍硬，向先端渐尖成近丝状，基部渐宽成鞘状，具多条平行脉，没有明显的中脉。花葶直立，比叶长得多；总状花序长，2~6小花成一簇散生在花序轴上，每簇花具1鳞片状苞片，卵形或卵圆形，先端长渐尖；花粉红色、淡紫色至白色，具短梗；花被片6，条形，中央具3脉，宿存。蒴果狭椭圆形，具6纵棱，先端有短喙，成熟时沿腹缝线上方开裂，每室1~2种子；种子黑色，三棱形，两端尖。花期6~7月，果期8~9月。

| 野生资源 |

生于干燥山坡、草原、草甸、林缘、路旁及草地等。分布于吉林长春（农安、榆树、德

惠、九台）、吉林（桦甸、磐石、蛟河、舒兰、永吉）、辽源（东丰、东辽）、白城（洮南、镇赉、大安、通榆）、松原（乾安、扶余、长岭、前郭尔罗斯）、四平（双辽、梨树、伊通、公主岭）等。野生资源较丰富。

| 栽培资源 |　（1）栽培条件。本种在吉林多种植于海拔 200 ~ 800m 的干燥山坡、草地、平原耕地。本种喜光，耐寒、耐旱。

（2）栽培区域。主要栽培于吉林通化、白城、松原、吉林等。

（3）栽培要点。种子直播，注重苗期管理。可以分株移栽繁殖，根据土壤条件可以适当密植，以增加产量。

（4）栽培面积与产量。栽培面积较小，现有产出不足 5t。

| **采收加工** | 春、秋季采挖，除去须根和泥沙，晒干，或除去外皮，晒干。

| **药材性状** | 本品呈长条状，微弯曲，略扁，偶有分枝，长 3 ~ 5cm，直径 0.8 ~ 1.5cm，一端有浅黄色的茎叶残痕。表面黄棕色至棕色，上面有一凹沟，具紧密排列的环状节，节上密生黄棕色的残存叶基，由两侧向根茎上方生长，下面隆起而略皱缩，并有凹陷或突起的点状根痕。质硬，易折断，断面黄白色。气微，味微甜、略苦，嚼之带黏性。以肥大、质硬、表面被金黄色绒毛、断面黄白色者为佳；以瘦长、形扁、外毛灰黑、内色暗者为次。

| **功能主治** | 苦、甘，寒。归肺、胃、肾经。清热除烦，清肺润燥，滋阴降火。用于外感热病，高热烦渴，肺热燥咳，骨蒸潮热，内热消渴，肠燥便秘。 |

| **用法用量** | 内服煎汤，6～12g；或入丸、散。清热泻火，滋阴润燥宜生用；入肾降火滋阴宜盐水炒用。 |

附　注	（1）道地沿革。知母在吉林药用历史较久。在《海龙府乡土志》（1907）、《西安县乡土志》（1908）、《东丰县志略》（1910）等多部地方志中均有关于知母的记载，表明知母为吉林常产。
	（2）市场信息。知母干品收购价约为 10 元 / 千克。野生知母与栽培知母的总销量不足 10t。
	（3）濒危情况、资源利用和可持续发展。2009 年，本种被列为吉林省 Ⅱ 级重点保护野生植物。由于近年知母行情一路下滑，吉林药农种植知母的积极性较低，视知母价格行情零星种植。同时，由于采挖人工成本较高，药农往往采挖经济效益高的野生药材，导致传统产区的野生知母无人采挖。由于药农对采挖野生知母和种植知母的积极性均不高，知母药用资源呈紧缩之势，进而导致知母药材供应匮乏且主产区分布比较集中，易形成资源垄断，知母价格行情整体看涨。

百合科 Liliaceae 贝母属 *Fritillaria* 凭证标本号 222406120519004LY

平贝母

Fritillaria ussuriensis Maxim.

平贝母

│ 植物别名 │

平贝、贝母。

│ 药 材 名 │

平贝母（药用部位：鳞茎。别名：平贝、坪贝、贝母）。

│ 形态特征 │

多年生草本，高达 100cm。地下鳞茎由 2 肥厚的鳞叶组成，圆而扁平，白色，周围还常有许多米粒大小的小鳞茎。基部簇生须根，细而弯曲，淡黄色。地上茎直立，基部稍带紫色，上部绿色。一年生叶 1，脉纹清晰，二年生以上叶轮生或对生，中上部常兼有散生者，叶条形至披针形，先端不卷曲或稍卷曲。花 1～3，生于茎顶，俯垂；先端的花具 4～6 叶状苞片，苞片先端强烈卷曲；花被片 6，2 轮，离生，排列成钟形，花被片内、外面均为淡紫褐色，并散生黄色小方格，外花被片比内花被片稍长而宽；蜜腺窝在背面明显凸出；雄蕊长约为花被片的 1/2，花丝有小乳突；柱头 3 深裂，花柱有乳突。蒴果宽倒卵形，具圆棱，先端钝圆；种子多数，扁平，近半圆形，边缘具翅。花期 5～6 月，果期 6～7 月。

| **野生资源** | 生于低海拔地区的林下、林间草地、草甸或河谷。以长白山区为主要分布区域，分布于吉林延边、白山、通化、吉林、辽源等。野生资源较少。 |

| **栽培资源** | （1）栽培条件。本种在吉林多种植于海拔 300 ~ 800m、无霜期不少于 110 天的向阳坡地、平整耕地。本种喜光，喜湿，要求土质为壤性黑钙质。 |

（2）栽培区域。主要栽培于吉林通化、白山（长白、靖宇）、延边（敦化）、吉林（永吉）等。

（3）栽培要点。平贝母以鳞茎进行营养繁殖。起始阶段一次性投入成本较高，每公顷需要 8t 鳞茎。一次播种可以持续多年收获。地上部分生长期较短，通常

6 月初采收，取大作货留小作栽。生长阶段的管理主要注意摘蕾去花，以保证养分积累在鳞茎。

（4）栽培面积与产量。吉林本种的保有栽培面积约 100hm^2，年产量约 500t。

| 采收加工 | 一般 5 月下旬至 6 月上旬地上部分枯萎时采挖。采收时，选晴天从一侧用平铲小心沿鳞茎层翻开覆土，使鳞茎露出，再沿底层翻倒，注意勿挖伤鳞茎。捡出鳞茎，除去枯茎和泥土。采收后按大小分级，将直径 1.5cm 以上的鳞茎选出并进行加工，其余的分级留种。选出的鳞茎晒干、烘干或炕干。晒干时选晴天将平贝母放在席子上，薄薄地铺上一层，日晒 3 ~ 4 天，晒干为止。烘干时一般选择 60℃以下的低温。炕干法是产区常用方法，即在密闭室内的土炕上，用筛子筛上一层柴草灰（亦可用熟石灰），把平贝母鳞茎按大小分级铺好，再筛上一层柴草灰，然后加火升高温度，使炕上温度达到 40℃左右，一般 24 小时即可干透。筛去柴草灰（或熟石灰），重新炕干或日晒除去潮气。在干燥过程中，火力过大会影响质量；火力过小使烘干的时间过长，易导致"油粒"；翻动过多而使温度忽高忽低，也会造成"油粒"。

| 药材性状 | 本品呈扁球形，似算盘珠，大小不等，高 0.5 ~ 1cm，直径 0.6 ~ 2cm。表面乳白色或淡黄白色，外层鳞叶 2，肥厚，大小相近或一片稍大，抱合，先端略平或微凹入，常稍开裂，中央鳞片小。质坚实而脆，断面粉性。气微，味苦。

| 功能主治 | 苦、甘，微寒。归肺、心经。清热润肺，化痰止咳。用于肺热燥咳，干咳少痰，阴虚劳嗽，咳痰带血。

| 用法用量 | 内服煎汤，3 ~ 9g；研粉，每次 1 ~ 2g。反乌头。

| 附　注 | （1）道地沿革。早年间，平贝母仅作为川贝母的伪品出现在《伪药条辨》（1901）中，其他本草对平贝母无记载。1977 年版《中国药典》收载平贝母。平贝母在吉林产量大，药用历史较久。《珲春县志》（1931）记载："平贝母，年产约五千斤，每百斤价约二十元，行销吉林。"《永吉县志》（1931）记载："平贝，本地销售，外各县亦多来购置。"《临江县志》（1935）记载："平贝母，价值颇昂，为本地出口药材之上品。"20 世纪 50 年代以前，供应医药市场的平贝母主要是野生品，但近年来由于滥采滥挖等人为因素的影响，野生平贝母分布区及种群数量呈明显减少趋势。人工栽培平贝母始于 20 世纪 50 年代。目前平贝母药材主要为栽培品。通化是吉林最早栽培平贝母的地区，已有 60 多年的栽培历史，为吉林优质平贝母的主产区。

（2）市场信息。平贝母商品一般为统货。平贝母价格相对平稳。2015—2016 年，平贝母价格维持在 100 元 / 千克左右；至 2016 年末，价格略有上涨；2017 年至 2020 年 6 月，其价格为 100 ~ 140 元 / 千克。目前，吉林靖宇已成为我国最大的平贝母加工基地和集散中心，年销售平贝母数百吨。

（3）濒危情况和资源利用。1999 年，本种被列为国家 III 级重点保护野生植物；2009 年，本种被列为吉林省 II 级重点保护野生植物。平贝母是清热润肺、化痰止咳的重要药材之一，不但热销国内市场，还远销日本、韩国、东南亚各国等国际市场，出口量每年以 10% 的速度递增，近几年平贝母已成为出口的重要商品之一。

百合科 Liliaceae | 百合属 *Lilium* | 凭证标本号 220323120820035LY

卷丹
Lilium lancifolium Thunb.

| 植物别名 | 卷丹百合、河花。

| 药 材 名 | 百合（药用部位：肉质鳞叶。别名：野百合、喇叭筒、山百合）。

| 形态特征 | 多年生草本，高80～150cm。鳞茎宽卵状球形，乳白色。鳞叶宽卵形，乳白色。地上茎带紫色条纹，具白色绵毛。叶螺旋状散生，披针形或条状披针形，两面近无毛，无柄，先端有白毛。上部叶腋有黑色珠芽。花2～10排成总状花序；苞片叶状，先端钝，有白色绵毛；花梗紫色，有白色绵毛；花下垂，橙红色，有紫黑色斑点；花被片6，披针形，排成内外2轮，内轮花被片宽于外轮花被片，强烈反卷；雄蕊6，向外四面张开，花丝无毛，淡红色；子房上位，圆柱形，柱头稍膨大，3裂。蒴果狭长卵形；种子多数，片状扁平，边缘有翅，近阔卵圆形或近阔倒卵圆形，黄棕色。花期7～8月，果期9～10月。

卷丹

| **野生资源** | 生于林缘、山坡、灌丛、林间、草甸、草地、疏林下。分布于吉林通化、集安、柳河、辉南等。野生资源较少。 |

| **栽培资源** | （1）栽培条件。本种喜光，喜湿，无霜期 120 天以上的地区可满足其鳞茎生长要求。土质以壤性黑钙质为最好。地势平缓的向阳坡地、无长期积水的平整耕地均可栽培。

（2）栽培区域。主要栽培于吉林通化、白山、延边、吉林、四平等。

（3）栽培要点。本种主要以鳞茎进行营养繁殖，部分珠芽也能繁育。一次性投入成本较高。栽培 3 ~ 4 年后秋季采收。

（4）栽培面积与产量。吉林本种的栽培面积约 50hm²，年产量约 100t。

| 采收加工 | 一般秋季植株完全枯萎时采收。采收时尽可能选晴天（雨天采收，鳞茎易腐烂），挖起全株，除去茎叶、须根，洗去泥土，将大鳞茎和小鳞茎分开，大鳞茎作加工商品，小鳞茎作种。加工过程分为剥片、泡片、晒片。剥片：取鲜百合，在鳞茎基部横切一刀，使鳞叶分离，也可用手剥，然后将外、中、内3层鳞叶分别洗净、沥干。如果将其混在一起，因鳞叶老嫩、厚薄不一，泡片时不易掌握时间。泡片：水沸后，将洗净、沥干的鳞叶分类下锅，每100kg水可放入20～30kg鳞叶，以鳞叶不出水面为度，下锅后，要轻轻搅动数圈。泡片时火力要均匀，每锅泡片时间为5～10分钟（鳞叶下锅后，待水重新沸腾开始算起），当鳞叶边缘柔软、背面有微裂时，迅速捞出，置清水中洗去黏液，捞出沥干。每锅水一般可连续泡片2～3次。如水混浊则要换水，否则影响百合的色泽和质量。晒片：将鳞叶轻轻薄摊于晒垫上，使其分布均匀，未干时不要随意翻动，2天后，当鳞叶晒至六成干时，再翻晒至全干。切勿重叠、堆积，以防霉变。

| 药材性状 | 本品呈长椭圆形，先端尖，基部较宽，微波状，向内卷曲，长2～3.5cm，宽1.5～3cm，厚1～3cm。表面乳白色或淡黄棕色，有3～8纵直的脉纹。质硬而脆，易折断，断面平坦，角质样。无臭，味微苦。

| 功能主治 | 甘，寒。归心、肺经。养阴润肺，清心安神。用于阴虚燥咳，劳嗽咯血，虚烦惊悸，失眠多梦，精神恍惚。

| 用法用量 | 内服煎汤，6～12g；或入丸、散；亦可蒸食、煮粥。外用适量，捣敷。

| 附 注 | （1）栽培历史。长期以来，村、屯农户多零星栽培本种作观赏花卉或自用食材。2000 年伊通满族自治县农业局试行推广规模化栽培。

（2）市场信息。产地统货收购。鲜品收购价格为 5 ~ 6 元 / 千克。吉林年产鲜品约 100t。

（3）濒危情况、资源利用和可持续发展。吉林野生卷丹分布广，但资源量不大。近年来，各地野生植物资源乱砍滥伐、滥掘乱挖现象严重，野生卷丹种质资源也遭到相当程度的破坏，其在低海拔地区已经很少有分布，且有向高海拔地区迁移的迹象。在开发利用野生卷丹资源时应具有战略眼光，要强调资源的可持续利用和长远利益。需要对卷丹的种质资源进行详细、全面的调查。对于分布广、种质优良的野生卷丹资源，在不破坏资源的前提下，合理开采利用。对于优质野生资源，应尽快选择适宜的立地条件进行引种驯化栽培，将野生种变为栽培种。通过对引种栽培进行系统研究，建立基因库，把基因保护与合理开发、利用结合，最大限度地保护野生卷丹种质。同时可通过细胞培养等手段进行工厂化细胞繁殖和育苗，从根本上解决资源短缺的问题。还可利用转基因等技术对卷丹的花色、植株高度、营养成分等进行改良，培育出更符合市场需求的优良品种。通过提取和分析卷丹有效成分，进一步发掘其在中成药、保健食品、香料等方面的巨大潜力。

（4）其他。在 FOC 中，本种的拉丁学名被修订为 *Lilium tigrinum* Ker Gawler。

百合科 Liliaceae 黄精属 Polygonatum 凭证标本号 222406120522006LY

玉竹
Polygonatum odoratum (Mill.) Druce

玉竹

| 植物别名 |

山苞米、山铃铛。

| 药 材 名 |

玉竹（药用部位：根茎。别名：黄芝、地节、萎蕤）。

| 形态特征 |

多年生草本，高20～50cm。根茎圆柱形，横生，乳白色，其上密生多数须根。茎单一，具棱，上部斜生，基部具2～3干膜质的条形叶。叶互生，无柄或柄极短，通常7～12生于茎中上部，叶片椭圆形至卵状矩圆形，先端尖，下面带灰白色，无毛。花单生叶腋，偶有多花，花柄弯而下垂；总花梗无苞片或有条状披针形苞片；花被片6，下部连合成直筒状，黄绿色至乳白色，花冠筒里无毛，先端6浅裂，裂片覆瓦状排列，有香气；雄蕊6，花丝着生于花冠筒中部，丝状，平滑，具乳头状突起；花药条形，黄色。子房倒卵形，柱头3裂。浆果蓝黑色，具7～9种子。花期5～6月，果期7～8月。

| 野生资源 |

生于腐殖质肥沃的山地、林下、林缘、灌丛

或沟边。分布于吉林通化（通化、柳河、集安、梅河口、辉南）、白山（临江、靖宇、抚松、长白）、延边（延吉、图们、敦化、安图、珲春、龙井、汪清、和龙）、长春（农安、榆树、德惠、九台）、吉林（桦甸、磐石、蛟河、舒兰、永吉）、辽源（东丰、东辽）等。野生资源丰富。

| 栽培资源 |（1）栽培条件。本种在吉林多种植于海拔 100～800m 的地区。本种喜光、喜湿，耐寒、耐旱，对土质要求不高，以砂壤土为佳。

（2）栽培区域。主要栽培于吉林通化、白山、延边、吉林、四平等。

（3）栽培要点。玉竹以根茎繁殖为主，因种子繁育周期长，故多不采用种子繁殖法。采收玉竹时选取有芽的根茎，将其切段作种栽，投放种栽量为 $8t/hm^2$。对土壤中磷、钾含量有一定要求。

（4）栽培面积与产量。吉林本种的栽培面积约 1000hm²，年产鲜玉竹 6000t。

| 采收加工 | 秋季地上部分枯萎后或春季植株萌动前，选择晴天、土壤干燥时采收，先割去地上茎和杂草，然后用起药机采挖，抖去泥土，防止折断。将留作种栽的根茎选出，单独放置，防止伤热或风干。将作商品的根茎按长短、粗细挑选分等，并分别摊晒翻倒。夜晚将晾透的玉竹加覆盖物，以防雨浇或露水打湿。切勿将未晾透的玉竹堆置或装袋，以免发热变质。一般晒 2 ~ 3 天，当玉竹柔软而不折断时，将其放入筛子或特制的机械内撞去须根和泥沙，再取出，放在石板或木板上揉搓，揉搓时要先慢后快、由轻到重，直至粗皮去净、内无硬心、色泽金黄、呈半透明、手感到糖汁黏附时为止，再晒干。还可采用蒸揉结合的加工方法，即将鲜玉竹晒软后蒸 10 分钟，用高温促其发汗，使糖汁渗出，再用不透气的塑料袋装好，密封 30 分钟后，用手揉搓或整包用脚踩踏，直至玉竹色黄且呈半透明为止，然后取出，晒干或烘干。加工时要防止揉搓过度，否则玉竹色泽变深，甚至变黑，影响商品质量。

| 药材性状 | 本品呈长圆柱形，略扁，少有分枝，长 4 ~ 18cm，直径 0.3 ~ 1.6cm。表面黄白色或淡黄棕色，半透明，具纵皱纹和微隆起的环节，有白色的圆点状须根痕和圆盘状茎痕。质硬而脆或稍软，易折断，断面角质样或显颗粒性。气微，味甘，嚼之发黏。以条长、肥壮、色黄白、光泽柔润者为佳。

| 功能主治 | 甘，微寒。归肺、胃经。养阴润燥，生津止渴。用于肺胃阴伤，燥热咳嗽，咽干口渴，内热消渴。

| 用法用量 | 内服煎汤，6 ~ 12g；或熬膏；或浸酒；或入丸、散。外用适量，鲜品捣敷；或熬膏涂。阴虚有热宜生用，热不甚者宜制用。

| 附　　注 | （1）道地沿革。玉竹最早以葳蕤之名载于《名医别录》，被列为上品，该书记载："一名荧，一名地节，一名玉竹，一名马薰。"《吉林志书》（1813）记载："玉竹，似黄精而苗小，俗呼小笔管菜。"《吉林外记》（1827）记载："葳蕤，根似黄精小异，茎干强直似竹，箭有节，叶狭而长，表白里青，形柔多须。"《吉林通志》（1891）记载："玉竹似黄精苗，即小笔管菜。"另外，《吉林新志》（1934）、《通化县志》（1935）等多部地方志中均有关于玉竹的记载。吉林规模化种植玉竹始于 2001 年，种植区从东部山区的林地、山地逐步向中部的半山区及农耕区扩大，在农耕地种植玉竹可以实现机械化播种、管理、采收。

（2）市场信息。当前药材市场上的玉竹商品按照长度、直径以及药材色泽进行划分，在药材色泽相同的情况下，长度、直径越大，等级越高，见表 2-1-22。市场上的玉竹商品以玉竹片为主，玉竹条较少。产地加工玉竹片时，主要将个子纵切，所得切片的长度、直径与药材的长度、直径基本相同。市场上偶有陈货，陈货存放时间较长而受潮氧化，导致气味变淡，颜色变深甚至呈褐色，此类药材与硫熏的玉竹药材均为不合格商品。近 5 年玉竹市场价格稳定，一直维持在20 ~ 30 元 / 千克。吉林是玉竹的主产区之一，年产量不少于 5000t。近 2 年，由于出口不畅，走销受阻。

表 2-1-22　玉竹商品规格等级划分

规格	等级	性状	
		相同点	不同点
选货	一等	长圆柱形，略扁。表面黄白色或淡黄棕色，半透明，具纵皱纹和微隆起的环节，有白色的圆点状须根痕和圆盘状茎痕。质硬而脆或稍软，易折断，断面角质样或显颗粒性。气微，味甘，嚼之发黏	长度 ≥ 14cm，直径 ≥ 1.2cm
	二等		长度 ≥ 9cm，直径 ≥ 0.9cm
统货	—	圆柱形或略扁。表面黄白色或淡黄棕色，具纵皱纹和微隆起的环节，有白色的圆点状须根痕和圆盘状茎痕。质硬而脆或稍软，易折断，断面角质样或显颗粒性。气微，味甘，嚼之发黏。长度 ≥ 4cm，直径 ≥ 0.5cm。长短、粗细不一	

（3）资源利用和可持续发展。在第四次全国中药资源普查过程中，抚松松江河镇西江村建立了玉竹种子种苗繁育基地。吉林省农业科技学院、长春中医药大学分别选育出"抚竹1号"和"玉立1号"2个玉竹优良品种。吉林所产玉竹在产地加工成干品，少部分出售给国内药厂，大部分供应韩国，用于生产普通食品、保健食品、化妆品等。国内、国际市场对玉竹的需求量逐年增加，为吉林大规模种植玉竹提供了广阔的发展空间。

百合科 Liliaceae 黄精属 Polygonatum 凭证标本号 220602150517268LY

黄精
Polygonatum sibiricum Delar. ex Redoute

| 植物别名 |

鸡头黄精、东北黄精、轮叶黄精。

| 药 材 名 |

黄精（药用部位：根茎。别名：老虎姜、萎蕤、苟格）。

| 形态特征 |

多年生草本，高 50 ~ 90cm 或更高，植株光滑，无毛。根茎圆柱形，横走，有数个茎痕，黄白色，由于结节膨大，因此节间一头粗、一头细，在粗的一头有短分枝。茎直立，单一，上部稍弯曲，有时呈攀缘状。叶轮生，每轮4 ~ 6，条状披针形，先端拳卷或弯曲成钩。花序通常具 2 ~ 4 花，似成伞形，总花梗俯垂；苞片位于花梗基部，膜质，钻形或条状披针形，具 1 脉；花被乳白色至淡黄色，花被筒中部稍缢缩，先端 6 齿裂；雄蕊 6，花丝着生于花被筒中上部，花丝光滑，极短；雌蕊 1，与雄蕊等长，子房短，上位，卵形或椭圆形，花柱光滑，长为子房的 1.5 ~ 2 倍。浆果成熟时黑色，具 4 ~ 7 种子。花期 5 ~ 6月，果期 8 ~ 9 月。

黄精

 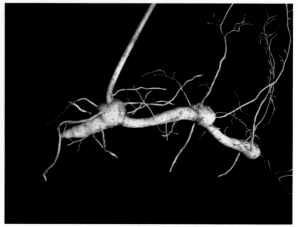

| **野生资源** | 生于山坡、林缘、路旁、灌丛等。吉林各地均有分布。野生资源较少。 |

| **栽培资源** | （1）栽培条件。本种在吉林多种植于海拔 100 ～ 800m 的山坡地、平缓耕地。以不积水为好。

（2）栽培区域。主要栽培于吉林中东部地区。

（3）栽培要点。本种种子育苗周期较长，需要春化沉积，第 1 年生根，第 2 年出芽，多不采用，以根茎繁殖为主。单位面积下种栽量越大，产量越高。采收周期较长，通常根茎移栽 4 年采收效益最佳，种子播种需要 5 年 1 个周期。

（4）栽培面积与产量。吉林现有的栽培面积约 1000hm²，近年栽培面积逐年递增。目前多作种苗来销售。预计到 2022 年，黄精药材年产量可达 2000t。 |

| **采收加工** | 春、秋季采挖根茎，秋末冬初（11 月至翌年 1 月）采挖的根茎肥壮，味甜，滋润。 |

采挖前将枯萎的地上部分及杂草割去，采挖时从地的一头开始挖，采挖深度应大于 20cm，小心地挖出黄精的根茎，剥离泥土，尽量避免损伤根茎，保证根茎完好无损，带顶芽的部分切下留作种苗。也可用机器采挖。采挖后，去掉茎叶、须根，洗去泥土，将其置沸水中略烫或蒸至透心，曝晒至干；或将其晒至柔软，边晒边搓；也可用笼筐撞去粗皮，反复搓晒，直至干燥为止。

| **药材性状** | 本品呈结节状弯柱形，长 3 ~ 10cm，直径 0.5 ~ 1.5cm。结节长 2 ~ 4cm，略呈圆锥形，常有分枝。表面黄白色或灰黄色，半透明，有纵皱纹，茎痕圆形，直径 0.5 ~ 0.8cm。气微，味甜，嚼之有黏性。一般以块大、肥润、色黄、断面透明者为佳。

| **功能主治** | 甘，平。归脾、肺、肾经。补气养阴，健脾，润肺，益肾。用于脾胃气虚，体倦乏力，胃阴不足，口干食少，肺虚燥咳，劳嗽咯血，精血不足，腰膝酸软，须发早白，内热消渴。

| **用法用量** | 内服煎汤，9 ~ 15g，鲜品 30 ~ 60g；或入丸、散；或熬膏。外用适量，煎汤洗；或熬膏涂；或浸酒搽。

| **附　　注** | （1）道地沿革。黄精在吉林药用历史较久。《双山县乡土志》（1914）、《桦甸县志》（1931）、《辑安县志》（1931）等 10 余部地方志中均有关于黄精的记载。《吉林外记》（1827）记载"胜他处"，这表明吉林所产黄精质量优良。
（2）市场信息。黄精商品一般分为 4 个等级，见表 2-1-23。鲜货收购价格为 10 ~ 15 元 / 千克。年产量逐年增加，2020 年产出干品约 30t。

表 2-1-23　黄精商品规格等级划分

规格	等级	性状	
		相同点	不同点
黄精	一等	干货。呈结节状弯柱形，结节略呈圆锥形，常有分枝；表面黄白色或灰白色，半透明，有纵皱纹，茎痕圆形。无杂质、虫蛀、霉变	每千克药材所含个子数量在50头以内
	二等		每千克药材所含个子数量在100头以内
	三等		每千克药材所含个子数量多于100头
	统货	干货。结节略呈圆锥形，长短不一。不分大小。无杂质、无虫蛀、无霉变	

（3）濒危情况、资源利用和可持续发展。近年来，随着国内外市场对黄精的需求量逐年增加，人们对黄精野生资源进行了长期的掠夺式开发，使其遭到严重破坏，黄精野生资源濒危。由于对黄精产业发展缺乏统一规划布局、政府管理部门推动力度不大、带动黄精产业集成创新的龙头企业不多等因素，吉林黄精虽然品质优良，但是品牌建设缓慢，市场竞争力不强。目前吉林尚未开展黄精种苗鉴定及农残检测工作，对品种、品牌、产品的全产业链缺乏监管措施。吉林的良种选育和标准化种植技术落后，且盲目引进种苗，故很难从根本上保证黄精的药效质量。吉林应汲取道地药材品牌建设成功经验，加强对吉林黄精的宣传，积极构建"行业协会＋龙头企业＋科研院所＋生产基地＋农村经纪人＋种植户"的产业融合发展模式，引导龙头企业转化科技创新成果，推动技术集成创新发展，研发药食两用的黄精系列产品，提高产业的知名度和创新能力。由政府部门主导、技术部门牵头、企业参与，制订道地黄精种苗鉴定及农残检测标准，提供种植技术指导、供求信息咨询等服务，推广安全、健康、有机标准化生产加工模式。加强农业主管部门和市场监督管理部门的现代化管理，促进吉林道地黄精产业安全、有序发展。

薯蓣科 Dioscoreaceae　薯蓣属 *Dioscorea*　凭证标本号 220421120706009LY

穿龙薯蓣 *Dioscorea nipponica* Makino

穿龙薯蓣

| 植物别名 |

穿山龙、地龙骨、穿地龙。

| 药 材 名 |

穿山龙（药用部位：根茎。别名：穿龙骨、穿地龙、狗山药）。

| 形态特征 |

多年生缠绕草质藤本，长达 500cm。根茎粗壮，坚硬，圆柱形，多分枝，横串地中，栓皮层显著剥离，剥离后呈鲜黄色。茎左旋，圆柱形，有沟纹，近无毛。单叶互生，有长柄，中央有纵沟；叶片掌状心形，变化较大，茎基部叶边缘作不等大的三角状浅裂、中裂或深裂；茎先端叶小，近全缘，基部心形，基出脉 5 ~ 7，网状，叶表面黄绿色，有光泽，无毛或有稀疏的白色细柔毛，尤以脉上较密。花雌雄异株。雄花序为腋生的穗状花序，花序基部常由 2 ~ 4 花集成小伞状，至花序先端常为单花，苞片披针形，先端渐尖，短于花被，花被碟形，6 裂，裂片先端钝圆；雄蕊 6，着生于花被裂片的中央。雌花序穗状，单生；雌花具有退化雄蕊；雌蕊柱头 3 裂。蒴果成熟后枯黄色，三棱形，每棱翅状，大小不一；种子每室 2，四周有不等的薄膜状

翅，长约比宽大 2 倍。花期 7 ~ 8 月，果期 9 ~ 10 月。

| **野生资源** | 生于林下、林缘、沟边、灌丛等。在吉林中东部山区、半山区各市县和中部地区的部分市县有分布，西部地区仅农安和扶余有分布。野生资源较丰富。

| **栽培资源** | （1）栽培条件。本种在吉林多种植于海拔 300 ~ 800m 的地区。本种喜光照、耐寒、耐旱，栽培土壤以砂壤土为佳。

（2）栽培区域。主要栽培于吉林通化（集安、通化）、吉林（磐石、舒兰）、辽源等。

（3）栽培要点。本种以种子育苗移栽为主要繁殖方式，移栽田可搭设攀爬设施。

（4）栽培面积与产量。吉林种植面积最大时达 1500hm²。2010 年后种植规模缩小，种植面积不足 150hm²。现磐石、集安有育苗田约 40hm²。

| **采收加工** | 春、秋季采挖，除去须根和外皮，晒干或烘干。

| **药材性状** | 本品呈类圆柱形，稍弯曲，长 15 ~ 20cm，直径 1 ~ 1.5cm。表面黄白色或棕黄色，有不规则纵沟、刺状残根及偏于一侧的凸起茎痕。质坚硬，断面平坦，白

色或黄白色，散有淡棕色维管束小点。气微，味苦、涩。以根茎粗长、土黄色、质坚硬者为佳。

| **功能主治** | 甘、苦，温。归肝、肺经。祛风除湿，舒筋通络，活血止痛，止咳平喘。用于风湿痹痛，跌仆损伤，咳嗽气喘。

| **用法用量** | 内服煎汤，干品 6 ~ 9g，鲜品 30 ~ 45g；或浸酒。外用适量，鲜品捣敷。

| **附　注** | （1）道地沿革。《珲春县志》（1931）、《珲春乡土志》（1935）等吉林地方志记载了穿龙薯蓣。

（2）市场信息。穿山龙商品一般为统货。近 5 年穿山龙市场价格平稳，光统货（除去须根者）价格为 8 ~ 10 元 / 千克，毛统货（未去须根者）价格为 4 ~ 5 元 / 千克。

（3）濒危情况、资源利用和可持续发展。1999 年，本种被列为吉林省 II 级重点保护野生植物。20 世纪 90 年代中后期，本种曾遭大量采挖，其生长环境受到破坏，近些年其生长环境恢复较好。在 18 ~ 19 世纪，穿龙薯蓣就被用来治疗痛经和与生育有关的疾病。穿龙薯蓣在临床用药时，其用量不是很大，但作为提取薯蓣皂苷的原料时，市场需求量较大。目前穿龙薯蓣野生资源已趋近枯竭，人工栽培发展缓慢，栽培规模小、产量低等因素在一定程度上制约了穿山龙产业的发展。如何提高穿龙薯蓣的栽培产量、扩大穿龙薯蓣的种植面积，是发展穿山龙产业的关键问题。

鸢尾科 Iridaceae　射干属　*Belamcanda*　凭证标本号　222426120715044LY

射干
Belamcanda chinensis (L.) Redouté

射干

| 植物别名 |

山蒲扇、金盏花、蝴蝶花。

| 药 材 名 |

射干（药用部位：根茎。别名：乌扇、黄远、夜干）。

| 形态特征 |

多年生草本，高 100 ～ 150cm。根茎块状，斜伸，黄色或黄褐色，须根多数。茎直立，单一，实心。单叶互生，2 列，剑形，嵌迭状排列，着生在一个平面，基部鞘状抱茎，先端渐尖，无中脉。花序顶生，2 ～ 3 歧分枝的伞房状聚伞花序；花梗细，较短；花梗及花序的分枝处均包有膜质苞片，苞片披针形或卵圆形；花橙红色，散生紫褐色的斑点；花被裂片 6，2 轮，外轮花被裂片倒卵形或长椭圆形，先端钝圆或微凹，基部楔形，内轮花被裂片较外轮花被裂片略短而狭；雄蕊 3，着生于外轮花被裂片的基部，花药条形，外向开裂，花丝近圆柱形；花柱先端 3 裂，裂片边缘略向外卷，有细而短的毛，子房下位，3 室。蒴果倒卵形或长椭圆形，先端无喙，常残存凋萎的花被，成熟时果瓣外翻；种子圆球形，黑紫色，有光泽，着生在果轴上。花期 7 ～ 8 月，果期 8 ～ 9 月。

| **野生资源** | 生于草甸、林缘、山坡。吉林各地均有分布。野生资源较少。

| **栽培资源** | （1）栽培条件。本种在吉林多种植于海拔 100 ~ 800m 的地区。本种喜光，耐寒、耐旱。

（2）栽培区域。吉林各地均有不同规模的栽培。伊通是射干种子、种苗的输出地。

（3）栽培要点。种子育苗移栽为主要繁殖方式。正常播种后，出苗时间为 3 周左右，种子处理后可缩短一半的时间。多垄栽或做畦直播。通常第 2 年可开花、结果。

（4）栽培面积与产量。吉林本种的栽培面积超 100hm²，每年可产出干货 100t。

| **采收加工** | 春初发芽前或秋末茎叶枯萎时采挖。选晴天挖取根茎，除去须根、茎叶及泥土，晒至半干，搓去须根；或者放入铁丝筛中，用微火烤，边烤边翻，直至毛须烧净为止，再晒干；也可直接用火燎去毛须，但火燎时速度要快，防止根茎被烧焦。

| **药材性状** | 本品呈不规则结节状，长 3 ~ 10cm，直径 1 ~ 2cm。表面黄褐色、棕褐色或黑褐色，皱缩，有较密的环纹。上面有数个圆盘状凹陷的茎痕，偶有茎基残存；下面有残留的细根及根痕。质硬，断面黄色，颗粒性。气微，味苦、微辛。以肥

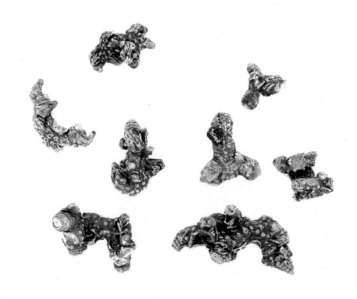

壮、肉色黄、无毛须者为佳。

| **功能主治** | 苦，寒。归肺经。清热解毒，消痰利咽。用于热毒痰火郁结，咽喉肿痛，痰涎壅盛，咳嗽气喘。

| **用法用量** | 内服煎汤，5 ~ 10g；或入丸、散；或鲜品捣汁。外用适量，研末吹喉；或捣敷。

| **附　注** | （1）栽培历史。吉林最开始栽培射干用于园林绿化，2012 年，逐步转向规模化药材栽培兼有绿化育苗。

（2）市场信息。射干商品一般为统货。干品价格为 25 ~ 30 元 / 千克。2020 年产量约为 20t。

（3）濒危情况。2009 年，本种被列为吉林省Ⅲ级重点保护野生植物。

天南星科 Araceae 天南星属 *Arisaema* 凭证标本号 220421120523005LY

东北南星 *Arisaema amurense* Maxim.

| 植物别名 |

东北天南星、天老星、山苞米。

| 药 材 名 |

天南星（药用部位：块茎。别名：天老星、
大参、南星）。

| 形态特征 |

多年生草本。块茎扁球形。鳞叶 2，线状披
针形，膜质。叶 1，从下部紫色的鞘中抽出，
叶柄很长，圆柱形，绿色或紫褐色，叶片鸟
足状分裂，裂片 5（幼叶 3），倒卵形、倒
卵状披针形或椭圆形，基部楔形，全缘，中
裂片独自具柄。花序柄短于叶柄；肉穗花序，
单性异株，稍伸出佛焰苞口部，佛焰苞绿色
或紫色而具白色条纹，管部漏斗状，白绿色，
喉部边缘斜截形，外卷，檐部直立；雄花序
花疏，具花柄，雌花序短圆锥形，附属器具
短柄，棒状，基部截形，向上略细，先端钝
圆。肉穗花序轴常于果期增大，果落后呈紫
红色。浆果椭圆形，红色。花期 6 ～ 7 月，
果期 8 ～ 9 月。

| 野生资源 |

生于林间、林下、林缘、洼地、湿地。以长

东北南星

白山区为主要分布区域，分布于吉林延边、白山、通化、吉林，中部地区扶余及部分市县亦有分布。野生资源较少。

| **栽培资源** | （1）栽培条件。本种喜欢阴湿环境，适宜栽培于林下、湿地、阴山坡、沟谷，要求土壤中腐殖质丰富。

（2）栽培区域。主要栽培于吉林通化（集安、梅河口）。

（3）栽培要点。栽培东北南星由野生种源驯化而来，对于种子处理技术要求较高。在耕地栽培应阶段性搭设遮阴棚网。

（4）栽培面积与产量。目前本种栽培处于起步阶段，由于缺少种子、种苗，故栽培尚未形成规模。

| **采收加工** | 秋、冬季茎叶枯萎时采挖，除去须根及外皮，干燥。

| **药材性状** | 本品呈扁球形，高 1 ~ 2cm，直径 1.5 ~ 6.5cm。表面类白色或淡棕色，较光滑，先端有凹陷的茎痕，周围有麻点状根痕，有的块茎周边有小扁球状侧芽。质坚硬，不易破碎，断面不平坦，白色，粉性。气微辛，味麻、辣。

| **功能主治** | 苦、辛，温；有毒。归肺、肝、脾经。燥湿化痰，祛风止痉，散结消肿。用于顽痰咳嗽，风疾眩晕，中风痰壅，口眼㖞斜，半身不遂，癫痫，惊风，破伤风；外用于痈肿及蛇咬伤。

| **用法用量** | 内服煎汤，3 ~ 9g，一般炮制后用。外用适量，生品研末以醋或酒调敷患处。

| **附　　注** | （1）道地沿革。《吉林通志》（1891）等吉林地方志中记载有土产天南星。
（2）市场信息。《中国药典》收录的天南星为天南星科植物天南星、异叶天南星、东北天南星的干燥块茎，现多为野生品种。河北安国、安徽亳州市场上天南星主流商品为虎掌南星，其基原为天南星科半夏属植物掌叶半夏。天南星主要以直径大小作为商品规格等级划分标准，见表 2-1-24。产地收购价为 25 ~ 30 元 / 千克。本种药材以野生品为主，年产量出不足 50t。

表 2-1-24　天南星商品规格等级划分表

等级	性状	
	相同点	不同点
一等	本品呈扁球形，表面乳白色或淡棕色，较光滑，有的皱缩，先端有凹陷的茎痕，周围有麻点状根痕，有的块茎周边有球状侧芽。质坚硬，不易破碎，断面不平坦，色白，粉性，有的可见筋脉，气微辛，味麻、辣	直径大于或等于 4.5cm
二等		直径大于 3cm 且小于 4.5cm
三等		直径小于或等于 3cm

（3）濒危情况、资源利用和可持续发展。2009 年，本种被列为吉林省Ⅲ级重点保护野生植物。天南星是一种传统的中药材，具有广泛的药理作用，随着用药需求的增加，其野生资源越来越少，引种驯化东北南星已成必然趋势。东北南星主要依靠块茎和种子繁殖，但是其种质资源混杂，质量良莠不齐，市场极不规范。东北南星是一种多年生草本植物，其地上部分资源相当丰富，但天南星主要以块茎入药，地上部分常被丢弃，资源浪费严重。因此开展东北南星引种驯化与非药用部位开发研究十分必要。吉林东北南星资源分布零散，人工栽培的东北南星数量较少，并没有形成具有一定规模的栽培体系，东北南星资源的现状不利于对其种质资源的保护和利用。吉林应积极探索东北南星的种植、扩繁新技术，以期更好地对东北南星种质资源进行合理利用和保护。

兰科 Orchidaceae ｜ 天麻属 Gastrodia ｜ 凭证标本号 ｜ 220622120626052LY

天麻 *Gastrodia elata* Bl.

| 植物别名 | 赤箭、赤天箭、定风草。

| 药 材 名 | 天麻（药用部位：块茎。别名：赤箭、离母、鬼督邮）。

| 形态特征 | 植株高 30 ～ 150cm，无根，全体不含叶绿素，依靠溶解酵素消化侵入体内的蜜环菌生长。块茎椭圆形或卵圆形，横生，肉质，肥厚；具较密的环节，节上被三角状膜质鳞片。茎单一，直立，黄褐色、灰棕色或蓝绿色，无绿叶，有节；茎下部被数枚膜质鞘，茎上部节上具淡褐色鞘状鳞片。花两性，橙黄色、淡黄色、蓝绿色或黄白色，近直立，小花扭转，30 ～ 50 花在茎顶排成总状花序；花苞片膜质，花梗与子房略短于花苞片，花被合生，下部呈壶状，上部歪斜，先端 5 裂，裂片三角形；子房倒卵形，子房柄扭转。蒴果倒卵状椭圆形；种子细小如粉末，常黏成花粉块。花期 6 ～ 7 月，果期 8 ～ 9 月。

天麻

| 野生资源 | 生于海拔 700 ~ 800m 的阔叶林下、杂木林下、针阔叶混交林及林缘等。分布于吉林通化（通化、柳河、集安、梅河口、辉南）、白山（临江、靖宇、抚松、长白）、延边（延吉、图们、敦化、安图、珲春、龙井、汪清、和龙）、长春（农安、榆树、德惠、九台）、吉林（桦甸、磐石、蛟河、舒兰、永吉）、辽源（东丰、东辽）等。野生资源稀少。

| 栽培资源 | （1）栽培条件。本种在吉林多种植于海拔 300 ~ 800m 的地区。
（2）栽培区域。主要栽培于吉林通化、白山、延边等，以白山靖宇龙泉镇为主产加工地。
（3）栽培要点。多在村屯附近庭院式栽培，少部分在山林林下栽培。需搭建遮阴防雨棚，换置砂性土或河沙。利用东北所常见硬杂木树段，接种蜜环菌。覆盖豆萁、稻草等以防寒保湿。冬季在室内培育种子，春、秋季栽种，1 年后采收。
（4）栽培面积与产量。据统计，吉林天麻栽培面积约 80hm²，年产量约 400t。

| 采收加工 | 立冬后至翌年清明前采挖。一般在休眠期或恢复生长前采收。按收获季节不同，可将天麻分为春麻和冬麻，冬麻质量要优于春麻。采收前，先将地上的杂草或覆盖物清除，再扒去覆盖天麻的土层，接近天麻生长层时，慢慢刨开土层，待菌材出现后，先取出菌材，再取出天麻。采收时尽量避免损伤块茎。收获时应将商品麻、种麻分开，小心地放入竹篓等盛装容器中。不能用装过肥料、盐、碱、酸等的容器装天麻。箱栽天麻时可将麻箱轻轻地倒放在地上，再轻轻地拿走空箱，这样下层的菌棒翻转到上面，有利于分层收麻。要对收获后的天麻及时进行加工，天麻的大小直接影响蒸制时间和干燥速率，首先按大小将天麻分 2 ~ 3 个等级，再进行加工。将各级天麻用清水洗净，分别放在蒸笼中蒸至无白心。将蒸制好的天麻摊开晾凉，晾干麻体表面的水分。将晾干水汽的天麻均匀平摊于木架或

竹帘上，40～50℃烘3～4h，再将温度调至50～60℃，烘至麻体表面微皱。将天麻置于回潮房，室温下密闭回潮12h，待麻体表面平整。再将回潮后的天麻在40～50℃下继续烘至五六成干，再进行回潮至麻体柔软后定型，重复低温烘干和回潮定型的步骤，直至烘干。

| **药材性状** | 本品呈椭圆形或长条形，略扁，皱缩而稍弯曲，长3～15cm，宽1.5～6cm，厚0.5～2cm。表面黄白色至淡黄棕色，有纵皱纹及多轮由潜伏芽排列而成的横环纹，有时可见棕褐色菌索。先端有红棕色至深棕色鹦嘴状的芽或残留茎基，另一端有圆脐形瘢痕。质坚硬，不易折断，断面较平坦，黄白色至淡棕色，角质样。气微，味甘。质坚实沉重、有鹦哥嘴、断面明亮、中心无空隙者为冬麻。质轻泡、有残留茎基、断面色晦暗、空心者为春麻。一般以个大、色黄白、质坚实沉重、断面半透明、光亮、无空心者为佳。

| **功能主治** | 甘，平。归肝经。息风止痉，平抑肝阳，祛风通络。用于小儿惊风，癫痫抽搐，破伤风，头痛眩晕，手足不遂，肢体麻木，风湿痹痛。

| **用法用量** | 内服煎汤，3～10g；或入丸、散；或研末吞服，每次1～1.5g。

| **附　注** | （1）栽培历史。在《长白汇征录》（1910）、《安图县志》（1911）、《临江县志》（1935）等多部地方志中均有关于天麻的记载。中华人民共和国成立后，虽然野生天麻的新产地不断被发现，但由于天麻的用量大幅度增加，野生天麻被大量采挖，加之野生天麻自然更新缓慢，导致天麻野生资源被严重破坏，野生天麻逐渐濒危。20世纪70年代初，国内天麻市场出现3年断线供应情况，医疗用药断档。目前我国野生天麻资源已无法供应市场，商品药材基本靠栽培供应。20

世纪 60 至 70 年代，中国医学科学院徐锦堂研究员开发的人工天麻有性繁殖和无性繁殖栽培技术获得成功，并在全国推广。目前，国内有 4 个天麻主产区，分别是云贵川陕高原天麻产区、长江三峡神农架天麻产区、大别山天麻产区和长白山天麻产区。吉林抚松、通化、靖宇等长白山地区有引种栽培。吉林天麻的主要特点是含水量低、折干率高、天麻素含量高。

（2）市场信息。野生品分为春麻和冬麻。目前商品以栽培品为主，一般按照个头大小分为 4 等。一等品：每千克 16 支以内，无空心、枯炕。二等品：每千克 25 支以内，无空心、枯炕。三等品：每千克 50 支以内，大小均匀，无枯炕。四等品：每千克 50 支以上，凡不符合一、二、三等品条件的碎块、空心者均属此等。天麻产地较广，质量良莠不齐，价格差别较大，一般为 100 ~ 220 元 / 千克。吉林所产天麻由于质量较好，价格可达到 220 ~ 240 元 / 千克。

（3）濒危情况、资源利用和可持续发展。天麻分别被《中国珍稀濒危保护植物名录》《国家重点保护野生植物名录（第二批）》《中国植物红皮书》列为国家 II 级保护品种。天麻是一味名贵中药，随着人工栽培的推广，总产量较仅采挖野生资源时有数十倍的增加，但市场上天麻药材依然紧俏。究其原因，第一，天麻已从单纯的药品走进了保健品行列，而保健品的开发应用市场巨大，潜力无限，天麻茶、天麻饮品在市场热销，开拓了天麻的深加工途径，消化了大量的天麻；第二，由于国家科技不断发展，对天麻应用的研究更加深入，我国加入世界贸易组织后，随着关税及非关税壁垒的取消，出口天麻更加方便；第三，天麻名贵甲天下，我国乃至世界对天麻的需求量日趋剧增。由此可见，天麻有稳定的市场，具有较好的发展潜力。目前野生天麻数量稀少，价格较贵，商品主要来源于人工栽培。吉林野生天麻商品产量大约在 8t 左右。人工栽培天麻方法由无性繁殖变成有性繁殖后，产量大增，天麻产业已成为一项利国富民的先锋产业。天麻无性繁殖从种到收，不施肥、不除草、不喷农药，只需供给蜜环菌和菌材，蜜环菌在长白山林区随处可见，林区丰富的资源又可供养蜜环菌，大大降低了天麻的生产成本。此外，天麻对栽培环境要求不高，只要注意环境温度、湿度，粗放管理即可获得正常产量。掌握了天麻的越冬规律后，更能节省劳动力和管理成本。由此可见，天麻产业是一举多得的创收产业。

蛙科 Ranidae 林蛙属 *Rana*

东北林蛙
Rana dybowskii Günther

| 动物别名 | 哈士蟆、林蛙、雪蛤。

| 药 材 名 | 哈蟆油（药用部位：雌蛙的干燥输卵管。别名：林蛙油、田鸡油、雪蛤油）、哈士蟆（药用部位：除去内脏的全体。别名：哈什蟆、雪蛤）。

| 形态特征 | 成体雄蛙长 63mm 左右，成体雌蛙长 67mm 左右，体较粗壮；头宽略大于头长；吻端钝圆而宽扁，突出于下唇；吻棱钝而明显，颊部向外倾斜，颊面略凹陷；鼻孔位于吻端至眼前角的中央，鼻间距大于眼间距而略小于上眼睑宽；瞳孔横椭圆形；鼓膜圆形，直径略大于眼径之半；犁骨齿 2 小团，略呈椭圆形，自内鼻孔内侧前缘或中央斜向后方；舌后端缺刻深。前肢短，前臂及手长不及体长之半；指端钝圆；指较细长而略扁，指长顺序 3、1、4、2；关节下瘤发达，

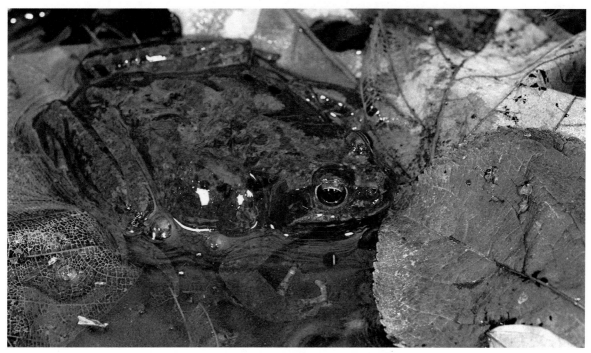

东北林蛙

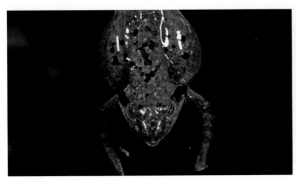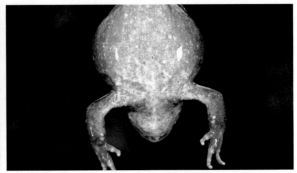

指基下瘤较明显；内掌突大而略呈圆形，外掌突小而窄长。后肢较长，约为体长的 1.75 倍，后肢前伸贴体时胫跗关节前达眼或鼻孔，左、右跟部重叠较多；胫长大于体长之半；足比胫长；趾端钝圆而略窄；第 3、5 趾等长，达第 4 趾第 2、3 关节下瘤之间；趾间蹼发达，外侧 3 趾间几乎为全蹼，蹼缘几乎无缺刻或微具凹陷；雄蛙第 4 趾两侧的蹼略超过远端关节下瘤或几乎达到趾端，内侧 3 趾外侧和第 5 趾内侧的蹼均达趾端，雌蛙的蹼较雄蛙略逊；外侧跖间蹼较发达；关节下瘤小而明显；内跖突为长椭圆形，长约为第 1 趾长的 3/4，外跖突小而圆或个别不明显。背面皮肤较光滑，背部及体侧有少而分散的圆疣，有的个体在肩上方有"八"字形长疣，雌蛙的体侧及肛部多密布小圆疣或痣粒；背侧褶在鼓膜上方斜向外侧与颞褶相连，随即折向中线，然后再向后延伸达胯部，在颞部上方成曲折状；口角后的颌腺粗大；外跗褶明显。腹面皮肤光滑，仅股基部腹面有密集扁平小疣。

| 野生资源 | 栖于海拔 300 ～ 1000m、无霜期 130 天左右、年平均气温 4℃左右、降水量 600 ～ 1300mm、日照时间 2300 ～ 2500 小时的森林和山间水塘中。分布于吉林桦甸、舒兰、蛟河、柳河、磐石、靖宇、白山、敦化、抚松、珲春、和龙等。20 世纪 60 年代之前，野生东北林蛙的数量较多。之后随着生存环境被破坏与被过量捕捉等，其野生数量锐减。20 世纪 80 年代以后，东北林蛙养殖业的兴起使其野生资源得到了保护。

| 养殖资源 | （1）养殖条件。养殖场应建在阳光直射较少、相对湿度高、夏季温度较低的山沟中。养殖场需植被丰富，要求为郁闭度 0.8 以上的阔叶林或针阔叶混交林。该类树林昆虫种类多，适合东北林蛙生长。在东北林蛙繁殖、冬眠阶段应保证水源充足且无污染。根据东北林蛙的不同生长时期，修建蓄水池、产孵池、孵化池、饲养池、变态池、贮蛙池、越冬池。修建上述设施时应特别注意防止池内渗水，雨季要及时排水。

（2）养殖区域。东北林蛙养殖区域主要包括吉林通化、白山、延边等地，以桦甸、舒兰、蛟河等地为核心区。

（3）养殖要点。选择优良的东北林蛙品种是提高商品蛙质量的关键。最好使种蛙相同时间产卵、蛙卵同期孵化，这样孵化出的蝌蚪苗齐，也能避免大蝌蚪嗜食小蝌蚪的情况发生。培育蝌蚪过程中要注意对培育池进行消毒，及时调整蝌蚪密度并对其进行科学喂养。另外，可以采用性别控制技术来大量繁殖雌蛙，以提高养殖效益。

（4）存栏量与产量。2020 年，吉林东北林蛙放养面积达到 3310000hm²，通过有效养殖，扩大了东北林蛙种群数量，每年回捕商品蛙 3.5 亿只，东北林蛙存栏量达 100 亿只以上，年产油量 150t 左右。

| **采收加工** | 哈蟆油：捕捉 3 年以上的成蛙。在 9 月下旬气温降低、东北林蛙下山回河冬眠时进行捕捉，俗称"回捕"。传统捕捉方法主要有以下几种。①灯光诱捕法：在东北林蛙下山回河冬眠时，于河岸边挖深 1m 左右的土坑，将麻袋或丝袋放入其中，使其与坑口相平，夜间在坑中挂一盏灯，东北林蛙因灯光引诱而跳入其中，随即进行捕捉。②草把诱捕法：在河水封冻前，将用树枝、蒿草、瓜秧做成的草把放入河底，诱引东北林蛙钻进其中冬眠，每隔 2 天左右取出草把，进行捕捉。③翻石捕捉法：东北林蛙回河后会钻入石块下冬眠，在河水封冻前在河中翻动石块，捕捉受到惊吓逃出的东北林蛙。④鱼篓捕捉法：东北林蛙回河后会顺水下游，在其冬眠的河流中，选择坡度大、水流急处用石块、树枝筑成小坝，使水流集中从坝顶开口处形成瀑布流出，在瀑布下放置鱼篓，东北林蛙就会顺流进入鱼篓。每隔一段时间取出鱼篓，进行捕捉。现代主要采用拦截捕捉法：在东北林蛙回河的必经之路（靠近河道的山脚下）设置障碍物，通常建围栏，围栏材料一般为塑料薄膜，高度一般为 30～50cm，将塑料薄膜固定在木桩上，并埋入土中 30cm 左右，使其向内倾斜 60°～70°。东北林蛙在回河途中因受到围栏阻拦，便会伏在围栏下（或者在围栏内侧每隔 15m 左右挖一陡坑，在坑底铺上杂草，受到阻拦的蛙跳入坑内钻入杂草中），此时进行捕捉。尤其在雨后，东北林蛙会集中回河，此时捕捉捕获量会很大。此外，个别地方也采用电捕法。但是这种方法对资源破坏性较强，目前不提倡使用。哈蟆油的产地加工方法有鲜剥法和干剥法。鲜剥法：将东北林蛙用沸水烫死后，直接剖腹取出输卵管，并将其干燥、加工成哈蟆油，其流程为烫死→剥制→干燥。干剥法：将东北林蛙整个进行干燥，再经软化后取出输卵管，将其加工成哈蟆油，其流程为穿蛙→晾晒→软化→剥制→干燥。干剥法为传统加工方法，目前使用的较多，

具体方法是：取活蛙，用铁线从双目或口额横穿，将其悬挂在通风阴凉处晾干，即为"蛙干"。加工过程中注意防止其受冻和雨淋。将蛙干利用软化箱进行软化，软化时将蛙干串架于软化箱内支架上，软化温度为 40 ~ 60℃，相对湿度为90%，时间为 3 ~ 4 小时（传统软化方法是先将蛙干用水润湿，装入麻袋内闷一夜）。将软化好的蛙的腹部剖开，取出输卵管（俗称"油"），同时除去黑色子（卵粒），放在通风处阴干。在加工哈蟆油的过程中，若方法不当，可导致药材品质下降。如在捕捞时东北林蛙受冻，可导致哈蟆油药材有红色斑点或呈红色，称为"红油"；东北林蛙死亡后内脏腐败可导致哈蟆油药材呈黑色，称为"黑油"；商品蛙干燥时若气候寒冷，其体内水分冻干可导致哈蟆油药材质地疏松、不透明、无光泽，称为"冻油"。

哈士蟆：于白露节前后捕捉，捕得雄蛙后即剖腹，除去内脏，洗净，挂起风干或晒干；若捕得雌蛙，先取出输卵管，再除去其他内脏，晒干。

| **药材性状** | 哈蟆油：干剥法剥制的哈蟆油呈不规则块状，弯曲而重叠，长 1.5 ~ 2cm，厚1.5 ~ 5mm，宽约 4mm。表面黄白色或微白色，具脂肪样光泽，可见明显红色毛细血管，偶有灰白色、薄膜状干皮，手摸有滑腻感。质略坚硬，易折断，表面可用指甲划出痕迹；用手压碎后，多呈带棱角的碎块状，碎块断裂处可见灰白色、脂样薄膜状物。在温水中浸泡，体积可膨胀。气腥，味微甘，嚼之有黏滑感。以油块肥大、整齐，无碎粉末，黄白色或微呈浅棕色，有光泽，无血筋、皮膜及卵子者为佳。鲜剥法剥制的哈蟆油呈条状或块状，表面灰白色，污染血迹处颜色加深，呈饼状者为条状油弯曲、重叠而形成。

哈士蟆：本品全体僵直，有紫褐色斑点，腹部黄白色，微带红色，腹中空虚，

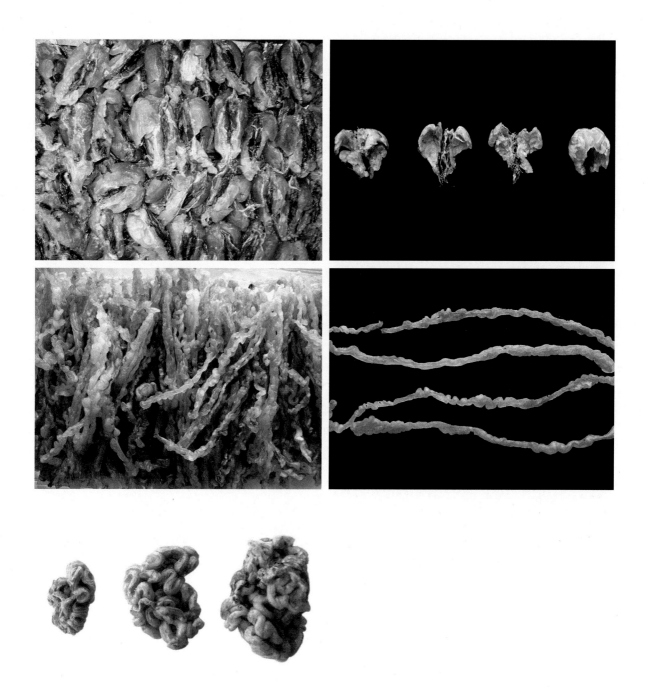

后肢腹面常呈淡红色。肉干枯，体轻松。气腥。以体大、腹面色泽黄红、身干者为佳。

| 功能主治 | 哈蟆油：甘、咸，平。归肺、肾经。补肾益精，养阴润肺。用于病后体弱，神疲乏力，心悸失眠，盗汗，劳嗽咯血。
哈士蟆：甘、咸，凉。归肺、肾经。补肺滋肾，利水消肿。用于虚劳咳嗽，小儿疳积，水肿腹胀，疮痈肿毒。

| 用法用量 | 哈蟆油：用水浸泡，炖服 5 ~ 15g；或入丸剂。
哈士蟆：内服炖食，1 ~ 3 个。外用适量，捣敷。

| 附　注 | （1）道地沿革。哈蟆油为东北满族习用药材。《本草图经》《本草纲目》等记载的山蛤的形态与东北林蛙 *Rana dybowskii* Günther 的形态有差异。按形态描述、记载年代、功能主治、民间习俗推论，以上文献中记载的山蛤可能为蛙科棘蛙属动物棘胸蛙 *Paa spinosa* David。据诸多研究及论证，哈蟆油的基原应为原中国林蛙的东北居群，即被称为"哈士蟆"的东北林蛙。《鸡林旧闻录》（1913）记载："哈什蟆……《本草》不载其名，古人诗词亦未有咏之者。今南中贩售已多，用为食品。有谓此物饮参水而生，故'哈什蟆'所在山，必产参云。"《抚松县志》（1930）记载："蛤什蟆……渔人每于秋冬捕得之，出售外商，获利颇丰。为本地渔产之大宗，前清时代列为贡品。"《辽海丛书·沈故篇》（1871—1896）记载："哈士蟆形似田鸡，腹有油如粉条，有子如鲜蟹黄，取以做羹，极肥美，然惟兴京一带有之，满洲人用祀祖，取其洁也。"《吉林汇征》（1914）记载："哈士蟆，多伏岩中似蝦蟆而大腹……剖之腹中满贮细粒黑砂，有类炭屑，两肋有脂肪质独莹白，用水漂尽即浮涨，色愈洁，如凝脂。和以盐糖作羹，医者云有润胃养阴之功。特自古方药不载其名。据土人云，是物吸饮长白山溪水，山多产参，性能补益人云。"《珲春县志》（1927）记载："哈什蟆……似蝦蟆而大，腹黄红色，曝干剖之，中有脂肪，色莹白。性滋补，清岁入贡。"《桦甸县志》（1931）卷六在"食货""物产""动物"中有以下记述："田鸡，状与蛙一致，惟背明黑，腹或黄或红，后足比蛤蟆加长为异，冬季蛰伏入水，春暖产卵于水后，卵生有白黏质物即其腹内之脂肪，人所珍视，呼为田鸡油……土人秋间捉之入市，得值颇丰，清时岁取入贡，名哈什蚂。"《额穆县志》（1939）记载："蛤蚂油，乃极清洁之滋养品，售价甚昂，故人多于秋末捕而干之，待价而沽。"从以上文献记载可以看出，起初哈蟆油在东北民间作为美味的食品食用，在食用过程中人们发现其具有明显的滋补强壮功效，故"人所珍视"，从此哈蟆油逐渐成为名贵药材与补品。至现代，《全国中草药汇编》（1996）记载："以吉林、黑龙江两省为多，河北、河南……亦有分布。"《中国药材学》（1996）记载："分布于东北，以吉林的产品较好。"《中华本草》（1999）记载："哈士蟆产地分布于黑龙江、吉林、辽宁等。"《500 味常用中药材的经验鉴别》（1999）记载："哈蟆油商品主要来源于野生资源。其来源动物中国林蛙主要分布于黑龙江、吉林、辽宁，河南、贵州、甘肃、青海、河北等地，西南地区也有少址分布。"《现代中药材商品通鉴》（2001）记载："产

于吉林抚松、桦甸、磐石、敦化、延吉、安图，辽宁清原、新宾、本溪、抚顺、宽甸、临江、凤城，黑龙江省。"这些内容与地方志记载基本一致。综上所述，东北林蛙的产区主要集中于东北三省，尤其是吉林，其核心分布区主要为长白山一带，这表明吉林为哈蟆油的道地产区。20世纪30年代，吉林就在蛟河、敦化一带人烟稀少的西老爷岭和威虎岭深山沟开展人工养殖东北林蛙；60年代初，林蛙专家马常夫等发表了《哈士蟆生态观察和养殖问题的讨论》；70年代中期，人工孵化、天然散养管理获得较好效果；80年代，人工养殖出现了新局面，采用人工孵化、天然放养的半人工封沟养殖获得成功，其繁殖数量是野生自然繁殖数量的100多倍；90年代后，生态养殖东北林蛙技术也趋于成熟，有关养殖技术的书籍和标准相继出版和制定；进入21世纪，东北林蛙养殖技术更加成熟，推出了东北林蛙生态养殖技术。东北林蛙生态养殖是指在产卵、孵化、变态的东北林蛙繁殖期进行全人工养殖管理，幼蛙入林生活初期通过繁殖低位昆虫（主要用2日龄蝇蛆）进行辅助喂养半个月，此后东北林蛙在林内生活至9月中下旬开始下山，通过人工回捕分拣出商品蛙后，其余放入越冬池进行越冬管理，翌年春季再送至各入林点进行林内生活。东北林蛙生态养殖是一种"人工繁殖、天然放养、封沟管理"的生态养殖模式。

（2）市场信息。市场上的哈蟆油分为"块油"和"条油（线油）"，以"块油"为主，下分4个等级。一等品：油色呈金黄色或黄白色，块大而整齐，有光泽而透明，无皮、血筋及卵子等杂物，干而不潮。二等品：油呈淡黄色，肌膜、皮、卵子及碎块等杂物不超过1%，无碎末，干而不潮。三等品：油色不纯白，不变质，油块较小，碎块和卵子、皮肉等杂物不超过5%，无碎末及其他杂物，干而不潮。四等品：油色较杂，带红色、黑色、白色等颜色，有少量皮肉、卵子及其他杂物，但不超过10%，干而不潮。近年来，哈蟆油售价有小幅波动，但是波动幅度不大，稳定在5000～8000元/千克。目前，正常情况下吉林每年产销哈蟆油药材150t。吉林林蛙及其制品销量走势较好，市场行情稳定，波动较小。

（3）资源利用和可持续发展。长白山区是东北林蛙的主产区，所产东北林蛙出油率高，油质属上乘。近些年，吉林政府大力支持林蛙产业发展，《国务院办公厅关于加快林下经济发展的意见》（国办发〔2012〕42号）、《吉林省政府办公厅关于提升特色资源产业的实施意见》（吉政办发〔2011〕16号）和《吉林省政府办公厅关于加快林下经济发展的意见》（吉政办发〔2012〕63号）等文件都在很大程度上支持林蛙产业发展。2010年开始吉林省财政厅设立了林蛙产业发展补助资金，截至目前，累计发放补助资金达3000余万元。2018年吉林省林业和草原局下发《吉林省九大林业特色百万工程实施方案》，把建设百万公顷林蛙高效养殖技术推广基地作为工程之一列入方案。这些政策和措施为林蛙产业发展提供了有力支持，营造了良好的发展氛围。经过 20 多年的研究，吉林大学从东北林蛙皮中的碱性多肽中分离出具有广谱抗菌作用、耐热、无毒、无药残、不易产生耐药菌株的林蛙抗菌肽和可用于美容的胶原蛋白肽，还对东北林蛙的卵、肉和骨进行了研究，相继开发出消毒品、化妆品及功能食品等三大类的 200 多种产品，实现了林蛙整只利用且无剩余物。今后还将在生物保鲜、生物饲料等领域开拓市场，以大幅度提高产业附加值。在东北林蛙养殖技术趋于成熟的同时，对于东北林蛙深加工利用研究也在不断发展。据不完全统计，截至目前，吉林已取得林蛙科研成果 25 项，其中 8 项获得科技进步奖，获得专利 8 项。东北林蛙养殖业已成为吉林重要的特产支柱产业，为促进吉林地方经济的发展做出了很大的贡献，在帮助政府解决偏远山区林农贫困、维护社会和谐稳定问题上发挥着不可替代的作用。

（4）其他。2020 年版《中国药典》记载的本种名称为中国林蛙 *Rana temporaria chensinensis* David。

鹿科 Cervidae 鹿属 *Cervus*

梅花鹿 *Cervus nippon* Temminck

| 动物别名 | 花鹿。

| 药 材 名 | 鹿茸（药用部位：雄鹿未骨化、密生茸毛的幼角。别名：斑龙珠、九女春、茄子茸）、鹿角（药用部位：已骨化的角或锯茸后翌年春季脱落的角基）、鹿角胶（药材来源：鹿角经水煎煮、浓缩制成的固体胶）、鹿角霜（药用部位：去胶质的角块）、鹿筋（药用部位：四肢的肌腱）、鹿尾（药用部位：尾巴）、鹿头肉（药用部位：头肉）、鹿心（药用部位：心脏）、鹿血（药用部位：血）、鹿茸血（药用部位：雄鹿的茸血）、鹿胎（药用部位：胎）、鹿鞭（药用部位：雄鹿的阴茎及睾丸）。

| 形态特征 | 体型中等大小，小于马鹿。眼大，眶下腺明显，呈裂缝状。耳大直立，颈细长，躯干匀称。尾短，臀部白斑明显，四肢细长，主蹄狭长，

梅花鹿

侧蹄小。雄鹿有角，雌鹿无角，角 4 叉。眉枝由角干基部生出，斜向前伸，第 2 枝出位较高，二者相距较远，主干末端再分出 2 枝。冬毛厚密，栗棕色，有绒毛，白色斑点明显，背中线深棕色，并一直延伸到尾部；夏毛薄，短而稀疏，红棕色，白斑显著，前后成行排列，有黑色背中线，尾背面黑色。头骨狭长，鼻骨亦狭长，其后缘几乎与眼眶的前缘在一条线上，额骨后半部左右骨片相互连接并隆起，呈崎状，顶骨平坦而向后倾，雄性在额骨后外侧突起而上升成角。鼻骨、额骨、上颌骨和泪骨间的空隙呈长方形，泪窝显著。上颌犬齿形小，前臼齿有 1 对新月形齿突，2 对臼齿各有 2 列新月形齿突，排列成 2 行，最后 1 对臼齿的后面有 1 马蹄形小叶，下颌最内侧的 1 对门齿大，齿面呈斧状，其余门齿、犬齿形小，且齿面均为长方形。

| **野生资源** | 栖于混交林、山地草原、林缘附近。分布于长白山南、北两侧，多数县（市）查无踪迹，野生梅花鹿濒临灭绝。

| **养殖资源** | （1）养殖条件。养殖梅花鹿应选择较干燥、向南或偏向东南、有 5° 坡的砂质或少石的场所，山区要选在不受山水威胁、避风及排水良好的地方。完全圈养的梅花鹿平均每只每年需要精饲料 350 ~ 400kg、粗饲料 1750 ~ 2000kg，因此要求养殖地一年四季牧草繁茂。梅花鹿场建场前要对地下水位、自然水源、水量、水质进行必要的勘测和调查，并注意水中的无机盐含量，要避免使用江河等地上的自然水源或场地附近被污染的水源。梅花鹿场建场地点应以距离公路 1 ~ 1.5km、距离铁路 5 ~ 10km 为宜，以便于设备、饲料及产品的运输，且方

便职工生活。同时电力要充足，距离电源应较近。梅花鹿场不应建在工矿区和公共设施附近，不要在被牛、羊传染病污染过的地方或畜牧场上建场，还要考虑场址附近的资源条件，如建材是否方便、劳力是否充足等。

（2）养殖区域。梅花鹿养殖区域主要包括吉林双阳、东丰、敦化、东辽、伊通、蛟河、龙井、辉南、柳河、通化、靖宇、永吉、梨树、桦甸、安图、珲春、梅河口、和龙等。

（3）养殖要点。1只梅花鹿需要 3 ~ 4m² 圈舍和 7 ~ 10m² 活动场地，具体养殖场地面积可以根据养鹿数量进行计算。夏季天热时应随时添加清洁的饮水，冬季以温水为宜，防止冻结。每个地区的环境、气候不一样，一定要根据天气情况，尽量为鹿群创造自由的饮水条件，保证饮水的清洁和充足。正常情况下，1只公鹿可以配 10 ~ 20 只母鹿，在人工授精的情况下可以配 300 ~ 500 只母鹿。为了避免近亲繁殖、提高鹿茸效益，鹿群中可以适当提高公鹿的比例。

（4）存栏量与产量。2019 年末，吉林鹿（梅花鹿和马鹿）存栏量为 45.77 万只，产鹿茸 360t。

| 采收加工 | 鹿茸：可加工成排血茸、带血茸和砍茸。排血茸的具体加工方法如下。①排血：一般采用真空泵排血法，排血至锯口处冒白沫、茸血不再滴出时为止；也可采用甩干排血法。②洗涮茸皮：用软毛刷蘸 30 ~ 40℃温水或 2% 碱水，轻轻刷洗鹿茸表面以除去污物，为避免碱水进入锯口内而引起鹿茸腐蚀变质，需将其根部朝上。③煮炸与烘烤：煮炸的目的是使其蛋白质变性，增加茸体通透性，便于干燥。在煮炸时，将茸固定于手操作架或机械上茸架上，将茸插入沸水中，只露锯口，先烫 5 ~ 10 秒，取出检查是否有暗伤，若无暗伤，进入第一排水煮炸，煮炸时间视鹿种、茸大小和老嫩程度而定。第一排水煮炸的 1 ~ 5 次反复入水出水的过程，一般随着下水次数的增加而逐渐延长每次煮炸时间，炸至出现血沫时结束第一排水煮炸。待茸体冷凉以后，再进行第二排水煮炸，直至茸头富有弹性、茸毛矗立、散发蛋黄香味时结束。煮炸结束以后，将鹿茸放入烘箱中烘烤，在 60 ~ 70℃下烘烤 40 ~ 60 分钟。一般来说，收茸后前 4 天每天煮炸 1 ~ 2 次，烘烤 2 次。从第 5 天起，连日或隔日回水（茸经过第一排水煮炸加工后再次煮炸的操作称为回水）、煮头（仅把主干茸头和眉枝尖入水 1 ~ 2cm 称为煮头）或烘烤 1 次。到八成干时，可视情况进行不定期的煮头、烘烤。④风干：指在风干室中自然干燥。现多用电风扇辅助通风。将锯口朝上，进一步吊挂风干。⑤登记装箱：将干透的鹿茸用软毛刷蘸温稀碱水刷洗表面，除去污垢，使茸体清洁、色泽艳丽。刷洗时防止锯口、伤口进水，随刷随擦干。最

后称重登记，装箱。加工带血茸时不排血，收茸后锯口向上立放，勿使茸血流出，采用烙铁烧烙锯口的方法封口，主要目的是保血。其他加工方法同排血茸。砍茸的加工方法与排血茸基本相同，但由于其重量大，排血较难，故煮炸时间长，干燥缓慢。先绷紧脑皮，然后将其固定于架上，如上法反复用沸水烫 6 ~ 8 小时。烫后掀起脑皮，将脑骨浸煮 1 小时，彻底挖净筋肉，用沸水烧烫脑皮至七八成熟，再阴干，修整。

鹿角：多于春季拾取，除去泥沙，风干。

鹿角胶：将鹿角锯段，漂泡洗净，分次水煎，滤过，合并滤液（或加入少量白矾细粉），静置，滤取胶液，浓缩（可加适量黄酒、冰糖和豆油）至稠膏状，冷凝，切块，晾干。

鹿角霜：春、秋季生产，将骨化的角熬去胶质，取出角块，干燥。

鹿筋：杀鹿后取四肢，抽出鹿筋，保留蹄部，洗净，鲜用或阴干。

鹿尾：将鹿尾由尾椎骨处割下，挂起阴干；或将割下的带毛鹿尾放入水中浸润，取出，除去根部残肉、油脂，剪去毛茸及外面老皮，再用海浮石搓光，用线穿挂通风处阴干，后将其置于干燥处，宜多翻晒。

鹿头肉：宰鹿后割下鹿头，剥开头皮，剔取头肉，切成小块，洗净，鲜用或干燥。

鹿心：杀鹿取心，除去残肉及脂肪，洗净，烘干。

鹿血：全年均可采收，取健康鹿的血，干燥，粉碎。

鹿茸血：锯取鹿茸时收取茸血，以重量计，取 3 份茸血，加 1 份 40% 乙醇，临用混匀。

鹿胎：剖腹取出已成形的鹿胎，除净残肉和油脂，鲜用或干燥。

鹿鞭：将阴茎（包括体内部份）及睾丸割下后，除净残肉、油脂，用凉水泡软，拉直，固定，干燥。

| **药材性状** | 鹿茸：本品呈圆柱状分枝，主枝习称"大挺"，侧枝习称"门桩"。茸体具 1 个分枝者习称"二杠茸"，大挺短而粗圆，门桩比大挺略细，下粗上细，茸皮紧贴，锯口黄白色，外皮棕红色或棕黄色，多光润，表面密生细茸毛，上端较密，下端较疏，外围无骨质，中部密布细孔；体轻；气微腥，味微咸。茸体具 2 个分枝者习称"三岔茸"，略呈弓形，大挺微扁，下部多有纵棱筋及凸起的疙瘩，茸皮棕红色，茸毛较稀而粗。锯完"二杠茸""三岔茸"再生出的茸称"再生茸"，也称"二茬茸"，大挺不圆或下粗上细，"虎口"处凹陷，茸皮灰黄色，茸毛较粗糙，锯口多呈方棱形，外围骨化。砍茸是带头骨的花鹿茸，分为"砍二杠"和"砍三岔"。"砍二杠"的主枝与侧枝相称，茸质坚实、嫩，"砍三岔"一般是挑选淘汰的老鹿制成的产品。以粗大、挺圆、先端丰满、质嫩、毛细、皮色红棕、油润光亮者为佳。

鹿角：本品通常分 3 ~ 4 枝，长 30 ~ 60cm，直径 2.5 ~ 5cm。侧枝多向两旁伸展，第 1 枝与珍珠盘相距较近，第 2 枝与第 1 枝相距较远，主枝末端分成 2 小枝。表面黄棕色或灰棕色，枝端灰白色。枝端以下具明显骨钉，纵向排成"苦瓜棱"，顶部灰白色或灰黄色，有光泽。脱落的角基习称"鹿角脱盘"，呈盔状或扁盔状，直径 3 ~ 6cm（珍珠盘直径 4.5 ~ 6.5cm），高 1.5 ~ 4cm。表面灰褐色或灰黄色，有光泽。底面平，蜂窝状，多呈黄白色或黄棕色。珍珠盘周边常有稀疏细小的孔洞。上面略平或呈不规则半球形。质坚硬，断面外圈骨质，灰白色或类白色。

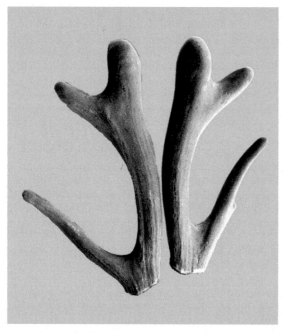

鹿角胶：本品大多呈方片状，长、宽均为 2 ～ 3cm，厚约 5mm。表面黑棕色，光滑，半透明。一侧有黄白色、多孔性的薄层，系由冷却时浮面的泡沫干燥而成。质坚而脆，断面玻璃状。气微，味微甜。以切面整齐、平滑，棕黄色，半透明，无腥臭气者为佳。

鹿角霜：本品呈长圆柱形或不规则块状，大小不一。表面灰白色，显粉性，常具纵棱，偶见灰色或灰棕色斑点。体轻，质酥，断面外层较致密，白色或灰白色，内层有蜂窝状小孔，灰褐色或灰黄色。有吸湿性。气微，味淡，嚼之有粘牙感。

鹿筋：本品呈细长条状，金黄色或棕黄色，有光泽而透明。长 45 ～ 65cm，直径 1.5 ～ 2cm。上端肉质，下部有 2 半圆形黑色蹄甲，亦有带 4 小块蹄骨者；蹄甲处略带皮，有棕色或淡棕色短毛。质坚韧，气微腥。以身干、条长、粗大、金黄色、有光泽者为佳。

鹿尾：本品呈长圆锥形，较马鹿尾较小、细，长而尖，不及马鹿尾肥壮。

鹿头肉：本品呈纵、横或斜块状，或条状，大小不一。表面棕褐色或棕黑色，可见肌纤维。质轻，易撕裂。鲜品红紫色或暗红色，质柔韧。气腥膻，味微咸。

鹿心：本品呈略扁的三角状锥形或类卵形，心尖钝圆，宽 4.8 ～ 7.5cm，冠状沟基部至心尖高 7.5 ～ 8.9cm，深黑褐色。表面有多数不规则的折皱纹理。基部覆盖少量浅黄棕色脂肪，前后纵沟及末端弓明显，形成深浅不一的皱纹。先端残留部分不规则的左、右心房及脉管等组织。气腥。

鹿血：本品为紫红色至紫黑色的粉末或不规则的碎块及粉末；碎块具光泽。气微腥，味咸。

鹿茸血：本品为血红色液体，久置后有红色沉淀。气微腥。

鹿胎：本品为扁圆形囊状物，外面包 1 层胎衣，较厚，内有原胎水，可见体瘦的胎鹿。头呈卵圆形，嘴尖、细小，眼眶较大，眼膜皮凹陷。下唇较长，微露小白牙 1 ~ 2 对（习称坐骨生牙）。身短，四肢细长，有尾，扁圆。蹄淡黄色至淡棕色，气微腥。

鹿鞭：本品阴茎部分长条形，略扁；表面黄色或棕褐色，略具光泽，有纵行沟纹，长 15 ~ 45cm，直径 1 ~ 2cm，顶部微尖，常带黄色或灰黄色毛，基部有 2 睾丸。睾丸椭圆形，干枯，呈棕褐色。气腥，味咸。

| **功能主治** | 鹿茸：甘、咸，温。归肾、肝经。壮肾阳，益精血，强筋骨，调冲任，托疮毒。用于肾阳不足，精血亏虚，阳痿滑精，宫冷不孕，羸瘦，神疲，畏寒，眩晕，耳鸣，耳聋，腰脊冷痛，筋骨痿软，崩漏，带下，阴疽不敛。

鹿角：咸，温。归肝、肾经。温肾阳，强筋骨，行血消肿。用于肾阳不足，阳痿遗精，腰脊冷痛，阴疽疮疡，乳痈初起，瘀血肿痛。

鹿角胶：甘、咸，温。归肾、肝经。温补肝肾，益精养血。用于肝肾不足所致的腰膝酸冷，阳痿遗精，虚劳羸瘦，崩漏下血，便血尿血，阴疽肿痛。

鹿角霜：咸、涩，温。归肝、肾经。温肾助阳，收敛止血。用于脾肾阳虚，带下，遗尿尿频，崩漏下血，疮疡不敛。

鹿筋：壮筋骨。用于劳损，风湿关节痛，转筋。

鹿尾：用于腰痛，阳痿。

鹿头肉：补气益精，生津安神。用于虚劳消渴，烦闷多梦。

鹿心：咸、甘，温。归心经。益气养血，宁心安神。用于心悸，怔忡，失眠，健忘，心痛，易惊。

鹿血：甘、咸，温。归心、肝、肾经。补虚，养血，止血。用于精血不足，腰痛，阳痿，遗精，血虚心悸，失眠，肺痿咯血，鼻衄，崩漏，带下。

鹿茸血：甘、咸，温。归心、肝、肾经。补肾壮阳，强筋壮骨，调冲固带，托疮生肌。用于肾虚腰痛，阳痿早泄，宫冷不孕，崩漏，带下，肺痿吐血，心悸失眠，疮疡不敛。

鹿胎：甘，温。补血调经，益肾。用于月经不调，宫冷不孕，崩漏，带下，肾虚体弱。

鹿鞭：甘，平。补肾壮阳，催乳。用于阳痿遗精，肾虚腰痛，乳汁不足。 |

| **用法用量** | 鹿茸：内服研末，1 ~ 2g；或入丸剂；或浸酒。 |

鹿角：内服煎汤，6～15g；或研末，每次1～3g；或入丸、散。外用适量，磨汁涂；或研末撒；或调敷。补肾益精宜熟用，散血消肿宜生用。

鹿角胶：内服，3～6g，开水或黄酒烊化兑服；或入丸、散、膏剂。

鹿角霜：内服煎汤，9～15g；或入丸、散。外用适量，研末撒。

鹿筋：内服煎汤或煮食，20～60g。

鹿尾：内服煎汤，20～50g；或入丸剂。

鹿头肉：内服煮食，适量；或熬胶。

鹿心：内服研末吞服，0.5～1g；或入片剂、胶囊剂等。

鹿血：内服多入丸、散、酒剂，3～6g。

鹿茸血：内服多入丸、散、酒剂，1～3g。

鹿胎：内服研末吞服，2.5～10g；或入片剂、胶囊剂等。

鹿鞭：内服多入丸、散、酒剂，1.5～2.5g。

| 附　注 | （1）道地沿革。鹿茸之名始见于汉代《神农本草经》，该书将本品作为正名记载。其后历代重要本草著作，如《本草经集注》《新修本草》《证类本草》《本草蒙筌》等在载录本品时均以鹿茸为正名，并一直沿用至今。另外，古代著作中记载的异名有"斑龙珠""斑龙顶上珠""茸角"等。《本草图经》（1061）记载："鹿茸并角，《本经》不载所出州土，今有山林处皆有之。"其后本草所载与此内容相同。此外，有大量地方志记载吉林出产鹿茸。《吉林外记》（1827）记载："鹿茸，鹿乃仙兽，能别良草……辽东山阔草壮，鹿得以藩息，其茸角胶血力精足，入药自为上品。"《吉林汇征》（1868）记载："吉林产鹿最多，鹿茸以紫茄色者为上，长数寸，破之肌如朽木，茸端如玛瑙红玉者最善。"《长白汇征录》（1910）记载："红如玛瑙，破之如朽木者良。"《大中华吉林省地理志》（1921）记载："鹿茸为良药。他省所难得。吉省所易得也。"《吉林新志》（1934）记载："鹿茸，熬膏熬胶均佳，为本省之特产。"《永吉县志》（1988）记载："鹿茸最贵重，为滋养上品，为土贡。鹿角，鹿筋，鹿胎，均为补益最贵品，尤以野生者为佳。"《桦甸县志》（1995）记载："鹿茸为动物产品，兹以系本土名药。"《永吉县志》（1931）记载："鹿茸，每两大洋三十元、四五十元不等，本地销售外，大宗出口。"综上所述，梅花鹿鹿茸的主产区主要集中于东北三省，尤其是吉林，其鹿茸产量大、质量属上乘，表明吉林为其道地产区。

（2）市场信息。梅花鹿鹿茸根据茸的分岔情况及采收状态细分为二杠茸、三岔茸和再生茸，其中二杠茸又分一等、二等、三等3个等级，三岔茸和再生茸均

为统货，见表 2-1-25。近 5 年，梅花鹿鹿茸价格每年都有小幅上涨，目前，二杠茸鲜品价格为 800 ～ 1000 元 / 千克，二杠茸干品价格为 4000 ～ 6000 元 / 千克，有的价格更高，在 8000 元以上。三岔茸鲜品价格为 400 ～ 600 元 / 千克，三岔茸干品价格在 3000 ～ 4000 元 / 千克。

表 2-1-25　梅花鹿鹿茸商品规格等级划分

规格	等级	性状	
		相同点	不同点
二杠茸	一等	干货。体呈圆柱形，具有"八"字分岔 1 个，大挺、门桩相称，短、粗、嫩状，顶头钝圆。皮毛红棕或棕黄色。锯口黄白色，有蜂窝状细孔，无骨化圈。不臭、无虫蛀。气微腥，味微咸	不拧嘴，无抽沟、破皮、悬皮、乌皮、存折现象
	二等		不拧嘴，有抽沟、破皮、悬皮、乌皮、存折等现象。虎口以下稍显棱纹
	三等	干货。体呈圆柱形，具有"八"字分岔 1 个。不臭、无虫蛀。兼有独挺和怪角。气微腥，味微咸。不符合一、二等者均属此等	
再生茸（二茬茸）	统货	干货。形状与二杠茸相似，但大挺长而不圆，或下粗上细。下部有纵棱筋，皮灰黄色，茸毛粗糙，间有细长的针毛，锯口外围多已骨化；体较重；其他同二杠茸。不臭、无虫蛀。气微腥，味微咸	
三岔茸	统货	体呈圆柱形，具 2 个分枝	

（3）资源利用和可持续发展。鹿作为经济动物中的重要成员之一，就其整体的经济价值而言，称得上是集所有宝贝于一身，鹿茸、鹿血、鹿肉等多种鹿副产品均有非常高的经济价值。鹿茸除用于临床治疗外，还可滋补强身，为龟龄集、人参鹿茸丸、参茸卫生丸、男宝、女宝、颐和春、参茸药酒等的原料，用鹿茸开发的化妆品也深受消费者喜爱。中国拥有世界上品质最优的梅花鹿和马鹿新品种，这为扩繁优质高产鹿群奠定了基础。吉林产的鹿茸在质量上优于新西兰、澳大利亚等国所产，不但在国内各药材市场和药店畅销，而且还远销日本、韩国以及东南亚等地。我国加入世界贸易组织以后，鹿茸销售渠道拓宽，销售范围扩大，市场份额增多，出口量呈稳中有升的好势头。在 1994—2004 年，港、澳、台市场所需鹿茸数量以 8% ～ 10% 的速度递增，近年来增长势头不减。吉林乃至东北三省所产鹿茸基本上全产全销。近些年来，随着我国人民生活水平不断提高，国内市场对鹿茸的需求量逐年增加，鹿茸零售价格常年居高不下。近几年，我国通过药材市场销售的鹿茸已经达到每年近千吨的规模，远高于曾经的世界鹿茸消费第一大国——韩国，市场前景良好。吉林梅花鹿养殖历史较长，规模较大，开展品种（系）选育工作较早，鹿茸及鹿副产品销往我国各地。双阳梅花鹿产业规模占吉林总产业规模的 1/2，占我国总产业规模的 1/6。双阳鹿乡镇是我国北方最大的鹿产品集散中心，被业内誉为全国鹿产品市场的晴雨表。2017 年，吉林双阳有存栏梅花鹿 23.5 万只，较 2016 年同期增长 1 万余只；

养鹿户发展到 1.2 万户，百只以上的养殖大户 450 户，超千只规模养殖户 12 户；鹿产品经销企业发展到 220 家；鲜鹿茸产量达 200 余吨，较 2016 年增长 8%；双阳梅花鹿产品交易市场的鹿副产品吞吐量达到 3000t，较 2015 年增长近 1 倍，鲜鹿茸吞吐量达到 300t，鹿业总产值 20 亿元。梅花鹿产业重点龙头企业有 8 家，生产加工六大类 130 个品种，年产值达 5 亿多元。在政策的积极扶持和科学指导下，吉林梅花鹿养殖不仅可以帮助广大农民脱贫致富，也将为地区经济发展注入新的活力。

（4）其他。鹿心已被列入 2019 年版《吉林省中药材标准》第一册；鹿血、鹿茸血已被列入 2019 年版《吉林省中药材标准》第二册。另鹿皮（药用部位：皮）、鹿肉（药用部位：肉）、鹿骨（药用部位：骨骼）、鹿髓（药用部位：骨髓或脊髓）、鹿脂（药用部位：脂肪油）、鹿齿（药用部位：牙齿）、鹿靥（药用部位：甲状腺）、鹿肝（药用部位：肝）、鹿蹄肉（药用部位：蹄肉）、鹿胆（药用部位：肝管末端膨大部分）、鹿脑（药用部位：脑）、鹿眼（药用部位：眼）、鹿耳（药用部位：耳）、鹿舌（药用部位：舌）、鹿涎（药材来源：唾液）、鹿毛（药用部位：毛）等亦为药材。

鹿科 Cervidae 鹿属 *Cervus*

马鹿 *Cervus elaphus* Linnaeus

| **动物别名** | 八叉鹿、白臀鹿、赤鹿。

| **药 材 名** | 鹿茸（药用部位：雄鹿未骨化、密生茸毛的幼角。别名：八叉鹿）、鹿角（药用部位：已骨化的角或锯茸后翌年春季脱落的角基）、鹿角胶（药材来源：鹿角经水煎煮、浓缩制成的固体胶）、鹿角霜（药用部位：去胶质的角块）、鹿筋（药用部位：四肢的肌腱）、鹿尾（药用部位：尾巴）、鹿头肉（药用部位：头肉）、鹿心（药用部位：心脏）、鹿血（药用部位：血）、鹿茸血（药用部位：雄鹿的茸血）、鹿胎（药用部位：胎）、鹿鞭（药用部位：雄鹿的阴茎及睾丸）。

| **形态特征** | 马鹿是大型鹿科动物，体重 200kg 以上，体长超过 2m，肩高超过 1m。背脊近平直，荐部与肩部近等高。体粗壮，四肢细长，颈较长。鼻端裸露，鼻孔间及后缘部不被毛，眼下腺大，耳大，呈圆锥形，伸向前方。尾短，较显著，蹄大，呈卵圆形，侧蹄较长，端部能着

马鹿

地。雄性有角，在基部分出眉枝，斜向前上方伸，与主干约成直角，主干较长，第2枝紧靠眉枝后面从主干分出，第2枝与第3枝间距长，主干末端有时分成2～3枝，共4～6枝，最多可达8枝，整个角向内弯曲，并向后倾斜。角面除尖端光滑外，其余皆粗糙，上有细纹，角基有1圈小瘤状突，称为珍珠盘。毛色随季节变化而不同。冬毛厚密，有绒毛，颈部灰棕色，身体背面毛色较深，有1条黑棕色条纹，体侧毛色较淡，为黄棕色；嘴和下颌深棕色，颊棕色，额部棕黑色，耳背黄褐色，杂有棕色毛，耳内主要为白色；臀部有大块浅黄赭色斑，尾黄赭色，四肢及臀侧均为棕色。夏毛较短，稀疏，无绒毛，斑为赤褐色，嘴和四肢内侧苍灰色。鼻骨长而内侧高，额骨宽大，前半部平直，后半部稍微隆起，雄鹿额骨后外侧凸起而生角，雌性无角，但在相应部位也有隆起的嵴突。泪骨狭窄，其背缘与鼻骨、额骨及上颌骨不连，额骨与上颌骨亦不连，因此四骨之间有1三角形空位。上颌门齿缺失，犬齿细小。下颌门齿和犬齿集中于前端，中央2对门齿较大，齿面呈正方形，最外侧门齿与犬齿较小，齿面呈长方形。第1前臼齿小，第2前臼齿齿面复杂。前臼齿有1对新月形齿突，第3前臼齿与第1、2臼齿有2对新月形齿突，排成2列，最后1对臼齿后面有1马蹄形小叶。

| **野生资源** | 栖于大面积的针阔叶混交林、林间草地等，甚至活动于稀疏灌丛，或进入荒漠草原，或下至溪谷沿岸活动。分布于吉林安图、汪清、珲春、和龙、敦化、延边、抚松、靖宇。其野生数量有逐年增多的趋势。

| **养殖资源** | （1）养殖条件。同"梅花鹿"。

（2）养殖区域。马鹿养殖区域主要包括吉林东丰、双阳、吉林、东辽、敦化等。

（3）养殖要点。人工驯养条件下其寿命达17～20年。马鹿秋配春产，公母比例为（1：20）～（1：15）为宜。配种方式有4种。一是一配到底，按公母比例组群一直配到结束；二是复配，将母鹿赶到 1 只公鹿栏内交配后，再将母鹿赶到另一公鹿栏，与另一只公鹿进行交配；三是人工授精，掌握母鹿发情规律，适时进行输精；四是杂交，用不同产地的鹿进行交配，以提高后代的生产性能。一般马鹿妊娠期 240 ~ 250 天，每胎产仔 1 ~ 3 只。严防疫病，做到无病早防，有病早治。要细心观察鹿的动态，发现其患病后要立即进行治疗。种鹿可在其 1 ~ 2 岁出栏出售，同时要及时淘汰失去繁殖能力和低产茸的鹿，对饲养年限较长的老龄鹿也应适时出栏，以提高经济效益。

（4）存栏量与产量。同"梅花鹿"。

| 采收加工 | 同"梅花鹿"。

| 药材性状 | 鹿茸：本品较梅花鹿鹿茸粗大，分枝较多，1 个分枝者习称"单门"，2 个分枝者习称"莲花"，3 个分枝者习称"三岔"，4 个分枝者习称"四岔"。此茸一般较大，大挺扁，下部具棱筋或疙瘩，外皮灰色或灰褐色，茸毛粗长而稀，锯口常见骨质，锯口蜂窝状小孔稍大，气腥，味咸。以茸体饱满、体轻、断面蜂窝状、组织致密、米黄色者为佳。

鹿角：本品呈分枝状，通常分成 4 ~ 6 枝，全长 50 ~ 120cm。主枝弯曲，直径 3 ~ 6cm。基部盘状，上具不规则瘤状突起，习称"珍珠盘"，周边常有稀疏细小的孔洞。侧枝多向一面伸展，第 1 枝与珍珠盘相距较近，与主干几成直角或钝角伸出，第 2 枝靠近第 1 枝伸出，习称"坐地分枝"；第 2 枝与第 3 枝相距较远。表面灰褐色或灰黄色，有光泽，角尖平滑，中部、下部常具疣状突起，习称"骨钉"，并具长短不等的断续纵棱，习称"苦瓜棱"。质坚硬，断面外圈骨质，灰白色或微带淡褐色，中部多呈灰褐色或青灰色，具蜂窝状孔。气微，味微咸。脱落的角基习称"鹿角托盘"，性状同"梅花鹿"。

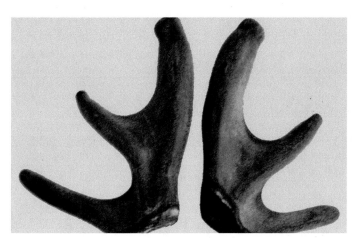

鹿尾：本品呈舌形，长 9 ～ 15cm，宽 4 ～ 7cm，厚 1 ～ 2.5cm。表面紫黑色，完整者边缘钝圆，背面隆起，腹面凹陷，基部微宽，割断面钝三角形。质坚硬，气微腥。

鹿心：本品呈略扁的长或短的三角状锥形或类卵形，心尖尖或稍钝，表面凹凸不平或有较大的皱褶纹理。气腥。

鹿胎：本品与梅花鹿胎基本相似，体型较大，眼眶比梅花鹿胎小，四肢及胎颈比梅花鹿胎长。

鹿鞭：本品长 45 ～ 60cm，直径 2 ～ 2.5cm，顶部钝圆，近顶部下端稍膨大。陈久者呈褐色。其他性状同"梅花鹿"。

鹿角胶、鹿角霜、鹿筋、鹿头肉、鹿血、鹿茸血：同"梅花鹿"。

| 功能主治 | 同"梅花鹿"。

| 用法用量 | 同"梅花鹿"。

| 附　　注 | （1）道地沿革。宋代《尔雅翼》记载："古称鹿之似马者，值千金。今荆楚之地，其鹿绝似马，当解角时，望之无辨，土人谓之马鹿，以是知赵高指鹿为马，盖以类尔。"清代《盛京通志》记载："马鹿，一名八叉鹿，岁取其角交官。《一统志》：形大如马，山中极多，亦曰父鹿。"该记载表明，当时已经有采收马鹿鹿茸上贡的情况。清代《凤城琐录》记载："马鹿茸则远贩于边门售之朝鲜人，盖利其质之硕、直之廉而莫分良楷也。"1963 年版《中国药典》记载："本品为鹿科动物梅花鹿或马鹿的雄鹿未骨化密生茸毛的幼角。"吉林长白山地区是马鹿的原产地之一。中华人民共和国成立后，吉林的马鹿养殖业得到了空前的发展。

（2）市场信息。根据市场流通情况，将马鹿茸商品分为一等、二等、三等 3 个等级，见表 2-1-26。近年来马鹿鹿茸价格平稳，未有大的波动。目前产地价格为 2000 ～ 3000 元 / 千克。

表 2-1-26　马鹿鹿茸商品规格等级划分

规格	等级	性状	
		相同点	不同点
马鹿鹿茸	一等	干货。体呈支岔，类圆柱形。皮毛灰黑色或灰黄色。不臭，无虫蛀，气微腥，味微咸	枝干粗壮，嘴头饱满。为质嫩的三岔茸、莲花茸、人字茸等，无骨豆、拧嘴、偏头、破皮、发头、骨折现象
	二等		为质嫩的四岔茸，有骨豆、破皮、拧嘴、偏头等现象的三岔茸、人字茸等
	三等	干货。体呈支岔，圆柱形或畸形。皮毛灰黑色或灰黄色。不臭，无虫蛀。为老五岔、老毛杠和嫩再生茸，有破皮、窜尖等现象。气微腥，味微咸。不符合一、二等者均属此等	

下 篇

吉林省中药
资源各论

真 菌

粉褶菌科 Entolomataceae 粉褶菌属 Entoloma

毒粉褶菌 *Entoloma lividum* Quel

| 物种别名 | 土生红褶菌。

| 药 材 名 | 毒粉褶菌（药用部位：子实体）。

| 形态特征 | 子实体较大。菌盖一般污白色，直径可达 20cm，初期扁半球形，后期近平展，中部稍凸起，边缘波状，常开裂，表面有丝光，污白色至黄白色，有时带黄褐色。菌肉白色，稍厚。菌褶初期污白色，老后粉色或粉肉色，直生至近弯生，稍稀，边缘近波状，长短不一。菌柄白色至污白色，常较粗壮，长 9 ~ 11cm，直径 1.5 ~ 3.8cm，上部有白粉末，表面具纵条纹，基部有时膨大。

| 生境分布 | 生于山地林间潮湿地上。分布于吉林白山（抚松、靖宇、长白）等。

毒粉褶菌

| **资源情况** | 野生资源较少。药材主要来源于野生。 |

| **采收加工** | 夏、秋季雨后采收，洗净，晒干。 |

| **功能主治** | 消癥。用于癥瘕积聚。 |

麦角菌科 Clavicipitaceae 虫草属 Cordyceps

蝉花
Cordyceps sobolifera (Hill.) Berk. et Br.

| **物种别名** | 蝉茸。

| **药 材 名** | 蝉花（药用部位：虫体及子座）。

| **形态特征** | 子座单个或 2 ~ 3 成束从寄主体的前端生出，长 2.5 ~ 6cm。中空，其柄部呈肉桂色，直径 1.5 ~ 4mm，有时具有不孕的小分枝，头部呈棒状，肉桂色，干燥后呈浅腐叶色，长 7 ~ 28mm，直径 2 ~ 7mm。子囊壳埋藏在子囊座内，孔口稍凸出，呈长卵形，约 600μm×200μm。子囊长圆柱形，（200 ~ 380）μm×（6 ~ 7）μm。子囊孢子线形，具有多数分隔。后断裂成（8 ~ 16）μm×（1 ~ 15）μm 的单细胞节段。

蝉花

| 生境分布 |

生于蝉蛹或山蝉的幼体上。分布于吉林延边、白山、通化、长春、吉林、辽源等。

| 资源情况 |

野生资源较少。药材主要来源于野生。

| 采收加工 |

6～8 月采收，自土中挖出，除去泥土，晒干。

| 药材性状 |

本品为带菌的干燥虫体，虫体呈长椭圆形，微弯曲，长约 3cm，直径 1～1.4cm，形似蝉蜕，头部有数枚灰黑色或灰白色的孢梗束，长条形或卷曲，或有分枝，长 2～5cm，质脆易断。虫体表面棕黄色，大部分为灰白色菌丝所包被，折断后可见虫体内充满粉白色或类白色松软物质。气微香。以具孢梗束、个大、完整、肉白、气香者为佳。

| 功能主治 |

甘，寒。归肺、肝经。疏散风热，解毒透疹，息风止痉，明目退翳。用于小儿惊风，目赤肿痛，麻疹不透。

| 用法用量 |

内服煎汤，3～9g。

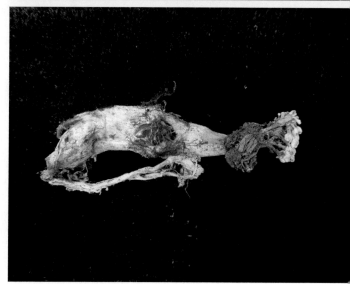

麦角菌科 Clavicipitaceae 虫草属 Cordyceps

蛹草 *Cordyceps militaris* (L.) Link

| 物种别名 | 蛹虫草。

| 药 材 名 | 蛹虫草（药用部位：虫体及子座。别名：北虫草）。

| 形态特征 | 子座单个或数个从寄主头部长出，有时从虫体节部生出，橙黄色，一般不分枝，有时分枝，高 3 ~ 5cm，头部呈棒状，长 1 ~ 2cm，直径 3 ~ 5mm，表面粗糙。子囊壳外露，近圆锥形，下部埋生头部的外层，（300 ~ 400）μm×（4 ~ 5）μm，内含 8 条形孢子。孢子细长，几乎充满子囊，直径约 1μm，成熟时产生横隔，并断成长 2 ~ 3μm 的小段。子座柄部近圆柱形，长 2.5 ~ 4cm，内实心。

| 生境分布 | 生于半埋于林地上或腐枝落叶层下鳞翅目昆虫蛹上。分布于吉林白山（抚松、靖宇、长白）等。

蛹草

| 资源情况 |

野生资源较少。药材主要来源于野生。

| 采收加工 |

人工培育品系蛹虫草菌种接种在柞蚕蛹体上，子座成熟后取出，低温干燥。野生品一般夏、秋季采挖，除去附着物及杂质，晒干。

| 药材性状 |

本品人工培育品由蛹体与从蛹头部或节部长出的单个或数个子座相连而成。蛹体长椭圆形，长 2 ~ 5cm，直径 1.5 ~ 2cm；表面棕色至棕黑色，有环纹 5 ~ 10，质脆，易折断，断面灰白色。子座细长圆柱形，长 2 ~ 8cm，极少分支，直径约 0.3cm；表面橙黄色至棕黄色，上部稍膨大；质柔韧，断面淡黄色。气腥，味淡。野生品体型略小，蛹体直径 1 ~ 1.5cm，子座长 1 ~ 5cm。

| 功能主治 |

甘，平。归肺、肾经。补肺益肾。用于痨嗽痰血，自汗，盗汗，阳痿，遗精，腰膝酸痛，乏力。

| 用法用量 |

内服煎汤，5 ~ 10g；或研粉冲服，0.5 ~ 1g；或入丸、散；或与鸡鸭炖服。

| 附　注 |

（1）本种药材已被列入 2019 年版《吉林省中药材标准》第二册。

（2）本种为吉林省 I 级重点保护野生菌类。

胶陀螺科 Bulgariaceae 胶鼓菌属 *Bulgaria*

胶陀螺
Bulgaria inquinans (Pers.) Fr.

| **物种别名** | 胶鼓菌。

| **药 材 名** | 胶陀螺（药用部位：子实体）。

| **形态特征** | 子囊盘较小，黑褐色，似陀螺状又似猪咀。直径约4cm，高2～3cm，质地柔软具弹性。除子实层面光滑外，其他部分密布簇生短绒毛。子囊近棒状，（35～40）μm×（3～3.5）μm，内有孢子4～8。孢子卵圆形，近梭形或肾形，[10～12（～15）]μm×（5.4～7.6）μm。侧丝细长，线形，顶端稍弯曲，浅褐色。

| **生境分布** | 生于桦树、柞木等阔叶树的树皮缝隙，群生或丛生。分布于吉林延边、白山、通化等。

胶陀螺

| **资源情况** | 野生资源较少。药材主要来源于野生。

| **采收加工** | 夏末秋初采收，除去杂质，晒干。

| **功能主治** | 祛风止痒。用于银屑病，皮炎，白癜风。

羊肚菌科 Morchellaceae 羊肚菌属 *Morchella*

尖顶羊肚菌 *Morchella conica* Pers.

| **物种别名** | 尖锥羊肚菌、圆锥羊肚菌。

| **药 材 名** | 羊肚菜（药用部位：子实体）。

| **形态特征** | 子实体小，高 5 ~ 7cm。菌盖近圆柱形，顶端尖，高 3 ~ 5cm，宽 2 ~ 3.5cm，表面凹下形成许多长形凹坑，多纵向排列，浅褐色。菌柄白色，有不规则纵沟，长 3 ~ 5cm，直径 1 ~ 2.5cm。子囊 (250 ~ 300)μm×(17 ~ 20)μm。子囊孢子椭圆形，8 个单行排列，(20 ~ 24) μm×(12 ~ 15) μm。侧丝细长，无色，先端稍膨大。

| **生境分布** | 生于林中地上潮湿处或腐叶层，单生或群生。分布于吉林白山（抚松、靖宇、长白）等。

尖顶羊肚菌

| **资源情况** | 野生资源较少。药材主要来源于野生。

| **采收加工** | 夏、秋季子实体成熟后采收，除去杂质，鲜用或晒干。

| **功能主治** | 甘，平。和胃消食，理气化痰。用于消化不良，痰多气短。

羊肚菌科 Morchellaceae 羊肚菌属 *Morchella*

羊肚菌 *Morchella esculenta* (L.) Pers.

| **药 材 名** | 羊肚菌（药用部位：子实体）。 |

| **形态特征** | 子实体较小或中等，高 6 ~ 14.5cm。菌盖长 4 ~ 6cm，直径 4 ~ 6cm，不规则圆形、长圆形，表面形成许多凹坑，似羊肚状，淡黄褐色。菌柄长 5 ~ 7cm，直径 2 ~ 2.5cm，白色，有浅纵沟，基部稍膨大。子囊（200 ~ 300）μm×（18 ~ 22）μm。子囊孢子具 8，单行排列，宽椭圆形，（20 ~ 24）μm×（12 ~ 15）μm。侧丝先端膨大，有时有隔。 |

| **生境分布** | 生于林地、林缘及灌丛中，单生或群生。分布于吉林白山（抚松、靖宇、长白）等。 |

| **资源情况** | 野生资源较少。药材主要来源于野生。 |

羊肚菌

| 采收加工 | 夏、秋季子实体成熟后采收，除去杂质，鲜用或晒干。

| 药材性状 | 本品菌盖椭圆形或卵圆形，先端钝圆，长 4 ~ 6cm，直径 3 ~ 6cm，表面有多数小凹坑，外观似羊肚。小凹坑呈不规则圆形或类圆形，棕褐色，直径 4 ~ 12mm，棱纹黄棕色。菌柄近圆柱形，长 5.5 ~ 7cm，直径 2 ~ 2.5cm，类白色，基部略膨大，有的具不规则沟槽，中空。体轻，质酥脆。气弱，味淡、微酸涩。

| 功能主治 | 甘，平。和胃消食，理气化痰。用于消化不良，痰多气短。

| 用法用量 | 煮食喝汤，日服 2 次，每次 30g。

| 附　注 | 本种为吉林省 II 级重点保护野生菌类。

小球粉菌科 Microbotryaceae 轴黑粉菌属 Sphacelotheca

高粱丝轴黑粉菌 *Sphacelotheca reiliana* (Kuhn) Clint

高粱丝轴黑粉菌

| 物种别名 |

高粱丝黑粉菌。

| 药 材 名 |

高粱乌米（药用部位：高粱病穗）。

| 形态特征 |

冬孢子球形至卵圆形，暗褐色，壁表具小刺，大小（10～15）μm×（9～13）μm。初期冬孢子常30多个聚在一起，后形成球形至不规则形的孢子团，大小50～70μm，但紧密，成熟后即散开。高粱穗苞很紧，下部膨大，旗叶直挺，剥开可见内生白色棒状物，即乌米。苞叶里的乌米初期小，指状，逐渐长大，后中部膨大为圆柱状，较坚硬。乌米在发育进程中，内部组织由白色变黑色，后开裂，乌米从苞叶内外伸，表面被覆的白膜也破裂开来，露出黑色丝状物及黑粉，即残存的花序维管束组织和病原菌冬孢子。

| 生境分布 |

寄生于高粱花穗的植株上。吉林各地均有分布。

| **资源情况** | 野生资源较丰富。药材主要来源于野生。

| **采收加工** | 夏、秋季新鲜时（老熟前）采摘，或者熟时收集冬孢子，鲜用或干燥。

| **药材性状** | 本品孢子堆椭圆形或圆柱形，灰黑色，长3～12mm，凸出于颖片外，外被菌丝膜。质疏松，膜破裂后，可见黑褐色的孢子团。气微，味淡。

| **功能主治** | 甘，平。归肝经。调经止血。用于月经不调，崩漏，大便下血。

| **用法用量** | 内服煎汤，9～15g。

玉米黑粉菌

黑粉菌科 Ustilaginaceae **黑粉菌属** *Ustilago*

玉米黑粉菌 *Ustilago maydis* (DC.) Corda

| 物种别名 |

玉米黑霉、棒子包。

| 药 材 名 |

玉米黑粉（药用部位：孢子堆）。

| 形态特征 |

孢子堆的大小、形状不定，多呈瘤状，直径 3～15cm，初期外面有一层白色膜，往往由寄生组织形成或混杂部分，有时还带黄绿色或紫红色，后渐变为灰白色至灰色，破裂后散出大量黑色粉末（即冬孢子）。冬孢子直径 8～12μm，球形至椭圆形或不规则形，表面密布小疣，黄褐色或褐黑色。

| 生境分布 |

寄生于玉蜀黍的植株上。吉林各地均有分布。

| 资源情况 |

野生资源较丰富。药材主要来源于野生。

| 采收加工 |

夏、秋季新鲜时（老熟前）采摘，或者熟时收集冬孢子，鲜用或干燥。

| 药材性状 |

本品呈瘤状，直径 0.4 ～ 15cm，白色、淡紫红色或灰色，外被薄膜，破碎后可见众多黑色粉末。气微，味淡。

| 功能主治 |

甘，平。归肝、胃经。利肝脏，益肠胃，解毒。用于消化不良，胃肠溃疡，肾虚，小儿疳积。

| 用法用量 |

内服炒食，每次 3g；或入丸剂，小儿减量。

木耳科 Auriculariaceae 木耳属 Auricularia

毛木耳

Auricularia polytricha (Mont.) Sacc.

| 药 材 名 | 桑耳（药用部位：子实体）。

| 形态特征 | 子实体一般较大，直径 2 ~ 15cm，浅圆盘形、耳形或不规则形，有明显基部，胶质，无柄，基部稍皱，新鲜时软，干后收缩。子实层生于里面，平滑或稍有皱纹，紫灰色，后变黑色。外面有较长绒毛，无色，仅基部褐色，（400 ~ 1100）μm×（4.5 ~ 6.5）μm，常成束生长。担子 3 横隔，具 4 小梗，棒状，（52 ~ 65）μm×（3 ~ 3.5）μm。孢子无色，光滑，弯曲，圆筒形，（12 ~ 18）μm×（5 ~ 6）μm。

| 生境分布 | 寄生于栎、榆、杨、槭、桦、柳、赤杨等阔叶树上，丛生。分布于吉林白山（抚松、靖宇、长白）等。

毛木耳

| 资源情况 |

野生资源较少。药材主要来源于野生。

| 采收加工 |

秋季耳片开齐停止生长时,及时采收,清水漂洗,晒干或烘干。

| 药材性状 |

本品呈不规则的块片,多卷缩,表面平滑,黑褐色或紫褐色;底面色较淡;表面被较长绒毛。质脆,易折断,以水浸泡则膨胀,色泽转淡,呈棕褐色,柔润而微透明,表面有滑润的黏液。气微香,味淡。

| 功能主治 |

甘,平。凉血止血,活血散结。用于衄血,尿血,便血,痔血,崩漏,喉痹,癥瘕积聚。

| 用法用量 |

内服煎汤,4.5 ~ 9g。

木耳科 Auriculariaceae 木耳属 Auricularia

木耳

Auricularia auricula (L. ex Hook.) Underw.

| **药 材 名** | 木耳（药用部位：子实体）。

| **形态特征** | 子实体一般较小，宽2～12cm，浅圆盘形、耳形或不规则形，胶质，新鲜时软，干后收缩。子实层生于里面，光滑或略有皱纹，红褐色或棕褐色，干后变深褐色或黑褐色。外面有短毛，青褐色。孢子无色，光滑，常弯曲，腊肠形，（9～17.5）μm×（5～7.5）μm。担子细长，有3横隔，柱形，（50～65）μm×（3.5～5.5）μm。

| **生境分布** | 寄生于栎、榆、杨、槭、桦、柳、赤杨等阔叶树上或朽木及针叶树冷杉上，单生或群生。分布于吉林白山（抚松、靖宇、长白）等。

| **资源情况** | 野生资源较少。吉林有栽培。药材主要来源于栽培。

木耳

| 采收加工 |

夏、秋季采收，晒干。

| 药材性状 |

本品干燥者呈不规则的块片，多卷缩，表面平滑，黑褐色或紫褐色；底面色较淡。质脆，易折断。以水浸泡则膨胀，色泽转淡，呈棕褐色，柔润而微透明，表面有滑润的黏液。气微香，味淡。以干燥、朵大、肉厚、无树皮及泥沙等杂质者为佳。

| 功能主治 |

甘，平。补气血，润肺，止血。用于气虚血亏，四肢搐搦，肺虚咳嗽，咯血，吐血，衄血，崩漏，高血压，便秘。

| 用法用量 |

内服煎汤，3～10g；或炖汤；或烧炭存性后研末。

银耳科 Tremellaceae 焰耳属 Phlogiotis

焰耳

Phlogiotis helvelloides (DC. ex Fr.) Martin

焰耳

| 药 材 名 |

焰耳（药用部位：子实体）。

| 形态特征 |

子实体一般较小，胶质，匙形或近漏斗状，柄部半开裂呈管状，高 3 ~ 8cm，宽 2 ~ 6cm，浅土红色或橙褐红色，内侧表面被白色粉末，子实层面近平滑，或有皱或近似纲纹状，盖缘卷曲或后期呈波状，担子倒卵形，纵分裂成 4 部分，担子部分细长，（14 ~ 20）μm×（10 ~ 11）μm。菌丝长，有锁状联合，直径 1 ~ 3μm。孢子宽椭圆形，光滑，无色，（9.5 ~ 12.5）μm×（4.5 ~ 7.5）μm。

| 生境分布 |

生于针叶林或针阔叶混交林中，地上单生或群生，有时近丛生；也常生于林地苔藓层或腐木上。分布于吉林白山（抚松、靖宇、长白）等。

| 资源情况 |

野生资源较少。药材主要来源于野生。

| **采收加工** | 秋季耳片开齐停止生长时，及时采收，清水漂洗，晒干或烘干。

| **药材性状** | 本品干燥者呈近匙形或漏斗状，完整者菌柄部半开裂呈管状。表面近粉红色或橙褐红色，近平滑或有皱纹，盖缘卷曲或波状。质硬而脆。以水浸泡则膨胀，有胶质。气微，味淡。

| **功能主治** | 消癥。用于癥瘕积聚。

| 银耳科 | Tremellaceae | 银耳属 | Tremella

银耳

Tremella fuciformis Berk.

| **物种别名** | 白木耳。

| **药 材 名** | 银耳（药用部位：子实体）。

| **形态特征** | 子实体中等至较大，直径 3 ~ 15cm，纯白色至乳白色，胶质，半透明，柔软有弹性，由数片至 10 余片瓣片组成，形似菊花、牡丹或绣球。干后收缩，胶质，硬而脆，白色或米黄色。子实层生瓣片表面。担子纵分隔，近球形或卵圆形，（10 ~ 12）cm×（4 ~ 7）cm。

| **生境分布** | 生于栎等阔叶树腐木上。以长白山区为主要分布区域，分布于吉林延边、白山、通化、辽源（东丰）等。

| **资源情况** | 野生资源较少。吉林有栽培。药材主要来源于栽培。

银耳

| **采收加工** | 秋季耳片开齐停止生长时，及时采收，清水漂洗，晒干或烘干。

| **药材性状** | 本品由数片至 10 余片薄而多皱褶的瓣片组成，形似菊花、牡丹或绣球，直径 2 ~ 10cm。表面白色或类黄色，表面光滑，有光泽，基蒂黄褐色。角质，硬而脆。以水浸泡则膨胀，有胶质。气微，味淡。

| **功能主治** | 甘，平。归肺、胃、肾经。清热养阴，润肺生津，补气活血，强身补脑。用于虚劳咳嗽，肺燥干咳，肺痈，痰中带血，便血，大便秘结，虚热口渴。

| **用法用量** | 内服煎汤，3 ~ 10g；或炖冰糖、肉类服。

绣球菌科 Sparassidaceae 绣球菌属 Sparassia

绣球菌 *Sparassia crispa* (Wulf.) Fr.

| **药 材 名** | 绣球菌（药用部位：子实体）。

| **形态特征** | 子实体中等至大型，肉质，由1个粗壮的菌柄上发出许多分枝，枝端形成无数曲折的瓣片，形似巨大的绣球，直径 10～40cm，白色至污白色或污黄色。瓣片似银杏叶状或扇形，薄而边缘不平，干后色深，质硬而脆。子实层生瓣片上。孢子无色，光滑，卵圆形至球形。

| **生境分布** | 生于云杉、冷杉或松林及混交林林地上，散生。分布于吉林白山（抚松、靖宇、长白）等。

| **资源情况** | 野生资源较少。药材主要来源于野生。

| **采收加工** | 夏、秋季子实体成熟时采收，鲜用或晒干。

绣球菌

| **药材性状** | 本品由菌柄上发出许多分枝，枝端形成无数曲折的瓣片，形似巨大的绣球，直径 5 ~ 15cm，白色至污白色或污黄色。瓣片似银杏叶状或扇形，薄而边缘不平，干后色深，质硬而脆。气微，味淡。 |

| **功能主治** | 舒筋活络，追风散寒。用于风湿性关节炎。 |

革菌科 Thelephoraceae 胶韧革菌属 *Gloeostereum*

榆耳
Gloeostereum incarnatum S. Ito et Imai

| **物种别名** | 胶韧革菌、榆伏革菌。

| **药 材 名** | 榆耳（药用部位：子实体）。

| **形态特征** | 子实体较小或中等大。菌盖（3 ~ 15）cm×（4 ~ 16）cm，厚
0.3 ~ 2cm，初期近球形，后呈半圆形、贝壳状或盘状，背着生，边
缘内卷，胶质，柔软，有弹性，盖面污白色带粉红黄色，被短细绒
毛，后期变暗褐色，干时呈浅咖啡色。子实层面粉肉色或浅土黄褐
色，具曲折又近辐射状的棱脉纹，表面往往似有粉末，干燥时浅赤
褐色至琥珀褐色。菌肉淡褐色，半透明。无菌柄。菌丝近无色，具
锁状联合。子实层栅状排列，担子具4小梗。孢子无色，平滑，卵
圆形至椭圆形，（6 ~ 8）μm×（0.7 ~ 4）μm。囊体棒状或近柱状，
（43.7 ~ 140）μm×（4 ~ 15）μm。

榆耳

| 生境分布 |

寄生于榆树枯枝干上，常数个子实体生长在一起。分布于吉林通化（通化）等。

| 资源情况 |

野生资源较少。药材主要来源于野生。

| 采收加工 |

夏、秋季子实体成熟、耳片边缘反卷时采收，鲜用或晒干。

| 药材性状 |

本品无柄。菌盖肾形、耳状或扇形，直径可达15cm，厚约0.3cm。表面被覆松软而厚的绒毛层，灰白色或浅黄色，有的有环纹，边缘花瓣状，常反卷，下表面近浅赤褐色或琥珀褐色，具辐射状棱脉，其上有多数小疣。质坚硬。气微，味淡。

| 功能主治 |

微苦，凉。清热利湿，凉血止痢。用于赤白痢。

| 用法用量 |

内服煮食或煎汤；或用此汤和面烙饼；亦可研末。

鸡油菌科 Cantharellaceae 鸡油菌属 *Cantharellus*

鸡油菌 *Cantharellus cibarius* Fr.

| 药 材 名 | 鸡油菌（药用部位：子实体）。

| 形态特征 | 子实体一般中等大，喇叭形，肉质，杏黄色至淡黄色。菌盖直径 3 ~ 10cm，高 7 ~ 12cm，菌盖最初扁平，后渐下凹，边缘伸展呈波状或瓣状内卷，常不规则瓣裂。菌肉淡黄色，稍厚。棱褶延生至菌柄部，窄而分叉或有横脉相连。菌柄杏黄色，向下渐细，光滑，内实。孢子无色，光滑，椭圆形。

| 生境分布 | 生于针叶林、针阔叶混交林地及高山苔原带上，散生或群生。分布于吉林白山（抚松、靖宇、长白）等。

| 资源情况 | 野生资源较少。药材主要来源于野生。

鸡油菌

| **采收加工** | 秋季采收，除去杂质，洗净。

| **药材性状** | 本品肉质，呈喇叭形，杏黄色或淡黄色。菌盖直径 3 ~ 9cm，边缘波状或瓣裂，内卷。菌肉淡黄色。菌褶窄而厚，交织面网棱状，并下延至柄部。菌柄杏黄色，长 2 ~ 8cm，直径 0.5 ~ 1.8cm，光滑，内实。气微，味淡。

| **功能主治** | 甘，平。归肝经。清目，利肺，益肠胃。用于视力失常，夜盲，皮肤干燥，呼吸道和消化道感染。

| **用法用量** | 内服煎汤，30 ~ 60g。

猴头菌科 Hericiaceae 猴头菌属 Hericium

珊瑚状猴头菌 *Hericium coralloides* (Scop. ex Fr.) Pers. ex Gray

| 药 材 名 | 猴头菌（药用部位：子实体）。

| 形态特征 | 担子果一年生，子实体中等、较大或大型，直径 5 ~ 10cm 或可达 30cm，呈扁半球形或头状，由无数肉质软刺生长在狭窄或较短的菌 柄部，刺细长下垂，长 1 ~ 3cm，新鲜时白色，后期浅黄色至浅褐 色，子实层生刺之周围。孢子无色，光滑，含油滴，球形或近球形， （5.1 ~ 7.6）μm×（5 ~ 7.6）μm。

| 生境分布 | 寄生于栎等阔叶树活立木、枯立木或腐木上。分布于吉林白山（抚松、 靖宇、长白）等。

| 资源情况 | 野生资源较少。药材主要来源于野生。

珊瑚状猴头菌

| **采收加工** | 夏、秋季采收，除去杂质，鲜用或晒干。

| **药材性状** | 本品基部生有数枚主枝，各主枝又有短细小枝，形似珊瑚；刺长 5 ～ 15mm，末端锐尖。气微，味微苦。

| **功能主治** | 甘，平。归脾、胃经。利五脏，助消化，滋补，抗肿瘤。用于消化不良，神经衰弱，胃和十二指肠溃疡，慢性胃炎，胃癌、食道癌等消化道恶性肿瘤。

| **用法用量** | 内服煎汤，10 ～ 30g，鲜品 30 ～ 100g；或与鸡肉共煮食。

猴头菌科　Hericiaceae　猴头菌属　*Hericium*

猴头菌 *Hericium erinaceus* (Bull. ex Fr.) Pers.

| **药 材 名** | 猴头菌（药用部位：子实体）。

| **形态特征** | 担子果一年生，肉质，含水分多，柔软，子实体中等、较大或大型，直径 5 ~ 10cm 或可达 30cm，呈扁半球形或头状，狭窄或较短的菌柄部有无数肉质软刺，刺细长下垂，长 1 ~ 3cm，新鲜时白色，后期浅黄色至浅褐色，子实层生于刺周围。孢子无色，光滑，含 1 油滴，球形或近球形，（5.1 ~ 7.6）μm×（5 ~ 7.6）μm。

| **生境分布** | 寄生于栎、核桃楸等阔叶树活立木、枯立木（多生在立木受伤处）及腐木上。分布于吉林白山（抚松、靖宇、长白）等。

| **资源情况** | 野生资源较少。吉林有栽培。药材主要来源于栽培。

猴头菌

| **采收加工** | 同"珊瑚状猴头菌"。

| **药材性状** | 本品呈椭圆形或团块状，长 3 ~ 15cm。基部稍窄，平截，中部和中下部密被圆柱状菌刺，形似刺猬或猴头，菌刺长 2 ~ 4cm，淡黄色至褐色（鲜时呈白色）。质松泡。气微或稍有磨菇气，味淡。

| **功能主治** | 同"珊瑚状猴头菌"。

| **用法用量** | 同"珊瑚状猴头菌"。

| **附　注** | （1）本种为吉林省Ⅱ级重点保护野生菌类。
（2）作为著名食用菌，猴头菌是中国传统的名贵菜肴，肉嫩、味香、鲜美可口，为"四大山珍"（猴头、熊掌、海参、鱼翅）之一，有"山珍猴头、海味燕窝"之称，也是生产"猴头菇饼干"等系列保健食品的主要原料，用量极大。但猴头菌药用量很少，近年来研究发现其可用于胃肠道溃疡、萎缩性胃炎等疾病，吉林有"胃乐新"等中成药已上市多年。目前，市场上的猴头菌商品主要来源于人工栽培，野生很少。吉林野生猴头菌资源稀少，有少量产出也都用于食品，药材无商品产出。

皱孔菌科 Meruliaceae 耙齿菌属 Irpex

白囊耙齿菌 *Irpex lacteus* Fr.

| **物种别名** | 白耙齿菌、乳白耙菌。

| **药 材 名** | 白耙齿菌（药用部位：子实体）。

| **形态特征** | 子实体一年生，平展至反卷。菌盖（8～15）mm×（9～20）mm，厚1.5～3mm，表面白色，有细长毛，菌管长1～2mm，管孔面白色或淡黄白色，管口每平方毫米2，常裂为齿状。菌丝系统二体型，生殖菌丝具简单隔膜，直径3～4μm，囊状体显著，被结晶（30～50）μm×（6～8）μm，担孢子圆柱形，透明，平滑，（4.5～6）μm×（2.5～3）μm。

| **生境分布** | 寄生于油松根上。分布于吉林白山（抚松、靖宇、长白）等。

白囊耙齿菌

| **资源情况** | 野生资源较少。药材主要来源于野生。

| **采收加工** | 夏、秋季采摘，除去杂质，剪除附有朽木、泥沙的下端菌柄，晾干。

| **药材性状** | 本品呈片状，大小不等，薄厚不一，白色、灰白色、黄色或黄褐色。菌盖上表面乳白色至浅黄色，同心环带不明显，覆细密绒毛，边缘与菌盖同色，下卷。子实层体淡黄色至黄褐色，孔口多角形，边缘薄，撕裂成耙齿状，菌齿或菌管与子实层体同色。有的附着面上带有少量树皮残留。质脆，易折断，断面不平坦。气微，味微苦。

| **功能主治** | 甘、淡，平。归肾、膀胱经。清利湿热。用于湿热下注。

| **用法用量** | 内服煎汤，5 ~ 10g。

灵芝科 Ganodermataceae 灵芝属 Ganoderma

树舌灵芝 *Ganoderma applanatum* (Pers.) Pat.

| **物种别名** | 平盖灵芝、树舌。

| **药 材 名** | 树舌（药用部位：子实体。别名：木灵芝）。

| **形态特征** | 子实体大或特大，无柄或几乎无柄。菌盖（5 ~ 35）cm×（10 ~ 50）cm，厚 1 ~ 2cm，半圆形、扁半球形或扁平，基部常下延，表面灰色，渐变褐色，有同心环纹棱，有时有瘤，皮壳胶角质，边缘较薄。菌肉浅栗色，有时近皮壳处白色，后变暗褐色，孔圆形，每平方毫米 4 ~ 5。孢子褐色、黄褐色，卵形，（7.5 ~ 10）μm×（4.5 ~ 6.5）μm。

| **生境分布** | 寄生于杨属、桦属、柳属、栎属、槭属等阔叶树的枯立木、倒木和伐桩上。分布于吉林白山（抚松、靖宇、长白）等。

树舌灵芝

| 资源情况 |

野生资源丰富。药材主要来源于野生。

| 采收加工 |

全年均可采收，除去杂质，晒干。

| 药材性状 |

本品无柄。菌盖半圆形，剖面扁半球形或扁平，长径 10 ~ 50cm，短径 5 ~ 35cm，厚约 1.5cm。表面灰色或褐色，有同心性环带及大小不等的瘤状突起，皮壳脆，边缘薄，圆钝。管口面污黄色或暗褐色，管口圆形，每平方毫米 4 ~ 5。纵切面可见菌管一层至多层，木质或木栓质。气微，味淡。

| 功能主治 |

微苦，平。归脾、胃经。清热化痰，止血止痛，消癥化积。用于癥瘕积聚，肺痨。

| 用法用量 |

内服煎汤，10 ~ 30g。

| 附　　注 |

树舌主要作为生产"复方树舌片"等中成药的原料使用，直径大、形体好的也用作生产工艺品，价格较高。吉林省树舌的资源量较大，年产近 300t，除一小部分挑选出来用作工艺品外，其余都作为药厂生产原料，价格走势良好。

灵芝科 Ganodermataceae 灵芝属 Ganoderma

松杉灵芝 *Ganoderma tsugae* Murr.

| **药 材 名** | 木灵芝（药用部位：子实体）。

| **形态特征** | 子实体中等至大型。菌盖直径 6.5 ~ 21cm，厚 0.8 ~ 2cm，半圆形、扁形或肾形，表面红色，皮壳亮，漆样光泽，无环纹带，有的有不十分明显的环带和不规则的折皱，边缘有棱纹，木栓质。菌肉白色，厚 0.5 ~ 1.5cm，管孔面白色，后变肉桂色、浅褐色，每平方毫米 4 ~ 5。菌柄长 3 ~ 6cm，直径 3 ~ 4cm，短而粗，有与菌盖相同的漆壳，侧生或偏生。孢子内壁刺显著，有的一端平截，卵形，（9 ~ 11）μm ×（5.5 ~ 6.6）μm。

| **生境分布** | 寄生于针叶树活立木或腐木的树干基部以及树根上。分布于吉林白山（抚松、靖宇、长白）等。

松杉灵芝

| 资源情况 | 野生资源较少。药材主要来源于野生。

| 采收加工 | 全年均可采收，除去杂质，剪除附有朽木、泥沙的下端菌柄，阴干或 40 ～ 50℃
烘干。

| 药材性状 | 本品有柄，菌盖肾形或扇形。表面红色，皮壳具有光泽，无环带或有不明显的环带，
边缘有棱纹。菌柄侧生，色泽与菌盖相同或稍深。菌肉白色，近菌管处稍带浅褐色。
木质或木栓质。气微，味淡。

| 功能主治 | 滋补强壮，镇静安神。用于神经衰弱，风湿性关节炎等。

| 用法用量 | 内服煎汤，3 ～ 9g；或泡酒服。

| 附　　注 | 本种为吉林省 Ⅱ 级重点保护野生菌类。

刺革菌科 Hymenochaetaceae 桑黄孔菌属 Sanghuangporus

杨树桑黄

Sanghuangporus vaninii (Ljub.) L. W. Zhou & Y. C. Dai

| 物种别名 | 桑黄。

| 药 材 名 | 桑黄（药用部位：子实体）。

| 形态特征 | 子实体无柄，菌盖扁半球形或马蹄形，（2 ~ 12）cm×（3 ~ 21）cm，厚 1.5 ~ 10cm，木质，浅肝褐色至暗灰色或黑色，老时常龟裂，无皮壳，初期有细微绒毛，后变无毛，有同心环棱。边缘钝，深肉桂色至浅咖啡色，下侧无子实层。菌肉深咖啡色，硬，木质。菌管与菌肉近同色，多层，但层次不明显，年老的菌管层充满白色菌丝，管口锈褐色至酱色，圆形，每平方毫米 4 ~ 5。孢子近球形，光滑，无色，（5 ~ 6）μm×（3 ~ 4）μm。刚毛先端尖锐，基部膨大，（10 ~ 25）μm×（5 ~ 7）μm。菌丝不分枝，无横隔，直径 3 ~ 5μm。

杨树桑黄

| **生境分布** | 生于杨树的树干上。分布于吉林白山（抚松、靖宇、长白）等。 |

| **资源情况** | 野生资源较少。吉林有栽培。药材主要来源于栽培。 |

| **采收加工** | 晚秋或早春休眠期采收，除去杂质，低温干燥或晒干。 |

| **药材性状** | 本品呈扁半球形、扇形或不规则形，直径 4cm 以上，厚 2cm 以上，无柄。上表面具有同心环棱，呈棕褐色至黑色，最下一层环棱为黄色；有不规则凸起。下表面黄棕色，具细小菌孔。着生面具有基质残留。体轻质硬，不易折断，断面子实层灰褐色至棕色，菌肉黄色。气微，味淡。 |

| **功能主治** | 辛、微苦，寒。归肝、胃、大肠经。软坚散结，活血化瘀，清胃，止泻。用于癥瘕积聚，瘰疬，痰核，崩漏带下，胃热呕吐，湿热泻痢，外伤出血。 |

| **用法用量** | 内服煎汤，10 ~ 30g。外用适量，研末。 |

| **附　注** | （1）日本、韩国过去普遍以 *Phellinus linteus*（裂蹄木层孔菌）作桑黄的拉丁学名。然而，中国学者在 1998 年发现 *Phellinus linteus* 是中美洲的种类，亚洲并无分布。2012 年学者发表真正的桑黄为新种 *Inonotus sanghuang*，只长在桑树上。2016 年学者发表桑黄及其相近种类属于新属，即桑黄孔菌属 *Sanghuangporus*，桑黄的拉丁学名因此被改为 *Sanghuangporus sanghuang*。桑黄孔菌属目前所知有 14 种，与生长的树种常具有专一性，只有桑树桑黄这一种长在桑树上。桑树桑黄的药理活性优于市售常见的杨树桑黄 *Sanghuangporus vaninii* 及暴马桑黄 *Sanghuangporus baumii*。在中国、日本、韩国广泛栽培的所谓桑黄并非桑树桑黄，而是杨树桑黄（简称杨黄）。
（2）本种药材已被列入 2019 年版《吉林省中药材标准》第二册。 |

多孔菌科 Polyporaceae 云芝属 Coriolus

云芝 *Coriolus versicolor* (L. ex Fr.) Quel.

云芝

| 物种别名 |

杂色云芝、黄云芝、灰芝。

| 药 材 名 |

云芝（药用部位：子实体）。

| 植物形态 |

子实体一般小至较大，菌盖直径 1 ~ 8cm，厚 0.1 ~ 0.3cm，平伏而反卷，扇形或贝壳状，往往相互连接在一起呈覆瓦状生长，革质，表面有细长绒毛和褐色、灰黑色、污白色等多种颜色组成的狭窄的同心环带，绒毛常有丝绢光彩，边缘薄，波浪状。菌肉白色。无菌柄。管孔面白色、淡黄色，每平方毫米 3 ~ 5。孢子无色，圆柱形，（4.5 ~ 7）μm×（3 ~ 3.5）μm。

| 生境分布 |

寄生于杨属、柳属、桦属、槭属、花楸属、山楂属、李属、松属、落叶松属、冷杉属、云杉属等树种的活立木、倒木及伐桩上。分布于吉林白山（抚松、靖宇、长白）等。

| 资源情况 |

野生资源丰富。药材主要来源于野生。

| **采收加工** | 全年均可采收，除去杂质，剪除附有朽木、泥沙的下端菌柄，阴干或 40～50℃ 烘干。 |

| **药材性状** | 本品菌盖单个呈扇形、半圆形或贝壳形，常数个叠生成覆瓦状或莲座状，直径 1～8cm，厚 1～3mm。表面密生灰色、褐色、蓝色、紫黑色等颜色的绒毛（菌丝），构成多色的狭窄同心性环带，边缘薄，腹面灰褐色、黄棕色或淡黄色，无菌管处呈白色，菌管密集，管口近圆形至多角形，部分管口开裂成齿。革质，不易折断，断面菌肉类白色，厚约 1mm。菌管单层，长 0.5～2mm，多为浅棕色，管口近圆形至多角形，每平方毫米 3～5。气微，味淡。 |

| **功能主治** | 甘、淡，微寒。归肝、脾、肺经。健脾利湿，止咳平喘，清热解毒，抗肿瘤。用于慢性活动性肝炎，肝硬化，慢性支气管炎，小儿痉挛性支气管炎，咽喉肿痛，多种肿瘤，类风湿关节炎，白血病。 |

| **用法用量** | 内服煎汤，15～30g。宜煎 24 小时以上。或制成片剂、冲剂使用。 |

| **附　　注** | 云芝很少用于中药方剂，主要是作为生产"云芝菌胶囊""云芝肝泰冲剂""云芝多糖片"等中成药的原料，用量较大。吉林省野生云芝资源丰富，年产近 200t，主要用于药厂投料生产，价格走势良好。近年发现，云芝制剂与抗癌药合用可减少抗癌药物的副作用，在癌症治疗中有其特殊作用。因此，云芝已成为扶正祛邪的之良药，未来发展前景十分看好。 |

多孔菌科 Polyporaceae 大孔菌属 Favolus

宽鳞大孔菌
Favolus squamosus (Huds. ex Fr.) Ames.

| 药 材 名 | 宽鳞大孔菌（药用部位：子实体）。

| 形态特征 | 子实体中等至很大。菌盖（5.5 ~ 26）cm×（4 ~ 20）cm，厚 1 ~ 3cm，扇形，具短柄或近无柄，黄褐色，有暗褐色鳞片。菌柄长 2 ~ 6cm，直径 1.5 ~ 3cm，基部黑色，软，干后变浅色，侧生，偶尔近中生。菌管白色，延生，管口辐射状排列，长形，长 2.5 ~ 5mm，宽 2mm。孢子无色，光滑，（9.7 ~ 16.6）μm×（5.2 ~ 7）μm。菌肉的菌丝无色，无横隔，有分枝，无锁状联合。

| 生境分布 | 寄生于柳、杨、榆及其他阔叶树的树干上。分布于吉林白山（抚松、靖宇、长白）等。

| 资源情况 | 野生资源较少。药材主要来源于野生。

宽鳞大孔菌

| **采收加工** | 全年均可采收，除去杂质，剪除附有朽木、泥沙的下端菌柄，阴干或 40 ～ 50℃
烘干。

| **功能主治** | 消癥。用于癥瘕积聚。

多孔菌科 Polyporaceae 层孔菌属 *Fomes*

木蹄层孔菌 *Fomes fomentarius* (L. ex Fr.) Kick.

| **药 材 名** | 木蹄（药用部位：子实体）。

| **形态特征** | 子实体多年生。木质，半球形至马蹄形或吊钟形，（5 ~ 20）cm×（7 ~ 40）cm，厚 3 ~ 20cm。无柄，侧生。菌盖光滑，无毛，有坚硬的皮壳，鼠灰色、灰褐色至灰黑色，断面黑褐色，有光泽，有明显的同心环棱，盖缘钝，黄褐色。菌肉暗黄色至锈色、红褐色，分层，软木栓质，厚 0.5 ~ 3.5cm，无光泽。菌管多层，层次明显，每层厚 0.5 ~ 2.5cm，管壁较厚，灰褐色；管口圆形，较小，每平方毫米 3 ~ 4，管口面灰色至肉桂色，凹陷。孢子长椭圆形至棱形，表面平滑，无色，（10 ~ 18）μm×（5 ~ 6）μm。

| **生境分布** | 寄生于杨属、桦属、柳属、栎属、槭属等阔叶树的枯立木、倒木和伐桩上。分布于吉林白山（抚松、靖宇、长白）等。

木蹄层孔菌

| **资源情况** | 野生资源较少。药材主要来源于野生。

| **采收加工** | 6～7 月采收，除去杂质，晒干。

| **功能主治** | 消积，化瘀，消癥。用于小儿积食，癥瘕积聚。

| **用法用量** | 内服煎汤，12～15g。

多孔菌科 Polyporaceae 硫磺菌属 Laetiporus

硫磺干酪菌
Laetiporus sulphureus (Bull. ex Fr.) Murr.

| 物种别名 | 硫磺多孔菌。

| 药 材 名 | 硫磺菌（药用部位：子实体）。

| 形态特征 | 子实体大型。初期瘤状，似脑髓，以后长出一层层菌盖，覆瓦状排列，肉质，干后轻而脆。菌盖直径 8 ~ 30cm，厚 1 ~ 2cm，表面硫磺色至鲜橙色，有细绒或无，有皱纹，无环带，边缘薄而锐，波状至瓣裂。菌肉白色或浅黄色，管孔面硫磺色，干后退色，管孔口多角形，平均每平方毫米 3 ~ 4。孢子无色，光滑，卵形至近球形，（4.5 ~ 7）μm×（4 ~ 5）μm。

| 生境分布 | 寄生于黄花落叶松、红松、冷杉、云杉、栎、槭、柳、李等树种的活立木的干部、干基部或枯立木、倒木及伐桩上。分布于吉林白山（抚

硫磺干酪菌

松、靖宇、长白）等。

| **资源情况** | 野生资源较少。药材主要来源于野生。

| **采收加工** | 全年均可采收，晒干。

| **药材性状** | 本品无柄。菌盖半圆形，长径 3 ~ 30cm、短径 3 ~ 28cm，厚 5 ~ 20mm。表面柠檬黄色、橙红色或色淡，有毛或无毛，有皱纹，边缘波状或瓣裂。管口面硫黄色或色淡，管口多角形，每平方毫米 3 ~ 4。质硬而脆。气微，味淡。

| **功能主治** | 甘，温。益气补血，滋补强壮，调节机体，抵抗疾病，增进健康。用于气血亏虚，久病虚羸。

| **用法用量** | 内服煎汤，9 ~ 15g；或作食品。

多孔菌科 Polyporaceae　多孔菌属 Polyporus

猪苓

Polyporus umbellatus (Pers.) Fr.

| **药 材 名** | 猪苓（药用部位：菌核）。

| **形态特征** | 子实体大或很大，肉质，有菌柄，多分枝，末端生圆形白色至浅
褐色菌盖，一丛直径可达 35cm。菌盖直径 1 ~ 4cm，圆形，中部
下凹近漏斗形，边缘内卷，被深色细鳞片。菌肉白色，孔面白色，
干后草黄色。孔口圆形或破裂成不规则齿状，延生，平均每平方
毫米 2 ~ 4。孢子无色，光滑，一端圆形，一端有歪尖，圆筒形，
（7 ~ 10）μm×（3 ~ 4.2）μm。

| **生境分布** | 寄生于林内、林缘、灌丛、采伐迹地等处的栎属、柳属及松科植物
的根部。分布于吉林白山（抚松、靖宇、长白）等。

| **资源情况** | 野生资源较少。药材主要来源于野生。

猪苓

采收加工	春、秋季采挖，除去泥沙，干燥。

药材性状	本品呈条形、类圆形或扁块状，有的有分枝，长 5 ~ 25cm，直径 2 ~ 6cm。表面黑色、灰黑色或棕黑色，皱缩或有瘤状突起。体轻，质硬，断面类白色或黄白色，略呈颗粒状。气微，味淡。以个大、外皮黑褐色光亮、肉色粉白、体较重者为佳。

功能主治	甘、淡，平。归肾、膀胱经。利水，渗湿。用于水肿，小便淋痛，泄泻，淋浊，带下。

用法用量	内服煎汤，6 ~ 12g；或入丸、散。

附 注	本种为吉林省Ⅱ级重点保护野生菌类。

多孔菌科 Polyporaceae 茯苓属 Wolfiporia

茯苓
Wolfiporia cocos (Schw.) Ryv. & Gilbn

| **药 材 名** | 茯苓（药用部位：菌核）、茯苓皮（药用部位：菌核外皮）、茯神（药用部位：菌核中间包有松根的白色部分）、茯神木（药用部位：菌核中间的松根）。

| **形态特征** | 子实体一般较小。菌盖直径 3 ~ 8cm，初期钟形或近圆锥形，后平展，中部凸起，浅棠梨色至咖啡褐色，光滑，湿时黏，干时有光泽。菌肉带红色，干后淡紫红色，近菌柄基部带黄色。菌褶青黄色变至紫褐色，延生，稀，不等长。菌柄长 6 ~ 18cm，直径 1.5 ~ 2.5cm，圆柱形，向下渐细，稍黏，与菌盖颜色相近且基部带黄色，实心，上部往往有易消失的菌环。孢子青褐色，光滑，近纺锤形，（14 ~ 22）μm×（6 ~ 7.5）μm。褶缘囊体和褶侧囊体无色，近圆柱形，（100 ~ 135）μm×（12 ~ 15）μm。

茯苓

生境分布	生于松林根上。分布于吉林白山（抚松、靖宇、长白）等。

资源情况	野生资源较少。药材主要来源于野生。

采收加工	茯苓：多于7~9月采挖，除去泥沙，堆置"发汗"后，摊开晾至表面干燥，再"发汗"，反复数次至出现皱纹、内部水分大部分散失后，阴干，称为"茯苓个"；或将鲜茯苓按不同部位切制，阴干，分别称为"茯苓块"及"茯苓片"。 茯苓皮：多于7~9月采挖，加工"茯苓片""茯苓块"时，收集削下的外皮，阴干。 茯神：取茯苓切制时，选茯苓中间抱有松根者，除去杂质，晒干。 茯神木：采茯苓，先择中有松根者，敲去苓块（作茯苓用），拣取细松根。

药材性状	茯苓：本品茯苓个呈类球形、椭圆形、扁圆形或不规则团块，大小不一。外皮薄而粗糙，棕褐色至黑褐色，有明显的皱缩纹理。体重，质坚实，断面颗粒性，有的具裂隙，外层淡棕色，内部白色，少数淡红色，有的中间抱有松根。气微，味淡，嚼之黏牙。茯苓块为去皮后切制的茯苓，呈立方块状或方块状厚片，大小不一，白色、淡红色或淡棕色。茯苓片为去皮后切制的茯苓，呈不规则厚片，厚薄不一，白色、淡红色或淡棕色。 茯苓皮：本品呈长条形或不规则块片，大小不一。外表面棕褐色至黑褐色，有

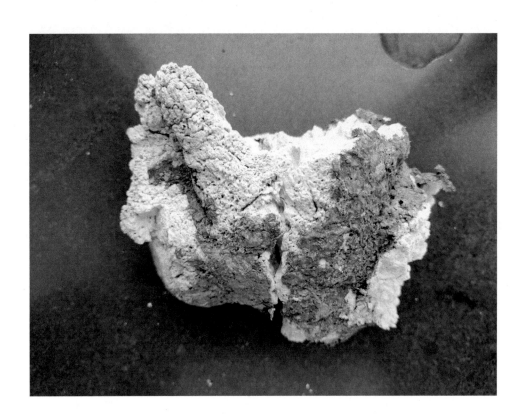

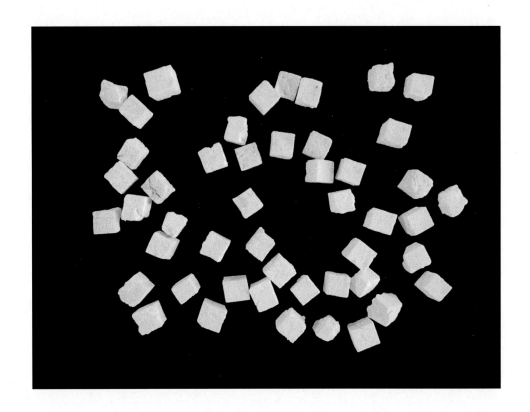

疣状突起，内面淡棕色并常带有白色或淡红色的皮下部分。质较松软，略具弹性。气微、味淡，嚼之黏牙。

茯神：本品呈方形或长方形，长 4 ~ 6cm，宽 4 ~ 5cm，厚 0.5 ~ 1cm，多为白色，少为淡棕色。质坚实，颗粒性，断面中棕黄色松根直径 0.5 ~ 2.5cm，有圈状纹理（年轮）。微带松节油气，味淡，嚼之黏牙。

茯神木：多为弯曲不直的松根，外部带有残留的茯神，呈白色或灰白色，内部呈木质状。质松，体轻而无皮，略似朽木。气微，味淡。

| 功能主治 | 茯苓：甘、淡，平。归心、肺、脾、肾经。利水渗湿，健脾宁心。用于水肿尿少，痰饮眩悸，脾虚食少，便溏泄泻，心神不安，惊悸失眠。

茯苓皮：甘、淡，平。归肺、脾、肾经。利水消肿。用于水肿，小便不利。

茯神：甘、淡，平。归心、脾经。宁心，安神，利水。用于惊悸，健忘失眠，惊痫，小便不利。

茯神木：平肝安神。用于惊悸健忘，中风不语，脚气转筋。

| 用法用量 | 茯苓：内服煎汤，9 ~ 15g。

茯苓皮：内服煎汤，15 ~ 30g。

茯神：内服煎汤，9 ~ 15g；或入丸、散。

茯神木：内服煎汤，6 ~ 9g；或入丸、散。

| **附　　注** | 2020 年版《中国药典》收载该种拉丁学名为 *Poria cocos* (Schw.) Wolf。

侧耳科 Pleurotaceae 香菇属 Lentinus

香菇 *Lentinus edodes* (Berk.) Sing.

| 药 材 名 | 香菇（药用部位：子实体）。

| 形态特征 | 子实体较小至稍大。菌盖直径 5 ～ 12cm，大者可达 20cm，扁半球形至稍平展，表面浅褐色、深褐色至深肉桂色，有深色鳞片，而边缘常常鳞片色浅至污白色，以及有毛状物或絮状物。菌肉白色，稍厚或厚，细密。菌褶白色，弯生，密，不等长。菌柄中生至偏生，白色，常弯曲。菌环以下有纤毛状鳞片，纤维质，内实，菌环易消失，白色。孢子无色，光滑，椭圆形至卵圆形。

| 生境分布 | 寄生于蒙古栎等阔叶树的倒木上，单生或群生。分布于吉林白山（临江）、通化（通化、集安）等。

| 资源情况 | 野生资源较少。药材主要来源于栽培。

香菇

| 采收加工 |

全年均可采收，除去杂质，鲜用、晒干或焙干。

| 药材性状 |

本品菌盖半肉质，扁半球形或平展，直径 4 ~ 10cm，表面褐色或紫褐色，有淡褐色或褐色鳞片，具不规则裂纹。菌肉类白色或淡棕色。菌褶类白色或浅棕色。菌柄中生或偏生，近圆柱形或稍扁，弯生或直生，常有鳞片，上部白色，下部白色至褐色，内实，基部较膨大。气微香，味淡。

| 功能主治 |

甘，平。归肝、胃经。理气化痰，解毒透疹，健脾。用于佝偻病，乳蛾，麻疹不透，高血压，贫血，小便失禁，扁桃体炎，毒菌中毒，预防肝硬化，毛细血管破裂，牙床出血。

| 用法用量 |

内服煎汤，6 ~ 9g，鲜品 15 ~ 30g。

侧耳科 Pleurotaceae 侧耳属 Pleurotus

糙皮侧耳
Pleurotus ostreatus (Jacq. ex Fr.) Quel.

| **物种别名** | 侧耳、小白侧耳。

| **药 材 名** | 侧耳（药用部位：子实体）。

| **形态特征** | 子实体中等至大型，寒冷季节子实体色调变深。菌盖直径5 ~ 21cm，扁半球形，后平展，有后檐，白色至灰白色、青灰色，有条纹。菌肉白色，厚。菌褶白色，延生，在菌柄上交织，稍密至稍稀。菌柄短或无，侧生，白色，内实，基部常有绒毛。孢子无色，光滑，近圆柱形。

| **生境分布** | 寄生于阔叶树的枯立木、倒木、伐桩及原木上，群生或丛生。分布于吉林白山（抚松、靖宇、长白）等。

糙皮侧耳

| **资源情况** | 野生资源较少。药材主要来源于野生。 |

| **采收加工** | 夏、秋季采收，晒干。 |

| **药材性状** | 本品菌盖呈扁半球形或平展，有后檐，直径 5 ～ 20cm，类白色、灰白色或青灰色，表面有细毛。菌肉厚，类白色。菌褶白色，与菌柄连接处有网状条纹。菌柄短或无，长 1 ～ 3cm，直径 1 ～ 2cm，基部常有绒毛。气香，味淡。 |

| **功能主治** | 甘，温。归肝、肾经。追风散寒，舒筋活络。用于手足麻木，筋络不通，腰腿疼痛。 |

| **用法用量** | 内服煎汤，6 ～ 9g。 |

侧耳科 Pleurotaceae 侧耳属 Pleurotus

金顶侧耳
Pleurotus citrinopileatus Sing.

| 物种别名 | 榆黄蘑。

| 药 材 名 | 金顶蘑（药用部位：子实体）。

| 形态特征 | 子实体一般中等大。菌盖直径 3 ~ 10cm，漏斗形，草黄色至鲜黄色，边缘内卷，光滑，漏斗形。菌肉白色。菌褶白色或带浅粉红色，延生，密，不等长，往往在柄上形成沟状条纹。菌柄长 2 ~ 10cm，直径 0.5 ~ 1.5cm，偏生，白色，内实，往往基部相连。孢子印烟灰色至淡紫色，光滑，圆柱形，（7.5 ~ 9.5）μm×（2 ~ 4）μm，具囊体。

| 生境分布 | 寄生于榆属植物的枯立木、倒木、伐桩及原木上，群生或丛生。分布于吉林白山（抚松、靖宇、长白）等。

金顶侧耳

| **资源情况** | 野生资源较少。吉林省有栽培。药材主要来源于栽培。

| **采收加工** | 7 ～ 9 月采收，除去杂质，晒干。

| **药材性状** | 本品菌盖呈漏斗形，直径 3 ～ 10cm，橙黄色或草黄色，表面光滑，边缘内卷。菌肉类白色。菌褶稍密，不等长，白色或淡黄色。菌柄偏生，长 2 ～ 5cm，直径 4 ～ 9mm，常基部相连，白色。气香，味淡。

| **功能主治** | 甘，温。归脾、肺经。滋补强壮，祛风除湿，止痢。用于虚弱，阳痿，痢疾。

| **用法用量** | 内服煎汤，15 ～ 30g；或研末，泡酒。

毒蝇伞

| 鹅膏科 | Amanitaceae | 鹅膏菌属 | Amanita

毒蝇伞
Amanita muscaria (L. ex Fr.) Pers. ex Hook.

物种别名

哈蟆菌、捕蝇菌、毒蝇鹅膏菌。

药材名

毒蝇伞（药用部位：子实体）。

形态特征

子实体较大。菌盖直径 6 ~ 20cm，鲜红色或橘红色，有白色或稍带黄色的颗粒状鳞片，边缘有明显的短条棱。菌肉白色，靠近菌盖表皮处红色。菌褶纯白色，离生，密，不等长。菌柄纯白色，膜质。菌托由数圈白色絮状颗粒组成。孢子印白色。孢子无色，光滑，内含 1 油滴，宽卵圆形，非糊性反应。

生境分布

生于林地上，单生或散生。分布于吉林白山（抚松、靖宇、长白）等。

资源情况

野生资源较少。药材主要来源于野生。

采收加工

夏、秋季采收，晒干。

| **药材性状** | 本品菌盖类圆形，直径 5 ～ 15cm。表面鲜红色或橘红色，并有白色或稍带黄色的颗粒状鳞片，边缘有明显的短条棱。菌褶纯白色，密生。菌肉白色，靠近菌盖表皮处红色。菌柄直立，纯白，长 10 ～ 20cm，直径 1 ～ 2cm，表面常有细小鳞片。气微香，味淡。

| **功能主治** | 有毒。消癥，安神。用于癥瘕积聚，心神不宁，失眠多梦。

鹅膏科 Amanitaceae 鹅膏菌属 Amanita

橙盖鹅膏

Amanita caesarea (Scop. ex Fr.) Pers. ex Schw.

橙盖鹅膏

| 物种别名 |

橙盖伞。

| 药 材 名 |

橙盖鹅膏（药用部位：子实体）。

| 形态特征 |

子实体大型。菌盖直径 5.5 ~ 20cm，初期卵圆形至钟形，后渐平展，中间稍凸起，鲜橙黄色至橘红色，边缘具明显条纹，光滑，稍黏。菌肉白色。菌褶黄色，离生，较厚，不等长。菌柄长 8 ~ 25cm，直径 1 ~ 2cm，圆柱形，淡黄色，往往具橙黄色花纹或鳞片，内部松软至空心。菌环生于菌柄上部，淡黄色，膜质，下垂，上面具细条纹。菌托大，苞状，白色，有时破裂而成片附着在菌盖表面。孢子印白色。孢子无色，光滑，宽椭圆形、卵圆形。

| 生境分布 |

生于针阔叶林地上，散生或单生。分布于吉林白山（抚松、靖宇、长白）等。

| 资源情况 |

野生资源较少。药材主要来源于野生。

| **采收加工** | 夏、秋季采收，除去杂质，晒干。

| **药材性状** | 本品菌盖圆形，直径 5 ～ 15cm，平展。表面橙黄色至橘红色，光滑，边缘具明显条纹。菌肉白色。菌褶黄色，较厚。菌柄圆柱形，长 8 ～ 20cm，直径 1 ～ 2cm，淡黄色，内部松软至空心。质地松软。气微，味苦。

| **功能主治** | 苦，温。舒筋活络，追风散寒，消癥。用于手足麻木，风湿痹痛，癥瘕积聚。

白蘑科 Tricholomataceae 蜜环菌属 Armillaria

蜜环菌
Armillariella mellea (Vahl) P. Karst.

| 药 材 名 | 榛蘑（药用部位：子实体）。

| 形态特征 | 子实体一般中等大。菌盖直径 4 ~ 14cm，淡土黄色、蜂蜜色至浅黄褐色，老后棕褐色。菌肉白色、褐白色或稍带肉粉色，老后常出现暗褐色斑点，直生至延生，稍稀。菌柄细长，圆柱形，稍弯曲，与菌盖同色，有纵条纹和毛状小鳞片，纤维质，内菌柄的上部幼时常呈双层，松软，后期带奶油色。孢子印白色。孢子无色或稍带黄色，光滑，椭圆形或近卵圆形。

| 生境分布 | 生于针叶树或阔叶树等多种树干基部、根部或倒木上，群生或丛生。分布于吉林白山（抚松、靖宇、长白）等。

| 资源情况 | 野生资源较少。药材主要来源于野生。

蜜环菌

| 采收加工 |

夏、秋季采收，除去杂质，晒干。

| 药材性状 |

本品菌盖近圆形或扁半球形，浅黄褐色至深棕褐色，中央色较暗。菌肉黄白色至棕黄色，菌褶黄白色至棕褐色。菌柄圆柱形，多弯曲，有的中空，长 2 ~ 15cm，直径 0.3 ~ 1.5cm；与菌盖近同色，菌环生于菌柄上部，有残留或脱落。质柔韧。气具菇香，味淡。

| 功能主治 |

甘，平。归肝经。祛风通络，强筋壮骨，息风止痉。用于风湿痹证，腰膝无力，癫痫。

| 用法用量 |

内服煎汤，30 ~ 60g；或研末。

| 附　注 |

本种药材已被列入 2019 年版《吉林省中药材标准》第二册。

白蘑科 Tricholomaceae 亚侧耳属 Hohenbuehelia

亚侧耳

Hohenbuehelia serotina (Schrad.) Sing.

| 物种别名 | 冬蘑、黄蘑、美味扇菇。

| 药 材 名 | 黄蘑（药用部位：子实体）。

| 形态特征 | 子实体中等至稍大。菌盖直径 3 ~ 12cm，扁半球形至平展、半圆形或肾形，黄绿色，黏，有短柔毛，边缘光滑。菌肉白色，厚。菌褶白色至淡黄色，近延生，稍密。菌根很短或几无，侧生。孢子小，无色，光滑，腊肠形。囊体梭形。

| 生境分布 | 主要寄生于椴属植物的枯立木、倒木、伐桩及原木上，榆、槭、柳、核桃楸等树种活立木的干基部上亦有寄生，群生或丛生。分布于吉林省白山（抚松、靖宇、长白）。

亚侧耳

| 资源情况 |

野生资源较少。药材主要来源于野生。

| 采收加工 |

秋季采摘，除去基部黏附朽木、树皮，及时晒干。

| 药材性状 |

本品呈扇形、贝壳形、半圆形或肾形，直径 4 ～ 10cm，中间厚约 1cm。菌盖表面具黄棕色或灰棕色紧贴的薄膜状外皮，并有不规则干缩的皱纹，外皮脱落处呈黄白色；腹面菌褶干缩弯曲，自菌柄处呈放射状排列，边缘较薄，内卷或呈不规则波状。菌柄短或近无柄，侧生，直径 0.8 ～ 1.5cm。体轻脆，断面黄白色。气特异，味淡。

| 功能主治 |

甘，温。归肝、肾、脾经。健脾开胃，补虚壮骨。用于腰腿疼痛，手足麻木，筋络不舒。现代研究表明其可增强机体免疫力。

| 用法用量 |

内服煎汤，25 ～ 50g。

| 附 注 |

本种药材已被列入 2019 年版《吉林省中药材标准》第二册。

白蘑科 Tricholomaceae 香蘑属 Lepista

花脸香蘑 *Lepista sordida* (Fr.) Sing.

| **药 材 名** | 花脸香蘑（药用部位：子实体）。

| **形态特征** | 子实体中等大小。菌盖直径 3 ~ 7.5cm，扁半球形至平展，有时中部稍下凹，紫色，薄，湿润式半透明状或水浸状，边缘内卷，具不明显的条纹，常呈波状或瓣状。菌肉带淡紫色，薄。菌褶淡蓝紫色，直生或弯生，有时稍延生，稍稀，不等长。菌柄长 3 ~ 6.5cm，直径 0.2 ~ 1cm，与菌盖同色，靠近基部常弯曲，内实。孢子印带粉红色。孢子无色，具麻点至粗糙，椭圆形至卵圆形，（6.2 ~ 9.8）μm×（3.2 ~ 5）μm。

| **生境分布** | 生于海拔 400 ~ 1100m 的松林或混交林地上，群生、有时近丛生或单生。分布于吉林延边、白山、通化等。

花脸香蘑

| **资源情况** | 野生资源较少。药材主要来源于野生。

| **采收加工** | 夏、秋季采收，除去杂质，晒干。

| **功能主治** | 消癥。用于癥瘕积聚。

白蘑科 Tricholomaceae 香蘑属 *Lepista*

紫丁香蘑 *Lepista nuda* (Bull. ex Fr.) Cooke.

| **药 材 名** | 紫晶蘑（药用部位：子实体）。

| **形态特征** | 子实体一般中等大。菌盖直径 3.5 ~ 10cm，半球形至平展，有时中部下凹，亮紫色或丁香紫色变至褐紫色，光滑，湿润，边缘内卷，无条纹。菌肉淡紫色。菌褶褐紫色，直生至稍延生，往往边缘呈小锯齿状，密，不等长。菌柄圆柱形，与菌盖同色，初期上部有絮状粉末，下部光滑或具纵条纹，内实，基部稍膨大。孢子印肉粉色。孢子椭圆形，近光滑至具小麻点。

| **生境分布** | 生于松林或混交林地上，群生，有时近丛生或单生。分布于吉林白山（抚松、靖宇、长白）等。

| **资源情况** | 野生资源较少。药材主要来源于野生。

紫丁香蘑

| **采收加工** | 夏、秋季采收，除去杂质，晒干。

| **药材性状** | 本品菌盖呈半球形，直径 3.5 ～ 8cm。表面紫色或褐紫色，光滑，边缘内卷。菌肉紫色。菌褶与菌盖同色。菌柄圆柱形，或基部稍膨大，长 4 ～ 8cm，直径约 1cm，下部光滑或具条纹，与菌盖同色。质地松软。气香，味淡。

| **功能主治** | 消癥。用于癥瘕积聚。

| **用法用量** | 内服煎汤，5 ～ 15g。

白蘑科 Tricholomaceae 小菇属 Mycena

洁小菇 *Mycena pura* (Pers. ex Fr.) Kumm.

| **药 材 名** | 洁小菇（药用部位：子实体）。

| **形态特征** | 子实体小型，带紫色。菌盖直径 2 ~ 4cm，扁半球形，后稍伸展，淡紫色或淡紫红色至丁香紫色，湿润，边缘具条纹。菌肉淡紫色，薄。菌褶淡紫色，较密，直生或近弯生，往往褶间具横脉，不等长。菌柄近柱形，与菌盖同色或稍淡，光滑，空心，基部往往具绒毛。孢子印白色。孢子无色，光滑，椭圆形。囊体近梭形至瓶状，先端钝。

| **生境分布** | 生于林中地上和腐枝层或腐木上，丛生、群生或单生。分布于吉林白山（抚松、靖宇、长白）等。

| **资源情况** | 野生资源较少。药材主要来源于野生。

洁小菇

采收加工

夏、秋季采收，除去杂质，晒干。

药材性状

本品菌盖呈扁半球形，直径 2 ～ 4cm。表面淡紫色或淡紫红色，边缘具条纹。菌肉薄，淡紫色。菌褶淡紫色，较密，褶间具横脉。菌柄近柱形，与菌盖同色或稍淡，光滑，空心，基部往往具绒毛。气香，味淡。

功能主治

消癥。用于癥瘕积聚。

白蘑科 Tricholomaceae 口蘑属 Tricholoma

松口蘑

Tricholoma matsutake (S. Ito et Imai) Sing.

| **物种别名** | 松茸、黄蕈子。

| **药 材 名** | 松茸（药用部位：子实体）。

| **形态特征** | 子实体中等至较大。菌盖直径 5 ~ 15cm，扁半球形至近平展，污白色，具黄褐色至栗褐色、平伏的丝毛状鳞片，表面干燥。菌肉白色，厚，具特殊气味。菌褶白色或稍带乳黄色，弯生，密，不等长。菌柄较粗壮，菌环以上污白色并有粉粒，菌环以下具栗褐色纤毛状鳞片，内实，基部有时稍膨大。菌环上面白色，下面与菌柄同色，丝膜状，生于菌柄的上部。孢子印白色。孢子无色，光滑，宽椭圆形至近球形。

| **生境分布** | 生于赤松、红松、黄花落叶松、油松和蒙古栎等组成的林中的地上，群生、散生或形成蘑菇圈。分布于吉林延边（龙井、安图、和龙、珲春）、

松口蘑

白山（靖宇、抚松）、通化（集安）等。

| 资源情况 | 野生资源较少。药材主要来源于野生。

| 采收加工 | 夏、秋季采收，晒干或焙干。

| 药材性状 | 本品菌盖呈扁半球形或稍平展，直径 3 ~ 15cm，灰白色，表面有黄褐色至棕褐色纤毛状鳞片，边缘内卷。菌肉厚，致密，白色或浅褐色。菌褶密，弯生，不等长，白色至淡黄色。菌柄长 3 ~ 15cm，直径 1.5 ~ 5cm，基部膨大，菌环以上污白色，被白粉，菌环以下灰黄色，有浅棕褐色纤毛状鳞片，中实。菌环生于菌柄上部，白色至棕褐色，膜质或蛛丝状。气香，味淡。

| 功能主治 | 甘，平。归肾、胃经。强精补肾，健脑益智，益气健脾，理气化痰。用于虚劳，消渴，健忘，痰多气短。现代临床用于糖尿病及癌症的治疗。

| 用法用量 | 内服煎汤，9 ~ 15g；或研末。

| 附　　注 | 本种药材已被列入 2019 年版《吉林省中药材标准》第二册。

白蘑科 Tricholomaceae 口蘑属 Tricholoma

粗壮口蘑 Tricholoma robustum (Alb. et Schw. ex Fr.) Ricken

| 物种别名 | 假松口蘑。

| 药材名 | 粗壮口蘑（药用部位：子实体）。

| 形态特征 | 子实体中等或稍大。菌盖直径 6 ~ 10cm，半球形，后平展，中部微凹，中部栗褐色，被褐色平状的鳞片和绒毛，边缘内卷，有絮状绒片。菌肉白色，味清香。菌褶白色，弯生。菌环膜质，环缘上仰，环以下有近轮生的褐色鳞片。担子棒状。孢子近球形。囊状体烧瓶状。

| 生境分布 | 生于赤松、油松和蒙古栎等林中的地上，群生或散生。分布于吉林延边（龙井、安图、和龙、珲春）、通化（通化）等。

| 资源情况 | 野生资源较少。药材主要来源于野生。

粗壮口蘑

| 采收加工 | 夏、秋季采摘，除去杂质，鲜用或晒干。 |

| 药材性状 | 本品菌盖呈类圆形，直径 6 ~ 10cm，表面中部栗褐色，有深褐色至茶褐色细鳞片，边缘内卷，并常附丝棉状菌膜。菌肉厚，白色。菌褶白色。菌柄长 3 ~ 9cm，直径 1 ~ 1.5cm。质地松软。气微，味淡。 |

| 功能主治 | 消癥。用于癥瘕积聚。 |

多脂鳞伞 *Pholiota adiposa* (Fr.) Quel

| 药 材 名 | 多脂鳞伞（药用部位：子实体）。

| 形态特征 | 子实体一般中等大。菌盖 3 ~ 12cm，初扁半球形，边缘常内卷，后渐平展，谷黄色、污黄色至黄褐色，很黏，有褐色近平伏的鳞片，中央较密。菌肉白色或淡黄色。菌褶黄色至锈褐色，直生或近弯生，稍密、不等长。菌柄圆柱形，与菌盖同色，有褐色反卷的鳞片，黏或稍黏，下部常弯曲，纤维质，内实。菌环淡黄色，膜质，生于菌柄上部，易脱落。孢子锈色，平滑，椭圆形或长椭圆形。褶侧囊体无色或淡褐色，棒状。

| 生境分布 | 寄生于杨、柳及桦等阔叶树和针叶树的树干上，单生或丛生。分布于吉林白山（抚松、靖宇、长白）等。

多脂鳞伞

| 资源情况 | 野生资源较少。药材主要来源于野生。

| 采收加工 | 夏、秋季采收，除去杂质，鲜用或晒干。

| 功能主治 | 消癥。用于癥瘕积聚。

蘑菇科 Agaricaceae 大环柄菇属 Lepiota

高环柄菇 *Lepiota procera* (Scop. ex Fr.) Gray

| **药 材 名** | 高环柄菇（药用部位：子实体）。

| **形态特征** | 子实体一般大型。菌盖直径 6 ～ 30cm，初期卵形，后平展至中凸，中部褐色，有锈褐色棉絮状鳞片，边缘污白色，不黏。菌肉白色，较厚。菌褶白色，较密，离生，不等长。菌柄长 12 ～ 39cm，直径 0.6 ～ 1.5cm，上部圆柱形，或向上渐细，与菌盖同色，具有土褐色到暗褐色的细小鳞片，内部松软变中空，基部膨大成球状，菌环厚，上面白色，下面与菌柄同色，多与菌柄分离，可上下活动。孢子印无色。孢子无色，光滑，宽椭圆形至卵圆形，（14 ～ 18）μm×（10 ～ 12.5）μm。

| **生境分布** | 生于林中地上或草地上。分布于吉林白山（抚松、靖宇、长白）等。

高环柄菇

| 资源情况 | 野生资源较少。药材主要来源于野生。

| 采收加工 | 夏、秋季采收，除去杂质，鲜用或晒干。

| 功能主治 | 消食和中。用于饮食积滞。

鬼伞科 Coprinaceae 鬼伞属 Coprinus

晶粒鬼伞 *Coprinus micaceus* (Bull.) Fr.

| 药 材 名 | 晶粒鬼伞（药用部位：子实体）。

| 形态特征 | 子实体小。菌盖直径 2 ～ 4cm 或稍大，初期卵圆形、钟形、斗笠形，污黄色至黄褐色，表面有白色颗粒状晶体，中部红褐色，边缘有显著的条纹或棱纹，后期平展而反卷，有时瓣裂。菌肉白色，薄。菌褶初期黄白色，后变黑色而与菌盖同时自溶为墨汁状，离生，密，窄，不等长。菌柄圆柱形，白色，具丝光，较韧，中空。孢子印黑色。孢子光滑，卵圆形至椭圆形。褶侧囊体和褶缘囊体无色，透明，短圆柱形，有时呈卵圆形。

| 生境分布 | 寄生于阔叶林中树根部地上，群生或丛生。吉林各地均有分布。

| 资源情况 | 野生资源较少。药材主要来源于野生。

晶粒鬼伞

| 采收加工 | 夏、秋季全体呈白色时采收，洗去泥沙，立即放入水中煮沸 3min，晒干。 |

| 药材性状 | 本品菌盖类钟状，直径 2 ~ 4cm 或稍大，表面污黄色至黄褐色，中部红褐色，边缘有显著的条纹或棱纹，平展而反卷。菌肉白色，较薄。菌柄圆柱形，长 2 ~ 11cm，直径 0.3 ~ 0.5cm，白色，具丝光，较韧，中空。气微，味淡。 |

| 功能主治 | 甘，平。化痰理气，解毒消肿，益肠胃，消癥。用于饮食积滞，无名肿毒，癥瘕积聚。 |

鬼伞科 Coprinaceae 鬼伞属 Coprinus

毛鬼伞

Coprinus comatus (Muell. ex Fr.) Gray

毛鬼伞

物种别名

毛头鬼伞。

药材名

鸡腿蘑（药用部位：子实体）。

形态特征

子实体较大。菌盖直径 3 ~ 5cm，高达 9 ~ 11cm，圆柱形，当开伞后很快边缘菌褶溶化成墨汁状液体，表面褐色至深褐色，并随着菌盖长大而断裂成较大型鳞片。菌肉白色。菌柄较细长，圆柱形且向下渐粗，白色。孢子光滑，椭圆形。囊状体无色，棒状，顶部钝圆。

生境分布

生于田野、林缘、道旁及住宅附近的地上，群生或丛生。吉林各地均有分布。

资源情况

野生资源较少。药材主要来源于野生。

采收加工

夏、秋季全体呈白色时采收，洗去泥沙，立即放入水中煮沸 3min，晒干。

| **药材性状** | 本品菌盖呈类圆柱形或钟形，直径 3 ~ 5cm，白色、淡土黄色或深土黄色，表面具淡褐色平伏而反卷的鳞片，边缘纵裂。菌肉薄，类白色。菌褶白色或粉灰色。菌柄长 7 ~ 25cm，直径约 2cm，类白色，有时可见菌环。气香，味特异。 |

| **功能主治** | 甘，平。健脾和胃，清心醒神，消痔，抗肿瘤。用于痔疮，食欲不振。 |

| **用法用量** | 内服煎汤，30 ~ 60g；或入丸、散。 |

鬼伞科 Coprinaceae 鬼伞属 Coprinus

墨汁鬼伞 *Coprinus atramentarius* (Bull.) Fr.

| **药 材 名** | 墨汁鬼伞（药用部位：子实体）。

| **形态特征** | 子实体小或中等大。菌盖直径4cm或更大些，初期卵形至钟形，当开伞时一般开始液化流墨汁状汁液，未开伞前先端钝圆，有灰褐色鳞片，边缘灰白色具辐射沟纹，似花瓣状。菌肉初期白色，后变灰白色。菌褶开始灰白色至灰粉色，最后成汁液，离生，很密，相互拥挤，不等长。菌柄向下渐粗，菌环以下又渐变细，污白色，表面光滑，内部空心。孢子黑褐色，光滑，椭圆形至宽椭圆形，多而细长。

| **生境分布** | 生于杨、柳树根旁、树干基部及附近地上，群生或丛生。吉林各地均有分布。

| **资源情况** | 野生资源较少。药材主要来源于野生。

墨汁鬼伞

| **采收加工** | 煮熟后烘干。不可新鲜时日晒，否则整个子实体将潮解成墨汁。

| **药材性状** | 本品菌盖呈钟形或钝圆锥形，直径 4 ~ 11cm，表面铅灰色，略粗糙，中央部分黄色或黄褐色，边缘常呈花瓣状，有辐射沟纹，外卷。菌肉薄，煤烟色。菌褶黑色。菌柄圆柱形，长 7 ~ 20cm，直径 1 ~ 2cm，长纺锤形，向上渐细，上部光滑，白色，有丝光，中空。气微，味淡。

| **功能主治** | 甘，平。益肠胃，化痰理气，解毒消肿，消癥。用于饮食积滞，无名肿毒，癥瘕积聚，高血压。

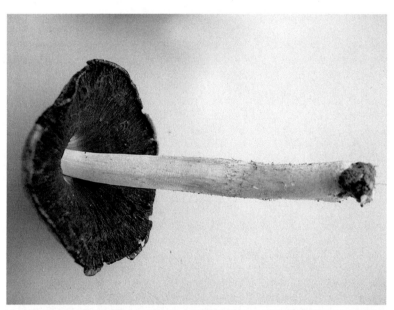

铆钉菇科 Gomphidiaceae 铆钉菇属 Gomphidius

铆钉菇 *Gomphidius viscidus* (L.) Fr.

铆钉菇

| 药 材 名 |

铆钉菇（药用部位：子实体。别名：血红铆钉菇）。

| 形态特征 |

子实体一般较小。菌盖直径 3 ~ 8cm，初期钟形或近圆锥形，后平展，中部凸起，浅棠梨色至咖啡褐色，光滑，湿时黏，干时有光泽。菌肉带红色，干后淡紫红色，近菌柄基部带黄色。菌褶青黄色至紫褐色，延生，稀，不等长。菌柄长 6 ~ 18cm，直径 1.5 ~ 2.5cm，圆柱形，向下渐细，稍黏，与菌盖色相近且基部带黄色，实心，上部往往有易消失的菌环。孢子青褐色，光滑，近纺锤形，（14 ~ 22）μm×（6 ~ 7.5）μm。褶缘囊体和褶侧囊体无色，近圆柱形，（100 ~ 135）μm×（12 ~ 15）μm。

| 生境分布 |

生于松林和针阔叶混交林地上，单生或群生。分布于吉林白山（抚松、靖宇、长白）等。

| 资源情况 |

野生资源较少。药材主要来源于野生。

| **采收加工** | 夏、秋季采收，除去杂质，鲜用或晒干。

| **药材性状** | 本品菌盖钟形或圆形，中部凸起，直径 3 ~ 6cm，表面浅棠梨色至咖啡褐色，光滑，干燥后有光泽。菌肉淡红色。菌柄圆柱形，或向下渐细，内实，与菌盖色相近，基部黄色。菌褶延生，初期青黄色并覆有菌幕，后变为紫褐色，其边缘色较浅。体轻。气微，味淡。

| **功能主治** | 祛风除湿，清热败毒。用于神经性皮炎。

牛肝菌科 Boletaceae 小牛肝菌属 Boletinus

小牛肝菌 *Boletinus cavipes* (Opat.) Kalchbr.

| 物种别名 | 杂蘑。

| 药 材 名 | 小牛肝菌（药用部位：子实体）。

| 形态特征 | 子实体小至中等大。菌盖直径 2 ~ 10cm，初期半球形或近钟形，后渐平展、扁半球形至近平展，中部有宽的凸起，表面紫色至近血红色，具纤毛状小鳞片或丛毛状小鳞片，边缘后期近波状，湿时黏。菌肉黄色，近菌盖表皮处红色，伤处微变蓝色，中部稍厚，稍有酸味。菌管黄色至污黄色，延生，放射状排列，管口角形。菌柄较细，圆柱形，顶部具有网纹，下部污黄色，有红色绵毛或纤毛状鳞片或花纹，内实。菌环浅褐色，膜质，很薄，易破碎。孢子浅黄色，光滑，椭圆形至近椭圆形。有褶缘囊体和褶侧囊体。

小牛肝菌

| **生境分布** | 生于针叶林地或混交林地上，散生或群生。分布于吉林白山（抚松、靖宇、长白）等。 |

| **资源情况** | 野生资源较少。药材主要来源于野生。 |

| **采收加工** | 夏、秋季采收，除去杂质，鲜用或晒干。 |

| **药材性状** | 本品菌盖扁圆形，直径 2 ～ 10cm，表面黄褐色或赤褐色，具绒毛和鳞片。菌肉淡黄色或污黄土色。菌柄近圆柱形，长 4 ～ 9cm，直径约 1cm，基部稍膨大，与菌盖色相近，下部中空。气微，味微酸。 |

| **功能主治** | 微咸，温。追风散寒，舒筋活络。用于手足麻木，腰腿疼痛。 |

| **用法用量** | 内服煎汤，10 ～ 20g；或入丸、散。 |

牛肝菌科 Boletaceae 牛肝菌属 Boletus

美味牛肝菌 *Boletus edulis* Bull. ex Fr.

| 药 材 名 | 大脚菇（药用部位：子实体）。

| 形态特征 | 子实体中等至较大。菌盖直径 4 ～ 15cm，扁半球形或稍平展，黄褐色、土褐色或赤褐色，不黏，光滑，边缘钝。菌肉白色，受伤不变色，厚。菌管初期白色，后呈淡黄色，直生或近弯生，或在菌柄周围凹陷，管口圆形，每平方毫米 2 ～ 3 孔。菌柄近圆柱形或基部稍膨大，淡褐色或淡黄褐色，内实，全部有网纹或网纹占菌柄长的 2/3。孢子印橄褐色。孢子淡黄色，平滑，近纺锤形或长椭圆形。管侧囊体无色，棒状，先端圆钝或稍尖细。

| 生境分布 | 生于针叶林地或混交林地上，单生或群生。分布于吉林白山（抚松、靖宇、长白）等。

美味牛肝菌

| **资源情况** | 野生资源较少。药材主要来源于野生。 |

| **采收加工** | 夏、秋季采摘后，洗去泥沙，晒干。 |

| **药材性状** | 本品菌盖扁半球形或稍平展，直径 4~15cm，表面黄褐色至赤褐色。菌肉淡黄色。菌柄近圆柱形，长 5~12cm，直径 2～3cm，基部稍膨大，内实，淡褐色至淡黄褐色，有网纹。气微，味淡。 |

| **功能主治** | 淡，温。追风散寒，舒经活络，补虚止带，消癥。用于白带异常，不孕症，手足麻木，风湿痹痛，癥瘕积聚。 |

| **用法用量** | 内服煎汤，10 ～ 30g，鲜品 30 ～ 90g。 |

牛肝菌科 Boletaceae 松塔牛肝菌属 Strobilomyces

绒柄松塔牛肝菌 *Strobilomyces floccopus* (Vahl. ex Fr.) Karst.

绒柄松塔牛肝菌

| 物种别名 |

松塔牛肝菌。

| 药 材 名 |

绒柄松塔牛肝菌（药用部位：子实体）。

| 形态特征 |

子实体中等至较大。菌盖直径 2 ~ 15cm。初期半球形，后平展，黑褐色至黑色或紫褐色，表面有粗糙的毡毛状鳞片或疣，直立，反卷或菌幕盖着，后菌幕脱落残留在菌盖边缘。菌管污白色或灰色，后渐变褐色或淡黑色，菌管层直生或稍延生，长 1 ~ 1.5cm，管口多角形，每平方毫米 0.6 ~ 1 孔，与菌管同色。菌柄与菌盖同色，上下略等粗或基部稍膨大，先端有网棱，下部有鳞片和绒毛。孢子淡褐色至暗褐色，有网纹或棱纹，近球形或略呈椭圆形。管侧囊体褐色，两端色淡，棒形具短尖，近瓶状或一面稍鼓起。

| 生境分布 |

生于阔叶林或混交林中地上，单生或散生。分布于吉林白山（抚松、靖宇、长白）等。

资源情况	野生资源较少。药材主要来源于野生。
采收加工	夏、秋季采收，除去杂质，鲜用或晒干。
药材性状	本品菌盖半球状，直径 2 ~ 10cm，表面棕褐色、黑褐色或紫褐色，有松塔状鳞片。菌肉厚 1 ~ 1.5cm，白色。菌柄与菌盖同色。气微，味淡。
功能主治	消癥。用于癥瘕积聚。

牛肝菌科 Boletaceae 粘盖牛肝菌属 Suillus

点柄乳牛肝菌 Suillus granulatus (L. ex Fr.) O. Kuntze

| 物种别名 | 点柄粘盖牛肝菌。

| 药材名 | 点柄乳牛肝菌（药用部位：子实体）。

| 形态特征 | 子实体中等大。菌盖直径 5.2 ~ 10cm，扁半球形或近扁平，淡黄色或黄褐色，很黏，干后有光泽。菌肉淡黄色。菌管直生或稍延生。菌管角形。菌柄长 3 ~ 10cm，直径 0.8 ~ 1.6cm，淡黄褐色，先端偶尔长约 1cm，有网纹，腺点通常不超过菌柄长的一半或全菌柄有腺点。孢子无色至黄色，长椭圆形，（6.5 ~ 9.1）μm×（2.6 ~ 3.9）μm。管缘囊体成束，淡黄色至黄褐色，多棒状。

| 生境分布 | 生于松林及混交林地上，散生、群生或丛生。分布于吉林白山（抚松、靖宇、长白）等。

点柄乳牛肝菌

| **资源情况** | 野生资源较少。药材主要来源于野生。

| **采收加工** | 夏、秋季采收，除去杂质，鲜用或晒干。

| **药材性状** | 本品菌盖呈扁半球形或近扁平，直径 5.2 ~ 10cm，黄褐色，干后有光泽。菌肉淡黄色。菌柄长 3 ~ 10cm，直径 0.8 ~ 1.6cm，淡黄褐色。气微，味淡。

| **功能主治** | 甘，温。通络散寒止痛，消食。用于大骨节病，饮食积滞。

| **用法用量** | 内服煎汤，9 ~ 12g；或研末冲服。

牛肝菌科 Boletaceae 粘盖牛肝菌属 Suillus

厚环乳牛肝菌 *Suillus grevillei* (Kl.) Sing.

| **物种别名** | 厚环粘盖牛肝菌。

| **药 材 名** | 台蘑（药用部位：子实体）。

| **形态特征** | 子实体小至中等。菌盖直径 4 ~ 10cm，扁半球形，后中央凸起，有时中央下凹，赤褐色至栗褐色，光滑，黏。菌肉淡黄色。菌管初色淡，直生至近延生，管口较小，角形。菌柄长 4 ~ 10cm，直径 0.7 ~ 2.3cm，近柱形，先端有网纹。菌环厚。孢子印黄褐色至栗褐色，孢子带榄黄色，平滑，椭圆形或近纺锤形，（8.7 ~ 10.4）μm×（3.5 ~ 4.2）μm。管缘囊体与管侧囊体无色至淡褐色，多棒状，（26 ~ 83）μm×（5.2 ~ 6）μm。

| **生境分布** | 生于针叶林地或混交林地上，单生、群生或丛生。分布于吉林白山

厚环乳牛肝菌

（抚松、靖宇、长白）等。

│资源情况│

野生资源较少。药材主要来源于野生。

│采收加工│

夏、秋季采摘，切去菌柄基部带泥沙部分，晒干。

│药材性状│

本品菌盖呈半球形或近平展，表面黄褐色至红褐色。菌肉厚，淡黄色。菌管灰黄色、淡黄褐色。菌柄圆柱形，长 7 ~ 10cm，直径 1 ~ 2cm，中实，淡褐色；菌环较厚，深褐色，常脱落而残留环痕，菌环以下表面变化较大，常为粉粒状、毛丛点状或纤维状。气微，味淡。

│功能主治│

甘，温。追风散寒，舒筋活络。用于腰腿疼痛，手足麻木，筋络不舒。

│用法用量│

内服煎汤，9 ~ 20g；或入丸、散。

红菇科 Russulaceae 乳菇属 Lactarius

多汁乳菇 *Lactarius volemus* Fr.

| **药 材 名** | 多汁乳菇（药用部位：子实体）。

| **形态特征** | 子实体中等至较大。菌盖直径 4 ～ 12cm，幼时扁半球形，中部下凹成脐状，伸展后似漏斗状，表面平滑，无环带，琥珀褐色至深棠梨色或暗土红色，边缘内卷。菌肉白色，在伤处渐变褐色。乳汁白色，不变色。菌褶白色或带黄色，伤处变褐黄色，稍密，直生至延生，不等长，分叉。菌柄长 3 ～ 8cm，直径 1.2 ～ 3cm，近圆柱形，表面近光滑，与菌盖同色，内实。孢子印白色。孢子近球形，具小疣和网棱。褶侧囊体多，近圆柱形、棱形，淡黄色，明显壁厚。

| **生境分布** | 生于混交林地上，群生。分布于吉林白山（抚松、靖宇、长白）等。

| **资源情况** | 野生资源较少。药材主要来源于野生。

多汁乳菇

| **采收加工** | 夏、秋季采收，除去泥土，晒干。

| **药材性状** | 本品菌盖呈扁平圆形或漏斗状，直径 4 ~ 10cm，表面琥珀褐色或暗土红色，平滑，边缘内卷。菌肉白色。菌褶白色或带黄色。菌柄近圆柱形，长 3 ~ 8cm，直径 1.2 ~ 2.5cm，表面近光滑，与菌盖同色，内实。

| **功能主治** | 辛，温。清肺热，去内热，追风散寒，舒筋活络，增强免疫力，消癥。用于腰腿疼痛，手足麻木，癥瘕积聚。

红菇科 Russulaceae 乳菇属 Lactarius

松乳菇 *Lactarius deliciosus* (L. ex Fr.) Gray

| **药 材 名** | 松乳菇（药用部位：子实体）。

| **形态特征** | 子实体中等至较大。菌盖直径 4 ~ 10cm，扁半球形，中央脐状，伸展后下凹，虾仁色、胡萝卜黄色或深橙色，有或无色较明显的环带，后色变淡，伤后变绿色，特别是菌盖边缘部分变绿显著，边缘最初内卷，后平展，湿时黏，无毛。菌肉初带白色，后变胡萝卜黄色，乳汁量少，橘红色，最后变绿色。菌褶与菌盖同色，直生或稍延生，稍密，近菌柄处分叉，褶间具横脉，受伤或老后变绿色。菌柄长 2 ~ 5cm，直径 0.7 ~ 2cm，近圆柱形或向基部渐细，有时具暗橙色凹窝，色同菌褶或更浅，受伤后变绿色，内部松软，后变中空，菌柄切面先变橙红色，后变暗红色。孢子无色，广椭圆形。

松乳菇

| 生境分布 |

生于阔叶林地或混交林地上，单生或群生。分布于吉林白山（抚松、靖宇、长白）等。

| 资源情况 |

野生资源较少。药材主要来源于野生。

| 采收加工 |

夏、秋季采收，除去泥土，晒干。

| 药材性状 |

本品菌盖呈扁半球形或扁平圆形，直径4 ~ 10cm，中央下凹，湿时黏，无毛，表面虾仁色或深橙色。菌肉胡萝卜黄色。菌褶与菌盖同色。菌柄长 2 ~ 5cm，直径 0.7 ~ 2cm，近圆柱形，与菌褶同色或更浅，内部松软，后变中空。

| 功能主治 |

辛，温。舒筋活络，追风散寒，益肠胃，止痛，理气化痰，消癥。用于腰腿疼痛，手足麻木，饮食积滞，癥瘕积聚。

红菇科 Russulaceae 红菇属 Russula

臭红菇 *Russula foetens* (Pers.) Fr.

| 物种别名 | 臭黄菇、油辣菇。

| 药 材 名 | 臭红菇（药用部位：子实体）。

| 形态特征 | 子实体中等大。菌盖直径 7 ~ 10cm，扁半球形，平展后中部下凹，土黄色至浅黄褐色，往往中部土褐色，表面黏至黏滑，边缘有小疣组成的明显粗条棱。菌肉污白色，质脆，具腥臭气味，麻辣苦。菌褶污白色至浅黄色，常有深色斑痕，弯生或近离生，较厚，一般等长。菌柄较粗壮，圆柱形，污白色至淡黄褐色，老后常出现深色斑痕，内部松软至空心。孢子印白色。孢子无色，有明显小刺及棱纹，近球形。褶侧囊体近棱形。

| 生境分布 | 生于松林或阔叶林地上，群生或散生。分布于吉林白山（抚松、靖宇、

臭红菇

长白）等。

| **资源情况** | 野生资源较少。药材主要来源于野生。

| **采收加工** | 夏、秋季雨后采摘，洗净，晒干。

| **药材性状** | 本品菌盖呈扁平圆形，直径 4.5 ～ 10cm，表面浅土黄色，中部色深，呈土褐色，质较脆，边缘有小疣组成的明显棱纹。菌肉薄，白色。菌褶灰白色或朽叶色，褶间有横脉。菌柄白色，圆柱状，中空，长 3 ～ 9cm，直径 1.4 ～ 2.5cm。气臭，味辛辣。

| **功能主治** | 辛，温；有毒。舒筋活络，祛风散寒，抗肿瘤。用于腰腿疼痛，手足麻木。

红菇科 Russulaceae 红菇属 Russula

毒红菇 *Russula emetica* (Schaeff. ex Fr.) Pers. ex S. F. Gray

| 药 材 名 | 毒红菇（药用部位：子实体）。

| 形态特征 | 子实体一般较小。菌盖直径 5 ～ 9cm，扁半球形至平展，老后中部稍下凹，珊瑚红色，有时退至粉红色，光滑，黏，表皮易剥落，边缘有棱纹。菌肉白色，近表皮处粉红色，薄，味麻辣。菌褶白色，近凹生，较稀，褶间有横脉，长短不一。菌柄长 4 ～ 8cm，直径 1 ～ 2cm，白色或部分粉红色，内部松软。孢子印白色。孢子无色，有小刺，近球形。褶侧囊体近披针形或近棱形。

| 生境分布 | 生于林地上，散生或群生。分布于吉林白山（抚松、靖宇、长白）等。

| 资源情况 | 野生资源较少。药材主要来源于野生。

毒红菇

| **采收加工** | 夏、秋季采收，除去杂质，晒干。

| **药材性状** | 本品菌盖呈扁半球形，直径 5 ~ 9cm，表面粉红色至珊瑚红色，边缘色较淡，有棱纹，表皮易剥离。菌肉薄，白色，近表皮处红色。菌褶纯白色，褶间有横脉。菌柄圆柱形，白色或粉红色，内部松软。气微，味苦。

| **功能主治** | 微咸，温。有毒。清热泻火，舒筋活络，疏肝理气，消癥。用于肝郁气滞，癥瘕积聚。

鬼笔科 Phallaceae 竹荪属 Dictyophora

短裙竹荪 *Dictyophora duplicate* (Bosc.) Fisch.

短裙竹荪

| 药 材 名 |

竹荪（药用部位：子实体）。

| 形态特征 |

菌蕾卵形，长5～7cm，白色至灰白色，基部有1白色绳状菌索，长5～10cm。子实体较大，高12～18cm。菌托粉灰色，直径4～5cm。菌盖长、宽均3～5cm，钟形，具显著网格，内含有绿褐色臭而黏的孢子液，先端平，有一穿孔。菌幕白色，从菌盖下垂直3～5cm，网眼圆形。孢托白色，中空，纺锤状至圆筒状，中部直径2～4cm，向两端稍尖，高10～15cm，壁海绵状。孢子椭圆形，光滑。

| 生境分布 |

生于针阔叶林地上，单生或群生。分布于吉林白山（抚松、靖宇、长白）等。

| 资源情况 |

野生资源较少。药材主要来源于野生。

| 采收加工 |

当竹荪开伞，待菌裙下沿伸至菌托，孢子胶质即将开始自溶时（子实体已成熟），即可采收。用手指握住菌托，将子实体轻轻扭动拔起。竹荪子实体采得后，除去菌盖和菌托，不使黑褐色的孢子胶汁污染菌柄、菌裙。将子实体插到晒架的竹签上进行晒干或烘干。

| **药材性状** | 本品子实体呈长条形，长 10～15cm，表面白色至黄白色。菌盖钟形，白色，长、宽均 3～5cm，先端平，有穿孔。有明显的网眼。菌裙伞状，长 3～5cm，黄白色，网眼圆形，直径 1～4mm。菌柄白色，中部较粗，直径约 3cm，向两端渐细。菌托灰色。体轻，质泡松，柔韧不易折断，断面中空，壁海绵状。气香，味淡。

| **功能主治** | 甘、微苦，凉。清热利湿，补气养阴，润肺止咳。用于肺虚热咳，喉炎，痢疾，带下，高血压，高血脂。

| **附　注** | 本种为吉林省Ⅱ级重点保护野生菌类。

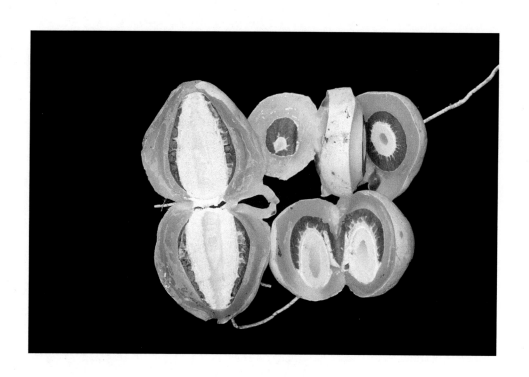

鬼笔科 Phallaceae 鬼笔属 Phallus

白鬼笔 *Phallus impudicus* L. ex Pers.

| 药 材 名 | 白鬼笔（药用部位：子实体）。

| 形态特征 | 菌蕾大，球形，直径 4 ~ 6cm，地上生或半埋状，白色。子实体中等或较大，高 16 ~ 17cm，基部有苞状、厚而有弹性的白色菌托。菌盖钟形，有深网格，高 4 ~ 5cm，直径 3.5 ~ 4cm，成熟后顶平，有穿孔，生有暗绿色的黏而臭的孢子液。菌柄长 8 ~ 10.5cm，直径 1.5 ~ 2.5cm，近圆筒形，白色，海绵状，中空。孢子平滑，椭圆形。

| 生境分布 | 生于林中地上，群生或单生。分布于吉林白山（抚松、靖宇、长白）等。

| 资源情况 | 野生资源较少。药材主要来源于野生。

| 采收加工 | 夏、秋季采收，除去杂质，洗净，鲜用或晒干。

白鬼笔

药材性状 | 本品菌蕾呈球形，直径 4 ~ 6cm，白色，表面有裂纹。菌盖呈钟形或圆盘状，褐色，初期的白色，中央有穿孔，周围有深凹的网和凸脊络。菌柄白色，圆柱形，海绵质，中空，长 8 ~ 10.5cm，直径 1.5 ~ 2.5cm。气臭，味甘、淡。

功能主治 | 甘、淡，温。活血止痛，祛风除湿。用于风湿痹痛。

用法用量 | 内服煎汤，3 ~ 6g；或浸酒。

马勃科 Lycoperdaceae 秃马勃属 Calvatia

大秃马勃
Calvatia gigantea (Batsch. ex Pers.) Lloyd

| 物种别名 | 大马勃。

| 药 材 名 | 马勃（药用部位：子实体）。

| 形态特征 | 子实体大型，直径 15 ～ 20cm 或更大，近球形至球形，无不孕基部或很小，由粗菌索与地面相连。包被白色，后变污白色，由膜状外包被和较厚的内包被组成，初期微被绒毛，渐变光滑，脆，成熟后开裂成块脱落，露出浅青色和褐色的孢体。孢子淡青黄色，光滑或有时具细微小疣，具小尖，球形。孢丝与孢子同色，长，稍分枝。

| 生境分布 | 生于林缘、草地及稀疏的灌丛中，单生或群生。吉林各地均有分布。

| 资源情况 | 野生资源较少。药材主要来源于野生。

大秃马勃

| 采收加工 | 夏、秋季子实体成熟时及时采收，除去泥沙，干燥。

| 药材性状 | 本品呈扁球形或压扁的不规则块状，不孕基部小或无。残留的包被由黄棕色的膜状外包被和较厚的灰黄色的内包被组成，光滑，质硬而脆，成块脱落。孢体浅青褐色，手捻有润滑感。臭似尘土，无味。

| 功能主治 | 辛，平。归肺经。清肺利咽，止血。用于风热郁肺，咽喉痛，喑哑，咳嗽；外用于鼻出血，创伤出血。

| 用法用量 | 内服煎汤，1.5 ~ 6g。外用适量，敷患处。

| 附　注 | 2020 年版《中国药典》记载本种中文名称为大马勃。

马勃科 Lycoperdaceae 马勃属 Lycoperdon

梨形马勃 *Lycoperdon pyriforme* Schaeff. ex Pers.

| 物种别名 | 梨形灰包。

| 药 材 名 | 梨形马勃（药用部位：子实体）。

| 形态特征 | 子实体小，高 2 ~ 3.5cm，梨形至近球形，不孕基部发达，由白色菌丝束固定于基物上。包被初期色淡后呈茶褐色至浅烟色，外包被形成微细颗粒状小疣，内部橄榄色，后变为褐色。孢子橄榄色，平滑，含 1 大油珠，球形。孢丝青色，绒形，分枝少，无隔膜。子实体老后内部充满孢丝和孢粉。

| 生境分布 | 生于林地上、枝物上或腐木桩基部等，丛生、散生或密集群生。吉林各地均有分布。

梨形马勃

| **资源情况** | 野生资源较少。药材主要来源于野生。

| **采收加工** | 夏、秋季子实体成熟时及时采收，除去泥沙，干燥。

| **药材性状** | 本品呈梨形至近球形，长 2 ~ 3.5cm，不孕基部发达。包被初期色淡后呈茶褐色至浅烟色，外包被形成微细颗粒状小疣，内部橄榄色，后变为褐色。气微，味辛。

| **功能主治** | 辛，平。清肺利咽，消肿止血。用于咽喉痛，外伤出血，冻疮，疮肿流脓，食道和胃出血。

| **用法用量** | 内服煎汤，1.5 ~ 3g。

马勃科 Lycoperdaceae 马勃属 Lycoperdon

网纹马勃 *Lycoperdon perlatum* Pers.

| 物种别名 | 网纹灰包。

| 药 材 名 | 网纹马勃（药用部位：子实体）。

| 形态特征 | 子实体一般小型，高 3 ~ 8cm，宽 2 ~ 6cm，倒卵形至陀螺形，初期近白色，后变灰黄色至黄色，不孕基部发达或伸长如柄。外包被由无数小疣组成，间有较大易脱落的刺，刺脱落后显出淡色而光滑的斑点。孢体青黄色，后变为褐色，有时稍带紫色。孢子淡黄色，具细微小疣，球形。孢丝淡黄色至浅黄色，少分枝。

| 生境分布 | 生于林缘、草地及稀疏的灌丛中，单生或群生。吉林各地均有分布。

| 资源情况 | 野生资源较少。药材主要来源于野生。

网纹马勃

| **采收加工** | 夏、秋季子实体成熟时及时采收，除去泥沙，干燥。

| **药材性状** | 本品星状外包被已剥去。内包被球形，直径 1.7 ~ 3cm，嘴部明显，宽圆锥形，粉灰色至烟灰色，膜质。孢体锈褐色。气微，味辛。气微，味辛。

| **功能主治** | 辛，平。清肺利咽，消肿止血。用于咽喉痛，外伤出血，冻疮，疮肿流脓，食道和胃出血。

| **用法用量** | 内服煎汤，1.5 ~ 3g。

地星科 Geastraceae 地星属 Geastrum

尖顶地星 *Geastrum triplex* (Jungh.) Fisch.

| **药 材 名** | 地星（药用部位：孢子体）。 |

| **形态特征** | 子实体较小，初期扁球形，外包被基部浅袋形，上半部分裂为 5 ~ 8 瓣，裂片反卷，外表光滑，蛋壳色，内层肉质，干后变薄，栗褐色，往往中部分离并部分脱落，仅残留基部。内包被粉灰色至烟灰色，无柄，球形，直径 1.7 ~ 3cm，嘴部显著，宽圆锥形。孢子褐色，有小疣，球形。孢丝浅褐色，不分枝。 |

| **生境分布** | 生于林地上或苔藓间，单生或散生。以长白山区为主要分布区域，分布于吉林延边、白山、通化、吉林、辽源（东丰）等。 |

| **资源情况** | 野生资源较少。药材主要来源于野生。 |

尖顶地星

| **采收加工** | 夏、秋季子实体成熟后采收，除去杂质，晒干。 |

| **药材性状** | 本品星状外包被已剥去。内包被球形，直径 1.7 ～ 3cm，嘴部明显，宽圆锥形，粉灰色至烟灰色，膜质。孢体锈褐色。气微，味辛。 |

| **功能主治** | 辛，平。止血，消肿，解毒。用于消化道出血，外伤出血，感冒咳嗽。 |

| **用法用量** | 内服煎汤，1.5 ～ 3g。 |

藻 类

念珠藻科 Nostocaceae 念珠藻属 Nostoc

念珠藻 *Nostoc commune* Vauch.

| **植物别名** | 地耳、地瓜皮。

| **药 材 名** | 葛仙米（药用部位：藻体）。

| **形态特征** | 藻体为多细胞的丝状体，单一或多数藻丝在公共的胶质被中。藻丝单列，细胞呈球形，核小不明显，直径 4 ~ 6μm。多数细胞连成念珠状藻丝，外围有胶质层。藻体是由无数藻丝相互缠绕、外包胶鞘的大型球状或不规则状群体，幼时球形，成熟时扁平如木耳状，最后变为多皱或破裂的有孔膜状体，近革质；湿润时蓝绿色，干燥后卷缩呈灰黑色。藻丝上有无色透明的异形细胞，繁殖时丝状体由此处断开，形成新藻丝。

| **生境分布** | 生于山地林间潮湿地上或河边砂石间。吉林各地均有分布。

念珠藻

| 资源情况 | 野生资源较少。药材主要来源于野生。

| 采收加工 | 夏、秋季雨后采收，洗净，晒干。

| 药材性状 | 本品形似木耳，鲜品蓝绿色，质坚固，外被透明的胶质物。干燥后卷曲，表面灰褐色，易碎裂。具青草气，味淡。

| 功能主治 | 甘、淡，凉。归肝经。清热明目，益气收敛。用于目赤红肿，夜盲，久痢脱肛，烫火伤。

| 用法用量 | 内服煮食，30 ~ 60g。外用研粉调敷。

地衣植物

石蕊科 Cladoniaceae 石蕊属 Cladonia

石蕊
Cladonia rangiferina (L.) Harm.

| **药 材 名** | 石蕊（药用部位：全体）。

| **形态特征** | 初生地衣体早期即消失。果柄（子器柄）主轴明显，为不等长多叉假轴型分枝，枝腋间有近圆形小穿孔，枝先端呈茶褐色，常向同一方向倾斜或下垂；分枝圆柱状，粗壮，中空，高 3 ~ 12cm 或更高，直径 1 ~ 3mm，表面呈灰白色或深灰绿色，生长在光照强处常变成污黑色，无光泽。果柄无皮层；外髓层粗糙，其间分散有藻细胞；内髓层软骨质；果柄近基部呈污黑色，具颗粒状疣突。子囊盘呈褐色，小型，顶生于果柄上。分生孢子器呈黑褐色，卵圆形，含无色黏液，生于果柄小枝的先端。

| **生境分布** | 生于岩石表面的细土层上，且多在高山带。分布于吉林白山（抚松、

石蕊

临江、长白）、吉林、延边（安图、敦化）等。

| **资源情况** | 野生资源较少。药材主要来源于野生。

| **采收加工** | 全年均可采收，除去杂质，洗净，晒干。

| **药材性状** | 本品地衣体子器柄呈圆柱形，长5～10cm，具不等长多叉分枝，表面灰白色，粗糙，枝腋有小穿孔。子器顶生，半球形，暗褐色或黑褐色，干时脆硬，湿时柔软。气微，味淡。

| **功能主治** | 甘、涩，凉。归心、肝经。清热，凉肝，化痰，利湿。用于烦热不安，咽燥痰结，目昏翳障，热淋，黄疸。

| **用法用量** | 内服沸水泡，9～15g。

石耳科 Umbilicariaceae 石耳属 Umbilicaria

石耳
Umbilicaria esculenta (Miyoshi) Minks

| 药 材 名 | 石耳（药用部位：全体）。

| 形态特征 | 地衣体叶状，厚膜质，因其形似耳，并生长在悬崖峭壁阴湿石缝中而得名。幼时近圆形，边缘分裂极浅；长大后扁平，呈椭圆形或不规则圆形，直径 10 ~ 18cm。脐背凸起，灰褐色；假根由孔中伸向表面，黑色，珊瑚状分枝，组成浓密的绒毡层或结成团块状，覆盖在地衣体下表面。上表面浅灰棕色至灰棕色、浅棕色，平滑或有麸屑状小片；中央脐部青灰色至黑色，有时自脐部向四周放射的脉络明显而凸出。子囊盘数十个，黑色，无柄，圆形、三角形至椭圆形。

| 生境分布 | 生于悬崖峭壁上。分布于吉林白山（抚松、靖宇、长白）等。

| 资源情况 | 野生资源较少。药材主要来源于野生。

石耳

| **采收加工** | 全年均可采收，洗净，晒干。 |

| **药材性状** | 本品呈不规则的圆形片状，多皱缩。外表面灰褐色或褐色，内面灰色，折断面可看到明显的黑、白2层。气微，味淡。 |

| **功能主治** | 养阴，止血。用于吐血，衄血，高血压。 |

| **用法用量** | 内服煎汤，9～15g；或入丸、散。外用适量，研末调敷。 |

松萝科 Usneaceae 松萝属 Usnea

环裂松萝 *Usnea diffracta* Vain.

| 植物别名 | 松萝。

| 药 材 名 | 松萝（药用部位：全体）。

| 形态特征 | 植物体长丝状，较粗壮，悬垂或半直立，呈二叉分枝，黄绿色，长
15 ~ 30cm，有的可达 50cm。基部坚硬，固定在基物上，仅中部尤
其近先端处有繁茂的细分枝，表面呈浅灰绿色或淡黄绿色；主枝龟
裂而致凹陷，具明显的横环沟，横断面可见中央有线状强韧性的中轴，
具弹性；次生分枝规则或不规则二叉分枝，枝圆柱形，常与枝杈间
多少扁平；分枝上纤毛及窝孔很少，无粉芽，生有明显的横向环状
裂纹，裂缘凸起，呈白色，裂隙间常露出髓层。

| 生境分布 | 寄生于深山老林针阔叶树干或树枝上。分布于吉林白山（抚松、临

环裂松萝

江、长白）、吉林、延边（安图、敦化）等。

资源情况

野生资源较少。药材主要来源于野生。

采收加工

夏、秋季从林中树干上铲下，除去杂质，扎成小把，晒干。

药材性状

本品呈丝状，相互缠绕盘结而散乱，较粗壮，长 10 ~ 40cm，表面灰绿色或黄棕色。主枝基部直径 08 ~ 1.5cm，呈二叉状分枝，越近前端分枝越多越细，粗枝表面有多数环状裂纹。质柔韧，略有弹性，不易折断。断面可见中央有线状强韧性的中轴。气微，味酸。

功能主治

甘、苦，平。归心、肾、肺经。止咳平喘，止血化痰，活血通络，清热解毒。用于肺痨，咳嗽痰喘，外伤出血，创伤感染，中耳炎，疮疖，瘰疬，乳痈，烫火伤，滴虫性阴道炎。

用法用量

内服煎汤，6 ~ 9g。外用适量，煎汤洗；或研末调敷。

松萝科 Usneaceae 松萝属 Usnea

长松萝 *Usnea longissima* (L.) Ach.

长松萝

| 药 材 名 |

松萝（药用部位：地衣体）。

| 形态特征 |

地衣体细丝状，悬垂，柔韧，长达 30cm，有些可达 1m 以上；表面呈浅黄绿色或藁黄色，无光泽；主枝短，长约 2mm，有环裂，圆柱状，主枝以下丝状型分枝，分枝皮层完整；次生分枝极长，常单一平行延伸，枝侧密生长短不等的小纤毛，平滑，具皮层，单一或分枝；表面具颗粒状小疣；中轴细，约占地衣体主次分枝直径的 1/3，浅白色。子囊盘少见，圆盘状；子囊常椭圆形，内含 8 孢子，孢子单胞，椭圆形，无色。

| 生境分布 |

寄生于深山老林针阔叶树干或树枝上。分布于吉林白山（抚松、临江、长白）、吉林、延边（安图、敦化）等。

| 资源情况 |

野生资源较少。药材主要来源于野生。

| 采收加工 |

同"环裂松萝"。

| 药材性状 |

本品呈丝状，似环裂松萝。但主轴单一，长达1.3m，不呈二叉状分枝，主轴两侧密生细而短的侧枝。质柔软。

| 功能主治 |

同"环裂松萝"。

| 用法用量 |

同"环裂松萝"。

地茶科 Thamnoliaceae 地茶属 Thamnolia

地茶 *Thamnolia vermicularis* (Sw.) Ach.

地茶

| 药 材 名 |

雪茶（药用部位：地衣体）。

| 形态特征 |

地衣体枝状，较细，高 3 ~ 6cm，稠密丛生，分枝单一或先端略有分叉，弯曲至扭曲，先端尖，锥状或钩状，基部污黄色，逐渐腐烂；表面呈乳白色或灰白色，无光泽，光滑，有浅凹陷纵裂或小穿孔。

| 生境分布 |

生于高山苔原带上。分布于吉林白山（抚松、靖宇、长白）等。

| 资源情况 |

野生资源较少。药材主要来源于野生。

| 采收加工 |

积雪融化后采收，拔起全株，除去基部苔藓状物及杂草，晒干。

| 药材性状 |

本品呈细长管状，单枝或有 2 ~ 3 分枝，长 3 ~ 6cm，直径 1 ~ 2mm，粗者呈扁带状。表面白色，基部有断痕，先端渐尖细，外表细致，略有皱纹凹点。质稍柔软，断面中空。气微，味苦似茶。以粗壮、色白、味苦者为佳。

| **功能主治** | 淡、微苦，凉。清热生津，醒脑安神。用于中暑，心烦口渴，肺热咳嗽，阴虚潮热，癫痫，失眠，目疾。

| **用法用量** | 内服煎汤，9 ~ 15g；或代茶饮。

地茶科 Thamnoliaceae 地茶属 Thamnolia

雪地茶 *Thamnolia subuliformis* (Ehrh.) W. Culb.

| 植物别名 | 雀石蕊。

| 药 材 名 | 雪茶（药用部位：地衣体）。

| 形态特征 | 地衣体枝状，高 4 ~ 8cm，稠密丛生，分枝单一或先端略有分叉，弯曲至扭曲，先端尖锐，呈针状或钩状，基部污色，逐渐腐烂；表面呈乳白色或灰白色，无光泽，光滑，有时带有浅凹陷，纵裂或小穿孔。经过长久保存的标本不易变色。

| 生境分布 | 生于山坡、草地及高山苔原带上。分布于吉林白山（抚松、靖宇、长白）等。

| 资源情况 | 野生资源较少。药材主要来源于野生。

雪地茶

| **采收加工** | 同"地茶"。

| **药材性状** | 本品呈圆管形，长 2 ~ 7cm，直径 2 ~ 4mm，单枝或先端略有分叉，弯曲至扭曲，先端尖锐，呈针状或钩状。表面灰白色或灰绿白色。质轻泡，易折断；断面呈空心管状，内管壁白色或淡绿色。气微，味微苦。

| **功能主治** | 同"地茶"。

| **用法用量** | 同"地茶"。

苔藓植物

蛇苔科 Conocephalaceae 蛇苔属 Conocephalum

蛇苔
Conocephalum conicum (L.) Dum.

| 药 材 名 | 蛇地钱（药用部位：全草）。

| 形态特征 | 植物体（配子体）为革质，深绿色，有光泽，多回二歧分叉的叶状体，长5～10cm，宽1～2cm，上面花纹很像一种蛇的皮；背面有肉眼可见的六角形或菱形气室，每室中央有1单一型的气孔；孔边细胞5～6列，最内层孔边细胞6～7；气室内有多数直立的营养丝，先端细胞呈梨形；腹面淡绿色，有假根，两侧各有1列深紫色鳞片。雌雄异株；雄托呈椭圆盘状，紫色，无柄，贴生于叶状体背面；雌托钝头圆锥形，褐黄色；有无色透明的长柄，长3～5cm，并具1假根沟，着生于叶状体背面先端；托下面着生5～8总苞，每苞内具1棍棒状梨形、有短柄的孢蒴。孢子褐黄色。

蛇苔

| 生境分布 |

生于林下湿地和沟谷岩石上。分布于吉林白山（抚松、靖宇、长白）等。

| 资源情况 |

野生资源较少。药材主要来源于野生。

| 采收加工 |

夏、秋季采收，鲜用或阴干。

| 药材性状 |

本品呈卷缩团块状，灰褐色。湿润展平后呈宽带状，革质，多回二歧分叉，长 5 ~ 10cm，宽 1 ~ 2cm，背面有肉眼可见的菱形或六角形气室，腹面两侧各有 1 列深紫色鳞片。雌雄异株。雄托呈椭圆盘状，紫色，无柄，贴生于叶状体背面，雌托呈圆锥形，柄长 3 ~ 5cm，着生于叶状体背面先端。气微，味淡。

| 功能主治 |

甘、辛，寒。归心、脾经。清热解毒，消肿止痛。用于毒蛇咬伤，疮痈肿毒，烫火伤，骨折，疔疮。

| 用法用量 |

外用适量，研末，麻油调敷；或鲜品捣敷。

地钱科 Marchantiaceae 地钱属 Marchantia

地钱 *Marchantia polymorpha* L.

| 药 材 名 | 地钱（药用部位：全草。别名：地梭罗）。

| 形态特征 | 植物体（配子体）为扁平，绿色，呈多回叉状分枝，伏地生长，边缘呈波曲状的叶状体，多数叶状体中间有 1 黑色带，背面为六角形，由整齐的气室分隔；每室中央具 1 气孔，孔口烟筒型，孔边细胞 4 个环绕，呈十字架形，气室内具多数直立营养丝；下部基本组织由 12 ～ 20 层细胞构成；腹面具紫色鳞片和成丛的假根，假根平滑或具横隔。雌雄异株；雄器托盘状，波状浅裂成 7 ～ 8 瓣，盘内有许多小孔腔，每个小孔腔内有 1 精子囊，托柄长约 2cm；雌器托扁平，边缘 9 ～ 11 指状深裂，在裂片间悬垂着颈卵器；孢蒴着生于托的腹面；托柄长约 6cm。叶状体先端常生有无性芽胞杯，杯缘有锯齿；芽胞圆瓶形。

地钱

| 生境分布 |

生于阴湿山坡、墙下或岩石上。吉林各地均有分布。

| 资源情况 |

野生资源较少。药材主要来源于野生。

| 采收加工 |

全年均可采收，洗净，鲜用或晒干。

| 药材性状 |

本品呈皱缩的片状或小团块。湿润后展开呈扁平阔带状，多回二歧分叉，表面暗褐绿色。可见明显的气孔。下面带褐色，有多数鳞片和成丛的假根。气微，味淡。

| 功能主治 |

淡，凉。清热，拔毒，生肌。用于刀伤，骨折，毒蛇咬伤，肝炎，肺结核，疮痈肿毒，烫火伤。

| 用法用量 |

外用适量，研粉调菜油外敷；或鲜品捣敷。

泥炭藓科 Sphagnaceae 泥炭藓属 Sphagnum

粗叶泥炭藓 *Sphagnum squarrosum* Pers.

| **植物别名** | 地毛衣。

| **药材名** | 粗叶泥炭藓（药用部位：全草）。

| **形态特征** | 植物体（配子体）较粗壮，黄绿色带白色。茎直立，高 10 ~ 15cm，表皮细胞壁薄，具水孔。分枝 4 ~ 5 丛生，多倾立。茎生叶疏生，舌形；无色细胞壁具分隔，稀具螺纹和水孔。枝生叶瓢状卵圆形，上部渐狭，边缘内卷，尖端背仰；细胞壁具螺纹及水孔；叶横切面绿色细胞偏于背面。雌雄同株。孢子黄色，具细疣。

| **生境分布** | 生于黄花落叶松林下、森林沼泽地上及低洼积水处。分布于吉林白山（抚松、靖宇、长白）等。

粗叶泥炭藓

| **资源情况** | 野生资源较少。药材主要来源于野生。

| **采收加工** | 全年均可采收，洗净，鲜用或晒干。

| **药材性状** | 本品呈缠绕的团状，黄绿色或黄白色。湿润展平后，茎长 10 ～ 15cm，有 4 ～ 5 丛生的分枝；茎生叶舌形，长 1.5 ～ 1.7mm；枝生叶瓢状卵形，较茎生叶稍大。孢子黄色。气微，味淡。

| **功能主治** | 甘、淡，凉。清热明目，止血，止痒。用于目生云翳，皮肤病，虫叮瘙痒。

葫芦藓科　Funariaceae　葫芦藓属　*Funaria*

葫芦藓 *Funaria hygrometrica* Hedw.

| **药 材 名** | 葫芦藓（药用部位：全草）。

| **形态特征** | 植物体（配子体）小形，黄绿色，无光泽，丛集或散列群生。茎长1～3cm，单一或稀疏分枝。叶呈莲座丛状着生于茎的中上部，舌状或长舌状，渐尖，全缘，平滑，仅苞叶先端具齿突；中肋粗壮，消失于叶尖之下。叶细胞疏松，近于长方形，薄壁。雌雄同株。雄苞顶生，花蕾状。雌苞生于雄苞下的短侧枝上，在雄枝萎缩后即转成主枝。蒴柄长4～5cm，红褐色，先端呈弧形弯曲，干燥时扭转，孢蒴平列或悬倾，不对称，梨形，背凸，红褐绿色；蒴盖平凸形；环带分化。蒴齿双层；齿片红褐色，披针形，先端色浅；内齿层短于外齿层；蒴帽兜形，具长喙，形似葫芦状。孢子黄绿色，具疣。

葫芦藓

| 生境分布 | 生于林缘、草地、农田及住宅附近。吉林各地均有分布。

| 资源情况 | 野生资源较少。药材主要来源于野生。

| 采收加工 | 春、夏、秋季采收，洗净，晒干。

| 药材性状 | 本品为皱缩的散株，或数株丛集的团块，黄绿色，无光泽。每株长可达 3cm，茎多单一，茎顶密集簇生众多的皱缩小叶，湿润展平后呈长舌状，全缘，中肋较粗不达叶尖，有的可见紫红色细长的蒴柄，上部弯曲，着生梨形孢蒴，不对称，蒴帽兜形，具长喙。气微，味淡。

| 功能主治 | 辛、涩，平。归肺、肝、肾经。祛风除湿，舒筋活血，镇痛，止血。用于肺热吐血，跌打损伤，湿气脚痛，鼻窦炎，关节炎。

| 用法用量 | 内服煎汤，30 ~ 60g。外用适量，捣敷。

提灯藓科 Mniaceae 提灯藓属 Mnium

尖叶提灯藓
Mnium cuspidatum Hedw.

| 植物别名 | 匐灯藓。

| 药材名 | 水木草（药用部位：全草）。

| 形态特征 | 植物体（配子体）疏丛生，鲜绿色或黄绿色。生殖枝直立，高2～3cm，基部叶疏而小，渐上叶变大，常呈冠丛状丛生；营养枝在生殖枝基部或先端生出，长达10cm或更长，常呈弧形弯曲。先端和基部叶小，中部叶大，均匀着生；叶在干燥时卷缩，潮湿时舒展，基部收缩，倒卵形或椭圆形，渐尖，生殖枝上的叶较狭长，营养枝上的叶较宽短；叶缘明显分化，上部有锯齿；中肋长达叶尖或稍凸出；叶细胞六边形，薄壁。雌雄同株。蒴柄直立，长2～3cm，红色。孢蒴短椭圆形，倾斜或悬垂。蒴齿褐黄色；内齿层具穿孔。孢子成熟于初夏。

尖叶提灯藓

| 生境分布 | 生于林地、潮湿石头及树干基部上。分布于吉林白山（抚松、靖宇、长白）等。

| 资源情况 | 野生资源较少。药材主要来源于野生。

| 采收加工 | 夏、秋季采收，洗净，晒干。

| 药材性状 | 本品为皱缩的散株，或数株丛集的团块，黄绿色。长 2 ~ 3cm。顶部密集簇生叶片，假根黄棕色，密集于植物体下部；营养枝匍匐或呈弓形弯曲。生殖枝上的叶较狭长，卵状椭圆形，长约 7mm，宽 4mm，渐尖；营养枝的叶较宽短，长约 5mm，宽 4mm；叶缘分化，上部有锯齿，下部全缘，中肋单一达顶。雌雄同株；蒴柄直立，长 2 ~ 3cm，红色；孢蒴下垂，卵圆形。

| 功能主治 | 淡，凉。归肝经。凉血止血。用于鼻衄，崩漏。

| 用法用量 | 内服煎汤，9 ~ 12g。

万年藓科 Climaciaceae 万年藓属 Climacium

万年藓 *Climacium dendroides* (Hedw) Web. et Mohr.

| 植物别名 | 毒芹。

| 药 材 名 | 万年藓（药用部位：全草）。

| 形态特征 | 植物体形粗壮，黄绿色。略具光泽，大片疏松丛生。雌雄异株。主茎匍匐，横展，具假根及膜质鳞状小叶；支茎直立，长 5.5 ~ 8.5cm，下部不分枝，上部密生羽状分枝；枝多直立。密被叶，先端钝。茎上部叶及枝基部叶卵状披针形，基部略下延，上部阔披针形，先端常呈凹形，叶缘具粗齿；中肋单一，长达叶尖终止，背部平滑。叶细胞壁薄，基部细胞狭长方形，上部细胞狭菱形；角细胞圆形，排列疏松，无色透明，无叶耳；枝叶较小，狭长披针形，叶缘中上部有锯齿。蒴柄长 2 ~ 4cm，红色，平滑。孢蒴直立，长柱形；蒴盖长圆锥状；无环带分化。蒴齿两层；外齿层红褐色基部相连，具黄

万年藓

色疣状边缘；内蒴齿橘黄色，具低基膜，齿条狭线形，具纵形穿孔，无齿毛分化，内齿层齿条长于外齿层齿片。孢子黄色，直径 12 ~ 25μm，蒴帽兜形。

| **生境分布** | 生于潮湿的针阔叶林下或沼泽地附近。分布于吉林白山（抚松、靖宇、长白）等。

| **资源情况** | 野生资源较少。药材主要来源于野生。

| **采收加工** | 春、夏季采收，洗净，晒干。

| **药材性状** | 本品地下茎具假根及膜质鳞状小叶。地上茎多分枝，密布绿色鳞毛。茎上部的叶及分枝基部的叶展开呈宽卵状三角形或卵状披针形，基部略下延；中肋单一，达于叶尖前终止。分枝上部的叶较小，狭长披针形，叶缘锯齿达于中部。蒴柄细长，红色；孢蒴长柱形；蒴盖高圆锥形；蒴帽兜形，包盖全孢蒴。气微，味苦。

| **功能主治** | 苦，寒。祛风除湿，活血散瘀，止痛。用于风湿劳伤，筋骨疼痛。

| **用法用量** | 内服煎汤，6 ~ 9g。

金发藓科 Polytrichaceae 金发藓属 Polytrichum

大金发藓 *Polytrichum commune* L. ex Hedw.

| **植物别名** | 金发藓。

| **药 材 名** | 土马鬃（药用部位：全草。别名：土马棕）。

| **形态特征** | 植物体（配子体）密集丛生或稀疏丛生，绿色或深绿色，老时黄褐色。茎高 10 ~ 40cm，直立，不分枝或稀分枝，常扭曲，无须根，或基部具少数假根。叶丛生于茎上部，鳞片状，基部呈鞘状，上部长披针形，叶尖卷曲，边缘有密锐齿，中肋达于叶尖，凸出成刺状小尖，红褐色具齿，腹面具多数栉片。雌雄异株；雄株稍短，先端生雄器，似花苞状；雌株较大，顶生孢蒴，孢蒴直立，成熟后平裂，红褐色，蒴帽有棕黄色毛，蒴盖扁平，具短喙；托部盘状；蒴齿单层。孢子小，圆形，黄色，平滑。

大金发藓

| 生境分布 | 生于阴湿山坡或森林沼泽地上。分布于吉林白山（抚松、靖宇、长白）等。 |

| 资源情况 | 野生资源较少。药材主要来源于野生。 |

| 采收加工 | 夏、秋季雨后采收，晒干。 |

| 药材性状 | 本品为数株丛集在一起的团块，株长 8 ～ 25cm，黄绿色或黄褐色。湿润分离后，每株茎单一，有的扭曲，叶丛生在茎上部，展平后上部叶披针形，渐尖，中肋突出叶尖呈刺状，腹面可见栉片，叶缘有密锐齿，基部鞘状较宽；下部叶鳞片状。茎下部可见须状假根，有的雌株具棕红色四棱柱形的孢蒴，脱盖后的孢蒴口具 64 个蒴齿。气微，味淡。 |

| 功能主治 | 苦，凉。归肺、肝、大肠经。收敛止血，清热解毒，补肾，通便。用于刀伤出血，鼻出血，吐血，便血，血崩，肺痨，痈毒。 |

| 用法用量 | 内服煎汤，10 ～ 30g；或入丸、散。外用适量，捣敷；或研末调涂。 |